KB082280

무용예찬

손민수

작가의 말

글을 엮어가면서 지나간 시간을 아쉬워합니다. 그 아쉬운 마음마저 여기에 담으려니 협소한 빈 여백이 매우 애석하게 느껴집니다. 이곳 의 기록은 스무 살부터 스물세 살 겨울나기까지 끄적거린 일종의 낙서장이기도 하고 지극히 작은 독후감(讀後感)입니다. 사람을 만나면 그 사람과 주고받은 "말"이 오롯이 남는다고 생각합니다. 사람을 만나러 왕래하러 가는 길과 거기에서 우연히 마주친 사람들의 표정들, 나의 만남에는 타인의 수많은 관계를 들여다보는 일이기도 합니다. 꼭 사람 관계뿐만 아닙니다.
독후활동에도 수없이 주고받아야 하는 말이 있습니다.

독후(讀後)활동은 독(獨)하게 이뤄집니다. 혼자(獨) 그 긴 시간 동안 우연히 마주친 사람들의 표정을 곱씹어보면서, 이름도 모르는 타인의 마음을 헤아리면서, 깨닫게 되는 순간을 담았습니다.

깨달음은 그냥 오는 법이 없습니다. 마찰에서 시작되기 합니다. 때로는 부딪침에서 오기도 합니다. 제 작은 깨달음을 여기에 두었습니다.

이제 제 손을 떠나는 과거의 "나"를 안녕히 보내주려고 합니다. 힘들었고 어려웠던, 그렇기에 미숙하게 하나씩 배워가던 스무 살부터의 "나"를 위해서 기도해주렵니다.

이 책을 읽게 되실 분이 누가 될지 모르겠습니다. 여기에서 마주치는 감정이 있다면, 동서양 고전의 생각에서 마주치게 된 감정이 있다면 소중하게 다뤄주시길 바랍니다.

어느 글은 지금, 이 순간에만 유효하기 때문이죠, 지금 곁에 있는 사람도 지금, 이 순간 작은 시간 속에서만 유효하기도 합니다.

이 글을 엮어가면서 괴로운 시간이 더러 있었습니다. 몸이 아프기도 했고 저를 둘러싼 여러 관계에서 고초를 겪기도 했죠, 그 시간이 없었다면 혼자(獨) 산등성 바위 아래서 독후(讀後)활동은 하지 못 했을 거 같네요.

이런 의미로 저는 모든 시간 속의 당신을 응원합니다. 보잘것없이 느껴지는 그 순간에서 배워가는 게 더러 있습니다. 그걸 나눠주는 어른이 되길 기도합니다.

모든 시간 속에서 당신을 응원하는 아주 작은 스무 살의 손민수 올림.
2024.2월의 어느날

목차

1. 인문 예찬

부재의 의미

부재(不在)를 막연하게 생각해봅니다. 무언가의 상실을 한다는 것은 추상적인 죽음의 의미를 끌어와서 구체적인 사건으로 경험하는 일입니다. 철학에서 유한(有限)이라는 말이 있습니다. 기한이 있다는 말은 언젠가 이별해야 한다는 선고입니다. 우리는 모두 선고받은 존재입니다. 알베르 카뮈는 스스로 실존주의자라고 불리기 싫어했지만, 그의 생각은 누구보다 실존적이었습니다. 사람은 모두 죽음을 기다리는 사형수다! 카뮈가 가진 생각은 우리 모두 "선고받은 사형수"라고 말하고 있죠. 죽음을 기다리면서 사는 날은 노년기에 이른 어르신을 볼 때 절절하게 와닿습니다. 생명의 시간을 소진한 피부는 이미 축 늘어져 있고, 기억력은 이미 가물가물하게 기억합니다. 기한을 다한 사람은 부동자세로 눈을 감고 움직임이 없습니다. 아무리 이름을 불러도 붙잡고 흐느껴도 미동이 없습니다.

나는 언젠가 죽어야 합니다. 많은 이름과 이름에 남겨진 절실한 기억은 남겨준 채 먼 길을 떠나야 합니다. 우리는 먼저 죽음을 배워야 합니다. 죽음을 배우지 못하면 사랑을 배울 수 없습니다. 진정한 평등이란 죽음을 염두에 둔 게 아닌가 싶습니다.
사랑한다고 착각하는 사람을 떠나보내야 하고, 나 역시 눈을 감고 부동자세로 미동 없이 잠자코 있어야 합니다. 삼일장을 치르고 누군가는 눈물을 흘리고 누군가는 꼬시다며 웃을 수 있습니다. 아우렐리우스 황제의 말처럼 우리는 머지않아 모든 이에게 잊혀질 존재입니다. 나는 죽은 사람을 기억하고, 언젠가 죽을 예정입니다. 그리고 나를 기억하는 존재도 곧 죽을 예정입니다. "나"라는 존재는 한순간 뿐입니다. 잊혀질 존재입니다. 오로지 시간의 경계선에서 잠깐, 기적처럼 기억되고 움직일 수 있는 생명체입니다.

우리는 언젠가 떠나야 합니다. 죽음은 타자(他者)의 전유물이 아닙니다. 장례의 의미는 타자의 상실에서 닥쳐올 죽음을 미리 엿보는 일입니다. 독일 철학자 마르틴 하이데거(martin-Heidegger)는 인간의 기본적인 마음 상태는 늘 "불안"에 처해있다고 말합니다. 오직 인간만이 본인의 죽음을 미리 앞질러가서 "상상"할 수 있는 존재라서 그렇죠. 우리는 유일하게 다른 종과 다르게 본인의 죽음을 생각하고 곱씹을 수 있는 존재입니다.

부재(不在)는 참 슬픈 일입니다. 내가 기억하는 이가 오직 "기억" 속에만 남겨지는 일입니다. 기억 속에 남겨진 사람이 참 많습니다. 우리가 타인을 향해서 너그러워질 수 있을 때는 오직 죽음을 기억할 때입니다. 죽음은 타자의 유물이 아니라 공유물입니다.
너의 것도 아니고 나의 것도 아닌, 우리 모두 경험하고 슬퍼해야 할 문제입니다.

부재하는 그 빈자리에 무성한 잡초와 야생화 한 줄기가 힘없이 일어납니다.

열두 살의 일기

2012년 여름날 외할아버지가 돌아가셨다. 어머니는 화장대 앞에서 울고 계셨고, 나는 한참 동안 가만히 서 있었다. 아버지는 내 어깨를 두들기고 얼른 옷을 갖춰 입으라고 말했다. 나는 무슨 옷을 입어야 하냐고 물었고 최대한 간소하게, 그리고 검은색 상의로 입으라고 말씀하셨다. 어머니는 꾹꾹대면서 눈물을 참았고, 우리 집 거실은 아무것도 없었다. 티비 소리도 들리지 않고 발걸음 소리도 들리지 않았다. 나는 한참 동안 화장실 앞에서 기웃거리면서, 대략 5분 정도 전신 거울 앞에서 머리카락과 이마 사이를 헤집으며 "돌아가셨다."라는 말을 반복했다. 돌아가시다. -타계(他界)하시다.
-영면(永眠)하시다. 죽음을 표현(表現)하는 말은 많았지만 지금 당장 내 앞에 떨어진 이 죽음의 의미는 말로 그 모습을 드러낼 수 없었다. 한쪽 다리를 절고, 늘 촌스러운 빨간색 스웨터를 입고 있으시면서 소주 팩을 외할머니 몰래 숨기시는 개구쟁이 같은 그 얼굴은 이제 볼 수 없는 걸까 싶었다. 그렇다면 죽음이라는 것은 "영영 볼 수 없는"상태가 지속된다는 뜻인걸까? 나는 오 분 동안 느린 시간을 붙잡고 물어봤다.
야속한 시간은 대답을 해주지 않았다. 아버지가 거실에 앉아서 얼른 옷을 갈아입으라고 하신다. 내 기억이 맞다면 나는 대꾸도 하지 않고 울었던 기억이 난다. 타계하셨다. 영면하셨다. 깊이 잠에 드셨다. 죽음을 표현하는 말은 의미가 없었다. 내가 울었던 이유는 딱 한 가지다. 다시는 외할아버지랑 대화할 수 없었기 때문에.

일곱 살의 나는 방학 때만 되면 서울 서대문구 문화촌길 "문화촌 현대 아파트"에서 한 달 동안 외할아버지와 외할머니와 지냈다. 이유는 모르겠지만 한 달 동안 외할아버지는 나를 보살펴 주셨다. 외할아버지는 어려운 환경 속에서 학업을 포기하지 않고 도전하셨다.

부산대학교 의약과를 졸업하고 약사로 30년 이상 지내셨다고 들었다. 나는 외할아버지한테 약사 가운을 보여달라고 말했고 외할아버지는 장롱에는 없다며 대신에 사진을 보여주었다. "우와 외할아버지되게 젊다" 막 일곱 살 된 나로서는 최고의 감탄사라고 볼 수 있다. 외할아버지는 장난기가 많으셨다. 나는 그 점이 좋았다. 마치 내 또래 친구랑 대화하고 장난치는 것 같았고 10년이 지난 지금 생각해보면, 실제로 외할아버지는 순수하셨다.

외할아버지는 부산에서 자라셔서 입맛도 해산물을 참 좋아하셨다. 문화촌 아파트 근처에는 12분이나 떨어진 "인왕 시장"이 있었고 나랑 외할아버지는 걸어서 자주 들렸다. 해산물을 좋아하셔서 내가 아무리 떼를 써도 고기 한 점 사 주시지 않았다. 나보고 경도 비만이기 때문에 살찌는 고기 대신 살 안 찌는 고기를 먹자고 설득하셨다. 나는 살 안 찌는 고기가 어디 있냐며 한사코 따라가면 늘 대구탕에 들어가는 조기나 직화구이로 구워 먹을 고등어, 죄다 해산물만 사오셨다. 그래도 나는 좋았다. 뭐가 좋았는지 이제 와서 보면 제대로 알 수도 남길 수도 없지만. 나는 외할아버지가 호탕하게 웃는 그 미소와 독특한 인중이 좋았다. 웃는 소리만으로, 기억할 수 있어서 참 감사했다.

열두 살에 영정 사진을 처음 마주했다. 내 앞에 서 있는 사진 속의 외할아버지는 호탕하게 웃지도 않았고 장난기도 없는 아주 근엄한 표정을 짓고 계셨다. 나는 왠지 모르게 낯설었고 모든 걸 떠나서 조문객들의 표정이나 장례식장의 삼일장, 육개장을 퍼먹는 소리, 옆에서 들리는 울음소리, 안쪽 방에서 웃는 소리들. 모든 환경이 낯설었다.
외할아버지는 저기 저 밑에 누워계신다. 내가 웃는 표정을 짓고 "외할아버지!"라고 말하면 당장 일어나서 "에구 왜 이렇게 늦게 와!"라고 말할 것만 같았다. 그러나 더는 그럴 수 없었다. 시간은 우리를 갈라놓고, 살아 있는 "열두 살의 나"와 "아무런 기척 없이 누워있는 외할아버지"는 더 이상 한 공간에 있지 않았다. 죽음의 의미는 뒤늦게, 먼 나중에서야 깨달을 수 있었고, 의미보다 죽음의 느낌을 먼저 느꼈다.

장례 조문으로 사람이 붐볐다. 외삼촌과 이모는 꽤나 사회에서 잘나가서 그랬나 싶었다. 장례 조문을 오는 사람은 죄다 검정색을 갖춰입고 근엄한 외할아버지 사진 앞에서 고개를 숙이고 큰 절을 두 번씩 올렸다. 그리고 육개장을 먹고 소주를 마셨다. 사람들은 오해할 것만 같았다. 평소에 외할아버지는 근엄한 표정보다는 웃고, 장난기넘치는 입꼬리를 지으신다고 알려주고 싶었다. 그러나 그러지 못했다. 조문오는 사람들은 외할아버지를 모른다. 그리고 안다고 해서달라질 것도 없었다. 죽음 앞에서 그동안 못 본 얼굴도 보고, 또 하나의 "마주침"이 생긴다. 누워계시는 외할아버지는 아마 고마워하기도 하고, 누가 오지 않았는지 체크도 하고 계실 거라 생각했다. 그리고 내가 걱정했던 점, 평소의 표정을 조문객에게 말하지 못해서답답해하는 열두 살짜리 꼬마애는 어떻게 받아들일까? 우스꽝스럽고, 한편으로는 미안하기도 했겠지 싶었다.
죽음을 받아들인다는 것은 무엇일까 생각했다. 사람들은 왁자지껄대화하고, 말(言)소리는 다른 말(言)소리와 만나서 반가운 소리가 된다. 육개장을 퍼먹고 소주잔을 비우고 사람들은 두 번 절을 하고 침묵의 시간을 갖는다. 어쩌면 죽음의 순간은 끊이지 않고 이어지는침묵이 아닐까 싶었다. 침묵은 고요하지만, 때로 시끄러울 수 있구나.

열두 살의 나는 그렇게, 죽음의 윤곽(輪廓)을 더듬고 있었다.

열두 살이 지나고 열세 살이 되어 졸업했다. 중학생, 고등학생이 되었고 어느덧 졸업생이 되었지만, 외할아버지의 사진은 남겨두지 못했다. 외할아버지는 언제나 근엄한 표정으로 남아계신다. 웃고 있는, 개구쟁이 같은 그 표정을 볼 수 있으면 좋으련만. 기도할 때, 외할아버지를 위해서 기도한 적도 많다. 죽음은 기억되지 않으면 어떤 의미가 있을까, 그러나 외할아버지를 기억하고, 영정 사진 속 근엄한 표정을 기억하는 열두 살, 그리고 스물세 살의 나도, 언젠가 죽는다. 죽음 속으로 기어가고, 영원히 이어지는 침묵 속으로 걸어간다. 그때는 못 본 척, 나는 살아가지만 혼자 계시는 외할머니를 볼 때마다, 삶이 벼랑 끝까지 내몰려 힘들어하는 사람을 볼 때마다, 외할아버지가 생각난다.
"민수야 웃어! 웃어야 해!"

웃음은 가장 슬픈 기억이 된다. 웃음은 또 한 번의 장례를 지내기 때문에. 나는 이제야 죽음의 의미를, 그것도 나만의 의미로 받아들일 수 있었다. 죽음은 공평하고, 슬퍼하게 만든다. 오랜 시간 간직하게 만들고 이름만 들어도 슬프게, 때로는 찬란하게 기억하게 만드는 힘이 있다. 그래서 웃음은 하나의 형식이다. 나는 검정색을 볼 때마다, 근엄한 어르신의 표정을 볼 때마다 팔 순 잔치를 하는 사람을 볼 때마다, 그 생각을 한다. 많이 웃자, 사랑하는 사람과 앞으로도 사랑해야 하는 사람을 앞에 두고 많이 웃자. 웃는 순간을 많이 담아두자. 그리고 나중에, 먼 나중에 영정 사진 앞에서 슬퍼하자. 웃음의 꼬리를 물고 어느새 울음이 도착한다. 열두 살의 나는 아직도 전신 거울 앞에 서 있다. 돌아가시다. 돌아가시다. 영원히 그 침묵 속으로. 하늘 어딘가에, 오두막 하나 짓고 내 마음 슬픈 날에 대신 울어주는 그 이름을 간직한다.

"외할아버지. 정영기" 오랫동안 슬퍼하고 간직할 이름을 두고 기도
한다.

사랑에 관한 시론_ 플라톤의 <향연> 인용

사람은 본성은 고독(孤獨)입니다. 자궁 속에서 자그마치 열 두 달을 혼자 보내고, 바깥과 이어진 유일한 탯줄을 영양분으로, 움직입니다. 아리스토텔레스 선생님은 인간을 "움직임"으로 이해했습니다. 우리는 한시도 가만히 있지 못 하고 신체 기관 속 왕성한 움직임을 기반 삼아 살아갑니다. 고독이라는 상태는 정적이 아니죠. 무척 동적입니다. 고독은 밤의 끝없는 연장이자, 희망 없음을 예찬하는 공간입니다. 사회 구성원은 다양한 감정을 느끼지만, 우리가 "관계"를 유지하는 데 필요한 감정의 형태는 "고독에서 벗어나려는 움직임"이라고 해석할 수 있습니다. 인간은 고독에서 벗어나기 위해서 취미를 만들고, 사람을 만납니다. 그렇다고 타인의 고독과 나의 고독이 완전히 말소되진 않습니다. 어쩌면 우리는 고독에서 벗어나기 위해서 "사랑한다."고 느끼는 감정에 속고 사는 것일 수 있습니다. 사랑은 추상 명사라서, 분명한 지시 대상이 없습니다. 광범위하고, 모호한 게 "사랑"이라는 추상 명사입니다. 그래서 어원만 따져보면 "사랑"의 속성을 세 가지로 나눌 수 있습니다. 순서대로 나열해보자면 <Agape> <philos> <Eros>로 구분됩니다. 세 가지 모두 ~무언가를 사랑한다는 의미지만 말했다시피 "성질"이 현격히 다릅니다. 오늘 살펴볼 사랑의 속성은 <Eros>라서 중점적으로 다루고 나머지 속성도 다른 글에서 다루겠습니다.

플라톤 저작 <향연>의 배경은 시인 아가톤이 비극 시 대회에서 우승하자, 자신의 집에서 사람들을 초대해 술잔치를 벌이는 내용입니다. 당대 아테네 사회에서 "향연"잔치는 족히 3일에서 4일 정도 벌였다고 전해집니다. 그렇다면 <향연>의 주된 주제는 무엇일까요? 바로 에로스 신의 찬양이 주제입니다. 그리스 문명, 거기서 아테네라는 도시국가에서는 "동성애 성관계"가 법적으로는 금지되었지만,

암암리에 진행되고 있었습니다. 조금 더 정확히 말하면 "소년애"라고 해야 합니다. 돈 많은 부자 노인과 돈 없는 미소년이 성적 관계를 가졌다고 전해집니다. 보통 항문 성교보단, "미소년의 종아리"로 성관계를 가졌다고 하네요. 여하간, 도대체 에로스라는 사랑의 신이 무엇이길래, 찬양하는데 분주했을까요? 여기서 제가 인용하는 구절은 당대 소크라테스를 비판한 시인 아리스토파네스의 에로스 찬양 부분을 인용하면서 "에로스 성향의 사랑"이 무엇인지 밝히고자 합니다.

"에로스 신은 신들 가운데서도 인간에게 가장 우호적이고 기꺼이 사람을 돕는 분이어서, 인류가 최고의 행복을 누리는 데 방해가 되는 것을 치료하시는 분이네 (중략)
먼저 자네들은 인간의 본래 모습이 어떠했는지 그리고 그 모습이 어떤 변화를 겪었는지 알아야 하네. 오래전 우리 모습은 지금과 같지 않고, 완전히 다른 것이네. (중략)
인간의 성(性)은 세 가지가 있어서, 지금처럼 남성과 여성이라는 두 성만 있었던 것이 아니라, 남성과 여성을 함께 가진 세 번째 성이 있었는데, 지금은 그 이름만 남아 있을 뿐이고.(중략) 다음으로는 모든 사람의 형태가 완전히 둥근 공 모양이었다네.
등과 양 옆구리도 둥글었고, 거기에 네 개의 팔, 그리고 팔과 동일한 수의 다리가 있었으며, 둥근 목 위에는 모든 점에서 똑같이 생긴 두 개의 얼굴이 있었지, 서로 반대 방향을 바라보고 있는 두 개의 얼굴 위에 한 개의 머리와 네 개의 귀와 두 개의 생식기가 있었고, (중략) "
- 플라톤 <향연> 아리스토파네스의 에로스 예찬 인용

아리스토파네스의 직업은 "시인"입니다. 당대 시인은 현재의 성직자라고 볼 수 있어요, 시인은 하늘에 있는 신들의 목소리를 신들의 매개체인 "뮤즈 (Muse)"를 통해서 듣고, 직접 기록하며 찬양하는 일을 주로 삼았습니다. 위의 설명은 "에로스 신"과 인간의 본래 모습을 설명하는 대목입니다. 아리스토파네스에 따르면 인간은 원래 "두 몸"이 "한 몸"으로 달라붙어 있었다고 합니다. 마치 둥근 공 모양처럼요. 서로 등지고 두 개의 팔, 두 개의 머리가 붙어 있기 때문에 신들도 버거울 정도로 막강한 힘과 지능을 가지고 있었다고 전달합니다. 그러니까 올림포스를 점령한 제우스가 조금 쫄았어요. 제우스 관점에서 둥근 공 모양의 인간을 가만히 내버려 두면 자꾸 기어오르니까, 이참에 확 말살하자고 합니다. 그러나 지상에 남아 있는 인간을 모두 절멸시키면 "공양"하고 "제사"를 드릴 존재가 사라지기 때문에 고민하기 시작합니다.

"그런데 제우스가 가까스로 무엇인가를 생각해냈다네, '인간들이 생존해 있으면서도, 그들의 힘을 약화시켜 오만방자하게 행하는 것을 막을 방도를 내가 생각해냈소.' 그러면서 이렇게 말했다네. '이제 나는 인간 개개인을 둘로 쪼개려고 하오, 그러면 한편으로는 힘이 약해질 것이고. 다른 한편으로는 수가 늘어나서 우리에게 이득이 될 것이오. (중략) 제우스는 이렇게 말하고는, 사람들이 마가목 열매를 저장하려 할 때 두 쪽으로 쪼개거나, 머리카락으로 삶은 달걀을 자르는 것처럼, 사람들을 둘로 쪼갰다네."
- 플라톤 <향연> 아리스토파네스의 에로스 예찬 인용

제우스는 묘책을 생각해냅니다. 둥근 공 모양의 인간을 "둘"로 쪼개버리면 힘도 약화되고, 제사와 공양을 드릴 수도 많아지니 여러모로 이득을 취할 수 있다고 합니다. 동시에 지상에 남아 있는 모든 인간을 "둘"로 쪼개버립니다. 살가죽이 찢어지는 고통을 느끼면서 말이죠. 다른 구절을 살펴보면, 제우스가 아폴론한테 명령을 내립니다. 살가죽이 뜯겨나간 뒷모습을 제대로 응시할 수 있도록 "인간의 머리"를 돌려버립니다. 그리곤 뜯겨나간 살가죽을 메우기 위해서 나머지 살덩이를 한곳에 모아줍니다.

"배꼽"은 이런 흔적이라고 하면서 말이죠. 인간의 신체는 아리스토파네스 말대로라면, 살가죽이 뜯겨나간 그 흔적을 향해 있습니다.

"인간의 원래 모습이 둘로 쪼개지자, 사람들은 자신의 반쪽을 그리워하며 만나려고 했고, 서로 부둥켜안고 뒤엉켜서 한 몸이 되고 싶어 했네. (중략) 이렇게 해서 아주 오래전부터 사람들은 서로를 열렬히 사랑하려는 에로스의 열망을 지고 태어난 것이네. 에로스는 둘로 쪼개진 인간의 모습을 다시 결합시켜 하나로 만들어서, 현재 인간의 병든 모습을 치료함으로써, 인간이 저 옛날에 원래 지니고 있던 모습을 회복하게 하는 것이기 때문이지."
- 플라톤 <향연> 아리스토파네스의 에로스 예찬 인용

인간의 본성은 다시 "고독(孤獨)"을 지향하게 됩니다. 아리스토파네스의 말대로, 우리는 제우스의 심판을 받아 둘로 쪼개진 불완전한 존재입니다. 우리가 그토록 타인을 열망하는 이유, 타인을 "사랑한다"고 착각하는 이유도 아리스토파네스의 말처럼, "찢겨진 살가죽과 배꼽의 흔적"을 쳐다보면서 나의 공백을 메워줄 타인을 찾아 나서기 때문입니다. 불안과 고독은 모두 "공백"에서 시작합니다. 공백은 무언가 상실된 상태에서 채워지지 않는 "공간"과 "시간"을 이야기합니다. 사람이라면 모두 "공백" 속에서 살아가야 합니다. 자궁에서 벗어나, 마주친 세상은 어떻습니까. 라캉의 말대로 우리는 "나"와 "어머니"를 구분하지 못하다가, 어느 순간 구분하게 되면 한평생 "어머니"를 대체할 공백을 메우기 위해서 고군분투합니다.

사랑을 추상 명사라고 소개했습니다. 지시 대상이 명확하지 않고, 그 범위가 무척 모호한 상태죠. 아리스토파네스의 이야기를 토대로 추상 명사를 구체적으로 끌어오면, 이렇게 이야기할 수 있습니다. 사랑이란, "공백"을 메우는 필사적인 노력이다.라고요.

우리의 신체는 타인을 향해서 걸어갑니다. 배꼽과 찢겨진 살가죽의 메아리를 들으면서, 나와 꼭 들어맞는 타인을 향해서 걸어갑니다. 그리스에서는 주사위를 "절반"으로 갈라서 둘이 나눠 갖고 신분을 확인할 때 사용했다고 합니다. 위에서 언급된 "절반"은 "주사위"로 번역된다고 하네요. 원래는 단일한 한 몸이었던 존재는 신들의 두려움으로 절단되고 흩어집니다. 우리의 고독은 "그 대상"을 찾아 나서는 슬픈 몸부림일지도 모릅니다.

"그런 식으로 둘이 하나로 결합되어서 온전하게 된 것이 바로 인간의 원래 모습이기 때문이라네. 그리고 그러한 온전함을 열망하고 추구하는 것에 붙여진 이름이 바로 에로스라네."
- 플라톤 <향연> 아리스토파네스의 에로스 예찬 인용

그리스 신화에서 첫 번째로 등장하는 신 "chaos"는 "입을 벌리고 서 있다."라는 의미도 함축되어 있다고 합니다. 우리가 이야기한 존재의 공백은 마치 카오스의 의미처럼, 한평생 뜯겨나간, 부재의 공간을 메우기 위해서 분투하는 과정일지 모른다고 했습니다. 에로스는 보통 젊은 남녀의 육체적인 관계라고 지칭되지만, 아리스토파네스의 이야기를 통해서 우리는 조금 더 깊이 생각할 수 있게 되었습니다. 인간은 공백을 견디지 못한다는 점, 그리고 그 공백에서 "사랑"이 발생한다는 점. 플라톤 선생의
<향연>이었습니다.

사진과 영원성_ 플라톤의 <향연> 인용

발터 벤야민의 책 <기술적 복제시대의 예술작품>에서 화두가 되는 메시지는 다음과 같이 정리할 수 있습니다. "사진은 예술작품의 아우라(Aura)를 강탈한다."라고 말이죠. 그림과 사진의 공통분모를 생각해봤습니다. 두 요소는 모두 "현실(real)"을 반영한다는 특징을 공유합니다. 초창기 비트겐슈타인이 "그림 이론"이라고 지칭한 이유가 괜히 그런 게 아닙니다. 비트겐슈타인은 언어도 "현실"을 묘사할 뿐이지, 추상적인 이야기는 해서 안 된다고 생각했습니다. 마찬가지로 언어, 그림, 사진 모두 "현실의 반영"이라는 특징을 폭넓게 공유하고 있습니다. 그림과 사진은 "현실을 반영"하긴 하지만, 단, 한 가지 요소는 의도적으로 공유하지 않습니다. 무엇일까요? 바로 "시간성"입니다. 사진과 그림은 "시간의 개념"을 무시합니다. 모두 박제되는 셈이죠.

플라톤이 살던 시대는 아테네라는 도시국가가 정점을 찍고 내리막을 걷는 시점이었습니다. 페리클레스 장군으로 상징되는 아테네의 직접민주제(추첨), 삼단 노선, 민회와 평의회의 제도와 비극 작품의 부흥, 문화적인 차원에서도 아테네는 일류를 찍었지만,
라케다이몬(스파르타)과 내전을 겪으면서 쇠락하게 되죠. 플라톤은 이 시기에 활동했습니다. 국가의 영광을 잃고, 제도가 변하며 공동체의 가치가 분열되는 시점에서 말이죠. 플라톤은 화자 소크라테스를 내세워 "변하지 않는 공동체의 가치"를 추구했습니다. 앞에서 언급한 대로 "사진, 그림"처럼 시간에 영향을 받지 않는 불변의 가치를 추구했죠.

"'그렇다면 사람은 좋은 것이 자신에게 있는 것을 사랑한다는 말을 덧붙여야 하지 않을까요?' '덧붙여야 합니다.' 그녀는 말했다네. '그

렇다면 <있는>이 아니라, <항상 있는>이라고 해야 하지 않나요? '그것도 덧붙여야 합니다.' "
- 플라톤 <향연> 소크라테스가 들려준 에로스 이야기 인용

위 대화는 가상의 인물인 디오티마 입에서 들려주는 이야기입니다. 디오티마는 "좋은 것"의 속성으로 "항상 있는 것"이라고 이야기합니다. 그렇습니다. 우리는 변하는 것보다, 변하지 않는 것을 좋아합니다. 영원히 간직하고 싶어 하죠. 저는 그래서 학생들이 인생 네 컷을 찍고, 스토리에 공유하고, 인스타그램에 박제하는 이유가 여기에 있다고 생각합니다. 비단 학생들뿐만 아닙니다. 권력자가 건축물을 남기는 이유, 어떻게든 업적을 남기고 이름을 남기려는 이유는 모두 "잊혀지고 싶지 않다"라는 욕망, 타고난 인간의 욕망에서 비롯된 감정들입니다. 우리는 사라집니다. 추상 명사인 "죽음"이 실제 삶에 개입할 때 우리는 속절없이 물러나야 합니다. 디오티마는 소크라테스한테 이렇게 말하고 있어요. "인간이 좋다고 생각하는 것은 반드시 시간성을 무시해야"한다고 말이죠. 우리는 변하지 않는 것을 간직하고 싶어 합니다. 추상 명사는 모두 이런 특징을 가지고 있죠. "사랑"만 봐도 그래요. 사랑의 속성은 "기한이 없고 변하지 않는"것을 전제하잖아요.

" '그렇다면 좀 더 쉽게 말해보지요. 소크라테스여, 모든 사람은 몸을 따라서나 영혼을 따라서나 잉태를 하고 있다가, 인생의 어느 시기가 되면 본성적으로 출산하기를 원하죠 (중략)이 일은 신적인 것입니다. 잉태와 출산은 살아 있지만 죽을 수밖에 없는 필멸의 존재들 안에 있는 영원히 죽지 않는 불사의 요소니까요."
- 플라톤 <향연> 소크라테스가 들려준 에로스 이야기 인용

디오티마는 인간이 얼마나 "변하지 않는 것"을 추구하는지 "출산과 잉태"로 설명합니다. 출산은 나의 유전자 절반을 남겨주는 행위입니다. 갑자기 리처드 도킨스가 생각나네요. 23쌍의 염색체 절반을 남겨주는 행위, 나의 유전적 정보를 후세한테 건네주면서 "죽어버릴 수밖에 없는 인간의 신체"를 극복하려는 행위로 이해할 수 있습니다. 그리스 신화에서 신들은 <불멸의 존재>로 묘사되는 동시에 인간은 <필멸의 존재>이자 "하루살이"로 묘사됩니다. 신들이 인간을 조롱하는 셈이죠. 다시 돌아와서, 우리의 현실은 순간순간이 영겁으로 이어질 뿐입니다. 시간의 선형성은 잔인합니다. 부모님의 주름살을 더 깊어집니다. 인간은 반드시 죽는다는 사실을 계속 상기시켜줍니다. 그러나 사진과 그림은, 인생 네 컷들 사이의 저 "웃음"은 "영원토록" 존재합니다. 시간성을 무시하는 그림과 사진 속에서만큼은 우리도 "신"이 될 수 있습니다. 노화도 겪지 않고, 주름살도 무시하며 영원히 "그 순간" 속에서만 존재하기 때문입니다.

"그렇다면 왜 낳으려고 하는 것일까요? 죽을 수밖에 없는 필멸의 존재에게는 낳는 것이야말로 죽지 않고 영원히 사는 것이기 때문이지요. 우리가 이미 동의한 대로, 에로스가 좋은 것이 자신에게 항상 있는 것을 사랑하는 것이라면, 좋은 것을 욕망할 뿐만 아니라 영원히 죽지 않는 것을 필연적으로 욕망할 수밖에 없습니다."
- 플라톤 <향연> 소크라테스가 들려준 에로스 이야기 인용

플라톤 선생은 "진리(眞理)" "알레 테이아(Alethea)"라고 말합니다. 부정부사 "~A"와 "망각의 강을 뜻하는 lethe"가 합쳐진 단어입니다. 진리란 망각의 강을 거슬러 올라가는 힘겨운 과정이라는 뜻입니다. 윤회설을 믿었던 플라톤은 인간이 사후에 망각의 강을 건너가야 한다고 생각했습니다. 망각하고, 사라지는 이유는 잔인한 시간의 선형성 때문입니다. 우리는 불사하는 순간, 혹은 절대로 사라지지 않

을 우정과 사랑과 그 외 추상 명사로서 붙잡히지 않는 모호한 가치를 붙잡아두기 위해서 "사진"을 찍고, 그림을 그리며 언어를 사용합니다. "시간"이 배제된 영역 속에서 우리는 죽음도 불사하고, 벗어날 수 있기 때문입니다.

사라지지 않는 가치는 없습니다. 플라톤은 절규하면서 "영원하고 변하지 않을" 이데아의 세계를 상정하지만, 그것은 역시나 유토피아의 한 조각일 뿐입니다.

연인은 사진을 남깁니다. 전시관에 가면 몇 세기는 건너뛴 죽은 화백의 그림들이 나열되어 있습니다. 사람은 죽고, 한 줌의 거름도 못 되고 멋대로 기억될 뿐이지만, 실증적인 사진과 그림은 영원토록 보존됩니다. 이상의 <날개> 첫 서두에서 <박제>가 등장하는 이유가 무엇일까요, 많은 시간 동안 고민했습니다. 결핵에 시달리는 이상의 삶은 불안하고, 내일을 기대할 수 없는 건강 상태에서 그는 <박제>가 필요한 게 아니었을까 싶습니다. 우리는 순간을 붙잡아두기 위해서, 노력합니다. 내 손을 떠나가는 것, 망각의 강 레테를 거슬러가는 인간의 노력, 사람의 존엄은 여기에서 시작된다고 봅니다. 어차피 사라지고 기억되지도 않는데, 안간힘을 쓰면서, 기록하려는 그 집념을 위해서 기도합니다.

오해에 관해서

오랫동안 언어에 관해서 생각했습니다. 많이 언급할 기표와 기의의 관계, 추상명사의 한계성 등등 사회에서 해묵은 갈등과 관계에서 발생하는 스트레스의 주범은 사람이 아니라, 언어의 한계성 때문이라는 사실도 최근에서야 느끼는 부분입니다. 페르디낭 드 소쉬르라는 스위스 언어학자가 있습니다. 일화로 소쉬르는 글자로 적힌 자신의 책을 모조리 손으로 찢어버렸다고 해요, "언어"를 기록한 "문자"는 사회가 약속한 문법 규칙일 뿐입니다. 사랑 あい 愛 amour, Liebe 등등 "어떤 존재를 몹시 아끼는 마음"이라는 사전적 정의를 지칭하는 문자는 다양합니다. 우리는 심층적인 감정을 "언어"로서 기술하고 "말"할 때, 수많은 오해가 발생한다고 보거든요,

소쉬르 선생은 "언어"를 "파롤(parole)"과 "랑그(langue)"로 이뤄진다고 말합니다. 파롤을 번역하면 "입말"이 되는데, 사람의 말소리를 뜻합니다. "사랑"이라는 단어를 "사람의 입으로 발음할 때" 그 행위 자체를 "파롤"이라고 하죠. 반대로 사람의 말소리에 "의미"를 부여해주는 문법 규칙이 있습니다. 원시인도 소리는 내죠, 동물도 소리를 냅니다. 단순히 "소리"가 아니라 특정한 의미를 갖춘 "말"소리가 되려면 사회가 합의한 문법 규칙이 있어야 하죠. 그 부분을 "랑그 langue"라고 했습니다. 랑그와 파롤은 서로 보완적입니다. 언어의 의미는 사람의 음성으로 표현되어야 하고, 사람의 음성은 오직 문법 규칙에서만 "의미"를 갖게 되거든요.

그러나 문제가 있습니다. "의미"는 어떻게 발생하나요? 소쉬르 선생은 "말의 의미"는 우연히 생긴다고 주장했습니다. 서두에서 언급한 기표(記標)와 기의(記意)의 관계에서 발생하는 게 의미입니다.

기표記標는 한문으로 "외관상 기록된 무언가"라고 해석할 수 있습니다. 쉽게 말해서 "문자"입니다. "사랑"이라는 문자는 외관상 드러난 문자죠, 그렇다면 의미는 어디에서 발생하나? "문자"가 지시하는 "대상"에게서 발견됩니다. 그걸 기의記意라고 부릅니다.

"사랑"이라는 기표 문자는 무언가를 지시합니다. 그러나 지시되는 "의미"가 명확하지 않습니다. "사랑"이라는 명사 속에는 부모의 사랑, 애인의 사랑, 친구의 사랑 등등 수많은 형태의 감정이 복합적으로 뒤섞여있기 때문입니다. 오해(誤解)는 여기에서 발생합니다. 언어의 한계성, 무언가를 지시하는 기표 문자는 한계가 있습니다. 사랑하는 "대상"이 부재한 경우, 사랑하는 감정의 "형태"가 다양한 경우, 등등 기표 문자로 지시되는 의미가 명확하지 않을 때 우리는 오해와 갈등을 겪게 됩니다.

소쉬르가 왜 자신의 책을 직접 손으로 찢어버렸는지 조금은 알 수 있습니다.

타인을 오해하지 않기 위해서는 우리가 "말"에 관한 기대를 저버려야 한다고 믿습니다. 우리는 "감정"보다 "감정을 묘사하는 말"을 더욱 믿어버리는 경우가 참 많거든요. "말"은 부차적인 요소입니다. 말은 단순히 "설명"을 위한 도구지, "감정을 모두 보여주는 도구"는 아니기 때문입니다.

설명되지 않는 것을 설명하려고 할 때, 언어를 총동원해도 우리는 타인의 감정을 모두 알 수 없습니다.

기왕 소쉬르 이야기를 꺼낸김에 자크 데리다 이야기도 살짝 꺼내볼까합니다. 데리다는 소쉬르의 "의미론"을 확대 해석합니다.

모든 말의 의미는 "차연差延"에 의해서 발생한다고 주장했습니다. 한문뜻을 의역하자면 "차이에 의한 지연 현상"이라고 볼 수 있죠. 앞에서 우리는 "기표문자"를 살펴봤습니다. 소쉬스 선생은 기표 문자간의 "차이성"에서 "의미"가 발생한다고 주장했는데, 데리다 선생은 거기에 더 나아가 "지연"까지 붙인 것입니다.

기표 문자는 서로 구별되는 "차이성"에서 의미가 생기지만, 끝없는 기표 문자의 차이성에서 "의미"가 발생하는 것이며, 의미 발생의 지연성에서 우리는 말의 의미를 간직할 수 있다고 말합니다.

동일성이 아니라, 차이성을 강조했다는 점에서 우리가 주지할 점은 "말의 의미는 고정"된 것이 아니라 끝없이 벌어지는 기표 문자의 차이성에 의해서 언제든지 변동될 수 있는 "가능성"을 살펴봐야 한다는 점입니다.

"사랑"이라는 명사는 고정된 의미가 아닙니다. "사랑"이라는 기표 문자와 "증오"라는 기표 문자의 "차이성"에서 고유한 "의미"를 가지게 되며, 각각의 사회적 의미는 그저 "사회적으로 물려 받은 관습"에 의해서, 우연에 의해서 맺어진 규칙들입니다.

오해는 언어에서 시작되고, 언어는 그 한계성을 간직하고 있습니다. 기표 문자 간의 차이점이 두드러지고, 기표 문자가 지시하는 의미는 명확하지 않을 때도 많습니다.

함축(含蓄) 오해는 감정을 제대로 서술하지 못 하는 언어의 함축성에서 발생하기도 합니다. 말의 의미를 두 사람이 모두 동일하게 이해하기 위해서는 오랜 숙고가 필요합니다.

슬픔을 위한 찬가

"이에 베드로가 예수의 말씀에 닭 울기 전에 네가 세 번 나를 부인하리라 하심이 생각나서 밖에 나가서 심히 통곡하니라."
- 마태복음 26장 75절

말할 수 없는 말을 모아서 눈물샘에 갖다 준다. 너는 고맙다고 악수를 건네지만 언제 울어야 할지 몰라서 말할 수 없는 말을 코트 안주머니에 쏙 집어넣고 말할 수 없는 말을 음미(吟味)한다. 너는 눈꺼풀이 무겁다며 네게 들어달라고 요청했지만 나는 한사코 거절했다. 우리는 같은 형편이었지만 같은 말을 할 수 없었다. 말 대신 말다운 침묵을 선물한다. 오직 침묵 속에서 자음과 모음이 살아남는다. 침묵 속에서 발견된 눈꺼풀과 샘솟는 환희의 눈물이 우리가 살아 있다고 포효한다.

말할 수 없는 말과 침묵 속에서 말하는 말을 비교한다. 그곳에는 자음과 모음이 실타래처럼 얽혀 있다. 한 획이 모여서 단어가 되고 이름이 되고 누군가 지워버린 이름이, 코트 안주머니에 간직한다고 말할 수 없는 말까지 훔쳐 간다. 슬픔이란, 대신 울어줄 수 있는 누군가에게 말할 수 없는 말을 건네주는 일이다. 삶이란 하나의 포기다. 힘에의 포기다. 힘을 내려놓고 침묵 속에서 태어나는 숭고한 자음과 모음으로 기어가는 일이다.

행복하다는 말도 착각이고 살아 있다는 말도 착각이다. 너는 착각 속에서 살아간다. 말은 하나의 착각이다, 사랑한다는 말도 일시적인 착각이고 수많은 오류를 타고난 운명이라고 믿어버리는 일이다. 모두 "말"은 하나같이 거짓말이다. 말은 낙서에 불과하다. 주어는 우리를 속이고 술어 속 동사와 목적어와 형용사와 부사와 접속사도

모두 우리를 속인다. 우리가 살아 있다는 사실은 언어에 의해서가
아니라 오직 "고통스러운 통증"에서 새삼 느낀다. 폐부를 찌르는
일, 기흉 통증에 시달리는 열일곱 살의 나. 그 안경 속에 비친 내
눈꺼풀은 무겁다. 나는 도저히 울 수 없다.

할 수 있는 일이 없다. 그 사실 속에서 우리는 태어난다. 초인은 어
린아이의 당찬 웃음소리일 뿐이며 그것도 일시적이다. 우리는 모두
좌절한다. 좌절하는 사람은 솔직하다. 눈꺼풀 모서리에 걸터앉아서
말할 수 없는 말을 까먹어 먹는다. 하나씩, 두 개씩 우리를 살아 있
게 만든, 고통스러운 타인의 목소리를! 고통스러운 타인의 말을! 나
는 침묵 속에서 타자의 말을 꺼내어 본다. 오른쪽 흉부를 찌르고 다
시 검은집물이 터져 나온다. 콸콸, 대동맥을 지나는 혈류를 끊어버
리고 피는 위로 솟구친다. 콸콸
말할 수 없는 말이 침묵 속에서 나를 죽인다. 내 숨소리가 듣기 싫
다면서 아랫목을 짓누른다. 우리는 한평생 폭력에 노출되어 있다.
타인의 말! 사랑한다는 말! 그것은 모두 거짓말이다. 거짓말은 때로
사실이 되고 오로지 거짓말만이 진정한 "말"이다.

슬픔의 형식

아테네 자유민은 투표하기 전에 비극 작품을 관람했습니다. 낯익은 단어 "카타르시스(catharsis)"를 느끼기 위해서죠, 카타르시스의 뜻은 "정화(淨化)"라고 알려져 있습니다. 아테네는 민회라고 부르는 최고 의결 기구에서 투표와 다수결로 국가 정책을 결정했는데 왜 그 전에, 비극을 감상했을까요? 정화, 마음의 정화를 위해서 감상했습니다. 페르시아 대군의 두려움으로부터 벗어나고 마라톤 전투와 살라미스 해전에서 이겨 오만함에 빠지지 않고 "자유시민" 다운 결정을 할 수 있도록 비극을 감상했습니다.

저는 때로 시를 씁니다. 시를 쓰는 것을 좋아하고 살아 있음을 느낍니다. 그러나 시는 쓸모가 없습니다. 현대 사회의 촉망 받는 일도 아니고, 산업에도 쓸모가 없습니다. 그래서 장자가 "무용지용"이라고 했나 봅니다. 쓸모없음의 쓸모, 약간의 역설이죠, 그러나 시는 슬퍼하는 사람들을 위해 존재합니다. 이병률 시인의 시를 인용하겠습니다.

"이생에서는 실컷 슬픔을 상대하고 단 한 줄로 요약해보자 싶어 시인이 되었건만 상대는커녕 밀려드는 것을 막지 못해 매번 당하고 마는 슬픔들은 무슨 재주로 어떻게 요약할 수 있을까.
슬픔이 오늘 만나자고 한다." - 이병률 <이별이 오늘 만나자고 한다_슬픔이라는 구석>

이병률 시인의 멋진 시구로 제 생각을 대신하겠습니다. 얼마나 멋지고 찬란한 일입니까, 슬픔을 요약하는 직업! 그래서 저도 시인이 꿈이었습니다. 시를 쓰는 삶, 플라톤의 국가 10권을 읽어보시면 "시인 추방론"이 등장하는데 참 웃깁니다.

플라톤은 모든 예술을 위험하다고 소크라테스의 입을 빌려 말합니다. 예술은 "이미 이데아라고 부르는 초월적인 개념을 모방한 모방품을 다시 한번 모방하는 가짜"라고 생각했습니다. 심지어 호메로스도 쓸모없다고 발언했습니다.

마음이 궁핍할 때 시를 찾습니다. 가장 슬픈 날에는 이제니 시인의 마지막은 왼손으로라는 시를 혼자 낭송해봅니다.

"우리는 태어나지 말았어야 했다. 사랑할수록 죄가 되는 날들, 시들 시간도 없이 재가 되는 꽃들. 말하지 않는 말 속에만 꽃이 피어 있었다. 천천히 죽어갈 시간이 필요하다. 천천히 울 수 있는 사각이 필요하다. 품이 큰 옷 속에 잠겨 숨이 막힐 때까지. 무한한 백지 위에서 말을 잃을 때까지. 한 줄 쓰면 한 줄 지워지는 날들.
지우고 오려내는 것에 익숙해졌다. 마지막은 왼손으로 쓴다."
 - 이제니 <마지막은 왼손으로>

얼마나 슬프고 아름다운 시구입니까? 저는 심연으로 들어갈 만큼 슬플 때 이 시어를 훔쳐봅니다. 한 줄 쓰면 한 줄 지워지는 날들! 얼마나 처절하게 아름다운 문장입니까!

시는 설명을 위한 비문학이 아닙니다. 그렇다고 문학도 아닙니다. 시는 시인의 응어리들, 시인의 시각으로 밝힌 순수성, 시인의 시각으로 쳐다본 슬픔을 한꺼번에 폭발시킨 말들입니다. 그래서 시제 변화도 없고, 공간의 이동, 시간의 연속성도 보이지 않습니다. 완벽한 무의식의 영역, 파악되지 않은 원초아의 움직임이죠. 시어 속에 시인의 슬픔이 있습니다. 시인의 슬픔은 곧 우리가 사는 세상의 것이기도 합니다. 죽음, 선택, 후회, 미련들 슬프다고 여겨지는 모든 것에 저마다 이름을 붙여주고 분류합니다.

왜 같은 슬픔도 굳이 분류할까요, 저는 참 신기했습니다. 슬픔과 눈물의 연관성은 무엇일까요? 저는 생각합니다. 슬픔의 구체적인 표현이 눈물이라고, 슬픔이 원관념이라면 눈물은 보조 관념이죠. 슬픔이 주어라면 눈물은 동사적 표현입니다. 슬픔은 눈물 없으면 표현되지 않고 눈물은 슬픔 없이 의미를 가질 수 없습니다. 우리는 슬프면 울고, 울면 슬프다고 생각합니다.

시가 필요하면 서점에 가서 시집을 펼치고 첫 장의 시인의 말을 훔쳐봅니다. 보통 시집의 제목에 이끌려 시집을 구매하는 편이라서 조금은 충동적이라고 볼 수도 있겠네요.

시어는 해석이 필요합니다. 해석이 필요하다는 말은 시인이 공간을 확보해서 빈 공간에 청자의 경험을 집어넣을 수 있도록 배려한 것이죠, 그래서 추상적인 표현이 많습니다. 추상적인 표현이라는 말도 아직 확정되지 않은 단어들, 경계 사이에서 헤엄치는 시어들을 말합니다. 은유법은 원관념과 보조 관념의 유사성과 비유사성에서 줄타기를 하죠, 보조 관념에 따라서 시어는 해석의 다양성이 더욱 풍부해집니다.

우리의 일상도 해석이 필요합니다. 사람들과 사람들 사이에는 알 수 없는 미묘한 암시를 남기고, 해석이 요구되죠, 그걸 "눈치"라고 생각합니다. 눈치 문화는 "맥락"을 중요시합니다. 앞의 상황과 지금의 상황의 "유사성"을 따지기도 합니다. 시어에서 은유는 "유사적이지 않은 보조 관념"을 더욱 선호하지만 일상에서 "눈치 맥락"은 "유사성"을 강조하죠,

따지고 보면 슬픔에도 해석이 붙습니다. 해석은 관점자의 위치와 생각에 따라서 달라지기 때문에 어느 위치에서 슬픔을 바라볼지 관건입니다. 슬픔을 슬퍼하는 사람도 있고 슬픔을 거부하는 사람도 있는가 하면 슬픔을 자연적인 순리라고 덤덤하게
받아들이는 사람도 있습니다. 슬픔에도 형식이 존재하는 것이죠.

슬픈 이유는 다르지만 슬픔의 결과는 같습니다. 자학(自虐)입니다. 슬퍼하다가, 언젠가 놔줘야 하는데 슬픔을 놔주지 못하고 오랫동안 감추고 있으면
복병처럼 파고들어서 불안감으로 환원됩니다.

슬퍼하고 싶을 때 시를 들여다보면 도움이 됩니다. 시인의 존재 이유는 슬픔을 정리하고 요약하는 감별사라서 도움이 많이 됩니다. 시어는 살아남은 말들을 배치합니다. 살아남은 말들은 그만큼 사람들에게 친숙한 감정이라서 그렇습니다. 슬픔이 이렇게나 대중적인 이유도, 사람이라면 누구나 슬퍼야 하기 때문입니다.

슬픔은 하나의 내적 정동을 언어로 표현한 기호일 뿐입니다. 슬픔이라는 기표를 보고 지난날의 "내"가 떠오르시나요? 슬픔은 하나의 과정일 뿐이죠.

오랫동안 슬퍼하였다! 느낌표 하나로 끝맺는 날들이 되길.

쓸모를 위한 찬가_ 강신주의 장자 수업 인용

방정환 선생님이 없었다면 "어린이"라는 개념은 아무래도 뒤늦게, 다른 의미로 생겨났을 가능성이 있습니다. "어린이"라는 개념은 긍정적이고 환희에 찬 단어입니다. 미래의 가능성을 예찬하는 말입니다. 많은 경우에 있어서 어른은 어린이한테 훈계와 훈화 말씀을 건네면서 추상적인 덕담을 건네는데, 제가 가장 듣기 싫어하고 거북한 말이 "훌륭한 사람이 되어라."입니다. 어린아이 입장에서 훌륭함의 의미는 무비판적으로 어른의 말과 질타를 그대로 수용하는 인간상입니다. 훌륭함의 의미는 다양한 맥락에서 사용되지만, 체제가 강요하는 규칙과 더불어 "쓸모있는 인간"이 되라고 말합니다.

그 누구도 쓸모의 본모습을 알 수 없지만 확실하게 알 수 있는 부분은 "직업"으로 귀결된다는 점입니다. 직업에 귀천이 있고 귀천을 위한 대학교와 학과가 줄을 서고, 어린이는 청소년이 되면서 자아정체감에 큰 혼란이 오게 됩니다. 어렸을 적 주구장창 들었던 어른들의 덕담 속, "훌륭한 인간"이 되지 못했다는 박탈감을 느끼게 마련입니다. 자아 혼란을 겪게 되고 아무 일도 못 하게 되면서 "나"의 의미가 온데간데없이 사라집니다. 단 한순간도 "나"로서 살아가지 못했기 때문에 면역체계가 완전히 망가진 셈입니다.

장자의 이야기를 들으면 참 재밌는 부분이 많습니다. 일화 중에서 거목 이야기가 있는데요, 이를테면 이런 이야기입니다. 쓸모 있는 나무는 나무꾼이 금방 베어가서 서까래로 사용되거나 대들보로 사용되지만 쓸모없는 나무는 잠자코 기다리다가 비로소 거목(巨木), 위엄이 가득한 나무가 된다고 말합니다. 우리는 거목이 될 가능성을 모두 포기해야 합니다. 실용(實用)의 이유로 죄다 베어갑니다. 우리는 체제의 대들보가 되고 서까래가 되어서 후회합니다. "나"는 누구지, 실존적 물음의 시작입니다.

"혜시가 장자에게 말했다. '그대의 말은 쓸모가 없네.' 장자가 말했다. '쓸모없음을 알아야 비로소 쓸모에 관해 함께 말할 수 있네.'"
- 장자 <장자> 외물 (中)

쓸모와 쓸모없음에 관해서 생각해봅니다. 쓸모를 강요하는 훌륭한 어른 군상에는 쓸모없는 것을 생각할 여유가 없습니다. 쓰임과 효용(效用)이 가만히 머무를 여유를 모조리 밀어냅니다. 우리는 생각할 시간조차 허락하지 않으면서 어떤 성과를 기대하거나 창의력을 기대합니다. 참 웃긴 사람들입니다. 모두 "나"로서 살아가지 않고 무언가의 하수인으로서 살아가서 그렇습니다. 확증 편향은 그렇게 만들어집니다.

"세상이 넓고도 크지 않은 것은 아니지만, 사람에게 쓸모가 있는 것은 발을 디딜 만큼의 땅이네 그렇다면 발을 디디고 있는 땅만을 남겨두고 나머지 땅을 모조리 파고 들어가 황천에까지 이른다면, 그 밟고 있는 땅이 사람에게 쓸모가 있겠는가?
혜시가 '쓸모가 없지'라고 대답했다. 장자가 말했다. '그렇다면 쓸모없음이 쓸모가 있다는 것은 자명한 일이네.'"
- 장자 <외물> (中)

혜시의 말은 "공리주의"적 관점과 다를 바 없습니다. 결과의 크기가 수단의 올바름을 앞질러도 눈감아주는 경우, 물론 벤담과 밀은 불법을 지지하지 않았지만, 기본적으로 결과의 크기에 신경 쓰다 보면 "수단의 올바름"을 간과할 때가 많습니다. 혜시의 말을 듣자 장자는 우아한 이야기를 통해서 단번에 논박해버립니다. 사람이 평생 딛고 사는 땅은 얼마나 작고 협소합니까? 만일 두 발이 딛고 있는 땅을 제외하고 모든 땅을 황천까지 파낸다면, 우리는 살아갈 수 있겠습니까? 쓸모없는 땅의 쓸모를 역설하고 있는 장자의 논박을 살펴볼 수 있습니다.

쓸모없는 무용한 것을 사랑한다는 말은 어쩌면 "내가 좋아하는 것"을 추구하겠다는 야심 찬 발언입니다. 쓸모 있는 것과 쓸모없는 것은 누가 어떻게 결정합니까? 칼보다 펜이 더 강하다는 말은 물리적인 폭력보다 관념적인 폭력이 상흔을 크게 남긴다는 소리입니다. 쓸모없는 사람은 없습니다. 쓸모의 기준은 힘의 논리에서 우위를 차지한 권력자가 은밀하게 내세우는 기준입니다. 쓸모있는 사람이 돼라! 쓸모의 정언 명령은 어린이를 병들게 만듭니다. 미래의 가능성을 포기하게 만듭니다. "나"라는 단독자를 포기하게 만들어버립니다.

"남곽자기가 '상'의 언덕에서 노닐다 거대한 나무와 마주쳤는데, 그 나무는 특별한 데가 있었다. 말 네 필이 끄는 수레를 천 대를 메어놓아도 그 나무의 그늘은 수레들 모두를 가릴 만했으니까. 남백자기는 말했다. '이것은 도대체 무슨 나무인가? 이것은 반드시 특별한 재목일 것이다!' 가느다란 가지들을 올려다보니 너무 구부러져 있어서 들보나 서까래로 만들 수 없고, 그 거대한 뿌리를 내려다보니 속이 푸석푸석해서 관으로 만들 수 없었다."
- 장자 <장자: 인간세> (中)

거대한 나무는 나뭇가지가 너무 구부러지고 뿌리가 푸석해서 관짝으로 사용할 수 없었다고 합니다. 남백자기는 쓸모없는 거대한 거목을 보자마자 한 가지 깨달음을 얻게 됩니다. 아이코 쓸모가 없어서 살아남았구나! 그래서 거대한 재목, 큰 거목이 되었구나! 역설(力說)입니다. 쓸모없는 점이 생존 경쟁에서 우위를 점하게 되었으니까요. 사람도 거목이 되려면 도태돼야 한다.? 그렇게 극단적인 주장이 아닙니다. 장자의 이야기는 콘텍스트(con-text)로 진행됩니다. 여러 이야기와 우화를 통해서 자신의 메시지를 강조합니다. 재목(材木)과 거목(巨木)의 구분은 "쓸모"입니다. 우리는 "문명(文明)"의 이름으로 자연경관을 해체하고 이윤이 될법한 부지를 "구매"하고 투자합니다. 쓸모와 사용가치만 남아버린 세상에서 쓸모없는 것과 사용가치가 없는 물건과 사람은 철저히 배제되고 "문화적인 소외"를 경험하게 됩니다. 우리는 민감해져야 합니다. 쓸모의 논리에 따라 배제되고 방치되는 주변부를 민감하게 살펴보고 손을 건넬 줄 알아야 합니다. 그게 인간성(人間性)이라고 생각합니다. 남곽자기는 말 네 마리로 가릴 수 없는 거목을 보고 "훌륭한 재목(材木)"이라고 감탄합니다. 자연경관을 있는 그대로 보지 않고 어디에, 어떻게 사용할지 고민하는 탐욕스러운 모습이 그대로 드러납니다. 그러나 거목의 나뭇가지를 보자 실망하면서 동시에 "쓸모없음의 쓸모"를 깨닫게 됩니다. 사람은 쓸모의 유무로 판단돼선 안 되는 유일무이한 존재입니다. 사람은 짐승도 아니고 동물도 아니고 있는 그대로, 자신의 개성대로 살아갈 권리가 있다고 천명하는데, 실상 우리는 비교합니다. 쓸모에 따라서 비교하고 구분하고 남몰래 저 인간보다 낫다면서 자기 위로를 합니다. 모두다 "재목(材木)"이 되려고 아우성칩니다.

거목(巨木)이 되기 위해서, 자신만의 고유성을 지켜내기 위해서 분투하는 존재가 있습니다. 있는 그대로의 모습이 배제되지 않기 위해서, 그 개성대로 살아가기 위해서 노력하는 힘이 있습니다. 우리가 지향해야 할 사회 모습은 쓸모의 논리가 아닙니다.
쓸모없음이 쓸모를 포괄하는 시대를 꿈꾸면서 글을 마무리합니다.

알 수 없는 것을 말하는 마음_ 알베르 카뮈 <시 지프 신화>

카뮈의 소설을 좋아합니다. 카뮈의 생애가 20세기 두 차례 걸친 전쟁으로 얼룩진 전후 작가라서 절절하게 와닿는지도 모릅니다. 카뮈의 글에는 사람이 할 수 있는, 너무도 인간적인 고뇌의 흔적이 여러 보여서 더 애정이 갑니다. 시지프 신화는 이번이 세 번째 독후입니다. 텍스트가 닫혀 있으면 시시한 글이 되지만 열려있는 텍스트는 몇 번이고 주저하게 만듭니다. 카뮈의 말을 살펴보겠습니다.

"이 세계, 나는 그것을 만져볼 수도 있으며, 그리하여 또한 나는 그것이 존재한다고 판단한다. 나의 모든 지식은 거기서 멈추어버리고, 그 외의 것은 구성이다.
왜냐하면, 내가 확신하고 있는 이 자아를 붙잡으려고 하면, 또한 내가 그 자아를 정의하고 요약해보려고 하면, 그것은 내 손가락 사이로 새어버리는 물에 지나지 않는 것이기 때문이다."
- 알베르 카뮈 <시지프 신화> 33p 인용

"아我"는 산스크리트어로 "아트만 (ātman)"에서 유래했습니다. 아트만은 "영혼"으로 불리기도 하고 내가 "나"라고 자각하는 자의식(自意識)을 뜻하기도 합니다. 카뮈를 포함한 실존주의자는 모두 아我에서 벗어나는 "탈아(脫我)"를 주장합니다. 카뮈가 전쟁의 포화 속에서 바라본 문명의 민낯은 이성의 고결함이 아니었습니다. 사람이 사람을 죽이고 반인륜적인 폭력이 쉴 새 없이 터져 나오는 짐승의 투쟁이었습니다. 세상은 합리적이라고 주장한 계몽주의의 처절한 변명은 이제 아무도 들어주지 않습니다. 세상과 그 속에 포함된 인간은 모두 설명되지 않는 존재, 도무지 아무 의미도 갖지 않는 존재에 지나지 않았습니다.

"이 마음까지도 내게는 영원히 정의할 수 없는 것으로 남아 있을 것이다. 내가 나의 존재에 대해 가지고 있는 확실성과 이 확실성에 내가 부여하고자 하는 내용 사이의 구렁은 결코 메울 수 없을 것이다. 영원히 나는 나 자신에 대해 이방인일 것이다."
- 알베르 카뮈 <시지프 신화> 33p 인용

궁극적으로 밝히자면 카뮈는 시시포스의 형벌을 통해서 현대인의 비극을 드러내고 있습니다. 시시포스는 오만한 태도를 보이다가 제우스와 올림포스 12신한테 된통 혼났지만, 끝까지 조롱해서 최후의 형벌을 받게 됩니다. 매일, 매 순간, 아무 의미 없는 돌덩이를 언덕까지 끌어올리고, 다시 언덕 아래로 굴러떨어지는 돌덩이를 주워서, 무의미한 노동을 반복하는 형벌을 받게 됩니다. 카뮈는 여기서 "무의미"에 초점을 둡니다. 사람은 평생토록 정의(定義)할 수 없는 세상을 정의(定義)하기 위해서 분투합니다. 마치 시시포스의 노동처럼 끝없이 의미를 부여하고 그 의미 속에서 기뻐하며 살아갑니다.
내가 나한테 이방인으로 비치는 이유는 간단합니다. "나"라고 부르는 자의식도 하나의 의미일 뿐입니다. 아(我)는 우릴 괴롭게 한답니다. 세상을 해석하려는 열망, 가치를 부여하는 인간, 카뮈는 이제 종언을 고합니다. 아무리 노력해도 아무것도 밝혀낼 수 없다. 카뮈의 사형 선고를 내려다볼 수 있습니다.

"만약 내가 과학에 의해 현상을 파악하고 열거할 수 있다 할지라도 나는 그것으로써 세계를 포착할 수 없음을 깨닫는다. (중략) 그리하여 당신은 내게 확실한 것이지만 아무것도 가르쳐주지 않는 묘사와 가려준다고 주장하지만 실은 하나도 확실한 것이 없는 가설 중 어느 하나를 선택하게 한다. "
- 알베르 카뮈 <시시포스 신화> 35P 인용

과학도 실증적인 해석입니다. 사람들은 과학의 실증 사례와 연구, 거기서 도출한 일반 법칙을 종교적으로 숭배합니다. 카뮈는 모두 허위라고 고발합니다.

"세계가 그 자체에 있어 합리적이 아니라는 것, 이것이 우리가 말할 수 있는 전부이다. 그러나 부조리란 곧 이 비합리적인 것과 대결하는 것이며, 인간의 가장 깊은 곳에 호소하는 명석함에 대한 격렬한 욕망에 대결하는 것이다."
- 알베르 카뮈 <시지프 신화> 36P 인용

카뮈의 부조리론은 아무 의미도 없이 텅 빈 세상을 앞에 두고 여러 가지 해석과 의미를 마구 욱여넣는 그 우스꽝스러운 광경을 가리킵니다. 부조리는 감정이라고 말하고 있죠. 세상을 과학이나 신학이나 어떤 방법으로 채택해서 탐구해본들, 그것은 그저 "세상의 무의미함"을 가리는 덮개에 불과합니다. 텅 빈 세상에 여러 의미와 가치 체계와 문학을 운운해도, 세상은 그저 우연의 집합일 뿐이라고 보는 것이죠. 사람이 괴로운 이유, 그리고 사람이 자살하는 이유는 "세상의 무의미"함을 깨닫고 본인의 무가치함을 견디지 못해서 자살한다고 주장했습니다. 카뮈의 시지프 신화 첫 구절은 "철학적 문제는 자살"이라고 규정하죠. 자살이란 곧 "사람의 삶이 살아갈 가치가 있는지" 묻는 문제입니다. 철학에서 존재론은 "사람의 가치"를 다루는데, 카뮈는 인식론이나 정치론보다 먼저 철학이 해결해야 할 문제는 "존재론"이라고 말합니다.

자살 안 할 이유가 없다. 카뮈는 현대인을 보고 자살하는 이유를 자신의 무가치함을 견디지 못해서 자살한다고 했죠. 카뮈는 1950년대 두 차례 전쟁과 냉전 시대를 거치면서 거대한 무의미한 벽, 도저히 소통할 수 없고 언어가 무색해지는 그 세상의 벽을 바로 "세계의 비합리성"이라고 명명합니다.

황무지에서 보내는 시간_ 카뮈의 시지프 신화

"그는 이성에 그 이유들을 거부하고 모든 확실성이 돌로 변하는 빛깔 없는 황무지 한가운데서 무엇인가 결의를 가지고 발걸음을 인도하기 시작한다."
- 알베르 카뮈 <시지프 신화>

철학 에세이를 읽어보면서 제 일상을 반추(反芻)합니다. 성찰의 뜻을 조금 의역해서 "뒤를 돌아보는" 행위, 다시 말해 궤적을 살펴보는 일입니다. 생각하는 일은 어쩌면 불필요할 수 있습니다. 생각한다는 행위는 "우리"에서 이탈해 "나"로 걸어가는 혹독한 과정이라서 그렇습니다. 질서 유지와 대형 유지가 중요한 사회에서 생각하는 사람은 튀어나온 못에 지나지 않습니다.

보편적 합리주의는 한 시대를 풍미한 사조입니다. 프랑스 사유는 데카르트의 명제로 간단하게 요약할 수 있습니다. "나는 생각한다. 고로 존재한다. (Cogito ergo sum)" 중세 가톨릭 사유가 저물고 1453년 비잔틴제국의 콘스탄티노플 성이 함락되자 그리스 철학 사유가 유럽으로 건너옵니다. 이제 "신"을 통해서 모든 사건과 사물을 설명한 신본주의에서 오직 생각하고 추론하는 인간의 이성에서 존재 가치를 찾은 것이죠. 인간의 이성(reason)은 라틴어 Ratio에서 유래했다고 합니다. Ratio는 계산하는 능력, 지각하는 능력을 뜻하는데 오늘 카뮈가 안타까워하는 부조리 감정은 바로 '생각하는 Ratio'에서 시작됩니다.

카뮈가 왕성하게 활동한 시기는 마치 황무지처럼 모든 문명이 파괴되고 인간의 존엄이 국가주의로 부서지는 과정 속에서 보냅니다.

"나는 모든 것이 설명되거나 그렇지 않으면 무(無)이길 바란다. 그런데 이성은 이 마음의 외침 앞에서 무력하다."
- 알베르 카뮈 <시지프 신화> 44p 인용

사람의 이성적 추론 능력은 끊임없이 파악되는 사람과 사물의 의미를 찾거나 발견하려고 애씁니다. 모든 문화 콘텐츠는 드러난 사실에 "의미"를 부여한 상태라고 볼 수 있는데요, 카뮈는 의미부여과정을 넓게 확대합니다. 인류라고 부르는 "문명"은 사실 거대한 사기극에 불과하다고 말이죠.

"이러한 요구에 의해 깬 정신은 탐구를 하지만 모순과 헛소리밖에 발견하지 못한다. 내가 이해할 수 없는 것은 합리적이 아닌 것이다. 세계는 비합리로 가득 차 있다. 단 하나의 의미를 내가 이해하지 못하는 이 세계는 거대한 비합리에 지나지 않는다."
- 알베르 카뮈 <시지프 신화> 44p

카뮈의 주장은 여기서 드러납니다. 세상은 아무런 의미도 가지지 못한 그 자체로 무()다. 라고 단언하죠 여러분 '세상'이라고 가정했을 때 우리는 여러 이미지를 떠올리기 마련입니다. 광범위한 텍스트의 특징은 모호해서 언어의 속성이 추상적이죠. '세상'이라는 명사는 쓰이기 나름입니다. 해석하기 나름이고 해석되기 나름입니다. 즉 '세상'은 추상 명사이며, 누구하나의 개념 정의가 완벽하게 들어맞는다는 보장이 없습니다. 언어를 사용할 때 주의할 점은 언어는 사용되는 맥락에 따라서 달라진다는 점입니다. 이를 '화용론'이라고 부르는데, 저마다 사용하는 목적이 달라서 언어의 의미도 달라집니다. '세상'은 수많은 의미로 사용되고 거기에서 공통된 뜻을 찾기는 무척 어렵습니다. 이성적 능력은 언어를 이용해서 '추상적인 세상'을 각자의 방식으로 해석하길 원하지만 거기서 수많은 오류가 발생합니다.

카뮈는 말하고 있습니다. '세상'은 그 자체가 무(無)다.
의미를 발견할 수 없고 설상 진리를 찾았다고 기뻐한다 해도 그것
은 다른 누군가가 주입시켜 둔 '주관적 정의'를 발견했을 뿐이라고
매정하게 말합니다.

"단 한번만이라도 이것은 분명하다-라고 말할 수 있다면 모든 것은
구원될 수 있으리라, 그러나 사람들은 아무것도 분명한 것이 없고
모든 것은 혼돈이라는 것, 인간은 다만 자신의 통찰과 그를 둘러싼
벽에 대한 분명한 인식을 지키고 있을 뿐이라는 것을 서로 다투어
선언한다."
-알베르 카뮈 <시지프 신화> 44p

지식인의 고뇌입니다. 전쟁의 포화 속에서 나치가 점령한 본토에서,
젊은이의 가능성을 무참히 짓밟는 국가주의에 따라서 데카르트의
명제는 박살 납니다. 제 1공리 "생각하고 의심하는 능력"은 나치에
의해서 철면피로 전락합니다. 자명한 진리, 20세기까지 벌어진 모든
역사적 사건과 수많은 인과관계를 넘어서 카뮈는 공표합니다. "세계
를 떠받치고 있는 밑바탕에 심연이 있다, 바로 허무의 늪" 인간은
자신의 가치를 위해서 투쟁합니다. '의미'를 찾아서 헤매고 목숨 거
는 이유는 '인간의 가치'가 없으면 도무지 살아갈 이유가 설명되지
않기 때문입니다. 정체성을 영문으로 "identity"라고
부릅니다. 어원상 "Idea"에서 유래했고 다시 한글로 번역하면 "형상"
이 되는데, 인간의 가치는 무언가로부터 만들어진 "형상"에 의해서
발견된다고 보는 거죠. 그러나 카뮈는 개인의 identity를 신이나 다
른 초월적 존재로부터 부여 받은 게 아니라, 그저 스스로 부여하는
집단 사기극에 지나지 않는다고 합니다. 우리는 자살하지 않기 위해

서, 문명을 만들어내고 그 문명 속에서 '인간의 존엄'을 포장해줄 종교와 역할을 부여해줍니다. 생각하는 자, 일상적인 무료함에서 벗어난 성찰자는 이제 문명의 사기극을 파헤치고 심연의 늪으로 건너갑니다. 아무 의미도 없이 현존하는 세상을 마주 보고 좌절합니다. 뭉크의 절규, 니체의 사유가 시작된 그 지점이 바로 세상의 완전한 무(無)라는 늪에서 말이죠.

"자기 자신 속에서 행복과 이성에의 욕구를 느낀다. 부조리는 인간의 호소와 세계의 어처구니없는 침묵 사이의 대비에서 생겨난다."
-알베르 카뮈 <시지프 신화> 45p 인용

마지막 인용 구절로 글을 마치겠습니다.

사람은 유일하게 '자살'할 수 있는 존재입니다. 그리고 유일무이하게 '의미'를 찾고 발견하는 존재이기도 합니다. 사람의 지고한 가치는 역사상 '신'이 '이성'이 그리고 '인간 그 자체'라는 권리가 모든 문명의 기둥을 그리스 신화 속 아틀라스처럼 떠받치고 있습니다. 그러나 카뮈의 대답은 무척 파괴적입니다. 인간은 자연이 설명되길 원합니다. 그리고 지배하길 원합니다. 도그마는 그렇게 생겨납니다. 종교적 교리와 철학적 교리는 모두 '삶'에는 고유한 의미가 있다는 데서 시작되는데, 카뮈가 바라본 세상은 인간 이전에 선행되는 의미와 가치, 신과 초월적 존재는 없다고 말합니다. 즉 세상은 그저 우연에 의해서, 우연과 우연의 교집합에서 발생한 기적일 뿐인데 오직 사람만이, 다른 종과 같은 종의 열등한 인간을 지배하기 위해서 '수많은 교리'를 만들어내 지배합니다. 모든 문명은 아름다운 게 아니라 뭣도 모르면서 꾸며낸 지배자의 야망에 불과하다고 볼 수 있습니다.

그 사이에서 부조리라고 부르는 특수한 감정이 발생합니다. 부조리 감정은 드러나고 파악되는 세상의 사건과 사물을 하나의 방법으로 해석하려는 그 시도에서 시작됩니다. 세상은 우연의 교집합이고 인간은 지배자가 되기 위해 유리한 의미를 부여합니다. 세상이라는 거대한 벽과 인간이라는 야망이 만나 충돌 할 때, 절망적인 감정 '부조리'가 극적으로 폭발합니다.

묻고 싶습니다. 관성적으로 사는 사람과 문명의 민낯, 무의미를 직면하는 사람 중에서 여러분은 어떤 선택을 하실 건가요? 밀이 "공리주의"에서 말했던 경구 "불만족한 소크라테스"와 "배부른 돼지" 사이에서 누구 손을 들어주실 건가요?

철학의 핵심은 자살에 있다고 말한 카뮈는 이 세상을 황무지로 바라봤습니다. 살아갈 이유가 없는데 꼬박 살아가는 사람들, 끝없는 의미 부여를 통해서 살아가는 사람과 끝없는 심연을 바라보다 자살하는 사람들, 황무지를 둘러싼 세상의 장벽과 그걸 도약하는 인간들, 낙마하는 인간과 자살하는 인간을 살펴보면서 카뮈의 흔적을 느낍니다.

소설의 존재

소설의 문장은 나를 흠칫하게 만들고 잠시 멈추게 만든다.
시선을 빼앗아 가는 명문 속에서 내가 발견하는 것은 단순히 기호
의 나열이 아니라 작가의 시선을 발견한다. 작가는 발견되기 위해서
숨어다닌다. 기호를 엮어서 치밀하게 말이다. 입동이 시작되면 비문
학보단 문학을 읽고 싶어진다. 일종의 루틴이라 부를 수 있는데, 입
김만 나오면 소설을 읽고 싶어지는 충동을 억누를 수 없다. 오늘은
니코스 카잔자키스의 그리스인 조르바를 읽었다. 프롤로그만 읽는
데 1시간이 걸렸다. 그만큼 내 시선은 카잔자키스에게 빼앗기고 납
치된 것이다.

훌륭한 작가는 독자의 시선을 가만두지 못하게 빼앗아 간다. 그걸
몰입이라 부르기도 하고 흡인력이라 부르기도 하지만 내 생각에는
그냥 잔인한 납치에 불과하다. 작가는 늘 숨어다닌다. 캐릭터를 구
축하고 캐릭터의 입속에서 자기 생각을 드러낼 듯 드러내지 않으면
서. 한마디로 밀당을 아주 잘한다.

"조르바는 먹물들을 구원하는 데 필요한 모든 것을 가지고 있었기
때문이다. 그는 높은 데서 먹잇감을 발견하여 낚아채는 원시인의 시
력과, 매일 새벽마다 새로이 떠오르는 창조성, 그리고 매 순간 끊임
없이 바람, 바다, 불꽃,
여자, 빵과 같은 지극히 일상적인 것들을 새로운 눈으로 바라보고
영원한 처녀성을 부여하는 순진무구함을 가지고 있다."
- 니코스 카잔자키스 <그리스인 조르바> 8P 프롤로그 인용

조르바는 기호 속에 속박되어있다. 정확히는 박제 당한 밀랍 인형처
럼 서술자에 의해서 설명되고 있다. 아니! 설명" 당하고" 있다. 그러

나 조르바는 내 앞에서 춤을 춘다. 살아서 거친 숨을 내쉬고 온몸으로 마초를 표현한다.

카잔자키스는 조르바라는 캐릭터를 천천히 구축해나간다. 원시인의 시력! 창조성! 조르바는 카잔자키스가 그토록 바라는 실존적인 인물이다. 실존적인 인물은 어떤 상인가? 간단하게 말하면 내일이 없는 삶이다. "조르바"라는 정체성을 결정하는 과거의 요소도 의도적으로 무시하고, 모든 본질적인 요소들, 결정된 것을 거부하는 춤사위를 통틀어 "실존"이라고 말한다. 조르바는 내일이 없다. 그는 현대인이 당연하게 여기는 바람과 바다와 불꽃과 여자를 "마치 처음 본 사람인 양" 행세한다. 마구 날뛰는 강아지처럼, 마주치는 자연을 볼 때면 흥분을 주체하지 못하고 드러낸다.

창조적인 정신은 낯설게 보기라고 말하는데 여기서 조르바는 흔해빠지고 지루하기 짝없는 "일상의 모든 요소"를 낯설게 바라본다. 영원한 처녀성이란 무엇을 의미할까, 여기서 내 시선은 또 빼앗긴다. 눈동자를 아무리 굴려도 다음 텍스트로 넘어갈 수가 없었다. 바람과 바다와 불꽃과 여자는 더이상 새롭지 못 하다. 우리는 그따위 것 아무래도 좋다! 더 새롭고! 더 자극적인 것을 요구한다. 그러나 조르바는 호탕하게 웃으면서 말한다. "병신들!"

현대인의 입방아에 올라 마구 더럽혀진 "일상"을 새롭게 바라본다. 처녀성을 부여해준다. 가치의 재평가. 니체가 입이 닳도록 요구한 초인의 특징이 여기서 드러난다. 카잔자키스 본인 입으로 니체에게 많은 영향을 받았다고 말한다. 가치의 재평가, 그것은 무슨 소리일까.

"그는 겁에 질린 불쌍한 인간들이 마음 놓고 편하게 살기 위해 주변에 세워놓은 윤리, 종교, 조국과 같은 모든 장애물을 한꺼번에 깨뜨

려서 단번에 무너뜨릴 수 있는, 그리고 실제로 무너뜨리는 웃음을
가지고 있었다."
- 니코스 카잔자키스 <그리스인 조르바> 8P 인용

우리는 의도하지 않게 많은 명령을 요구받는다. 마땅히 해야만 하는
규칙이 여기저기 숨어서 검지 손가락으로 알려준다. "그 길이 아니
야!" 이런 목소리를 고상한 말로 "당위성"이라 부르기도 하고 "도덕
규범"이라 부르기도 하지만 명칭이 어떤들 뭐가 중요할까. 조르바는
모든 주의(ISM)를 배격한다. 한마디로 규범은 온몸에 해롭다고 말하
면서 같이 춤이나 추자고 말한다. 또다시 내 시선은 납치당했다. 도
저히 벗어날 힘이 생기지 않았다. 조르바는 짐승처럼 살았다. 디오
게네스가 통나무 속에서 살고 개처럼 식사를 하며 알렉산더 대왕이
태양을 가릴 때 "거 소원이 있습니다. 태양 빛을 가리지 말아주쇼"
라고 말하듯. 그는 거침이 없다. 알렉산더의 권위를 의도치 못하게
무시하는 삶의 태도, 이 부분이 카잔자키스가 "독자에 의해서 발견
되길 원했던 메시지"가 아닌가?

"바로 이런식으로 살과 뼈로 가득 차 생기가 넘치던 조르바가 내 손
에서 잉크와 종이로 변했다."
- 니코스 카잔자키스 <그리스인 조르바> 9P 인용

기록은 정말 슬픈 행위다. 구체적인 삶이 비극으로 남겨지는 과정이
다. 알베르 카뮈의 마음이 조금 이해 간다. 예를 들어 "빈곤율"로 치
환되는 수많은 굶주림은 어디서도 발견되지 않는다. 그들은 그저 "
수치상" 존재한다. 영아의 기아를 도표로 나타내면 단순히 퍼센트지
로 나타날 뿐이지, 어디서도 "영아의 눈물소리"를 들을 수 없다. 빈
곤과 기아, 가난은 그냥 "기호"로서 이해될 뿐이다. 마찬가지로 우리
는 매일, 매 순간 빠짐없이 마주치는 타인을 기록한다. 하나의 이미

지로서 저장한다. 시간이 지나면 흐릿한 인상으로 기억할 뿐이다.

우리는 주체인 동시에 객체인 셈이다. 다시 말해서 삶의 주인인 동시에 노예인 셈이다. 조금 더 말하면 기록하는 사람인 동시에 기록되는 사람이다. 조르바는 "기록된" 사람이다. 그는 퍼즐 조각처럼 수많은 "피스"로 허겁지겁 짜 맞춰진 인물일 뿐이다. 어쩌면 작가는 "기록되"는 주인공을 통해서 존재하는 직업이 아닐까.

기록은 차갑게 기억된다. 정열적인 감정을 싹 도려내고 "자극과 반응"만 기록한다. 그 사이의 연관성은 모조리 무시된다. 감정적 동요는 겉으로 드러나지 않아서, 말로 표현되지 않는다. 아주 가끔 침묵으로 드러날 뿐이지 사람의 진심은 침묵의 형식으로 기억될 뿐이다.

조르바는 오늘을 살아간다. 디오게네스처럼! 내일은 없다고 가정한다. 감각이 이끄는 대로 살아간다. 기독교인으로서 적절치 않다고 생각한다. 감각만 집중한 삶에서 정서적인-정신적인 따뜻함과 가치는 모두 "우연"으로 치부되기 때문이다.

소설은 문을 활짝 열어둔다. 소설을 읽을 때는 "사회적인 배경"을 따지지 않는다.
나는 그 점이 무척 좋다. 내가 어떤 모습으로 살아가도 소설의 문턱은 언제나 개방되어 있다. 차별하지 않고 품어준다. 노자가 말한 "무위"로서 다스리는 지배의 형식은 "소설의 개방성"에서 찾을 수 있었다. 자연은 어떻게 다스리는가, 모두 개방시킨다. 자연의 생태적 질서는 서로 힘으로 겨루고 힘으로 사라진다.
자연은 개입하지 않는다. 문을 열어둔다. "지배하지 않고 지배하기" 노자의 말은 형용모순이지만, 조르바의 시선으로, 카잔자키스의 시선으로 삶을 다시 돌아본다. 그리고 내 시선으로 다시 돌아본다.

성찰의 사전적 뜻이 새롭게 와닿는다. "다시-보다" "새롭게-보다"
개방된 사람은 다시 본다. 익숙해도 다시 보려고 노력한다. 아니!
오히려 익숙한
대상일수록 낯설게 보려고 한다. 수없이 새롭게 보는 사람이 "사랑"
하게 된다. 나는 그렇게 믿는다.

풍요와 심리적 빈곤의 사태_ 한병철 <피로 사회> 인용

"과도한 선택의 자유를 누리는 후기 근대의 성과 주체는 강력한 유대 능력을 잃어버린다. 우울증은 모든 유대관계를 끊어버린다. 슬픔은 대상과의 강력한 리비도적 유대관계에서 나오며 무엇보다도 그 점에서 우울증과 구별된다. 반면 우울증은 대상이 없고 지향점도 없다."
- 한병철 <피로사회> 96p 인용

부자 나라와 가난한 나라의 기준점이 되는 도표 "국내 총생산(國內總生産)"은 국민의 "행복지수"를 포함하지 않습니다. "자유"는 좋은 말이지만 무엇으로부터의 자유인지 제대로 정의되지 않은 자유는 "형용사"에 불과합니다. 현란한 수사법이 될 수 있고 달콤한 감언이설로 사용될 수 있죠. 지금은 풍요의 시대입니다. 그러나 심리적 빈곤의 시대이기도 합니다. 심리적 빈곤을 부추기는 기술력은 "나"와 "다른 사람"의 삶을 직관적으로 비교할 수 있는 소셜 미디어의 시스템 발달 때문입니다.

'선택할 자유'에서 '자본 투자의 자유'로 이동하면서 규제 완화가 무조건 답! 이라는 인식이 강해집니다. 한병철 교수는 현대인을 '성과 주체'라고 부릅니다. 일반적인 현대인의 일상을 살펴봅시다. 현대인의 일과표는 아침부터 저녁까지 빽빽하게 채워져 있습니다. 현대인은 열심히 일하면서 사회 내 존재하는 "자기 계발"요구에 어깨마저 짓눌립니다. 사람다운 삶, 내가 주도적으로 꾸리는 여가의 삶은 모두 "자기 계발"시간으로 대체됩니다. 그래서 "강력한 유대 능력"을 상실한다고 보고 있죠. 현대인의 기본적인 심리 상태는 "우울함"입니다. 내 소득을 한탄하면서 부자가 못 된 이유는 모두 "내 탓"이라고 자책하기 때문입니다. 자기 계발의 함정은 "자기 착취"로 이어지게 됩니다. "스스로 채찍을 쥐고 엉덩이를 때리는 꼴"이죠. 웃기지 않나요?

"프로이트의 정신분석학은 심적 억압과 부인의 부정성을 전제한다. 프로이트가 강조하는 것처럼 무의식과 심적 억압은 '매우 커다란 상관성'을 지닌다. 하지만 우울증, 소진 증후군, 주의력결핍과잉행동장애와 같은 오늘날의 정신 질환은 심적 억압이나 부인의 과정과는 무관하다. 그것은 오히려 긍정성 과잉, 즉 부인이 아니라 아니라고 말할 수 없는 무능함, 해서는 안 됨이 아니라 전부 할 수 있음에서 비롯한다."
- 한병철 <피로 사회> 92p 인용

프로이트의 정신분석은 딱 이거 하나만 기억하면 됩니다. "사회의 규범을 사람 마음속에 내면화해서 병이 생긴다!"라고요, 정확히는 초자아(超自我, Super ego)라고 부르는 사회의 행동 양식, 마땅히 지켜져야 하는 "상식"을 말합니다. 초자아는 독일어로 "Das uder Ich"라고 부릅니다. 직역하면 "자아 위의 것"이라고 하네요. 보통 권력자는 남들보다 위에 있지 않습니까, 사회는 교육의 이름으로, 문명의 이름으로 어떤 행동 기준을 강요합니다. 그것을 "상식"이라 부르면서요. 프로이트가 주장한 규율은
우울증보단 공포와 억압이 발생하는 사회죠. 그러나 지금 이 시대, 성과 사회는 자발적으로 노예가 됩니다. 위의 것, 자아 위의 행동 강령을 마음속으로 끌고 와서, 낙담합니다. 낙오자라는 표식을 이마 빡에 빡! 새기고 괴로워하죠, 자기 계발의 동기는 모두 "자기 착취"라고 말합니다. 규율 사회에서 성과 사회로 이동하면서 "억압"의 일상화가 아니라 "뭐든지 전부 다 할 수 있는데 네가 안 한 거야!"라고 외치는 폭력적인 말을 양심의 목소리로 착각하는 데 있습니다.

"성과 주체는 자기 자신과 경쟁하면서 끝없이 자기를 뛰어넘어야 한다는 강박, 자기 자신의 그림자를 추월해야 한다는 파괴적 강박 속에 빠지는 것이다."
- 한병철 <피로 사회> 101p 인용

경쟁은 "타인"과의 경쟁에 머물지 않습니다. 성과 사회에서는 "게으른 나"와 "이상적인 나"와의 경쟁 구도로 전환됩니다. "게으른 나"를 꾸짖는 "이상적인 나"는 프로이트의 "초자아"적 성격을 갖고 있습니다. 꾸짖고 감독하고 내 행동을 체계적으로 관리하는 도덕 이상은 "우울"과 "불안"을 계속 유발합니다.

"자유를 가장한 자기 강요는 파국으로 끝난다. 규율 사회에서 성공 사회로 이행하는 과정에서 초자아는 긍정화를 통해 이상 자아가 된다. 초자아는 억압적이다. 초자아는 무엇보다 금지를 발하는 존재로서..(중략) 억압적인 초자아와 달리 이상 자아는 유혹적이다."
- 한병철 <피로 사회> 101p 인용

금지를 명하고 도덕적인 "죄"라고 강요하는 규율 사회는 "억압적"입니다. 그러나 성과 사회에서 규율 체계는 "무엇이든 할 수 있어!"라고 활기찬 웃음으로 가장합니다.
폭력의 도구가 바뀐 셈이죠.

"초자아에게서는 부정적 강제가 발생한다. 반면 이상 자아는 긍정적 강제력을 발휘한다. 초자아의 부정성은 자아의 자유를 제한하지만, 이상 자아를 향한 기투는 자유의 행위로 해석된다."
- 한병철 <피로 사회> 102p 인용

규율 사회는 "행동 기준"이 획일화되고 그것이 교묘하게 문화적 외피를 입은 상태로 강요되는 사회입니다. 거기서는 죄다 금지, 금지, 거부, 강제가 일상이겠죠? 그래서 부정적 강제가 발생한다고 합니다. "이상 자아"는 "게으른 나"와 "이상적인 나"의 이분법적 관계라고 해석할 수 있습니다. 규율 사회는 자유를 제한하죠, 그러나 현대 사회, 한병철 선생이 말하는 성과 사회는 "자유"가 흘러넘쳐서 "무엇이든지 할 수 있으니" 당장 움직여라, 성과가 없는 것은 "노력 안 한 게으른 패배자의 변명"이라고 합니다. 때로는 자유도 폭력이 될 수 있습니다.

"성과 사회는 자기 착취의 사회다, 성과 주체는 완전히 타버릴 때까지 자기를 착취한다. 여기서 자학성이 생겨나며 그것은 드물지 않게 자살로까지 치닫는다. 프로젝트는 성과 주체가 자기 자신에게 날리는 탄환임이 드러난다."
- 한병철 <피로 사회> 103p 인용

마지막 인용 구절입니다. 자기 계발의 목적은 각자 정의 내리기 나름이라고 생각합니다. 존 스튜어트 밀 선생님은 "자유 민주주의 사회"에서 "개인의 기본권"은 각자 개성대로 삶을 꾸려갈 "자유"를 뜻합니다. 한병철 선생님이 현대 사회를 "자기 착취"시대라고 조금 과하게 부르지만, 틀린 말은 아니라고 생각합니다. 현대인에게 주어지는 요구는 누가 결정하나요? 피로 사회는 나를 고갈시키는 사회입니다. 스펙과 학벌, 엘리트주의 등등, 현대인은 "고갈되는" 사회입니다.

내가 나를 기억하는 방식_ 김정운 <에디톨로지>를 읽으면서

독서의 질은 읽고 있는 책의 "밀도"에 따라서 달라지는 거 같습니다. 가벼운 자기계발서를 한 권 읽는 것과 학자가 일평생 얻은 정보와 논문의 자료를 한 권에 압축시켜 배치한 독후는 "질(質)"이 달라집니다. 그렇다고 자기계발서를 무시하는 바는 아닙니다. 저는 한 권으로 여러 글을 남겨두고 메모하는 것을 좋아하는 터라, 김정운 교수님의 책을 무척 좋아합니다. 자 그러면 제가 무릎을 탁! 치면서 감탄하게 된 부분을 소개해드리겠습니다.

<피로 사회>의 저자로서 유명한 한국의 철학자 "한병철" 교수님의 신작 제목을 아시나요? 이른바 <서사의 위기>라는 제목으로 우리 곁을 찾아왔습니다. 물론 한병철 교수님의 신작은 읽어보지 않았지만, 제목부터 확 와닿는 게 있었습니다. 특히나 지금 대중문화 시대에서 "나"의 이야기를 쉽게 하기란 무척 어려운 거 같습니다. 자기소개서에는 늘 "스펙"이라는 명목으로 활동 이력과 "학력"이 아니라 "학벌"을 기재해야 합니다. 거기에 "자격증"으로 "나"의 이야기를 쉽게 대체해버리죠. 이런 현상은 꼭 취업준비생만의 문제가 아닙니다. 우리는 기본 교육을 받으면서 여덟 살 코흘리개 시절부터, 딱딱한 사각형 "교실"에서 자그마치 12년을 지내야 합니다.

학교(學校)의 영문어 "school"은 그리스어 "schole(스콜레)"에서 유래했습니다. 스콜레의 다양한 뜻을 종합해보면 "여가를 위한 배움"과 "산속을 거닐며 대화하고 배우는 것"이라고 정리할 수 있습니다. 여가를 위한 공부, 우리가 흔히 말하는 "교양"의 출발점이죠. 그러나 학교는 학생의 여가를 존중해주지 않습니다. 아니 그보다는 우리 사회 모두가 주체적인 생각을 허용하지 않습니다. 학생 때는 "내신 기계"가 되어야 하고, 대학생은 "학점 기계"가 되어야 합니다. 획일

적인 기준으로 "학벌"이 결정되기 때문입니다. 김누리 교수가 몇 개월 전 유튜브 영상에 나와서 했던 말이 충격적으로 다가왔습니다. 서울대생 인기 교양 과목으로 "수학"이 상위 교과목으로 꼽힌다고 합니다. 그 이유는 "반수"하기 위해서라고 하죠, 서울대 공대생은 "의대생"이 되지 못한 박탈감을 느낀다고 합니다.

위의 예시는 하나의 현상일 뿐이죠, 저는 자기소개서에 약력을 적어내는 방식이 마음에 들지 않습니다. "나의 기호"가 아니라 "당신들의 기호"를 위해서 작성하는 자기소개서는 참 난센스처럼 느껴지기 때문입니다.

나폴레옹이 예나 전투에서 승리하고 당시 신성로마제국을 해체시킨 1805년, 독일의 관념론 아버지 "헤겔(Hegel)" 선생은 정신에 관해서 이렇게 주장했습니다. "나"란 곧 "자기 동일성"이라고 말이죠. 여러분 "나"는 어떤 개념입니까? 자궁에서 자그마치 열 두 달을 기다리고, 세상 태어나 한 살부터 지금까지 "나"는 정말 "동일한 나"입니까?
"인간은 텍스트를 통해 자신을 드러낸다. '내가 이야기하는 나'가 바로 '나'다. 심리학에서는 아이덴티티(identity), 즉 자기 정체성이라고 정의한다. 내가 이야기하는 나를 자기 자신으로 동일시(identity)하는 과정에서 자아가 구성된다. (중략) 자신의 과거 이야기, 즉 기억으로 구성된다. 나는 '과거 기억의 편집'이다."
- 김정운 <에디톨로지> 275p 인용

내가 기억하는 "내"가 있습니다. 그리고 타인이 기억하는 "내"가 있습니다. 우리의 비극은 "내가 기억하는 나"와 "당신이 기억하는 나"가 다를 때 발화됩니다. 폭발하는 셈이죠. 우리는 애정을 "표현"한다고 말합니다. 표현(表現)이 뭐에요? 만져지지 않는 추상적인 개념을 겨우겨우 "말"로서 드러낼 뿐이에요, 그것도 내 마음의 반도 못 담아갑니다. 김정운 교수님은 "구성주의적"관점에서 동일한 "나"는 없다고 말하고 있습니다. 저는 이 부분에서 동의하기 어려워요, 기독교인이기 때문입니다. 구성주의가 말만 그럴싸하지, 사실 쉽게 정리할 수 있습니다. "나"는 만들어진 개념이다! 라고요.

그러나 몇 가지 차원에서 위 인용구는 참 좋습니다. 연애사를 생각해볼까요? 저는 현재 4년 조금 안 되게 교제 중인 여자친구가 있습니다. 가끔 식사하면서 이런저런 얘기를 나누다 보면 "기억하는 모습"이 달라요, 당연하죠, 사람의 기억은 주관적일 수밖에 없거든요.

"현대 심리학의 '일관된 자아'에 대한 요구는 자아 구성 과정에 관한 무지에서 나온다. (중략) 일관된 자아에 대한 오버는 '억압'을 낳는다. 자아에 대한 억압된 기억은 타인의 내러티브를 왜곡하고 부정한다."
- 김정운 <에디톨로지> 277p 인용

연애하다가 싸우는 이유는 "네가 변했어"에서 시작합니다. 우리가 기억하는 타인의 모습을 끝없이 요구하는 것입니다. "네가 변했어"라는 말은 "내가 기억하는 너는 이렇지 않아."라고 타인에게 요구하는 셈입니다. 연애는 하나의 예시일 뿐이에요. 우리 사회를 볼까요? 사회에서의 "나"는 어떤 부속품으로서 존재합니다. 작은 톱니바퀴로서 살아가죠, 저는 이렇게 생각합니다. "우리는 소비 기계"라고요. 대중 미디어는 끝없이 상품에 "서사"를 부여합니다. 그리고 아무런 서사가 없는 "소비 기계"는 월 소득 일부를 "구매"하는 데 사용합니다. 우리의 소득은 일종의 펌프 액과 다르지 않습니다.
학교에서는 "내신 기계" 사회에서는 "소비 기계"가 돼버린 모습입니다.

다시 돌아와서 글을 마무리하려고 합니다. 우리는 누구입니까? "내가 기억하는 나"는 어떤 모습인가요, 그리고 타인이 기억하는 나의 모습은 또 얼마나 다릅니까?

"기억"은 김정운 교수님의 말대로라면 "편집 단위"입니다. "나의 성격은 ~이래"라고 말을 한다면, "타인과의 관계에서 ~했던 기억"을 다시 인출해서 덕지덕지 이어서 붙인 결과물이 "나"라고 말합니다.

실존주의자들은 인간을 바깥으로 "열려 있는" 존재라고 생각했어요, 실존(existence)이란 말 자체가 "바깥으로 추방되었다"라는 느낌을 확 주지 않나요? 막연하게 열려-있는 존재가 인간이라고 생각했을 때 우리는 무엇을 "향해" 있나요, 고집쟁이는 이렇게 생각하고 행동할 것입니다. "내가 생각하는 나"가 "네가 생각하는 나"보다 더 정확해! 라고 말이죠. 그것이 아집(我執)입니다. 현명한 사람은 늘 "네가 생각하는 나"를 염두해두고 "열려-있는" 태도를 유지합니다.

우리는 얼마나 개방되어 있나요, 얼마나 "타인이 생각하는 나"에 신중하게 고민하고 듣고 있나요?

인류가 지도와 달력을 만들어낸 이유_ 김정운 교수의 <에디톨로지> 인용

눈 깜빡할 새 11월이 코앞으로 다가왔습니다. 언제나 그랬듯이 어른들의 말은 틀린 적이 없네요, 시간은 나이에 비례하면서 더욱 빨라진다! 뉴턴 선생이 내놓은 "F=ma"에서 "나잇값"은 미처 계산하지 못한 그가 참 애석하기만 합니다. 새해 준비도 하고 연말에 소화해야 할 일들이 꽤 있어서 캘린더를 구매했습니다. 달력이죠. 팔천원 주고 구매했는데 썩 마음에 들었습니다. 올해 11월부터 내년 12월까지, 7일 주기로 기록되어 있습니다. 가끔씩 그런 생각을 합니다. 달력에 적힌 이 날짜들이 정말 "실체"가 있는 개념일까? 어제는 10월 29일이고 오늘은 10월 30일이며 내일은 31일인데, 날짜와 시간의 시, 분, 초는 과연 "실제로 있는 게" 맞는 걸까? 싶었습니다. 조금 엉뚱하죠? 그래서 김정운 교수님의 생각을 조금 빌리려고 합니다.

"좌표가 잡히지 않는 공간은 '공포'다. 도무지 내가 어디 있는지 모르기 때문이다. 어디로 흐르는지 알 수 없는 시간은 더 큰 공포다. 공간은 발이라도 붙어있지만, 시간은 그저 붕 떠 있다. 그래서 존재의 본질은 '불안'이다. 하이데거의 실존 철학이 말하고자 하는 핵심 내용이다. 하이데거의 세계-내-존재(In-der-welt-sein)란 시간과 공간에 아무 대책 없이 '내던져짐(Geworfenheit)'을 의미한다. 내던져짐을 한자로 표현하면 '피투성'이다. "
- 김정운 <에디톨로지> 158p 인용

생각해봅시다. 달력도 없고 지도도 없는 무인도에 갇힌다면, 우리는 머지않아서 미쳐버릴지 모릅니다. 시간은 무한하고 공간도 무한하게 느껴지는데, 막상 "나"라는 한 인격체는 아주 작은 피조물에 불과하기 때문이죠. 여기서 실존(實存)의 뜻을 살펴보면 좋겠습니다. 하이데거 선생은 "존재의 의미"를 물었던 철학자 양반입니다. 과거에는 "어떻게 존재하는가"를 집중적으로 물어왔다면 하이데거 선생은 "왜 존재하는가?"로 의문점을 내놓았죠. 그가 보기에 인간은 살아갈 목적이 뚜렷이 없는 존재입니다. 모든 생명체가 마찬가지로 "존재하는 이유"가 없는 상태죠. 그래서 실존을 영어로 "ex-istence"라고 하는데 여기서 주목할 부분이 "ex"인 거 같아요. 개인적인 생각을 덧붙여서 의역하면 실존이란 "~으로부터 버려진 상태"라고 생각하는데요, 하이데거 선생의 생각을 덧입혀 말하자면 "인간은 존재하는 이유로부터 버려진 상태"라고 정리할 수 있습니다.

무한한 공간과 시간 앞에 "던져진" 인간은 이제 궁리를 찾습니다. 지배하기 위해서 아주 치밀한 방법을 생각해내죠, 그래서 인류는 시간을 어떻게 통제합니까? "시간에 실체를 부여"하는 방법으로 지배합니다. 가령 1초 1분 1시간 1달 1년으로 말이죠. 각각의 단위를 달력에 끄적입니다. 우리는 손목에 애플 워치를 차고 각 가정집 마루에는 아날로그 벽시계가 주렁주렁 매달려 있죠. 근대화는 곧 시간의 시대라고 봅니다.
인류는 저항할 수 없는 시간의 흐름을 "단위"로 쪼개서 지배할 생각을 합니다. 아주 현명하게도 말이죠.

"시간에 대한 불안과 공포를 극복하기 위해 인간은 시간을 분절화한다. 시간을 숫자로, 마치 셀 수 있는 물체처럼 만든 것이다. 일단 하루를 24시간으로 쪼갠다. 하루는 모여 일주일이 되고, 한 달이 된다.(후략)"
- 김정운 <에디톨로지> 159p 인용

새해를 맞이하고 일 월을 영어로 부를 때 "January"라고 부릅니다. January의 파생은 로마의 신화 야누스(Janus)에서 유래했다고 잘 알려져 있죠. 야누스 신은 로마의 성곽 바깥에서 성문을 지키는 파수꾼의 역할을 가지고 있습니다. 동시에 뒤통수에도 얼굴이 하나 더 달려있어서 조금 징그럽지만, 여기에서 연말과 새해를 맞이하는 서구인들의 생각을 엿볼 수 있고 동시에 인류가 얼마나 "성문을 지키듯"이 시간이라는 속성을 물체처럼 만들어놓고 지배하려고 애쓰는지 January만 쳐다봐도 훤히 알 수 있습니다.

그렇다면 공간은 어떻게 지배하려고 했나요?

"반면 공간에 대한 공포는 시간에 비해 훨씬 구체적이며 감각적이다. (중략) 어느 순간부터 인류는 공간에 대한 공포를 근원적으로 해결할 수 있는 방법을 찾아냈다. '재현(再現, reappearance)'이다. 재현의 대부분은 3차원 공간을 2차원 평면으로 환원시키는 방식으로 일어난다."
- 김정운 <에디톨로지> 159 p 인용

위 인용구를 조금 더 쉽게 이해해보고자 예시를 들려고 합니다. 자 여러분은 지금 답답한 마음에 바깥에서 산책이라도 할까 합니다. 그리고 대문을 열고 1층까지 내려가 10월 말, 가을 찬바람을 맡으면서 주변의 풍경과 낙엽을 쳐다봅니다. 그리고 고개를 들어서 저 아파트 단지 너머로 쭉 깔린 산등성을 마주 봅니다. 끝없이 이어진 산 바위들을 보면서 약간의 경외심이 들기도 하죠. 아름다운 가을 풍경을 "담아내고" 싶어서 여러분은 주머니를 뒤적거려 스마트폰 카메라를 터치해서 사진을 찍습니다. 자 이제 사진첩에 들어가면 여러분이 마주하고 있는 그 "실제 풍경"과 아주 똑같은 "사진"이 담겨있습니다.

조금 어색한 상황이라고 해도 이만하면 충분한 예시라고 생각합니다. 인류는 시간을 넘어 공간을 지배하기 위해서 "3차원의 생생한 공간"을 "2차원의 평면 도식" 위에 구겨 넣는 방법을 선택합니다.

실제 풍경을 "재현"한 사진은 "아주 작은 이미지로 내 손안에 갇혀"있는 느낌을 줍니다. 2차원 평면으로 다시 재현한 실제 풍경은 이제 "나를 초월하는 느낌"보다는 내가 이 사진을 지배하고 있다는 야릇한 느낌을 주기도 하죠.

"지도는 공간에 질서를 부여하는 것을 의미한다. 공간을 위도와 경도라는 규칙 안에 재현하기 때문이다. 규칙이 있으면 통제 가능하다는 믿음이 생긴다. 그 어떠한 공간도 가로, 세로의 질서가 세워져 있는 지도로 나타내면 두렵지 않다. 더 이상 무한한 공간이 아니기 때문이다."
- 김정운 <에디톨로지> 160 p 인용

어렸을 때 다들 유리 책상 밑에 깔아둔 세계 지도 기억나시나요? 그 지도는 위도와 경도를 기준으로 촘촘하게 구획되어 있습니다. 인류는 광활한 공간을 "규칙"으로 통제하기 시작합니다. 저는 이 주장에서 조금 더 나아가 생각해보려고 합니다. 2023년 메가트렌드를 선도하는 매체는 단연코 인스타그램이라고 생각합니다. 여러분들도 동의하실 거라 생각해요, 실제의 "삶"이 아니더라도 가로와 세로로 촘촘하게 구획된 작은 사이버 공간에서 "인공적인 삶"을 게시글로 업로드하고 태그를 달고, 좋아요에 신경을 쓰는 이유가 무엇일까 생각해봅니다.

거대한 인류는 시간을 단위로 쪼개서 통제하고, 공간을 2차원 평면으로 구겨 넣어 지배했다면, 개인의 삶은 "새로운 공간인 사이버 공간"에서 "나"와 "상품"의 만남으로 부가가치를 올리려고 애를 씁니다. (비판의 의도는 없습니다. 다만 이러한 경향을 말할 뿐입니다) 이 부분은 보드리야르의 시뮬라크르에서 잘 다뤘으니 여기서 다루진 않겠습니다. 시간을 초, 분, 시로 쪼개어 나누었다면 개인의 삶은 "상품의 심볼"로 나누어 급을 나누고 평가를 하면서 "사회적 지위"를 스스로 쟁취하려고 합니다.

애플의 로고, 에르메스의 로고, 벤츠의 로고, 핫 플레이스 태그와 좋아요의 개수, 그리고 지출한 가격을 자랑하게 되는 이 모든 것도 "인류가 자신의 삶을 통제하기 위한 극단적인 문화 현상"이라고 생각합니다.

인류의 최고의 발명품은 달력, 지도, 인스타그램입니다. 우리는 늘 "불안"하다고 주장한 하이데거 선생의 말을 비추어보면 "우리는 존재하는 이유"가 없기 때문에, 달력을 만들고 지도를 만들고 인스타그램 피드 속 "가상의 나와 상품 로고의 진한 키스"를 업로드하는 지 모릅니다. 불안의 본질은 "텅 빈 나의 속내"라고 주장했던 하이데거의 주장도 "하나의 의견"일 뿐이지만, 현대인이 공허감을 자주 느끼고 각종 신경증과 자살로 이어지는 심리적인 빈곤함을 설명하기에 적절하다는 생각이 듭니다.

무엇으로부터 벗어날 자유가 인권인가요?_ 김정운 <에디톨로지> 완독.

저는 권위자가 권위에 합당한 보상을 요구할 때 소위 말하는 "갑질"이 된다고 봅니다. 갑질의 형태는 다양해요, 2017년도에 서구에서 시작된 "미투 운동"과 재벌가의 갑질들, 그뿐만 아니라 다양한 형태로 "갑질"의 형식은 존재합니다. 구체적으로 마주치는 갑질의 속성을 철학에서 고상한 표현으로 "권력"이라고 부릅니다. 문득 생각나는 대머리 "미셸 푸코"도 그렇고, 한병철 선생님도 그렇고, 대한민국을 넘어서 서구 진영에서 활동하는 "페미니스트 운동"의 본질도 "권력"과의 사투라고 볼 수 있습니다.

권력의 개념이 뭘까요, 위계적인 조직에서 벌어지는 부당하고 수치스러운 요구? 그것도 맞습니다. 그러나 그것은 권력의 구체적인 행태지 "권력의 본질"은 아니죠. 권력을 정의(定義)하려면 결국 섣부른 일반화로 개념 지을 수밖에 없습니다. 인간 손민수가 생각하는 권력의 본질은 "획일적 요구"입니다.

"회화 방법론으로 '원근법(perspective)'이든 인식론의 관점(perspective)이든 반드시
'권력'의 문제를 끌고 들어온다. (중략) 여기에 모더니티의 함정이 있다. '객관성'의 외피를 입고 그 뒤에 숨어 작동하는 권력이다. 관점의 권력적 속성이 제대로 드러나는 개념은 '시선(gaze)'이다. 20세기 후반, 페미니즘 이론의 대부분은 남성적 시선의 은폐된 권력을 드러내는 데 집중되어 있었다. 객관성을 가장한 남성 중심주의, 더 정확히 말하면 백인 남성 중심주의 비판이다."
- 김정운 <에디톨로지> 174~175p 인용

있어 보이는 말로 "탈(脫)" 권력이라고 부르고 싶습니다. 저는 김정운 교수님의 모든 주장에 동의하지 않아요, 그러나 몇 가지 측면에서 동의하는 부분도 있습니다. 천천히 살펴볼까요? 갑자기 생뚱맞은 '회화'가 무슨 말인고 하면, 근대적 정신이 미술 기법에도 투영되었다는 주장입니다. 사진기의 발명으로 화가의 자질과 위치가 위태로워졌습니다. 발터-벤야민은 "사진기의 발명으로 예술은 아우라(Aura)"를 잃었다고 생각했죠. 여기서 아우라는 어디 샴푸 광고에서 나올법한 대사가 아닙니다. "부정부사 ~A"와 "숨결을 뜻하는 ura"의 합성어라고 합니다. 근대까지의 회화 기법은 사물과 사람, 그리고 풍경과 중세 시대의 종교적 사건을 "모방"하는 데 있었습니다. 이른바 재현(reappearance)이죠. 그러나 사진기의 발명으로 미술의 모방 회화 기법은 "숨결"을 잃어버립니다. 그래서 20세기 초반에 인상주의 사조가 시작되었다고 말합니다. 인상파 특징이 뭔가요? 파블로 피카소의 그림을 보신 적이 있나요? 저도 뭐 아는 게 많이 없지만, 검색 몇 번 해보면 분명히 두드러진 점이 있습니다. 그게 뭐냐면 "원근법"과 그에 상응하는 "소실점"이 아예 제거되었다는 거예요. 우는 여인, 게르니카 전쟁을 묘사한 작품만 봐도 "중심"이 부재합니다. 원근법이 사라진 거죠.

회화에서 "탈 권력"은 원근법의 사라짐으로 정점을 맞이합니다. 미국의 잭슨 폴락의 회화 기법은 아예 "형체"가 없죠. 그냥 페인트칠입니다. (격하의 의도는 없습니다. 제 감상입니다) 김정운 교수님은 이렇게 말하고 있습니다. 관점이 곧 권력이다! 라고. 동의합니다. 시선의 위치가 곧 권력입니다. 유현준 교수님의 "공간의 미래"를 보시면 아주 흥미로운 이야기가 나옵니다. 교회 예배당의 건축구조는 자연스레 "목사님"의 권위가 커질 수밖에 없다고 합니다. 예배당의 구조는 앞부분이 뒷부분보다 높게 있습니다. 모든 성도의 시선이 "아래" 있는 셈이죠. 그 위에서 목사님의 시선은 모든 좌석이 한눈에 훤히 보입니다. 덩달아 예배당 의자는 일체형 장의자입니다. 쉽게 나가기가 어려워요. 유현준 교수님은 "시선의 높이"가 곧 "권력의 높이"라고 해석합니다.

음…. 흥미로운 해석이지만 조금 더 살펴봐야 알 거 같습니다. 프랑스의 베르사유 궁전도 철저히 루이 14세의 "시선"에 초점을 맞추고 계획된 공간입니다. 베르사유 건축도면을 조감도로 보시면 무슨 기하학 변태가 건축했나 싶을 정도로 직각 사각형 구조에요. 가운데 정원을 앞두고 왕이 머무는 건축물에서 전경을 살펴보면 "한눈에 모든 사람"이 훤히 보입니다. 관점의 위치가 "권력의 척도"가 된 셈이죠.

김정운 교수님은 시선과 권력의 관계를 2세대 페미니즘으로 가져옵니다. 1세대 페미니즘 운동은 "울스턴크래프트"의 정치적 평등권의 요구, 다시 말해 지금은 상식적으로 받아들여지는 "보통선거제도"를 요구했던 운동이었죠. 2세대 페미니즘은 정치적 평등을 넘어서 문화적 차원에서의 "평등"을 말합니다. 앞의 인용 구절에서 "백인-남성-기독교인-미국인"까지 나옵니다. 이 부분을 2세대 페미니즘에서 "상호 교차성 이론"이라고 말하는데요, 한 마디로 이거에요. 백인과 남성과 기독교인과 미국인은 존재 그 자체로 "흑인과 여성과 이슬람과 개발도상국"을 착취하고 지배하려는 "집단"이다! 라고 말이죠. 모더니즘의 비판은 곧 "권위"의 비판이며 역사적으로 "지배계급"을 타도하자는 운동이 현재 p.c 주의로 드러나는 페미니즘의 철학 토대입니다. 판단은 여러분의 몫입니다!

"근대성, 즉 모더니티는 권력의 시선을 숨긴다. 원으로 둘러싸인 죄수들의 모든 방을 간수가 한가운데서 감시할 수 있게 되어 있는 푸코의 원형 감옥 파놉티콘은 이 모더니티의 간지(奸智:간사한 지혜)를 잘 설명해준다. 죄수들은 간수가 도대체 어디를 보고 있는지 전혀 알 수 없다. 그러니 항상 관찰당하고 있다는 강박에 시달린다."

"외적 규율의 내면화다. 근대적 주체란 이처럼 눈에 보이지 않는 시선을 의식하는 방식으로 형성되었다."
-김정운 <에디톨로지> 175~176p 인용

자 무슨 빡빡이 푸코까지 등장합니다. 이야기가 슬슬 복잡해지죠, 그러나 어려울 게 없습니다. 다들 똑같은 소리를 하니까요 2세대 페미니즘의 상호 교차성 이론도 미셸 푸코의 권력 이론도 모두 다 한목소리로 이렇게 말합니다.

"외부의 권력이 기준을 만들고 그걸 문화적으로 강요한다! 우리는 억압당하는 피해자야!"라고 말이죠. 우리는 마치 죄수처럼 "일과표" 대로 살아갑니다. 중세 클뤼니 수도원에 시작된 "계율"은 "시간표" 를 작성하고 그대로 맞춰가는 문화와 관행이 근대의 학교와 감옥 병원에 퍼져나갑니다.

담론이라고 합니다. 혹은 "상식적"이라고 합니다. 그러나 그걸 누가 정하나요? 그걸 벗어난 사람은 정신병자와 범죄자라고 합니다. 그 "기준"은 도대체 누가 정합니까?
김정운 교수나 푸코, 그리고 프로이트까지 한목소리로 이야기합니다. 그 기준은 "지배 집단의 권력"이 투영된 것일 뿐이다. 라고 말 이죠.

"근대적 권력의 시선은 사람들의 삶을 아주 구체적이고 정교하게 지배한다. 시선의 지배가 구체화된 공간이 바로 감옥, 학교, 군대, 병원이다. 물론 근대 이전에도 있었다. 신의 시선을 의식해 규율, 의무, 책임이 체계적으로 작동했던 수도원이다. 수도원에는 (생략)

구체적 행동 지침들이 있었다. (중략) 근대적 주체의 조건은 그 본질에 있어 권력의 시선을 내면화한 것에 불과하다."
- 김정운 <에디톨로지> 180p 인용

벗어남이 인권인가요? 벗어남은 "~으로부터 자유"입니다. 그 "~의" 기준이 모더니즘의 지배자인 상업 계급들, 덧붙여서 "백인-기독교인-남성-미국인"이라고 합니다.
(애초에 미국인은 민족의 개념이 아니라 국가의 개념이지만 말입니다) 권력 이론이나 문화적 구성주의, 탈-모더니즘의 특징은 모두 한 곳으로 귀결됩니다.
그 보이지 않는 권력은 "신"으로 대표되는 백인, 남성, 기독교인, 미국인이다! 이거야말로 새로운 갈라치기 수법이라고 생각합니다. 억지에 가까울 정도로 "혐오"하는 문화는 그들도 별 다를 바 없는 "혐오자"라고 생각합니다.

인권이 무엇일까요, 권력이 무엇일까요, 인권은 권력에서 벗어나는 주체적인 행동일까요? 인권도 추상적인 개념이고 권력도 추상적인 개념입니다. 요즘에 절감하는 문제가 이 부분입니다. 우리는 수용하는 태도를 잃어가고 있다는 점, 경청의 태도를 경시 여긴다는 점입니다.

파블로 피카소의 원근법 해체와 푸코의 권력과 내면화 이론, 그리고 2세대 페미니즘의 상호 교차성 이론과 프로이트의 초자아 억압, 그리고 콤플렉스 등
모두 "권력"에서 벗어나야 한다는 생각에서 출발합니다. 여러분은 "권력"의 개념이 뭐라고 생각하시나요?

암기식 인재에서 평가식 인재로_ 김재익의 <A.I 빅뱅> 독후

공정성이 대한민국 사회에서 요구되는 가장 큰 덕목이라고 생각합니다. 왜 하필 공정성이라는 담론에 민감하고 강렬하게 요구되는 걸까요? 대략 2,500여 년 전 그리스의 문화권에서는 "정의(正義)"를 "dikaiŏsünē"라고 번역하는데요, 여기서 그 유명한 정의의 여신 "디케(Dike)"의 어원을 찾을 수 있습니다. dikaiŏsünē의 사전적 정의는 법률에 합당한 상태라고 볼 수 있지만, 또 다른 시각으로 아리스토텔레스가 정의한 "분배적 정의"로 이해할 수 있어요. 당시에 그리스 문화권은 중국이나 동아시아 문명처럼 군주제적 단일 국가가 아니라 연방제 성격이 강한 도시국가로 형성되면서, 국경선의 개념이 흐릿했습니다. 그리스 내륙 지방에서는 잦은 국경 전쟁이 있었고, 그에 따라서 "토지를 분배"할 때 전쟁 과정에서 각각 기여한대로 나눠주는 "공정한 몫의 배분"이 "정의로운" 행동으로 비춰졌죠. 그래서 기하학이 일찍이 발달하고 플라톤 선생이 아카데미아에 "기하학을 모르는 인간은 저리 가라"라고 밀했던 이유도 이런 배경에서 이해할 수 있습니다. 즉 정의로움은 "공정한 몫의 나눠줌"이며 그것은 "내가 기여한 만큼 나눠주는 시스템"이라고 바라볼 수 있을 거 같아요.

서론이 조금 길었습니다. 오늘 나눠볼 이야기는 "A.I"는 우리의 기대만큼 공정할 수 있을까? 그 점을 살펴보면서 앞으로 인간과 인공지능의 경쟁에서 파급되는 여러 두려움을 어떻게 바라봐야 할지 같이 고민해보면 좋겠습니다.

"인공지능에 법적 판단을 맡길 수 있느냐와 관련해서 흥미로운 발표가 있었다. 2017년 6월 1일 오후 대전지방법원에서 열린 '인공지능과 법' 학술 대회에서 대전지방법원 고상영 판사는 '법률가들의 법적 사고 패턴은 1. 문제가 되는 법적 쟁점 확인하기->2. 해당 법적 쟁점과 관련된 법령, 판례, 문헌 검색하기->3. 해당 사례가 기존의 관례에 적용 가능한지 판단하기의 세 단계를 거친다."
- 김재익 <A.I 빅뱅> 130P 인용

고상영 판사님의 의견을 인용하면서 사법적 문제로 피고인과 원고인이 법률로 기소된 문제를 다룰 때 세 가지 인지 과정을 거친다고 말했습니다. 고발 및 기소된 내용과 관련해 충돌하는 쟁점을 확인하는 과정과 이어서 기존의 사례 및 앞선 판례를 축적하는 과정, 최종적으로 검토한 사례와 판례가 해당 사건에 적용 가능한지 검토하는 과정까지 이어지는데 고상영 판사님은 여기서 A.I의 역할은 두 번째 역할인 "사례와 판례의 검토와 축적"하기 정도뿐인지 쟁점 확인과 사례와 해당 사건의 유사성을 찾는 일은 어렵다고 생각했습니다. 왜 그럴까요?

"인공지능 판사의 문제를 논하기 위해 알아야 할 가장 중요한 개념은 '지도학습(supervised Leaning)'이다. 지도학습은 데이터로부터 패턴을 찾아내는 작업이라고 할 수 있다. (중략) 정작 중요한 것은 '데이터의 질' '품질 좋은 데이터'이다. 만일 데이터가 나쁘거나 왜곡되어 있다면 지도학습의 결과도 나빠진다."
- 김재익 <A.I 빅뱅> 131P 인용

근래에 문제가 된 챗봇 이루다 사건을 아시나요? 인공지능의 한계성은 이루다 사건으로 일단락될 수 있을 만큼 공정한 미덕을 기대하기 어렵다고 판단할 수 있습니다.
저자는 인공지능의 '지도학습'이라는 개념을 사용하면서 질 좋은 입력값이 없으면 질질 좋은 출력값이 있을 수 없다고 주장하죠, 당연하지 않아요? 텃밭에도 콩 심었는데 팥 나길 백날 기도해봐야 무슨 의미가 있을까요? 고상영 판사님과 저자의 생각은 동일하다고 봅니다. 데이터의 양이 많아도 데이터베이스로 이뤄진 온라인 영역에서는 검열되지 않은, 비윤리적인 지식이 가득해서 챗봇과 같은 인공지능의 출력값에 "공정하고 올바른 결과"를 기대할 수 없는 셈이죠.

"관건은 판례다. 인공지능 판사는 판례를 데이터로 삼은 지도학습을 통해 만들어진다. 법은 대체로 보수적 사회 통념을 반영한다. 판례도 마찬가지로 가장 오래 고수되어 온 사회적 가치에 부응한다. 따라서 인공지능 판사는 가장 보수적인 법적 판단을 내릴 수밖에 없다. 인공지능 판사가 절대로 할 수 없는 일은 '판례의 변경'이다."

"말하자면 사회의 변화된 가치를 따르는 판결은 내놓지 못한다. 인공지능 판사가 스스로 가치판단을 하는 게 아니기 때문이다. 인간 판사라면 특히 생각이 젊은 판사일수록 사회 변화에 따른 새로운 가치를 법적 판단의 근거로 삼을 수 있다."
- 김재익 <A.I 빅뱅> 133P 인용

인용문이 길었네요. 방금 언급한 인용문이 해당 주제와 관련해서 가장 중요한 대목이라고 생각됩니다. 인공지능 판사는 장엄하게 눈을 가리고 수평적인 저울추를 한 손에 들고 있는 정의의 여신 "디케(Dike)"처럼 공정한 법적 판결을 해주리라 생각되지만, 이것 역시 사회적 통념에 불과하다는 주장이죠. 저는 조금 놀랐습니다. 헬라어로 "법(法)"을 "Nomos"라고 부른다고 합니다. 사전적 뜻으로는 "관습법(慣習法)"이라고 하는데요, 공동체에서 이전부터 전승되어 내려온, 법률적 판단이라고 볼 수 있습니다.
그러나 인공지능 판사는 "이전부터 전승된 보수적 판결"만 고집한다는 것입니다. 세상은 분명히 진보합니다. 더 나은 가치를 향해서, 소외되고 형편이 어려운 사람을 위해서 기회의 문턱이 낮아지고 사회적 관심이 높아지고 있죠. 여기에서 사법적 판단이 "사람"이 아니라 "기존에 관습처럼 굳어버린 가치관"대로 법적 판결을 내리게 되면, 더 나은 세상을 위한 사법적 움직임은 찾기 어려울 것입니다.

제가 이 글을 끄적이고 시점은 2023년 가을 경입니다. 새 정부가 출범한 지 2년 즈음 되었고 이번 정권에서의 기술적 화두는 "인공지능"의 대두라고 생각합니다. 그 두려움이 생성형 인공지능과 챗GPT로 나타났다고 봅니다. 인공지능의 약진은 사람의 육체적 능력을 포함해서 인간 고유의 특징은 "정신적인 이성"의 영역도 넘보는 두려움으로 이어지고 있습니다. 단순 암기와 정보의 인출 능력은 더이상 생성형 인공지능 능력에 못 당합니다. 사람만의 고유한 능력 중에서 아직 남아 있는 것, 앞으로도 쉽게 넘볼 수 없는 영역이 하나같이 "창조성(創造性)"이라고 합니다. 사람은 허구를 만들어내고 거짓말을 합니다. 그것도 자기의 사적인 이익을 위해서! 또한, 이를 바탕으로 대규모 집단을 탈 없이 운용될 수 있도록 여러 제도를 "마음속에 내면화"시켰습니다. 저는 인공지능이 절대로 넘볼 수 없는 영역이 "거짓말"이라고 생각합니다. 한편으로는 "뒷담화"도 마찬가지로 넘보기 어려운 인간만의 영역이라고 생각해요.

유발 하라리의 사피엔스에서 동일한 언어 체계가 발달한 집단에서 최대 수용 가능한 인원수가 150명이라고 합니다. 왜 그렇죠? 그들이 서로 "뒷담화"를 할 수 있는 최대한의 집단 규모가 바로 150명 정도라고 예측하는 것이죠. 허구를 만들어내는 능력이
창조성의 또 다른 발현이 아닌지 싶습니다.

창조에 관한 시선은 서구에서 헬레니즘의 시각과 헤브라이즘의 시각으로 나눠집니다.
그리스 문명에서 창조는 "무에서 유를 창조하는 유일신"의 개념이

없었습니다. 플라톤 선생은 그의 책에서 "제작자"라는 의미를 가진 "데미우르고스(Demiourgos)"가 우주 공간에 떠도는 질료를 조합해서 천체를 만들고 지구를 만들었다고 주장하죠, 즉 헬레니즘의 창조관은 "유에서 유"라고 볼 수 있습니다. 반면에 헤브라이즘 문명에서 우주와 인간은 유일신이 "말씀(logos)"으로 질료를 만들고 조합했다고 전해집니다. 저는 신의 능력인 "말씀(logos)"이 인간의 거짓말 능력과 어느 면에서는 유사하다고 생각합니다. 아직 존재하지 않는 미래를 예상하는 능력이나 존재했던 과거의 순간을 되살리는 능력, 혹은 하나의 가능성뿐일 어떤 실체를 생각하는 그것, 그 능력이 서구에서 끊임없이 예찬 되어 온 "이성(理性, reason)"이 아닐까 싶습니다.

단순 암기와 그것의 인출은 이제 의미가 없습니다. 물론 창조성의 전제는 암기가 선행되어야 하죠, 그러나 그것의 끝은 아니라고 봅니다. 대한민국 입시 교육도 창의성보다는 외부의 정답을 잘 파악하는 민첩함, 혹은 대입제도에 불과하다고 봐요, 창의성은 거짓말하는 능력처럼, 두 눈으로 비춰진 세상에서 어떤 가치가 우선되어야 하고, 어떤 가치는 배격되어야 하는지 그것을 문장으로 논증하기도 해보고, 다양한 활동에 참여해보는 과정이 필요한 시대가 아닐까 싶습니다. 곧 창의성은 '나다움'을 아는 일이죠, 그게 본질(本質)을 알아가는 교육의 목적과도 들어맞지 않나요?

변덕스러운 언어_ 김재인 <A.I 빅뱅>을 읽으면서

정말 사랑하는 사람한테 "나는 당신을 사랑합니다."라는 말밖에 할 수 없다는 사실이 조금 슬프기도 합니다. 우리는 보통 감정을 언어로 드러내고 타인의 헤아림을 받기 위해서 열심히 해명하기도 합니다. 내가 이렇게 슬퍼하는 이유는 "~하기 때문"이라고 말이죠. 여기서 언어는 보이지 않는 사람의 감정을 실제로 존재하는 하나의 "물질"처럼 묘사하게 됩니다. 가령 괴테의 젊은 베르테르의 슬픔을 봅시다. 당대 신분제 사회를 남녀의 사랑으로 비판하는 점을 살펴볼 수 있는데요, 베르테르의 슬픈 감정은 물리적으로 존재하지 않지만 "언어" 때문에 그게 실제로 있는듯한 "착각"에 빠지곤 합니다.

"가장 중요한 점은 언어가 의미의 네트워크라는 독자적 시스템이 아니라는 지적이다. 언어는 항상 사회 속에서, 즉 사람들 사이에서 작동하는데, 평서문이건 의문문이건 감탄문이건 명령문이건 관계없이 항상 '명령'의 형태로 작동한다. "
- 김재익 <A.I 빅뱅> 98P 인용

기본적으로 인도 유럽어나 한글의 문법(文法)은 크게 두 덩어리로 나뉘어 있습니다.
글의 규칙에서 주인공에 해당하는 "주어(主語)"는 보통 명사로 나타나죠, 나머지 한 덩어리는 주어를 설명하는 "술어(述語)"라고 합니다. 주인공의 행동을 묘사해주기도 하고, 주인공의 특징을 설명해주는 글의 규칙 중 하나이죠, 여기까지는 문법의 영역이라면, 실제로 우리의 삶, 혹은 일상에서 이런 "언어"는 어떻게 사용되는가요?
위 인용문은 김재익 선생님이 현대 프랑스 철학자 질 들뢰즈와 펠릭스 과타리의 책
<천 개의 고원>에서 주장한 언어관을 설명하고 있습니다. 들뢰즈와

과타리는 "언어"를 "명령어"라고 주장합니다. 명령이라니, 그게 무슨 말일까요?

앞에서 말한 "나는 당신을 사랑합니다."라는 문장을 살펴봅시다. 이 문장에서의 "정보와 의미"는 분명하게 드러나죠. "나"라는 인격체가 "당신"이라는 인격체를 "사랑"이라는 감정을 두고 접근하겠다는 약속입니다. 그러나 언어는 단순히 "정보"만 전달하지 않습니다. 언어는 정보와 의미 속에 "분명하게 드러나는 명령"이 숨겨져 있어요. "나는 당신을 사랑합니다."라는 문장 속에는 "나는 ~을 해야 합니다."라는 일종의 도덕적 명령이 숨겨져 있습니다. 조금 더 나아가서 생각해볼까요?

저는 얼마 전부터 다이어트를 시작했습니다. 7시 이후로는 별다른 음식 섭취를 하지 않으려고 하지만, 습관이 참 무서운 게 10시만 되면 배에서 꼬르륵 소리가 들립니다.
이때 제가 아버지한테 "아버지 오늘 뭐…. 저녁을 제대로 드셨어요?"라고 물어봤다고 가정해봅시다. 이 문장에서 아버지가 "응 저녁에 제육 볶음에 미역국 먹었어."라고 대답했다고 가정해봅시다. 여러분들이 생각했을 때, 제가 질문한 "의도"가 정말 "문장의 뜻 그대로 물어본" 걸까요? 네 당연히 아니죠. "아버지 오늘 뭐…. 저녁을 제대로 드셨어요?"라는 말 속의 진짜 뜻은 "배가 고프니까 야식으로 치킨이라도 시킬까요?"라는 속내를 돌려서 말한 셈이죠. 이 부분은 "맥락"으로 읽지 않으면 전혀 이해가 되지 않는 부분이기도 합니다. 언어는 "맥락"이 좌우하기도 하죠. 앞서서 들뢰즈와 과타리는 "언어는 사회 내 권력 관계에서 명령문"으로 이해했다면 철학계 터미네이터로 불린 비트겐슈타인은 "언어는 사용하는 맥락에 따라서 의미가 달라진다."라고 말했습니다.

"들뢰즈와 과타리는 '언어의 기초 단위인 언표는 명령어(order-word)'라고 단언한다.
(중략) 그저 정보와 의미만 전달하는 경우는 없다. '사랑해, 미안해, 잘했어' 등 모든 진술은 요구, 약속, 기대 등 어떤 명령 행위를 동반한다. 언어학에서는 이를 화행론(pragmatics)이라고 부르는데, 알기 쉽게 말하면 '돌려 말하기'다. 돌려 말하기가 작동하려면 항상 현실 맥락이 소환되어야 한다. (중략) 사실상 정보와 의미는 거들 뿐 중요한 것은 행위 유발이다."
- 김재익 <A.I 빅뱅> 99P 인용

언표(言表)란 기표와 기의를 포함하는 개념입니다. 기표는 "무언가를 표시하는 문자"를 뜻하고 기의는 "문자가 지시하는 의미"를 말하죠, 들뢰즈와 과타리는 문자와 의미는 "고정되고 변하지 않는 개념이 아니라" 수시로, 맥락에 따라서 자유자재로 변한다고 말하고 있어요. 우리가 상식적으로 생각했을 때 "사랑"이라는 말은 "이미 만들어진 개념"이라고 생각하지만 그게 아니라는 점이죠, "사랑"이라는 언어는 사용하기에 따라서 "달라지고" 그 의미도 무한히 변한다.! 고정된 텍스트는 없다! 고 난폭하게 주장합니다.

"비트겐슈타인은 언어의 의미는 사용 맥락에 따라서 달라진다고 주장했다. 이를 위해 동원된 용어가 언어 게임(language game)이다. (중략) 요점은 언어가 마치 게임에서처럼, 맥락 바깥에서는 '이해'될 수 없다는 점이다. 즉 언어 게임에서 단어나 문장이 어떻게 이해되는지에 따라 그 의미가 달라진다는 것이다. "
- 김재익 <A.I 빅뱅> 101P 인용

"단어의 의미는 언어에서의 그것의 사용(its use the language)이
라고 비트겐슈타인은 규정한다."
- 김재익 <A.I 빅뱅> 101P 인용

숱한 오해는 많은 경우에 "말"에서 시작됩니다. 새파랗게 젊었던 비
트겐슈타인은 "언어"의 기능적인 측면만 생각했습니다. 언어란 곧
"지시문(指示文)"일 뿐이지 추상적인 신,영혼, 내세, 자연권 등과 같
은 부분에서는 침묵을 지켜야 한다고 주장했습니다. 그러나 마흔이
넘어서 비트겐슈타인은 본인의 주장을 철회합니다. 언어는 곧 "지시
문"의 기능뿐 아니라 "일상생활에서 보이지 않는 맥락"도 따져봐야
한다고 주장하죠.
단순히 "아버지 오늘 저녁 제대로 드셨어요?"라는 문장을 살펴볼
때는 "다이어트하는 사람의 공복 상태"라는 "전체적인 맥락"을 살
펴봐야 한다고 합니다. 비로소 이해가 되는 것들이 있습니다. 우리
는 때로는 "맥락"을 무시하거나 "말"에 너무 집중하기
때문에 상대방과의 오해를 피할 수 없죠.

"언어의 의미가 사용 맥락에 따라 결정된다는 생각은 들뢰즈와 과
타리의 언어관과 비슷해 보인다. 결정적인 차이는 'pragmatics'를
어떻게 번역하느냐를 통해 드러난다.
비트겐슈타인은 언어의 의미를 '사용' 맥락이 결정한다는 점에서 화
용, 즉 언어의 사용을 주장한다. 반면 들뢰즈와 과타리는 언어의 본
질이 의미가 아니라 명령과 행위라는 점에서 화행, 즉 언어는 실천
이라고 주장한다."
- 김재익 <A.I 빅뱅> 102P 인용

언어에 세계를 전부 담을 수 없는 노릇입니다. 언어는 불분명한 것
을 더듬고 더듬어서 겨우 표현할 뿐이죠, 그래서 "맥락"이 중요합니

다. 맥락은 언어를 넘어서서 상대방의 마음을 헤아릴 수 있게 도와줍니다. 저는 맥락이 이해의 키워드라고 봅니다. 사람은 일차원적인 배경이 아니에요, 사람은 복합적입니다. 선한 행동을 하는 동시에 악한 마음을 품고 있을 수 있죠, 언어가 반영하는 부분은 "겉"일 뿐입니다.

형법에서 피고인에게 형량을 내릴 때는 "피고인의 행위 동기"를 살펴봅니다. 그리고 "행위 동기가 과연 자발적인지 아니면 외부에 의한 비자발적 행동인지"따집니다. 형량이란 결과만 두고 내릴 수 없이, 복합적인 사람의 내면의 상태를 고려해서 매겨지죠. 이와 유사하게도 언어는 "그 사람의 말"에 초점을 두면 큰일이 납니다. 저 사람이 저 말을 하게 된 "이전의 상황"을 보는 연습이 필요합니다. 그게 맥락적인 사고죠.

과도한 비약일 수 있는데요, 저는 사랑을 구체적인 표현으로 헤아리는 마음 상태라고 생각합니다. 그렇다면 그 헤아리는 마음은 무엇이냐, "말"이 아닙니다. "말하는 사람"의 성격과 그런 성격을 가지게 된 이유와, "이전의 상황"을 모두 고려하는 사람, 즉 맥락을 훤히 들여다볼 수 있는 사람이 사랑할 줄 아는 사람이라고 생각합니다.

들뢰즈와 과타리 선생의 말대로 언어는 "명령"의 형식으로 드러나기도 합니다. 어떤 면에서는 비트겐슈타인의 말대로 "맥락"에서 의미가 달라지기도 합니다. 제 생각을 덧붙이자면 언어는 "나의 행동"을 설명해주는 도구일 뿐이지, 언어는 그 자체로 완성될 수 없습니다. 말만 잘하고 행동이 없으면 양치기 소년과 뭐가 다를까요?
침묵하는 사람과 움직이는 사람이 제일 현명한 사람이라고 생각합니다. 말은 우리를 속이니까요!

선거 필승 전략: 혐오의 프레임과 내부 결속_ 조지프 헨릭 <위어드> 인용

오늘의 주제는 꼭 정치(政治) 분야를 막론하고 일상의 모든 영역에서 벌어지는 하나의 현상이라고 생각합니다. 오래전부터 우리는 "혼자"보다는 "우리"에 더욱 익숙했으며,
그것이 생존에 더 유리한 방법이기도 했습니다. 즉 끊임없이 "우리"와 "저들"을 나누는 장막을 높이 쌓아야 생존에 유리한, 무척 실용적인 방법이라는 점이 슬픈 사실이기도 합니다.

에리히 프롬의 이야기를 하면서 "일체감(一體感)"에 관해 여러 이야기를 나누었습니다. 한 몸이 되었다는 느낌이 왜 이렇게 중요할까, 사람은 끊임없이 아직 명확히 드러나지 않은 대상을 향해 구애의 손짓을 합니다. 프랑스 현대 심리학자 "자크 라캉"은 우리가 살고, 생각하고, 행동하는 모든 세계관은 "만들어진 구조물"일 뿐이며, 사실 구조물 아래에 꿈틀대는 "형상화되지 않은 어떤 힘"으로 가득 차 있다고 주장합니다. 그러나 그 파악되지 않는 "힘"과 "생각의 구조물" 사이에 약간의 구멍이 숭숭 뚫려 있다고 하죠, 그게 바로 "욕망"입니다. 라캉은 "대상 a"라고 지칭하는데요, 여기서 말하는 욕망은 "누군지도 모르는 대상 A를 향해서 펼쳐지는 구애의 손짓"이라고 표현하고 싶습니다. 저는 라캉의 생각을 다시 가져와서 이렇게 생각하고 말합니다.

사람은 나의 의미를 알아가기 위해서, 그 의미가 반드시 남들과 구별되어 특별함을 갖길 원해서 어떤 집단을 찾고 거기서 소속감을 얻으려 발버둥 친다, 그게 바로 집단의 존재 목적이다."라고 말이죠.

"첫째, 충격적인 사건이 발생하면 상호의존적 심리가 발동해서 우리가 의존하는 사회적 유대와 공동체에 더욱 많은 투자를 한다. 이 심리는 공격을 받는 '우리'가 누구인지에 좌우된다. 만약 사람들이 '일라히타'가 공격받고 있다고 지각하면, 그들은 동료 마을 사람들과 더욱 긴밀하게 결속하면서 다른 이들도 자신들처럼 그렇게 결속하기를 기대한다. 강한 개인 간 연결망이 없는 사람들의 경우 충격적인 사건이 발생하면 새로운 관계와 공동체를 추구하고 거기에 투자하려고 한다."

"사회 규범은 집단의 생존을 증진하도록 문화적으로 진화했기 때문에 전쟁을 비롯한 충격적 사건은 심리적으로 이런 규범 및 관련된 믿음에 대한 헌신을 강화한다."
- 조지프 헨릭 <위어드> 421p 인용

민주제도에서 행정부와 입법부는 "국민의 직접선거제도와 보통선거제도"로 선출됩니다. 그리고 복수정당제를 채택해서 "서로 간의 견제"는 민주제도의 자연스러운 문화죠. 그러나 현실을 바라보면 정말 안타깝기 그지없습니다. 나아가 우리 일상에서도
어떤 기사의 댓글 창을 보거나, 중요한 사안에 목소리를 낼 때, 혹은 내가 참여한 집단에서 의사를 밝히고 결정하는 과정에서도, "우리"는 언제 어디서나 존재합니다.
저는 "우리"를 의심해야 한다고 봅니다. 갑자기요? 네, "우리"라는 추상적인 개념은 "우리"가 내리는 의사 결정에 별다른 이의제기를 허용하지 않도록 마비시키고, 목소리 내는 일을 굉장히 억압하기 때문이죠. 대다수 사람들은 수많은 "우리"를 가지고 있습니다. 거기서 "정체성(正體性)"이 생겨나기 때문이죠, 정체성을 "우리"에서 찾는다는 말은 아무런 비판도 되돌아보면서 생각하려는 의지도 없는 일과 다를 바 없습니다. 저는 문화의 무서움을 알고 있습니다. 가령

예를 들어서 중국의 "전족" 문화라던지 한국 고대사의 "순장" 문화라던지 모든 개인의 목숨줄이 어느 특정 역사의 "맥락"으로 바라보면 안 됩니다. 왜냐하면, 그 "맥락"이 지금 현재 여기저기서 "어쩔 수 없는 일"로 치부되는 동시에 소중한 한 사람들의 존엄한 가치들이 짓밟히고 있기 때문이죠.

"일부 종교 집단은 세 가지를 제공한다. 상호부조를 하는 상호의존적 네트워크, 신성한 규범에 대한 공통의 헌신, 존재의 불안과 불확실성을 관리하는 데 도움이 되는 의례와 초자연적 믿음이 그것이다."
- 조지프 헨릭 <위어드> 422p 인용

저는 우리가 흔하게 생각하는 종교의 범주를 넘어서 정당 정치의 극단적인 사례도 "광신적인 종교성"을 띤다고 생각합니다. 조금 더 생각해보면 우리의 일상에서, 도처에서 "팬덤"문화는 쉽게 발견됩니다. "우리"가 있으면 "저들"이 있어야 합니다. 그리고 "우리"에서 한 사람이 얻는 이익을 따져보면 "정체성 부여"와 "동일한 행동 규칙에 의한 안정성" 등 조지프 헨릭 선생이 말한 부분 외에도 꽤 있다고 생각합니다. 우리의 정치사 분열은 곧 일상의 분열이기도 합니다. 제대로 된 합의 과정이 위에서부터 보이지 않으면 아래에서도 찾아보기 어려운 법입니다. "우리"라는 내집단의 철창이 너무 두꺼우면 도태되고 경직된 생각으로 살아가기 쉬워집니다.

살아가면서 "우리"만 고집하다 보면 다양한 형태의 악폐로 남게 됩니다. 조직에서는 그걸 "족벌주의"라고 부르고 원시 사회에서는 "족장 주의"라고 부릅니다. 정치에서는 "독재정치"라고 부르고 가정에서는 "가정폭력"이라고 불립니다. "우리"가 내리는 결정이 당연하다고 여기면 우리는 아이히만과 크게 다른 점이 있을까 싶어요.

그래서 한나 아렌트가 나치즘에 심취한 미치광이 인간이 악한 선택을 하는 게 아니라, 누구나 "우리"에 관해서 의심하지 않고 돌아보는 성찰의 태도가 없으면 악한 사람이라고 주장한 "악의 평범성"이 오늘날에도 유효하다고 봅니다.

가장 큰 문제는 "저들"을 "나와 동일한 사람"이라고 보지 않는 태도가 자연스레 생겨날 수 있다는 점입니다. 이러한 무심한 태도를 "타자화"라고 부릅니다. 심리적으로 "저들"은 나랑 다른, 멍청한 인간들이거나 사악한 인간들이야! 라고 생각하는 경향을 말하는데, 이 역시 남일이 아니라고 느껴집니다. 언론에서 말하는 "~갈등"이 참 많이 보이는데요, "세대 갈등" "젠더 갈등" "정치 갈등" 외에도 언론에서 말하는 갈등은 심리적으로 "저들"의 타자화라고 생각합니다.

"중세 유럽에서 집약적 친족 관계와 부족적 조직이 해체된 것을 보면 민주적 관행이 더 잘 작동했음을 알 수 있다. 마찬가지로 만약 모든 사람이 자기 씨족의 수장, 또는 종족적 표지나 종교를 공유하는 집단의 우두머리에게 동의한다면, 새로운 정책을 둘러싼 집단적 토론이나 논쟁이 생산적일 수가 없다."

"심리적으로 볼 때, 권위에 복종하는 성향이 강하고 통제 욕망이 약한 사람일수록 외부적으로 부과된 법률에 더 협조하고 민주적 투표의 결과에 덜 협조했다."
- 조지프 헨릭 <위어드> 518~519p 인용

책의 내용은 "사회 문화적으로 왜 서유럽에서 일찍이 민주적인 선거 제도와 산업화가 일어났지?"를 설명하고 있습니다. 조지프 헨릭의 의견에 덧붙여서 글을 마무리하겠습니다.

서유럽의 특징은 두 가지로 꼽을 수 있습니다. 하나는 가톨릭의 결혼 제도와 하나는 밀의 재배에 의한 개인주의적 사고관입니다. 로마 제국은 최종적으로 395년에 테오도시우스 황제의 유언대로 "동-서"로마로 나눠집니다. 원래 로마 제국은 오현제 시대를 끝으로 행정적으로는 네 구역으로 나눠서 통치했지만, 테오도시우스 황제를 끝으로 정말 분리가 된 셈이죠, 그러다가 서로마는 476년 북방에서 한족에게 쫓겨난 게르만족이 내려오면서 멸망하게 됩니다. 말 그대로 "빈집"이 된 셈이죠. 서로마제국의 멸망은 예정된 수순이었습니다. 이미 모든 주요거점은 330년도쯤 콘스탄티누스 황제가 동방의 이스탄불(당시는 콘스탄티노플)로 옮겼으며 치솟는 인플레이션으로 (중국과의 비단 무역으로 은이 유출되었다고 합니다.) 국가의 상비군을 유지할 수 없게 되자 지역의 잘나가는 제후들이 군대를 "사유화"하기 시작했습니다. 그러다가! 476년 아예 나라가 사라지자 지역의 제후들이 사유화한 군대를 이끌고 "중세 특유의 봉건제"가 시작되었죠. 그러나 동아시아사를 보면 죄다 "씨족, 혈족"으로 왕위가 계승되고 그러는데 서유럽은 안 그랬어요. "우리"가 생겨야 하는데 당시에 "가톨릭"의 일부일처제와 근친(4촌 내 결혼 금지) 금지로 "씨족 카르텔"이 생겨나질 않은 거죠,

서유럽 지역은 중앙 통제식 국가가 없었습니다. 지역의 제후들, 로마 제국 말기에 인플레이션으로 국가의 군인에게 제대로 월급도 못 주는 상황에서 잘사는 제후들이 사유화해버린 그 군대를 이끌고 지역을 점령했지만 생각해보면 지역의 제후는 "지배의 명분"이 딱히? 없죠. 그래서 "가톨릭"의 권위에 기대야 했습니다. 왜 그런 거 있지 않습니까, 우리나라도 단군 신화가 있듯이 당대 사람들은 스마트폰도 없고 텔레비전도 없으니까 "잘나가는 제후의 권력"을 "가톨릭 교황의 명령"에서 찾은 셈이죠.

그래서 서유럽에는 동아시아와 다르게 "같은 핏줄이야!"가 없었다고 합니다. 상업 조합인 길드나 클뤼니, 시토 수도회 모두 "민주적으로 선출"했다고 하죠. 이런 역사적 배경으로 서유럽에서 "저들"도 사람이네? 라고 생각하는 풍조가 퍼지기 시작했습니다. (독일은 예외입니다. 교황령이 근처라서 오랫동안 통일된 정체성을 갖지 못하다가 뒤늦은 1871년 통일을 하니 말이죠)

여기서 중요한 점은 "우리"를 어떻게 바라봐야 하는가입니다. 중국이나 동아시아는 사회의 공정성보다 "관계성"에 입각해서 판단하고 행동한다고 합니다. 이른바 "명분(名分)"이죠. 우리도 우리의 "정체성"을 "나"에서 찾아가야 한다고 생각합니다.

더 나은 삶을 위해서는 "저들"의 타자화를 멈춰야 합니다. 합리적인 사람은 "우리와 저들"을 나눠서 싸울 때 누가 이득을 보는가? 를 따지고 묻는 사람입니다. 해결책을 제시해야 하는데 "명분"을 논하면 발전이 없습니다. 인정할 부분은 인정하고 사과해야 합니다. 그리고 대화를 해야 합니다. 정치 뿐만 아니라 모든 사람 관계도 마찬가지입니다.

"우리"에 속는 순간 나도 모르게 가스실 버튼을 누르는 아이히만이 될 수 있습니다. 악은 평범하게, 우리의 내면을 돌아다니니까요. 이상 글을 마무리합니다. 감사합니다.

우리는 어떤 삶을 선택해야 할까_ 송길영 <시대 예보:핵 개인의 시대>를 읽고.

한 사람의 생애(生涯)는 가까이서 살펴보면 지루하지만 멀리서 보면 그만한 비극도 없습니다. 로마의 오현제 시대 마지막 왕으로 기록된 아우렐리우스의 말이 생각납니다. 우리는 모두 잊혀지기 마련이다. 잊혀지고 싶지 않아서 많은 날 동안, 혹은 격정적인 세계사의 사건을 보시면 우리의 약점은 죽음 그 자체가 아니라 죽음이 몰고 오는 "나"라는 존재의 망각이라고 생각합니다. 시대는 빠르게 변화하고 생애주기도 확연히 늘어났습니다. 평균 수명이 이렇게 늘어나면, 정년퇴임부터 국가가 보장하는 의료보험제도, 연금 제도 모두 손을 봐야 하고 누군가는 손해(損害)를 보게 되어 있죠. 대한민국에 산적한 문제도 많지만, 더욱 우려되는 점은 세대 간의 의식 차이가 빠르게 변화하고 그만큼 단절(斷折)의 골도 깊어지기 마련이죠. 오늘 읽고 개인적으로 추천하고 싶은 책의 주제도 같은 맥락에서 살펴볼 수 있습니다. 송길영 선생님의 <시대 예보:핵 개인의 시대>는 60년대 말부터 국가의 경제개발 5개년계획으로 수출의 폭발적인 증가로 "대가족"시대에서 밀집된 도시의 "핵가족"시대로 가족의 문화가 변화했지만, 2020년 펜데믹 이후로 사회 곳곳에서 핵 개인(nuclear individual)화 현상이 드러났다고 설명합니다.

"연예기획사에서 아이돌 그룹이 데뷔할 때마다 왜 그토록 '세계관 만들기'에 몰두하는지 그 이유가 여기 있습니다. 새로운 시대의 개인들은 국가가 아니라 자기만의 '세계관'을 선택해서 살기를 원합니다. (중략) 국가주의 세계관에만 머무른 시각으로는 여러 세계관을 동시에 가진 복수의 정체성을 가진 핵 개인들과 소통할 수 없습니다."
- 송길영 <시대 예보:핵 개인의 시대> 45p~46p 인용

연예기획사의 아이돌 그룹의 활동을 모두 "상품"이라고 막연하게 지적할 때 그들의 음반, 무대 활동, 인스타그램 운영 방침, 각 멤버의 컨셉과 더불어 수많은 요소 가운데 저마다의 세계관을 가지고 있어요. 제가 좋아하는 그룹 에스파도 그렇고 방탄소년단도 마찬가지입니다. 나아가 모든 상품은 "서사(narrate.)"가 있어야 합니다. 이 부분은 송길영 선생님도 언급한 부분이고 다른 글에서 "보드리야르의 기호 가치"를 이야기하면서 언급했던 부분이기도 해요. 저는 2000년 이후에 태어났고 요즘 말로 "Z"세대에 들어가지만, 여러 집단 문화를 보면 획일적이고 권위적인 문화가 묻어있습니다.

위 인용구에서 "국가의 획일적인 가치를 개인의 삶에 요구하는 행위"를 일종의 폭력적인 행동이자 핵 개인 시대에 맞지 않는 문화라고 지적합니다.

"우리는 새로운 대상을 발견하면 그들을 우리가 만든 분류의 틀에 가두고 구분 짓는 일에 익숙합니다. 하지만 분류 당하는 당사자의 입장에서 보면 분류란 외부에서 규정짓는 시각에 불과합니다. "
- 송길영 <시대예보: 핵개인의 시대> 55P 인용

핵 개인의 시대에서 중요한 덕목은 다양성(多樣性)이라고 강조합니다. 아리스토텔레스의 범주론(category)을 아래로 권력과 지식은 "유사성"의 이름으로 서로를 잡아먹고 종속시키고 하나의 단일한 가치로 숨통을 꽉 조여왔습니다. 고도경제 성장의 유인으로 우리는 직선제, 견제와 균형의 정치, 관용의 정치, 폭력 없는 대화의 정치가 부재했고 그것을 당연하게 여기는 기현상을 겪었습니다. 획일적인 가치는 자연의 변수에 효과적으로 대처할 수 없습니다. 우생학을 끝까지 밀어붙여서 정말 능력 있는 "최적자"만 살아남은 사회에서 역병이 돌고 나면 죄다 죽어버릴 겁니다. 왜? 다양한 개체 속 "변이"는 외부의 역병을 대처할 수 있는 가능성이 있죠. 다양성이 최고의 가치라 치켜세우는 게 아닙니다. 다양성은 수많은 가능성을 무시하지 않죠. 핵 개인의 시대에서, 소위 M-Z세대라고 불리는 신세대의 관념은 "내 삶의 세계관"은 내가 결정한다는 독립적인 생각이 강합니다.

"기준이 엄격했던 이유는 '무엇이든 한 가지로 통일해야 좋다.'라는 획일과 효율의 강박이 한국인의 가치 규범으로 자리 잡아 왔기 때문입니다. (중략) 집단주의적 사고가 힘을 얻은 이유는 효율이 최고의 기준이었기 때문입니다. (중략) 단일화된 사회는 필연적으로 배타적이 됩니다. '하나'만 고르고 '우리'를 우선시하면 여러 가능한 선택지를 고려하지 못 합니다. 그러한 사회는 경계 밖의 타자를 적대시하는 사회로 축소됩니다."
- 송길영 <시대 예보: 핵개인의 시대> 81P~82P 인용

다원화(多元化)를 신격화하면 그것대로 문제가 됩니다. 핵 개인의 시대란 단순히 문화적인 관념만을 말하는 건 아닙니다. 우리의 노동은 이제 저질 노동력으로 추락합니다. 맑스의 표현대로 죽은 노동이 산 노동을 대체하고 집어삼키고 있습니다. 기술(技術)의 발달은 인간과 짐승을 구별한 "지성(知性)"을 박탈합니다. 모든 사물의 지식은 데이터로 전송되고 시간 내 수용 가능한 데이터를 엮어가면서 사람의 위대한 지성(知性)을 앞지르게 됩니다. 국가라는 신화는 구성원의 위대함에서 시작하지만, 이제 생성형 A.I의 등장으로 인간은 더 이상 똑똑한 종(種)이 아닙니다. 인간은 위대하지도 기민하지도 않고 합리적이지도 않은 사피엔스로 전락합니다. 우리는 우리만의 가치를 다시 되찾을 수 있을까요? 1830년대의 러다이트 운동이 다시 벌어질까요? 삶의 기준을 강요하는 문제를 떠나서 우리의 실존이 큰 문제로 다가옵니다.

당신의 삶에 관해서_ "강신주의 철학 vs 철학" 인용

많은 경우에 삶은 착각으로 이루어진다. 환상통이라고 할까, 어렸을 때부터 선망(羨望)하는 삶이 그대로 이루어질 거란 생각이나 어른들의 손가락 끝에서 강요된 장래희망, 내가 꿈꾸는 삶이 직업에서 벗어나지 못하는 우리 사회의 병폐(病弊)라고 덧붙이고 싶다. 어렸을 때 나는 초인적인 힘을 갖고 선한 마음으로 이웃을 도와주는 dc 출판만화의 영웅 슈퍼맨을 좋아했다. 이중적인 히어로의 모습과 강단 있는 태도. 빨간색 담요를 어깨에 두르면서 "클락"을 따라 했다. 그러나 지켜볼수록 사람들의 일반적인 삶에서 초인적인 힘을 발견할 수 없었다. 어른은 나약하고 그것을 인정해야만 한다. 내가 선생님께 배운 어른의 정의(定義)를 잊을 수 없었다.

"불교에서는 공(空)을 이야기해 왔다. 불교에서 본질(本質)이란 것은 '자기 동일성'을 의미하는 '자성(自性)'이라고 불린다. 이런 자성이 존재하지 않는다는 것, 다시 말해
무자성(無自性)이야말로 불교에서 가장 강조해 온 '공'의 핵심적인 의미이다."
- 강신주의 철학 vs 철학 25p 인용

가장 단단한 물질은 밀도가 높은 물체라고 말할 수 있다. 밀도가 높을 정도로 강한 압력을 견디는 어른의 심정(心情)이야말로 어른의 덕이라고 생각해왔으니 말이다. 그러나 불교에서는 오히려 "비어있는 상태"를 강조한다. 공을 뜻하는 한자 "空"은 동굴 아래에 쟁기질로 "빈 땅"을 일구어 둔 상태를 뜻한다. 우리는 한평생, 어른들의 손가락질과 무책임한 손가락질 사이에서 "무언가를 채워야만" 한다는 압력에 시달린다.
고달픈 친구들은 속이 꽉 찬, 더 이상 여유 공간이 없는 사람의 삶

을 또다시 선망한다. 우리 삶에 잉여(剩餘)공간이란 존재할 수 없다. 나는 쓸모없는 것들을 사랑한다.

장자가 말했다. 무용(無用), 아무런 쓸모없는 것들의 용(用), 쓰임을 말한다. 아테네의 수많은 지혜는 그들의 노예에게 모든 노동을 전가해두고 한가하게 띵까띵까 놀면서 떠올린 생각이다. 가장 위대한 생각이 쓸모없는 시간(無用時)에서 시작되었다.

우리의 몸을 이루는 단백질은 단백질을 만드는 방법인 "DNA"에서 시작된다. 나중에 밝혀진 사실인데 이 DNA도 80%의 나머지 공간인 "정크 DNA"로 이루어졌다고 말한다. 우리의 뇌세포 "뉴런(neuron)"도 전기 신호를 주고받을 때 "시냅스" 사이의 "빈 공간"에서 이루어진다. 그래 빈 공간! 우리는 얼마나 집착해오고, 간절히 염원해 왔을까.

본질(本質, essence)이라고 부르는 이 낯선 단어는 우리를 골치 아프게 만든다. 타고난 "나"를 집착하게 만들고 돼야만 하는 "나"를 또 한 번 집착하게 만든다. 편집증적인 우리 시대의 단면(斷面)이다. 애당초 타고난 "나의 모습"이 있을까? 사람과 사물(事物)을 서로 구별해주는 고유한 "특징"은 정말 타고나는 것인가? 너답게 행동해! 너 다운 일을 해! 너답지 않아! 여기서 거론되는 모든 "너"라는 주어는 사실상 우리의 큰 착각이 아닐까?

여기서 강신주 선생은 타고난 질(質)이 없다고 말한다. 바탕(質)은 온통 백색광의 빈 도화지일 뿐인데 왜 타고난 밑그림이 있냐며 발끈한다. 생각하길 우리 사회에서 숨겨진 전통(傳統)은 죄다 폭력적이다. 한 사람의 이름보다 "~의 엄마"로 이름을 불리며 서열의 위계가 정해진다. 가사 노동하는 여성의 노동력도 "근로 시간"에 포함되지 않는다. 반드시 밥벌이가 되는 직종을 선택하지 않으면 허를 끌면서 무시한다. 그러나 우리는 이런 폭력 앞에서 아무런 저항도 하지 않는다. 우리는 죄다 착한 아이 콤플렉스에 시달리고 있는 걸까?

특히 한국 가족의 시댁 문화가 싫다. 며느리와 시어머니의 관계만큼 폭력적인 양상은 찾기 힘들다. 권위(權威)를 가진 어른이 권력(權力)을 멋대로 휘두른다. 비단 가족 내 문제가 아니다. 권위를 가진 기성세대를 비롯해 자라나는 아이에게 주어진 조건은 너무나 가혹하다고 본다.

"책상을 보고서 책상은 이렇게 사용되어야 한다고 되풀이해서 중얼거리는 모습, 물론 이것은 사후적 구성의 메커니즘이 작동하고 있다는 것을 말해 준다. 또한, 이런 반복적인 사후적 응시를 통해 어떤 사물의 본질을 파악할 것만 같은 느낌, 즉 본질에 대한 착각이 발생한다."
- 강신주의 철학 vs 철학 24p 인용

사후적 구성! 사후(事後)의 사전적인 의미는 말 그대로 "일이 끝난 다음"을 말한다. 책상이라는 사물은 보통 그 "쓰임새"로 본질이 결정된다. 앞서 설명한 대로 본질(本質)이란 다른 무엇과 구별되는 "고유한 특징"인데 강신주 선생은 "먼저 그 흰 바탕에 그려진 밑그림"은 없으며 오로지 "나중에" 우리의 해석대로 본질이 만들어진다고 말한다. 우리는 "돼야만 하는 나"가 없다. "되고 싶은 나"를 지키는 저항이 중요하다. 본질(本質)이라는 이름으로 사회 내 두꺼운 검지 손가락이 "돼야만 하는 나"를 가리킨다. 흰 바탕 위의 밑그림을 "내"가 아니라 다른 누군가, 대신 그려준다고 생각해보자 그것은 나의 삶인가? 그것은 도둑맞은 나의 가능성이다.

사후적 응시란 말 그대로 "밑그림을 내가" 그리는 행위다. 나의 망막에 맺힌 상(像)을 내가 직접 그리는 주도적인 행동이다.

지금, 이 순간에도 우리는 폭력에 노출되어 있다. 두껍고 때가 잔뜩 낀 검지 손가락들이 여기저기서 "되야만 하는 나"를 가리킨다. 본질! 本質! essence! 여기에서 벗어나는 훈련이 필요하다.

명분을 찾는 사대의 예보다 실리를 찾는 선택적 변화가 필요하다.
_ 재러드 다이아몬드의 <대변동 위기, 선택, 변화>를 읽으면서.

영화 남한산성을 아시나요? 제가 고등학교 1학년 때 개봉했지만 저는 최근에 감상했는데 이 영화의 주제가 정말 처절했습니다. 뭐랄까요? 관성적인 보수의 입장과 개혁적인 진보의 충돌이랄까요? 조선 중기의 굵직한 사건을 꼽으라고 하면 "인조반정(仁祖反正)"과 1636년 인조가 쿠데타로 즉위 한지 만 14년이 흘러서 북방의 유목민족 "후금" 혹은 "청"나라가 한반도 이북을 밀고 들어오면서 인조가 남한산성으로 대피한 "병자호란(丙子胡亂)"을 꼽고 싶습니다. 인조의 선택은 비굴한 삼전도의 치욕으로 이어졌지만, 남한산성에서 왕에게 읍소하는 신하의 생각은 두 갈래로 나누어졌습니다. 한쪽은 사대의 명, 그러니까 우리의 아버지뻘 되는 "명"나라 형님들은 도와줘야 한다는 고리타분한 이야기를 하는 부류와 아니다! 그래도 백성이 먼저고 우리의 삶이 먼저라면서 "청"나라와의 수교를 적극적으로 추진하자는 부류, 두 부류는 역사의 갈림길에서 서로 이해할 수 없는 주장을 펼쳤습니다.

갑자기 뜬금없이 한국사 이야기를 해서 저도 당황스럽지만, 오늘 읽고 소개할 책 재러드 다이아몬드 선생의 <대변동>이라는 책의 핵심 주제가 바로 "위기의 상황"에서 어떻게 대처해야 하는지 역사적 사실을 예로 들면서 소개해주기 때문입니다.

"개인의 특징과 국가의 특징 사이에서 어떤 연관성을 찾아내려는 것이 이 사고 실험의 목적이다. 개인은 하나의 국가 문화를 공유하며 국가의 결정은 궁극적으로 개인의 견해, 특히 국가 문화를 공유하는 지도자의 견해에 의존한다."
- 재러드 다이아몬드 <대변동:위기, 선택, 변화> 69p 인용

우리의 삶에서 "정치(政治)"가 중요한 이유는 우리의 생각과 행동을 결정하는 "문화(文化)"를 바로 국가의 제도, 국정 운영자의 선택으로 이루어지기 때문입니다. 국가의 위기는 곧 개인의 위기로 다가온다고 강조하는 부분이기도 합니다. 한 사람, 개인(個人, individual.)은 "자아 강도"라 부르는 심리적인 자기감을 느끼면서 살아갑니다. 개인의 영문어 individual도 뜻이 "나눌 수 없는" 그 무엇이라고 설명하죠. 국가도 마찬가지로 "국가만의 정체성"이 있다고 합니다. 재러드 다이아몬드 선생은 이렇게 묻고 있는 거 같아요, 만약에 1636년 당신이 인조라고 가정해봐라, 당신의 좌우에 명분을 추켜세우는 신하의 말과 비굴하지만, 실리를 선택해야 한다고 주장하는 말, 그 딜레마 속에서 당신은 무엇을 선택할 것인가?

다시 나아가서 1910년 국권이 사라졌을 때, 우리는 어떻게 대처했어야 했나요? 다이아몬드 선생은 한국의 역사와 비슷했던, 핀란드의 사례를 소개하며 "선택적 변화"가 얼마나 중요한지 설명합니다.

"핀란드 역사에 대한 최초의 자세한 설명은 기원후 1100년경에 기록되기 시작했다.
이후 스웨덴과 러시아가 핀란드의 소유권을 두고 다투었다. 핀란드는 1809년 러시아에 합병될 때까지 주로 스웨덴 지배 아래 있었다. 합병 이후에도 러시아 황제들은 핀란드의 자치권을 대폭 허용했다. 따라서 핀란드는 자체로 의회(議會)와 행정부(行政府)를 두었고 고유한 화폐를 사용했으며 러시아어를 강요받지도 않았다."
- 재러드 다이아몬드 <대변동:위기, 선택, 변화> 89p 인용

다이아몬드 선생은 가볍게 핀란드의 근대사를 이야기합니다. 저는 이 부분에서 밑줄을 박박 그었는데요, 어쩐지 낯설지 않은 향수가

풀풀 풍긴달까요, 한국의 개항기와 무척 유사하다고 생각해서 그랬나 봅니다. 한반도의 지정학적 위치도 핀란드와 별 다를 바가 없습니다. 한반도는 늘 북쪽으로는 북방민족과 나아가 "중국의 한민족"의 문화적 침략을 받았죠(조공 책봉 관계라 불리는 거 말입니다.) 그리고 서해로 나가면 일본 열도가 있어요. 근대로 넘어오면 러시아 제국과 영국, 그리고 미국까지, 정말 열강에 사로잡혀서 멱살을 몇 번이나 잡혔는지 모르겠습니다. 핀란드도 마찬가지입니다. 늘 러시아 제국과 긴 국경선을 맞대고 있어서, 눈치를 봐야 하고 바로 왼쪽은 또 강국 스웨덴이 떡 하니 자리 잡고 있으니 얼마나 괴로웠을까요?

러시아 제국이 1917년 10월 혁명으로 공산주의를 표방하는 일당체제로 들어서자, 핀란드는 슬금슬금 눈치 보면서 그해 말 독립을 당차게 선포합니다. 그러나 곧바로 내전이 발생합니다. 러시아와 독일의 대리전 성격으로 이어진 것이죠.

"1920년대와 1930년대에도 핀란드는 소비에트 연방으로 재편된 러시아를 계속 두려워했다. 이념적으로 핀란드와 소련은 서로 반대편에 있었던, 핀란드는 자유 자본주의 민주국가였던 반면, 소련은 억압적인 공산주의 독재국가였다."
- 재러드 다이아몬드 <대변동:위기, 선택, 변화> 90p 인용

보통 공포는 학습(學習)된다고 하잖아요? 핀란드 민족도 마찬가지로 러시아 제국의 마지막 황제 "니콜라이 2세"가 기존까지 인심 좋게 자치권도 주고 의회도 꾸리게 해줬던 모든 특권을 폐기하고 멋대로 부려먹자 아.. 이번에 그 새로 권력 잡은 스탈린 양반도 그런 거 아니야? 라고 걱정을 했다고 합니다. 왜냐하면, 당시에 스탈린 서기장은 권력을 유지하려고 정말 미친 사람처럼 권력이 조금 있는 동지,

친구마저 죽여버리거든요. 일명 대숙청 기간 동안 핀란드 국가는 무서움에 벌벌 떱니다. 그러다가! 독일의 진짜 미친 인간 히틀러가 1939년 신경전 벌인 "소련"과 손을 잡고 사이좋게 폴란드와 발트 3국을 꿀꺽 삼켜버려요. 결국에 2차 세계 대전(1939~1945) 기간 동안 핀란드는 게릴라전을 펼치면서 소련의 군대와 전쟁을 벌이게 됩니다. 일명 "겨울 전쟁"이라고 불리는 이 전쟁으로 핀란드는 혹독한 경험을 하게 됩니다.

"핀란드가 판단할 때 많은 병력과 군비를 지원해줄 것이라 기대할 수 있는 국가는 스웨덴과 독일, 영국과 프랑스 그리고 미국이 전부였다. 그러나 그 국가들은 역사와 문화를 오랫동안 공유하며 핀란드와 밀접한 관계에 있었음에도 소련과의 전쟁에 휘말릴지 모른다는 두려움에 군대를 파견하지 않았다. (중략) 히틀러는 섣불리 핀란드를 지원하여 몰로토프 리벤트로프 조약(독소불가침조약)을 위반하지 않으려 했다. 미국은 지리적으로 너무 떨어져 있는 데다 루스벨트 대통령의 두 손은 미국의 오랜 전통인 고립 정책에서 비롯된 중립주의에 묶여있었다."
- 재러드 다이아몬드 <대변동:위기, 선택, 변화> 100p 인용

국가 정체성의 위기 중에서 2차 세계 대전이라는 외부 충격으로 핀란드는 어떻게든 독립을 유지하려고 전쟁까지 불사하지만, 결국 우방국들은 도와주지 않았죠. 미국은 5대 대통령 제임스 먼로의 "중립 외교" 노선에서 벗어나지 못하고, 히틀러는 괜히 소련의 심기를 건드리고 싶지 않았습니다. 이때 핀란드는 정말 중요한 교훈을 얻었다고 봅니다. 불리한 지정학적 위기를 어떻게 극복할 수 있나? 그것은 하룻강아지가 호랑이 무서운 줄 모르고 나대다가 객사하는 무모한 용기도 아니고, 우방국의 절실한 도움도 아니며, 유연한 외교술을 통해서 "소련의 신뢰"를 얻자. 그게 살길이다.

어때요? 인조가 보면 뒤집어질 이야기입니다. 뭐? 명나라를 배신하
자고! 기가 찰 노릇이라고 생각했을 것입니다. 그러나 실제로 핀란
드는 서구 진영의 욕을 잔뜩 얻어먹으면서 중립 외교를 실시합니다.

"핀란드인은 1945~1948년을 '위험의 시대'로 칭한다. (중략) 그 위
험의 시대에서 핀란드는 소련의 탈취로부터 벗어나기 위한 새로운
전후 정책을 고안해 냈다. '파시키비-케코넨 원칙'이라고 알려진 정
책으로 그 정책을 35년 동안 창안하고 다듬고 엄격히 시행한 두 대
통령 유호 파시키비와 우르호 케코넨의 이름을 딴 것이다. (중략)
파시키비와 케코넨은 그때의 실수에서 교훈을 얻었다. 핀란드가 조
그맣고 약한 국가라는 사실은 그들에게 견디기 힘들었지만 엄연히
사실이었고, 서방 세계로부터 어떤 도움도 기대할 수 없었다. 따라
서 핀란드는 소련의 관점을 이해하고 항상 염두에 두어야 했다."

"따라서 위협받지 않는 강력한 민주국가라면 결코 양도할 수 없는
국권(國權)이라 생각 했을 경제적 독립과 공개적으로 발언하는 표현
의 자유를 부분적으로 희생하더라도 소련의 신뢰를 유지하기 위해
비상한 노력을 기울여야 했다."
- 제레드 다이아몬드 <대변동:위기,선택,변화> 112p 인용

1945년, 전쟁이 막을 내립니다. 핀란드는 나치 정권의 도움으로 소
련과의 "겨울 전쟁"을 벌여서 "전범 국가"의 낙인이 찍혔습니다. 그
래서 소련으로부터 배상금의 명목으로 돈도 뜯기고, 남부 항구에 소
련의 군대가 주둔하게 되었습니다. 이런 상황에서 전후 민주적 방식
으로 선출된 두 명의 대통령은 "친 소련"정책을 펼쳐요. 이때 서방
에서 욕을 정말 많이 했다고 합니다. 케코넨 대통령은 자신의 자서
전에서 이렇게 말했다고 합니다. "핀란드 외교정책의 기본 과제는
핀란드의 지정학적 환경을 지배하는 이해관계에 핀란드의 실존을

맞추는 것이다. 핀란드 외교정책은 예방 외교이다."라고 했답니다. 어때요 명분 따위 뭐가 중요하냐고 말합니다. 이어서 케코넨 대통령의 명연설이 쏟아집니다.

"국가는 외교정책의 해법에 공감이든 반감이든 감성을 뒤섞을 여유(餘裕)가 전혀 없다는 것도 경험적으로 배웠다. 현실적인 외교정책은 국제 정치를 결정하는 요인들, 즉 국가 간 권력 관계와 국익에 대한 자각(自覺)에 기초해야 한다."
- 재러드 다이아몬드 <대변동:위기, 선택, 변화> 113~114p 인용

우리는 국가의 중대한 일을 결정하는 것과 더불어 우리의 작은 선택에서도 딜레마를 겪어요. 당위(當爲)냐 현실이냐! 이상(理想)이냐 해결책이냐! 우리는 더 나은 길과 최선의 길 사이에서 고민합니다. 비단 우리의 선택뿐 아니라 국가 차원에서 벌어지는 모든 외교도 마찬가지입니다. 핀란드가 소련의 심기를 건드리지 않기 위해서 미국에서 전후에 서유럽의 경제 재건을 위해 투자한 "마셜 플랜"도 포기하고요, 여러 자유무역협정(Free Trade Agreement)을 서유럽과 맺을 때 공산 진영과 소련을 "최혜국 대우"로서 같이 체결합니다. 핀란드 내에서 소련에 비판적인 기사도 암묵적으로 검열하고, 스탈린 시대의 공포 정치를 문학 작품으로 녹여낸 "솔제니친"의 작품도 발간 연기를 결정합니다. 국가의 정체성(正體性)은 곧 자부심(自負心)으로 나타납니다. 이러한 핀란드의 외교는 소위 "굴욕 외교"로 비춰지고 줏대 없는 외교로 느껴질 수 있지만, 다이아몬드 선생이 이 책에서 가장 강조하고 싶은 부분, 바로 "선택적 변화"의 모범적인 국가로 경제 성장까지 안전하게 착륙한 국가입니다.

핀란드는 소련과의 관계를 우호적으로 개선하면서 노동력의 품질을 높이기 위해서 공립학교에 더 많은 투자를 하고, 기업에게 보조금을

퍼주면서 인적 자본을 확대합니다.

(기업에 투자하는 연구개발비가 총 국내 총생산의 3.5%를 지출합니다. 유럽연합 평균 두 배라고 하네요) 지정학적 차원에서 소련과 스웨덴, 독일에 둘러싸여서 오랜 시간 고통이 누적되었으나 그걸 해결하기 위해서 "명분(名分)"보다 "실리(實利)"를 선택한 핀란드의 행보에서 지금 우리가 얻을 수 있는 점은 무엇일까요?

명분 싸움은 때로 감정싸움으로 번지기도 합니다. 그러나 국제 외교는 차가운 이익과 손해로 작용하는 투쟁(鬪爭)의 장입니다. 우리 사회도 요새 "가스라이팅"이라는 말을 밈처럼 자주 사용하잖아요? 일종의 명분을 강요하는 행위라고 봅니다. "너는 마땅히 ~해야 해"라는 말, 그 명분 속에 얼마나 큰 희생이 따르는지 생각해봅시다.

원래 이렇게 답답한 게 민주주의야?_ 제레드 다이아몬드 <대변동>을 읽으면서.

대한민국은 4대 의무 조항에 "교육"의 의무를 넣어두었습니다. 우리는 최소한 중등 과정의 교육은 의무적으로 받아야 하죠, 고등학생까지 총 12년의 교육을 받으면서, 매 학기 반장과 부반장을 선거로 선출합니다. 저는 어쩐지 이런 생각이 듭니다. 아 지금 우리가 당면한 문제는 정말 초등학교 2학년 교실의 반장 선거와 똑같구나!
그냥 빈정대는 말로 하는 이야기가 아닙니다. 양극화라고 하죠? 갈수록 나와 생각이 다른 사람들을 배척하고 욕하고 혐오하는 현상이 심해지고 있습니다. 어디서 읽었는데요, 민주주의(民主主義, democracy)는 결국 "관용(tolerance)"을 위해서 세운 방식이라고 합니다. 관용이 없으면 투표가 무슨 소용이고 복잡한 제도가 무슨 쓸모가 있겠어요? 저는 민주제도의 위기란 곧 "나와 다른 생각을 가진 이를 혐오하는" 문화가 심해진다고 말하고 싶어요.

"민주주의의 본질은 견제와 균형 및 시간이 소요되는 광범위한 의사 결정 과정이 있기 때문이다."
- 재러드 다이아몬드 <대변동> 413p 인용

명쾌한 문장입니다! 민주주의는 원래 "답답"한 제도입니다. 그렇다면 왜 답답한 제도를 아직 유지하고 있냐고 묻는다면 위의 문장대로 한 사람의 의사를 묻고 그걸 반영하는 "제도가 주는 공정함" 때문이라고 말하고 싶네요. 민주주의 본질은 "견제와 균형의 원리"라고 합니다. 왜 권력을 견제합니까? 한 사람의 목소리를 최대한 반영하기 위해서죠, 그래서 많은 안건마다 부딪치고 윽박지르지만, 애당초 "민주주의(民主主義, democracy)"는 관용을 위해서, 나와 생각이 다른 사람과 함께 걸어가기 위해서

"제도"를 세운 거예요.

다른 글에서 언급한 적이 있는데, democracy의 어원을 쫓아가 보면 아테네의 10개의 행정구를 "Demos"라고 불렀다고 합니다. 한 지역구에서 50명의 시민을 선출하고 평의회(評議會)를 구성해서 각 지역의 안건을 아테네 최고 의결 기구이자 소크라테스에게 사형 선고를 날린 "민회(民會)"에 전달한다고 하죠, 약간 우리나라의 선거구 제도의 느낌도 나고 미국의 하원 제도(하원의원은 한 주 州의 인구 비례로 선출됩니다)의 느낌도 스멀스멀 납니다. 데모스! 한 지역의 "시민"을 선출하고 행정과 국가의 일을 맡아서 하는 대리인! 민주제도의 정신이 느껴지네요.

"민주 정부의 이점은 한두 가지가 아니다. 민주주의에서 시민은 실질적으로 어떤 의견이든 제안하고 토론할 수 있다. 그 의견이 처음에는 현 정부의 뜻에 맞지 않을 수 있지만, 토론과 반론 과정에서 최선의 정책이라는 사실이 드러날 수 있다. "
- 재러드 다이아몬드 <대변동> 414p 인용

한마디로 정리하면 민주제도를 채택한 나라는 "무슨 말이던지
할 수 있어!"가 됩니다. 그 말에 책임을 짊어져야 하지만 독재 정부에서, 복수정당제를 채택하지 않은 권위적인 정부에서는 어떤 의견도 "검열"을 받아야 하죠, 과거 우리나라의 군사 정부 시절에 그랬듯이 말입니다. 이런 점에서 민주제도는 존 스튜어트 밀의 사상적인 유산을 잘 물려 받은 거 같습니다. 밀(mill)이 주장한 표현의 자유는 생각이 다른 사람들, 그 의견에는 저마다의 옳은 점도 있고 틀린 점도 있어서 토론의 과정에서 "옳은 점"은 하나의 타협을 찾아가 이익을 안겨주고 "틀린 점"은 자연스레 "오류"로 밝혀져 쓰레기통으로 직행한다고 했죠. (제가 비유한 말이지 실제 밀은 이렇게 말하지

않았습니다) 즉 표현의 자유를 보장하고 장려하는 나라는 어쩔 수 없이 "진보"할 수밖에 없습니다. 모든 의견을 존중하고, 토론의 과정으로 더 나은 해결책을 발견할 수 있으니까요. 그렇다면 복수정당제도 없으며 검열의 자유만 있는 독재국가는 어떨까요?

"하지만 독재국가에서 그런 의견은 토론 대상조차 되지 않을 것이고, 그 의견의 장점 또한 채택되지 않을 것이다. (중략) 한편 1941 독일인은 이미 영국과 전쟁을 하고 있으면서도 소련을 침략하고 미국에 선전포고한 히틀러의 어리석은 결정에 관해 토론할 기회를 얻지 못했다."
- 재러드 다이아몬드 <대변동> 414~415p 인용

회의하는 이유가 뭘까요? 그냥 대표님이나 최고 경영자가 일사천리로 "결정"해버리면 빠르고 효율적인데 말이죠, 느릿느릿 흘러가는 회의 속 하품까지 참으면서 왜 "회의(會議)"를 할까요? 그 이유는 "어리석은 짓"을 하지 않기 위해서죠. 한 사람이 전지전능한 신이라면 회의 따위 필요 없죠! 그러나 국가적 차원에서 중요한 문제는 한 사람의 결정으로 해결되기란 쉽지 않아요. 그래서 다양한 의견을 종합해야 합니다. 바로 이 지점에서 복수정당제를 채택하고 헌법이 보장하는 사상과 표현의 자유가 참 좋은 영향을 줍니다. 히틀러는 군사 지식도 없이 막무가내로 러시아 모스크바로 행진! 을 외치다가 나치가 패배하고 수많은 사상자를 남겼습니다. 수많은 의견, 그 의견 속 탁월한 점은 쏙 빼먹고 틀린 점은 쏙 버려버리는 과정, "토론"제도가 그래서 중요하다고 봅니다.

"타협이 민주주의 운영에서 필수적이란 사실도 민주주의의 기본적 이점이다. 타협은 권력 집단의 폭압을 줄이는 효과를 발휘한다."
- 재러드 다이아몬드 <대변동> 416p 인용

"미국 헌법은 견제와 균형이란 체제를 고안해 냄으로써 타협의 중요성을 강조했다. 예컨대 대통령은 정부 정책을 주도하지만, 의회는 정부 예산을 통제하고, 하원의장은 대통령 제안을 심사하는 의사 일정을 결정한다."
- 재러드 다이아몬드 <대변동> 423p 인용

넓은 의미에서 우리는 아테네의 천재적인 정치가 클레이스테네스가 가족 중심의 4 부족 행정 구역에서 10개의 "Demos"로 개혁하고 모든 시민이 "직접" 정책에 참여할 수 없지만, 우리는 대리인을 선출하고, 우리의 목소리를 투표 행위로 보여주고 있습니다. 그래서 국가의 제도는 각 역할을 분담해서 서로 칼을 겨누고 때로는 찌르기도 하며, 때로는 손을 잡기도 합니다. 왜요? 인구의 규모가 넓어진 현대 국가에서 국민이 직접 참여하고 경영하는 게 어렵기 때문이죠. 정치의 기본은 "마음"이라고 생각합니다. 당신은 얼마나 생각이 다른 의견을 "존중"할 수 있나요? 이 질문에 대답하지 못한다면, 우리는 그 어떤 "타협점"도 못 찾을 거예요. 꼭 정치나 제도뿐만이 아닙니다. 살아가면서 우리는 "조율"하는 방법을 배워야 하죠. 그런데 말이 쉽지, 더럽기 어렵습니다. 왜냐면 우리는 감정이 있고 감정은 멈춰 있는 물건이 아니죠, 여기저기 방방 뛰어다닙니다. 그래서 "다른 의견"은 "나를 공격하는 무기"처럼 느껴지거든요. 그래서 경청하는 게 무척 어려워요. 그래서 강압적인 "제도"가 존재하는 거죠.

"현대 민주국가에서는 보통 선거를 실시하며 모든 시민이 투표할 수 있다는 것도 민주주의의 장점이다. 따라서 독재국가에서는 소수의 권력자가 기회를 독점하지만, 민주국가의 집권 정부는 모든 시민에게 의견 제시 기회를 제공함으로써 생산적인 결과를 끌어낼 수 있다. "

- 제레드 다이아몬드 <대변동> 417 p 인용

보통 선거 제도는 모든 사람이 한 표를 행사하고, 그 과정이 모두 "비밀"로 유권자의 정치적 견해가 지켜집니다. 그러나 정말 중요한 것은 민주주의는 "국가를 운영하는 방법"일 뿐이지 궁극적인 목적이 아닙니다. 중요한 것은 유권자의 "마음"이에요.

그리고 이 점은 넓게 해석해서 우리가 살아가면서 다른 사람을 대하는 태도와 연결됩니다. 관용(寬容)이 중요한 이유는 곧 "수많은 사람의 차이점을 하나의 대안점으로 이끌어가는 마음"이라서 그럽니다. 다이아몬드 선생이 책에서 "로버트 퍼트넘의 <나 홀로 볼링>"이라는 구절을 인용하는데요 내용은 이렇습니다.

"사회적 자본(social capital)은 개인의 관계, 즉 사회적 네트워크와 그로부터 발생하는 호혜성과 신뢰성의 규범을 가리키는 말이다."

당신은 대안점을 위해서 "의견"을 제시하고 있나요, 아니면 "이기기"위해서 의견을 제시하고 계시는가요? 사회적 자본, 혹은 우리가 살아가는 일상 속에서 선택은 "타인"과의 끊임없는 조율 속에서 일어납니다. 얼마큼 조율을 잘하고 계시는가요? 그 너머의 마음은 "다른 의견을 존중"이 있을까요?

민주주의는 원래 이렇게 답답합니다. 그러나 그 제도의 정신, 혹은 이렇게 답답하고 지루한 긴 "회의"를 하는 이유는 딱 하나입니다. 바로 타인의 "존중" 때문이죠.

도둑맞은 사회적 자산들_ 요한 하리 <도둑맞은 집중력>을 읽으면서.

문재인 정부의 슬로건은 "숙의(熟議)" 민주주의라고 지칭했습니다. 여기서 저는 "숙熟"자가 중요하다고 보는데, 이는 합리적인 민주주의가 운영되기 위해서는 다수의 시민이 갖춰야 할 사회적 자산이라고 보기 때문이죠, 영국의 총리로 부임한 윈스턴 처칠 선생님은 민주제를 차선책이라고 생각했습니다. 더 나은 체제가 없다고 생각했죠. 민주제는 시민의 생각을 반영하는 최선의 도구책입니다. 그러나 현대적 관점에서 우리는 깊이 사고하는 능력과 긴 문장의 텍스트를 읽어가는 능력을 상실하고 있어요. 굳이 통계적 자료를 들먹이지 않아도 체감하기 쉽습니다. 독해력이 떨어지면, 민주제가 제대로 운용될 수 없습니다. 의사소통에 문제가 생기면 대화를 통한 협력이 이뤄질리 만무합니다. 아이들은 더이상 위인전을 읽지 않고, 동네 놀이터가서 뛰어놀지 않습니다. 온라인 속 공간이 익숙해지고, 그곳에서 판치는 정보와 수위는 아이들의 정서에 큰 해악을 끼친다고 생각하는데, 이런 면은 개인의 문제가 아니라 기술 기업주, 테크 기업의 사업 모델의 문제이기도 합니다. 유럽연합에서는 기술주의 규제 논의가 활발하게 이뤄지고 있죠, 저는 이번 책을 읽으면서 이런 결론을 내렸습니다. "기술의 진보는 윤리적인 옳음이 아닐 수도 있다, 그렇기에 기술은 민주적 의사결정으로 규제되어야 한다"고 말입니다.

"곧 그는 구글에서 성공이 주로 '참여도engagement'로 측정된다는 사실을 알게 되었는데 참여자는 사용자의 시선이 상품에 머문 시간으로 정의되었다. "
- 요한 하리 <도둑맞은 집중력> 174 p 인용

백화점(百貨店)에 시계가 없는 이유, 웹사이트 모델의 무한 스크롤 기능, 알고리즘에 의한 동영상 탑재 기능, 우리의 집중력 분산은 테크 기업의 "돈"을 가져다 줍니다. 사용자의 광고 시청 시간이 늘어날수록 테크 기업은 돈을 벌고, 알고리즘으로 분류된 사용자의 "정보"는 기업한테 팔아서 막대한 수익을 벌어들입니다. 왜 괜히 그런 말이 있지 않습니까, "페이스북은 내 말을 듣고 있어" 구글의 기술 모델은 "참여도"모델로 정리됩니다. 사용자의 관심을 끝없이 유도합니다.

"대체로 우리는 긍정적이고 잔잔한 것보다 부정적이고 충격적인 것을 훨씬 오래 바라본다. 우리는 길가에서 꽃을 나눠주고 있는 사람보다 자동차 사고를 훨씬 오래 구경할 것이다. (중략) 행복한 사람들과 화난 사람들이 모여 있는 사진을 보여주면 우리는 본능적으로 화난 얼굴부터 분간한다. 심지어 태어난지 10주밖에 안 된 아기들조차 화난 얼굴에 다르게 반응한다. (중략) 이 현상은 부정 편향이라는 이름으로 불린다.
(중략) 무엇보다 중요한 알고리즘은 우리를 화나고 격노하게 만드는 일이 무엇보다 중시한다. 분노를 많이 일으킬수록 참여도도 높아진다."
- 요한 하리 <도둑맞은 집중력> 203~204 p 인용

인간은 부정 편향이라 불리는 행동을 보입니다. 충격적인 사건과 훈훈한 사건을 대하는 사회적 태도는 엄연히 다르죠, 개인적인 차원에서도 다르게 반응합니다. 소셜미디어 기업의 "참여도 모델"에서 중요한 포인트는 "사용자의 분노"를 자양분 삼아서 평균 이용 시간을 어떻게든 확대하는 일입니다. 분노와 증오의 감정은 우리를 쉽게 마비시키고, 더더욱 편향에 빠지게 만듭니다. 우리 시대에 만연한 사소한 증오는 일상을 침범하는 "웹사이트 기술" 때문입니다. 증오 정

치와 증오 문화는 여기서 파생된다고 해석할 수 있습니다. 인간의 부정 편향은, 증오를 부르는 사건으로 가득찬 알고리즘을 선택하게 됩니다. 타협과 숙고로 이뤄지는 민주제는 깊이 있는 "집중력"을 요구하게 됩니다.

"첫째, 이 웹사이트와 앱들은 우리의 정신을 길들여 잦은 보상을 갈망하게 만들도록 설계된다. 우리가 '하트'와 '좋아요'를 갈구하게 만든다."
- 요한 하리 <도둑맞은 집중력> 206 p 인용

B.F스키너의 행동주의 심리학은 인간의 자유의지와 정신을 단호히 거부했습니다. 인간은 외부의 훈련 시스템으로 "길들여진" 행동을 단순히 반복할 뿐이라고 말했죠. 우리는 상과 벌 제도로 아이들을 훈육합니다. 칭찬과 꾸지람으로 사회 내 "윤리적 관습"을 훈련시킵니다. 더 나아가서 "보상"제도는 스키너 표현대로 "조건반응"을 새롭게 형성하게 됩니다. 아이가 "시험 성적"을 잘 받으면 그에 따른 보상을 하게 되면, 아이는 "성적을 잘 받는 행동"을 "강화"하게 됩니다. 특정 행동을 끌어올리기 위한 보상 체계를 "정적 강화"라고 부르는데, 인스타그램의 좋아요와 팔로워 수는 인간을 "훈련시키고 길들이는" 현대적인 보상 제도라고 말하고 있습니다. 스키너의 실험을 통해서 생각해볼 점은 "인스타그램의 모델"은 현대인의 집중력과 인격을 파괴해버린다는 점입니다.

우리를 "길들이는" 보상 체계를 파악하지 않는다면 끝없이 스마트폰에 접속해 좋아요 개수와 피드를 염탐하면서 비교하기 시작합니다.

숙고가 필요한 시대입니다. 텍스트를 오독하지 않기 위해서는 "제대로 읽기"와 "오랜 시간 읽을 수 있는 집중력"일 필요한 시점입니다. 팟캐스트와 유튜브 영상으로 학습하게 될수록 "인류의 지성"은 서서히 사라지게 됩니다. 인간의 부정 편향을 교묘히 이용하는 정치인의 위협은 미국 대선판을 흔들고 있습니다. 트위터의 280자의 텍스트로 세상을 이해하려는 움직임, 증오 정치는 "테크 기업의 모델"에서 비롯되었다는 점을 보면서 다시 질문을 던지게 됩니다. 기술의 진보는 늘 옳은가?

기술은 언제나 빈곤을 해결했지만, 몫의 배분은 해결하지 못 했습니다. 이제 다시 한 번 조망합니다, 기술은 윤리적 관점에서 논의 되어야 한다는 것을요.

그거 모두 가짜야! 라고 외치는 용기_ 유발 하라리 <호모 데우스> 인용

코흘리개 시절, 저는 어머니께 이런 질문을 던진 적이 있습니다. "엄마! 왜 천 원을 주면 초콜릿으로 바꿔주는 거야?" 어머니는 바쁘셨던 모양인지 대충 대답해주셨습니다. "응. 그거는 그렇게 약속을 했기 때문이야." "무슨 약속?" "그렇게 믿기는 거지 이 단돈 천 원을 슈퍼마켓 아저씨한테 갖다 주면 초콜릿을 주기로" 저는 의아했습니다. 이렇게 맛있는 가나 초콜릿을 힘없이 픽픽 쓰러지는 단돈 천 원과 맞바꾼다고.? 완전 사기꾼이네! 라고 말이죠. 오늘 소개할 유발 하라리의 사피엔스 후속작 <호모 데우스>는 우리가 아무런 의심 없이 받아들인 가치를 "사피엔스"라는 종이 살아남기 위해서 선택한 "집단의 신화"라고 주장합니다. 뭐 물론 지금은 물가상승률 때문에 가나 초콜릿도 이천 원 정도 하지만, 어렸을 적에 저는 왜. 도대체 누가! 이런 말도 안 되는 교환을 약속하는지 궁금했습니다. 나아가서 우리는 자본주의 시스템, 민주제도의 정신, 기독교의 교리, 우리의 윤리적 행위까지 모두 "진짜"라고 믿고 있는 어느 허구의 신화 기반에 서 있다고 생각해보자고 주장합니다.

미국의 윤리학자 "루이스 포이만" 선생은 도덕의 종류를 세밀하게 나눠버립니다.
우리는 만 7세가 되면 의무교육을 받으면서 "사회화"를 하잖아요, 우리는 사회 구성원으로서 "허용(許容, right)"된 행동 규칙을 학습합니다. 이전에 소개한 윤리(倫理)의 어원이 "ethos"라는 사회적 관습을 뜻하는 그리스어에서 왔다고 소개해 드렸죠? 마찬가지로 우리가 어느새 어른이 되고, 그에 마땅한 행동을 할 때, 사회가 허용(許容, right)한 행동만 하게 되고, 그것이 당연한 상식이 됩니다. 포이만 선생은 우리의 행동 규칙은 "허용된 행동"과 더불어 "의무적으로 해야만 하는 행동"과 "의무는 아니지만 행동하면 칭찬받는 것" 들로 구분합니다. 그렇죠? 대중교통에서 노약자석을 양보하는 것은 "의무적인 행동"일까요 아니면 "의무는 아니지만 그렇게 행동하면 칭찬받는 일일까요?" 아니, 더 근원적으로 살펴봅시다. 도대체 그 "허용된 행동"은 누가 정하는 걸까요? 노인 공경은 중요하죠, 그런데 왜 중요할까요? 그런 의무적인 행동 규칙은 어디에서 당위(當爲)를 찾을 수 있나요? 사실 사람으로서 존엄(尊嚴)하다고 주장하는 민주제도의 천부인권은 어디에서 찾을 수 있을까 생각해봅니다. 신을 믿지 않는 사람이라면, 혹은 신을 믿는 사람이라도 그 윤리는 모두 "만들어진 행동 규칙"입니다.

유발 하라리 선생은 여기에서 논의를 시작합니다. 당신이 믿고 있는 그 진리는 사실, 만들어진 발명품이라고 말이죠.

"인간의 모든 대규모 협력은 결국 상상의 질서에 대한 우리의 믿음에 기반한다."
- 유발 하라리 <호모 데우스> 203p 인용

코흘리개 시절의 나는 대한민국 행정부가 보장하는 천 원권 지폐를 가나 초콜릿과 교환했습니다. 그 시절 슈퍼마켓 아저씨도, 우리 어머니도, 대한민국의 국민도 모두 그 종잇조각을 철석같이 "믿고" 있었던 것이죠.

"그들은 모두 똑같은 규칙을 따르고, 그럴 때 이방인의 행동을 예측하고 대규모 협력 네트워크를 조직하기가 쉬워진다."
- 유발 하라리 <호모 데우스> 203p 인용

호모 사피엔스는 7만 년 전에, 동아프리카에서 유럽으로 진군하면서 그들보다 체격이 좋은, 네안데르탈인과의 생존 경쟁에서 살아남았다고 하죠, 하라리 선생은 그 원인으로 "사피엔스 간의 소통능력"을 중요시하는데, 그들은 상상력(想像力)을 동원해서 공통의 신화(神話, myth)를 만들어내 대규모 협력망을 만들어냈다고 말합니다. 자연선택에서 더 유리한 종은 사실 체격이 더 큰 네안데르탈인이지만, 이런 인지 혁명으로 사피엔스 종이 살아남았다는 게 하라리의 주장이죠. 그러면서 저자는 세 가지 인지 형태를 설명합니다. 우리가 바깥의 사물이나 사실을 마주할 때 머릿속으로 정리하는 개념이 있지 않습니까? 하라리는 이렇게 말하고 있습니다.

"객관적 실재(實在)에서는 모든 것이 우리의 믿음이나 느낌과 관계없이 존재한다. 예컨대 중력(重力)은 객관적인 실재이다. 중력은 뉴턴이 발견하기 오래전부터 존재했고, 그것을 믿는 사람에게나, 믿지 않는 사람에게나 똑같은 영향을 미친다.
반면 주관적인 실재는 내 개인적인 믿음과 느낌에 의존한다. (중략) 하지만 실재에는 제3의 층위가 존재한다. 그것은 상호주관적인 실재이다."
- 유발 하라리 <호모 데우스> 204p 인용

가령 이렇게 생각할 수 있죠, 우리의 과학적 상식은 지구가 태양을 돌고 있는 공전, 즉 지동설을 믿고 있지만, 코페르니쿠스 이전의 사람들은 모두 태양이 지구를 공전한다고 주장한 천동설(天動說)을 주장했습니다. 여기서 하라리의 주장을 대입해보면 이렇게 말할 수 있죠, 지구가 운동하는 공전 현상은 사람들의 해석과 무관하게 "존재"합니다. 그래서 그 자체로 존재한다는 뜻으로 "객관적 실재(客觀的實在)"라고 부르죠,
반면에 인류는 인류와 무관하게 운동하는 지구의 공전 현상을 두고 가타부타. 태양이 지구를 돌고 있는 거야! 라고 해석하기도 하고 그 반대로 주장하기도 하죠, 모든 것은 이렇게 주관적인 해석(解釋)이

라는 점, 이를 "주관적 실재(主觀的實在)"라고 부릅니다. 마지막으로 제일 중요한 "상호주관적 실재"는 코흘리개 꼬마를 빼고 슈퍼마켓 아저씨도 천원의 가치를 "믿고" 우리 어머니도 "믿고" 모든 국민이 "천원의 가치를 믿는" 현상을 말하고 있습니다.

"사람들이 더 믿지 않게 되면 가치가 증발하는 것은 돈만이 아니다. 법, 신, 심지어 제국 전체에도 같은 일이 일어날 수 있다. (중략) 하지만 우리 신, 우리나라, 우리의 가치가 허구라는 것은 받아들이고 싶지 않다. 우리 삶에 의미를 부여하는 것들이기 때문이다."
- 유발 하라리 <호모 데우스> 206~207p 인용

우리는 의심하는 방법을 잊어버립니다. 우리가 받는 의무교육은 근대화 이후에 자본의 투자와 이윤의 확보를 위해서 "평균 점수"만을 고집하는 교육이 되어 버렸으니까요. 우리는 사회적으로 허용된 행위를 비판 없이 따라 합니다. 그것이 니체 선생이 비판한 "무리 군중의 특징"이자 현대화의 또 다른 이름 "평준화(平準化)"의 정신이니까요. 하라리는 역사를 이렇게 말합니다.

"역사를 공부한다는 것은 이런 의미의 그물망들이 생기고 풀리는 것을 지켜보고, 한 시대 사람들에게 가장 중요한 가치였던 것이 후손에 이르러 완전히 무의미해진다는 것을 깨닫는 일이다. (중략) 역사는 이런 식으로 전개된다. 사람들은 의미의 그물망을 짜고 그것을 진심으로 믿는다. (중략) 사피엔스가 세계를 지배하는 것은 그들만이 상호주관적 의미망을 엮을 수 있기 때문이다. 그것은 공동의 상상 속에만 존재하는 법, 힘, 실체, 장소로 이루어진 그물이다. 이런 그물은 인간만이 십자군, 사회주의 혁명, 인권 운동을 조직할 수 있게 한다. (중략) 사피엔스는 언어를 사용해 완전히 새로운 실재들을 창조한다. (중략) 우리가 공유하는 상상 속에서만 존재하는 실체들인 상호주관적 실재들의 바람과 결정에 달려있다."
- 유발 하라리 <호모 데우스> 207~ 213p 인용

호모 데우스의 뜻은 우리가 "죽음"을 철학적인 의미로 다가가지 말고 오직 기술적으로 접근해서 죽음을 극복하는 새로운 종, 신인류가되자는 하라리의 당찬 포부입니다.
윤리는 정말 만들어진 발명품일까요? 니체 선생의 말대로 사람은 영혼의 존재가 아니라 정말 알 수 없는 충동으로 꽉 가득 찬 존재일까요? 우리는 단순히 살아남기 위해서, 다윈이 주장한 자연선택에서 적자(適者)가 되기 위해서 허구를 만들어내고, 천원의 가치를 보장해주고, 애국심이라는 감정을 만들어내 국가라는 실체도 없는 기관의 유지를 위해 죽어버리는, 이러한 현대 사회의 이면을 생각해보면 좋겠습니다.

노인의 공경, 그 행동의 이면에는 모든 사람이 타고난 권리가 있다는 "믿음"과, 성경이 강조하는 "믿음"과 애국심을 울리는 국군의 이야기는 그 속에 "국가라는 실체"가 있을 거라는 "믿음"이 자리 잡고 있죠, 사피엔스의 위대함은 결국 "허구를 믿는" 점에서 살아남았다고 주장하는 하라리입니다. 모든 것은 그러면 가짜야! 라고 주장할 수 있나요? 상호주관적 실재라는 말의 뜻은 모두가, 자명하게 받아들이는 "믿음"의 체계를 말합니다. 우리가 아무리 의심해도 그 견고한 "다수의 믿음"을 대항할 수 없지만, 코흘리개 꼬마의 순수한 마음을 갖고 싶어집니다. 의심하고, 고민하면서 왜? 그 당위성을 묻는 습관도 사람의 위대함이라고 생각합니다.

성장의 신화_ 유발 하라리<호모 데우스> 인용

올해 윤석열 정부 세수 결손이 총 59조에 달한다고 잇따라 보도되고 있습니다. 정부 발표에 따르면 부족한 세수 결손액을 작년에 남긴 초과 세수분과 올해 남길 세수, 그러나 큰 문제는 미국과 연동된 외환 기금을 건드려서 세수 결손을 채우겠다는 야심 찬 발표입니다. 윤석열 정부의 기조는 명확합니다. 트리클-다운, 우리 말로는 "낙수 효과"라고 부르는 정책인데요, 세금인하에 따른 기업의 투자 유도와 더불어 고용 창출의 효과를 기대한다는 것이죠. 실제로 신자유주의(NEO-liberalism·新自由主義)의
정책은 1980년대 미국과 영국에서 시행되었습니다. 로널드 레이건 정부에서 기업의 법인세율 70%에서 28%로 인하했으나 집권 내내 세수 결손에 따른 정책의 어려움과 결과적으로 소외 계층의 피해가 심각했습니다. 감세의 이론적 배경은 경제학자 '아서 래퍼'의 래퍼 곡선인데요, 아서 래퍼는 세금을 잘 내는 사람들의 숫자와 세금을 내야 하는 금액의 대조를 그래프로 보여줍니다. 결론은 가장 많은 사람이 세금을 내는 구간은 곧 내야 하는 세금의 금액이 적정 구간일 때 커진다고 주장했죠, 그래서 기업의 법인세와 개인의 소득세, 부동산의 종합소득세, 상속세까지 구간을 낮춥니다.
왜요? 그래야지 기업은 "투자"를 하기 때문이죠. 그러나 세수 결손을 채우는 시간과 기업이 순수한 의도로 경기가 어려워도 "투자"하는 시간은 늘 "시차"가 발생합니다.

세수 결손은 여러 가지 면에서 특히나 행정부가 정책을 결정하고 '시행'할 때 큰 문제를 불러옵니다. 예를 들어서 여태껏 정부는 국내의 신기술을 위해서, 이른바 기술개발(R&D)에 투자를 합니다. 국내에서 생산하고 판매하는 상품의 '부가가치'를 높이기 위해서, 우리나라의 선진을 위해서 늘 상품의 질을 높이기 위해서 투자하죠,

세수 결손은 결국 기술개발예산의 16%를 삭감하게 되었고 이는 국가적 차원에서 큰 손실을 가져옵니다.

이처럼 우리는 "성장의 담론"에 취해있습니다. 좌파에서는 부정적인 어감으로 "자본주의"라고 부르고 우파에서는 더욱 친근하게 "시장경제"라 부르는 우리의 경제(經濟) 제도는 딱딱한 숫자 지표인 "gross domestic product (국내 총생산)"으로 표시하고, 전년도보다 "몇 퍼센트"라도 성장해야 합니다. 그게 자본의 생리이며, 안정을 유지한다고 생각하지요. 유발 하라리는 이렇게 생각했습니다. 인류의 역사는 가톨릭과 프로테스탄트들의 시대를 지나서 '과학'의 문턱을 밟은 순간, 막강한 힘을 얻었지만, 더 이상 신과 내세의 세상이 안겨주는 삶의 의미를 상실했다고 말이죠. 인류를 이루는 사피엔스는 꼭 기독교가 아니더라도, 다양한 믿음의 형태로 종교가 존재하며, 그중의 하나가 바로 '자본교'라고 말하고 있습니다.

"자본주의교가 성장이라는 지고의 가치에 대한 믿음에서 연역해낸 최고의 계명은 '너희는 너희의 수익을 성장시키기 위해 투자해야 한다.'이다. 대부분의 역사에서 왕족과 성직자들은 수익을 화려한 축제, 호화로운 궁전, 불필요한 전쟁에 낭비했다. 아니면 금화를 금고에 넣고 밀봉해 지하 감옥에 묻었다. 오늘날 독실한 자본주의교도들은 자신들의 수익을 이용해 신입사원을 고용하고 공장을 확장하고 신제품을 개발한다."
- 유발 하라리 <호모 데우스> 291P 인용

하라리 선생은 일종의 우화처럼 "성장"에 대한 신화를 꼬집고 있어요. 중세 경제는 누가 장악했나요? 고지식한 길드에서, 지역 내 군사력을 독점한 봉건 제후들이 세금도 통제하고 주민도 통제하고 생활필수품도 통제했습니다. 그리고 그들은 절대로 토지에서 얻은 돈을 다시 "재투자"하거나 저축하지 않았습니다. 그 점을 꼬집으면서, 인류가 비로소 근대(近代, modern.)의 시대로 건너갔다고 말하죠. 이제 인류는 "사람들의 신뢰"를 담보 잡고 돈을 빌려줍니다.

"근대에 이르러 이 악순환이 마침내 깨졌다. 미래에 대한 신뢰가 커지고 그에 따라 신용거래라는 기적이 일어난 덕분이었다. 신용이란 신뢰를 경제적 수단으로 표시하는 것이다. (중략) 새로운 벤처 기업들이 여기저기서 성공을 거두면, 미래에 대한 사람들의 신뢰가 증가하고 신용거래도 확대된다. 그러면 이자율이 떨어져, 사업가들이 더 쉽게 돈을 조달할 수 있고, 경제가 성장한다."
- 유발 하라리 <호모 데우스> 282P 인용

이 부분에서 저는 감탄했어요, 나름대로 어렵게 배운 "은행의 레버리지 사업과 지급준비금" 등 현재 자본주의 제도를 간명하게 설명하는 게 정말 타고난 이야기꾼이 아니고서야 이렇게 잘 설명할 수 있나요? 결국, 우리가 딛고 있는 성장의 담론은, 초창기 "자본의 투자"를 할 수 있게 대출해주는 "미래의 신뢰를 담보 잡은 신용거래"에서 시작되었다고 합니다. 이제 우리는 미래의 가능성을 보고 돈을 빌려주며, 주식에 돈을 넣습니다. 신문에서 발표하는 GDP의 딱딱한 숫자를 보고 호황이니 불황이니 떠들어댑니다. 그러나 이 또한 하나의 "믿음"이라는 점에서 우리가 생각해볼 점이 몇 가지 있습니다. 성장 이면에 닥쳐올 여러 가지 문제점을 하나씩 살펴보죠.

"그런데 실제로 경제가 영원히 성장을 계속할 수 있을까? 자원을 다 쓰면 성장이 멈추지 않을까? 무한성장을 확보하려면, 어떤 식으로든 소진되지 않는 자원 창고를 찾아내야 한다."
- 유발 하라리 <호모 데우스> 293P 인용

"현대 세계는 성장을 지고의 가치로 떠받들고, 우리는 그것을 위해 희생과 위험을 감수한다. 집단 수준에서는 정부, 기업, 조직이 성장의 관점에서 성공을 평가하고, 평형 상태를 마치 악귀인 양 두려워하도록 부추긴다. 개인들에게는 소득과 삶의 척도를 끊임없이 높여야 한다고 세뇌한다. 어제의 사치품은 오늘의 필수품이 된다."
- 유발 하라리 <호모 데우스> 302P 인용

유발 하라리는 자본주의를 비판하지 않습니다. 오히려 중세 시대까지만 해도 신의 심판이라고 믿었던 기아, 역병, 전쟁을 모두 "기술적인 문제"로 취급하면서 기본적인 생활의 질을 향상했다고 말하죠. 지당한 말입니다. 그러나 우리가 딛고 서 있는 이 세상은 그 자체로 완벽하지 않습니다. 허점이 많고, 그래서 꾸준히 수정되어야 합니다.

성장의 담론은 모든 사람의 가치를 "이윤"으로 판단합니다. 전체적인 관점에서 조망하려고 할수록, 그 세부적인 사람의 이야기는 듣기 어렵죠. 우리가 사는 이 제도는 인류가 만들어낸 발명품입니다. 기아, 역병, 전쟁을 극복하고 많은 사람이 보편적인 생활을 누릴 수 있도록 헌법을 제정하고 권력은 분립되어 서로 견제합니다. 복수 양당제를 채택하고, 선거구 제도와 지방자치단체의 독립성 등등, 이러한 "제도"는 "한 사람"의 기본적인 생활 능력을 높여주기 위해서, 사람으로서 살 수 있는 기회를 보장하기 위해서 만들어낸 최고의 도구입니다. 말 그대로 타이탄의 도구들이죠. 그러나 우리는 살아가면서 무엇을 가장 중요하게 생각하나요? 사람의 수준을 따지면서, 모두 "상품"으로 바라봅니다. 학과를 선택하거나 직장의 분야와 이직을 할 때도 "나"보다 "너"와 "너희들"이 그어놓은 산에서 살아갑니다. 성장도 필요하고, 분배도 필요하고, 죄다 필요하지만, 시장이 사람의 가치를 결정하면 안 된다고 봅니다.

우리가 가장 소중하게 생각하는 것은 무엇입니까. 가장 가치 있다고 생각하는 요소는 무엇입니까? 우리는 정말 "나"다운 대답을 준비하고 있나요?

알고리즘이 지배하는 21세기를 위해서_ 유발 하라리의 <호모 데우스>를 읽고

나보다 나를 더 잘 알고 있어 보이는 독심술 사의 이야기는 이제 한낱 우화가 아닙니다. 실제로 우리는 우리의 기호(嗜好)나 취향을 제대로 모르고 살아갑니다. 우리의 취향은 유튜브 알고리즘에 그대로 노출됩니다. 신기하죠. 나보다 나를 더 잘 아는 독심술사가 정교하게 가면을 바꿔쓰고 "알고리즘"으로 운영되는 세상이니까요!
알고리즘이라는 수사를 흔하게 사용하지만, 그 어원은 인도 아라비아 문명권에서 시작되었습니다. 애당초 "algorism"에서 "Al"은 아라비아 문법에서 사용하는 정관사입니다. algorism은 6세기 이후 페르시아 문명이 쇠퇴하면서 아라비아해로 상업권이
확대되고 "숫자"의 중요성이 커지자 단일한 숫자의 체계(體系)를 지칭하는 단어가 됩니다. 유발 하라리의 야심작 <호모 데우스>의 핵심 단어로 알고리즘을 꼽는데 그가 정의한 알고리즘을 살펴볼까요?

"알고리즘은 21세기를 지배할 개념이므로, 알고리즘에 대해서 아는 것은 매우 중요하다. (중략) 알고리즘은 계산을 하고 문제를 풀고 결정을 내리는 데 사용할 수 있는 일군의 방법론적 단계들이다. 알고리즘은 특정한 계산이 아니라 계산할 때 따르는 방법이다."
- 유발 하라리 <호모 데우스> 122p 인용

알고리즘은 수의 계산이 아니라 수의 계산을 활용한 "방법(方法, method.)"이라고 하네요. 그래서 하라리는 사람을 결정짓는 알고리즘으로 세 가지를 꼽는데 쭉 나열하자면 사람의 감각과 사람의 감정, 그리고 생각입니다. 20세기까지 인류가 이루는 문명은 수많은 사람이 도시에 모여서 "생각"을 공유하고 나누면서 인류의 공통적인 문제를 해결했습니다. 가령 기아의 문제나 빈곤의 문제를 말할

수 있죠. 그러나 유발 하라리가 이 책을 집필한 목적은 다가오는 21세기에 인간의 알고리즘은 아무짝에도 쓸모없어진다고 설명합니다. 왜 그렇죠? 칼 마르크스가 예견하기도 했는데요, 단순한 수공업을 지나서 넘쳐나는 상품의 시대에 대규모 자본은 "사람"이 아니라 "사람의 육체적- 정신적" 노동을 대체하는 자동 생산 라인에 더욱 투자된다고 했죠. 하라리는 이제 육체노동을 능가하고 정신노동을 능가하는 하이퍼-알고리즘이 사람의 가치와 사람이 살아가는 목적, 노동의 신성함을 모두 몰아낼 것이라 주장합니다.

"전문가들은 경제란 욕망과 능력에 관한 데이터를 수집해 그 데이터를 결정으로 전환하는 메커니즘이라고 생각한다. (중략) 이렇게 보면 자유시장 자본주의와 국가가 통제하는 공산주의는 서로 경쟁하는 이념, 윤리적 신조, 정치 제도가 아니다. 기본적으로 이 둘은 경쟁하는 데이터 처리 시스템이다. 자본주의는 데이터를 나누어 처리하는 반면, 공산주의는 중앙에서 모두 처리한다."
- 유발 하라리 <호모 데우스> 505p 인용

정보(情報)를 처리하는 다른 방법이 자본주의와 사회주의 경제 체제를 낳은 것이지 어떤 숭고한 목적에 따라서 나눠진 게 아니라고 판단하는 하라리의 생각을 들여다보면서, 저는 머리 한 대를 쾅 맞은 기분이었습니다. 나보다 나를 더 잘 아는 "구글의 알고리즘"은 대기업에 내 정보(情報)를 판매합니다. 그 정보를 "누가(Who)" "어떻게(How)" 처리하냐의 문제라는 것이죠. 자본주의는 "소비자(消費者, consumer.)"의 합리적인 선택을 맹신합니다. 그래서 "행정부"의 계획이 아니라 각자 알아서, 판단하고 소비하는 것이죠. 수많은 데이터를 "개인(改印)" 즉 한 사람이 합니다. 그래서 민주적이라고 보는 게 아닐까요? 반면 데이터를 중앙에서 직접 관리하는 사회주의 계획 경제는 비효율적이라고 말합니다. 데이터를 처리하는 알고리즘이 하나뿐이라면 과연 변수를 제대로 대처할 수 있냐고 묻죠, 저는 이 부분에서 우생학이 생각났어요. 여러분 조금 우스운 생각이지만 미래에 23쌍의 염색체 속 들어 있는 나의 유전 정보, DNA 염기 서열을 멋대로 조작해서 열등하거나 유전병을 모조리 제거하고 "최상의 유전 정보"만 남겨놓는 사회에서 코로나 같은 전염병이 유행하면 어떻게 되는 줄 아세요? 모두 죽어버립니다. 거리에서 콜록콜록 피를 토하면서 객사합니다. 왜냐하면 "단일한 유전 형질"이나 "단일한 데이터 처리 알고리즘"은 변수에 유연하지 못해요.
그래서 소비에트 연방, 일명 소련이 미국에 패배한 것입니다.

"자유시장에서는 한 프로세서가 잘못된 결정을 내리면 다른 프로세서들이 잽싸게 그 실수를 활용한다. 하지만 단일한 프로세서가 거의 모든 결정을 내릴 때는 실수가 재앙을 초래할 수 있다, 하나의 중앙 프로세서가 모든 데이터를 처리하고 모든 결정을 내리는 극단적인 상황을 공산주의라고 부른다."
- 유발 하라리 <호모 데우스> 507P 인용

국가의 정치 제도를 "알고리즘"으로 파악한 점에서 제가 서두에서 언급한 개인의 문제와도 연결되어 있다고 봐요. 우리는 이제 대면하는 사회가 아니죠, 모두 온라인에서, 온라인 만남으로, 온라인의 커뮤니티 속 나의 가상 공간을 꾸미려고 사진을 찍고 해시태그를 달고, 댓글 창과 '좋아요'를 기다립니다. 모두 거대한 데이터 속 작은 칩이 된다고 말하는 하라리의 비유가 딱, 시의적절하다고 봅니다.

"정치과학자들도 인간의 정치구조를 점점 데이터 처리 시스템으로 해석한다. 자본주의와 공산주의처럼, 민주주의와 독재도 본질적으로 정보를 수집하고 분석하는 경쟁의 메커니즘이다. 독재는 중앙 집중식 처리 방법을 사용하는 반면, 민주주의는 분산식 처리를 선호한다."
- 유발 하라리 <호모 데우스> 511P 인용

정보화 시대라고 말하는 지금, 저는 도대체 정보와 데이터가 뭐길래 유난을 떠는지 이해하지 못했습니다. 하라리는 이제 나보다 나를 더 잘 아는 일련의 방법 체계가
우리의 삶을 결정한다고 봅니다. 떠나서 경제 제도와 정치 제도까지 "정보"를 어떻게, 누가 분석하고 해석하는지 그 주체에 따라서 역사의 흐름이 달라진다고 주장하잖아요, 개인의 입장에서 그 "정보"는 이제 어떤 의미를 갖는지 생각해봐야 한다고 봅니다.

"개인은 점점 누구도 진정으로 이해하지 못하는 거대 시스템 안의 작은 칩이 되어가고 있다."
- 유발 하라리 <호모 데우스> 528 P 인용

종교와 과학과 기술에 관한 역사학자의 시선_ 유발 하라리 <호모 데우스>

보통 한 권의 책을 읽으면 대략 세 편의 서평과 감상 글을 남기는데, 유독 하라리 선생의 한 권은 많게는 다섯 편의 글에서 네 편의 글을 남기곤 합니다. 그만큼 책에서 주장하는 이야기나 주장이 새롭기도 하고 통찰력을 안겨주기 때문에 그은 밑줄이 참 빽빽합니다. 아마 호모 데우스의 마지막 글이 될 예정인 종교와 과학의 이야기를 해보겠습니다.

여러분 우리는 얼마나 많은 "말"을 합니까? 그 말은 참 신기해요, 스위스의 언어학자 페르디낭 드 소쉬르 선생은 언어와 기호를 이렇게 나눕니다. 언어는 랑그 (langue)와 파롤 (parole)로 이루어졌다고 말합니다. 우리가 영문으로 "언어"를 "language"라고 부르지 않습니까? 2023년 대한민국 사람도 "말"을 하고 원시시대 사람도 "말"을 하는데 둘이 소통할 수 있나요? 불가능합니다. 왜 그런가 하면 말이란 곧 "동일한 글의 규칙"이 있어야 하고 그 글의 규칙, 곧 문법(文法)의 이해도가 있어야 하기 때문이죠. 소쉬르 선생은 언어란 곧 문법(文法)이 있어야 하고 그걸 가르치는 공교육 제도와 학습 능력이 있어야 하며 그 문법에 기초해서 입으로 "말"할 수 있어야 한다고 주장합니다. 파롤(parole)이 프랑스어로 "입말"이라고 하거든요, 입으로 소리를 내는 말은
글의 규칙 없이는 원시인이 우가 우가! 하는 것과 별 다를 바 없습니다. 왜 이렇게 길게 서론을 늘어놓냐 하면, 오늘 살펴볼 종교와 과학은 여기, 글의 규칙에 해당하는 "말"에서 서로 다른 관점으로 이야기하기 때문입니다.

유발 하라리는 모든 말 속의 주장을 세 가지로 구분합니다. "사실적 진술"과 "윤리적 판단" 마지막으로 "실질적 지침"으로 이루어졌다고 보고 있어요. 자 예를 들어서 예문을 하나 보여드리겠습니다.

윤리적 판단: 모든 사람의 생명은 귀하다.
사실적 진술: 오직 사람만이 다른 동물과 다르게 이성적인 판단을 내릴 수 있기 때문이다.
실질적 지침: 그러므로 다른 사람을 살인하면 안 된다.

뭔가 삼단 논법 같기도 하고 알쏭달쏭한 문장입니다. 실제로 우리가 누리는 민주제도의 정신은 "생명의 불가침한 가치"가 있다고 생각하잖아요. 모든 말과 그 주장에는 드러난 사실을 진술하는 "사실적 진술"과 거기에 기초해서 "윤리적인 위계"를 세우게 됩니다. 아울러 윤리적 위계는 "행동 규칙"을 만들어서 보급하죠. 위의 예문처럼 생명의 불가침한 가치는 "살인을 금지"하는 실천적인 강령으로 나아갑니다. 하라리 선생은 여기에서 과학이 주목하는 부분과 종교가 주목하는 점이 다르다고 보고 있어요. 여러분 감이 오시나요? 과학은 무엇을 다루나요? "사실 그 자체"를 다루고 있죠.

아리스토텔레스는 뉴턴역학의 "중력의 힘"을 "물질이 가진 속성"끼리 "붙는" 성질이 있다고 해석했습니다. 반면 아이작 뉴턴은 중력을 "거리와 물체의 비례-반비례" 관계로 해석했죠. 아리스토텔레스나 뉴턴은 모두 어디에 초점을 두었나요? 물질적인 "현상"을 다루었습니다. 과학은 "사실"을 다루는 학문이죠. 가령 "사람의 죽음"은 그 자체로 아무것도 의미하지 않습니다. 과학은 "어떻게 인간은 죽는가"를 다루는 "How"의 학문이라면 종교와 철학은 "왜 인간은 죽는가"를 다루는 "당위"를 따지는 학문이자 영역입니다. 그렇다면 자연스레 종교는 "사실적 진술"이 아니라 "윤리적 판단"을 다룬다는 것을 알 수 있죠. 종교는 "왜 인간이 죽는지" 설명할 수 있습니다. 그러나 "어떻게 죽는지"라는 설명할 수 없죠. 이게 과학과 종교의 차이라고 설명합니다.

"사실 윤리적 판단과 사실적 진술을 분리하기가 항상 쉽지만은 않다. 종교는 사실적 진술을 윤리적 판단으로 바꾸어 심각한 혼란을 일으키고, 비교적 간단한 논쟁으로 끝날 것을 복잡하게 만드는 집요한 습성이 있다. 그래서 '신이 성경을 썼다.'라는 사실적 진술을 흔히 '너희는 신이 성경을 썼다는 사실을 믿어야 한다.'라는 윤리적 명령으로 돌변한다."
- 유발 하라리 <호모 데우스> 271p 인용

대한민국과 더불어 전 세계적으로 종교, 특히나 기독교 혐오가 문화적으로 당연해지는 추세입니다. 그들은 종교의 비과학성을 지적하면서 진화론을 "믿고" 있습니다. 생각해보면 과학은 철학의 한 분파였어요, 원래 과학(科學)을 뜻하는 한문은 분과학문(分科學問)이라는 단어에서 유래했으며 영문 "science"도 "philosophy"의 라틴어에서 유래했다고 전해집니다. 과학도 세상의 진리를 탐구하는 하나의 "방법"이죠. 과학의 시점은 늘 "사실적 진술"에서 매료되어 있습니다. 드러난 사실의 "원인과 결과"만 밝히려고 고집하고, 틀렸을 때 "가설"을 폐기합니다. 그래서 과학이 "합리적"이라고 불리는 것이죠. 종교(宗敎)의 경우 그 어원부터 감을 잡을 수 있는데요, 종교의 영문 "religion"은 그리스어로 "경전을 반복해서 읽는다."는 것과 헤브라이즘(기독교 문명)에서는 "신과 인간이 다시 연결되었다."라는 뜻을 가지고 있어요. 사실을 탐구하는 게 아니라 "사실을 해석"하는 분야입니다. 우리는 오해하고 있어요. 아주 크게! 과학은 "사실을 탐구"하는 방법이며 종교와 철학은 "사실을 해석하고 가치를 결정"하는 분야입니다.

"종교는 다른 무엇보다 질서에 관심이 있다. 종교의 목표는 사회 구조를 만들고 유지하는 것이다. 한편 과학은 다른 무엇보다 힘에 관심이 있다. 과학의 목표는 연구를 통해 질병을 치료하고 전쟁을 하고 식량을 생산하는 힘을 획득하는 것이다."
- 유발 하라리 <호모 데우스> 275p 인용

다른 글에 기고한 내용 "상호주관적 실재"라는 개념을 생각해보면 하라리가 주장하는 맥락과 이어집니다. 즉 종교는 하나의 "해석"이며 그 해석으로 "나약한 사피엔스"에게 다른 종과 비교할 수 없는 "네트워크"를 제공했다는 점에서 종교의 기능으로 "질서"를 말하고 있어요. 반면에 과학은 "드러난 사실 그 자체의 원인과 결과"를 탐구하는 게 목적이라고 설명합니다. 역사학에서 흔히 중세의 천년 기간을 암흑의 시대라고 말하고 있어요. 사람들은 과학(科學, science)의 "힘"보다는 종교(宗敎, religion)가 가져다주는 "삶의 의미"와 "살아가야 하는 목적"에 안주했기 때문에 그렇죠.
그러나 근대의 과학 혁명이 붐을 일으키면서 정반대의 이야기가 시작됩니다.

"사실 근대는 놀랍도록 간단한 계약이다. 계약 전체를 한 문장으로 요약할 수 있을 정도다. 즉 인간은 힘을 가지는 대가로 의미를 포기하는 데 동의한다는 것이다."
- 유발 하라리 <호모 데우스> 277p 인용

"전근대 사람들은 힘을 포기하는 대가로 자신들의 삶의 의미를 얻는다고 믿었다. (중략) 근대 이후의 문화는 그런 장대한 우주적 계획 따위는 없다고 말한다. (중략) 근대 이후의 세계는 목적을 믿지 않고 오직 '원인'만 믿는다."
- 유발 하라리 <호모 데우스> 279p 인용

이른바 또 한 번의 혁명, 인본주의(人本主義. humanism.) 혁명이 시작되었습니다. 인간은 이제 "신의 아들이자 딸"이 아니라 "쪼갤 수 없는 원자(原子, Atom)의 집합체"일 뿐입니다. "이제 창조의 목적"을 묻지 않고 "원자(原子, Atom)보다 작은 물질"을 찾고, 원자핵과 전자의 관계를 밝히며, 전하를 띠는 두 극의 움직임을 파악하죠. 이제 인류는 "원인(原人)"을 고집합니다. 그게 과학이자 또 다른 신의 이름 "합리성(合理性)"이죠.

"의미와 권위의 원천이 하늘에서 인간의 감정으로 옮겨오면서 우주 전체의 성질이 변했다. 신, 뮤즈, 요정, 악귀들로 바글거리던 외부 우주는 텅 빈 공간이 되었다."
- 유발 하라리 <호모 데우스> 323p 인용

"중세 유럽에서 가장 중요한 지식의 공식은 '지식=성경X논리'였다. (중략) 과학 혁명은 지식에 대한 사뭇 다른 공식을 제안했다. 그것은 '지식=경험적 데이터X수학'이다.
어떤 질문의 답을 알고 싶으면, 그 질문과 관련해 그 데이터를 분석할 필요가 있다.
(중략) 그러나 인본주의가 여기에 대안을 제시했다. 인간이 스스로 대한 확신을 얻으면서, 윤리적 지식을 획득하는 새로운 공식이 등장한 것이다. 바로 '지식=경험X감수성'이다."
- 유발 하라리 <호모 데우스> 328~329P 인용

여기에서 "지식(知識, knowledge)"은 무엇일까요? 우리가 세상을 이해하는 "안경"입니다. 사실(事實)을 바라보는 "안경"이 바로 지식(知識, knowledge)입니다. 우리가 세상과 사람과 사물을 바라보는 안경이 시대마다 다르게 결정되었다고 주장하죠.
가장 중요한 부분이 인본주의의 "안경"인데요, 인본주의의 안경은

"경험을 대하는 개인적인 감정"이라고 해요, 얼마나 큰 충격입니까, 아름다운 작품의 가치는 그것을 감상하는 사람의 "감정(感情, emotion)"에 따라서 결정된다고 주장해요. 인본주의는 "자유주의(自由主義)"를 낳았어요. 정치적으로 "유권자가 제일 현명하다."라는 생각을, 경제적으로는 "소비자가 제일 현명하다."라는 믿음을 안겨 주었죠. 각각 민주제도와 자유시장 경제로 이행하게 되었어요, 이 두 가지 기둥을 "근대 시민 혁명"의 결과라고 말하고 있습니다. 그러나 이 믿음도 결국에 두 가지로 분열합니다.

"진화론적 인본주의는 (중략) 갈등은 자연선택의 원재료로 진화를 추동한다. 누군가는 어쩔 수 없이 다른 이들보다 우월하고, 따라서 인간의 경험들이 서로 충돌할 때는 최적자가 다른 모든 이를 누른다. (중략) 우월한 인간은 열등한 인간을 억압할 권한이 있다."
- 유발 하라리 <호모 데우스> 350 P 인용

"반면 사회주의는 내 어머니, 내 감정, 내 콤플렉스를 말하는 데 수 년을 보내는 대신, 내가 사는 나라의 생산수단을 누가 소유하고 있는지 자문해보라고 한다. (중략) 세계 평화는 개별 민족의 독자성을 찬미할 때 달성되는 게 아니라 전 세계의 노동자들이 단결할 때 달성되고 (중략)"
- 유발 하라리 <호모 데우스> 348 P 인용

인본주의는 정치적 스펙트럼에서 두 가지 오류를 낳았습니다. 극우라고 불리는 "파시즘"은 다윈의 진화론을 오해한 "하버트 스펜서의 사회진화론"으로 "살아남은 자는 우월한 인종이며 우월한 인종은 그러지 못한 인종을 지배하고 계몽할 책임"이 있다고 말합니다. 나아가 독일의 게르마니아 및 레반스라움(아리아 인종의 우수성을 강조하고 저열한 유대인 민족의 피와 다른 유럽 인종을 독일의 인종

보다 아래에 두는)과 일본제국의 대동아경영권까지 모두 인본주의의 정신인 "인간의 존엄함"을 오해한 케이스입니다. 반면 극좌에서는 모든 책임을 "사회 내 소유권" 문제로 취급했습니다. 소유권이라는 환상이 노동자와 노동력을 분리하고, 노동자는 자신이 일한 봉급의 대다수를 자본가 계급에게 빼앗긴다고 주장합니다. 그래서 계급의 단결과 무장 혁명으로 부르주아의 목을 비틀어 죽여버리고 생산수단을 그 누구도 소유하지 못하도록 해야 한다고 주장하죠. 인본주의의 오류를, 그 단면을 하라리 선생이 소개해주고 있습니다.

여기에서 문제가 되는 것은 "윤리적 명령"이 "사실적 진술"을 멋대로 오해하고 조작한다는 점입니다. 나치즘의 생각을 살펴볼까요?

윤리적 명령: 우수한 아리아인의 피를 살리기 위해서 유대인을 죽여야 한다.
사실적 진술: 유대인은 예수 그리스도를 죽이고 이자를 탐내는 좀생이들이다.
실천적 강령: 그러므로 나치 친위대와 나치당원은 유대인의 피를 끊어내기 위해서 노력해야 한다.

어때요? 논리적으로 완벽한가요? 땡. 오류입니다. 윤리적 명령을 먼저 세운 아돌프 히틀러는 "사실적 진술" 즉 과학의 시선을 왜곡했습니다. 하라리 선생은 나치즘의 만행을 "잘못된 믿음에 근거한 윤리적인 명령"이 "사실적인 진술"을 오해하고 거기에서 비롯된 모든 행동 규칙 때문에 나치의 만행이 발생했다고 보고 있죠. 비단 나치즘뿐만 아니라 우리는 과학과 종교의 영역을 오해합니다. 제가 긴 이야기를 통해서 전하고 싶은 점이 이 부분입니다. 인본주의나 자본주의나 신본주의나 과학주의나 모든 "주의(~ism)"는 윤리적인 명령이 때로 사실적인 진술을 오해하고 왜곡하는 경우가 많아요. "우리만의 가치관"이 "드러난 사실"을 왜곡하고 멋대로 사용한다는 말입니다.

가령 진보"주의자"는 "소득의 불평등(드러난 사실)"을 모두 재벌의 횡포로 이해해서 "재벌 기업 해체"를 주장한다고 가정해봅시다. 극단적인 주장이지만. 이 경우에도 "본인의 믿음인 윤리적 명령"으로 "드러난 사실"을 왜곡합니다. 부자 때문에 서민이 죽는다! 고 말이죠. 과학도 하나의 믿음이 되었습니다. 과학이 믿음이 되는 순간에, 종교와 똑같은 함정에 빠집니다. "사실적 진술"을 파고드는 분야가 아니라 "윤리적인 명령"에 휘둘리는 종교가 됩니다. 과학은 "내가 틀릴 수 있어"를 말해야 합니다. 종교는 "나는 틀릴 수 없어"를 말해야 하고요, 애당초 둘은 다른 레이스를 달리고 있습니다.
칼 포퍼(karl- popper)의 반증주의를 기억해야 합니다, 과학은 "입증"이 아니라 끊임없이 내가 틀릴 수 있다는 "반증(反證)"에 의해서 합리성(合理性)을 유지한다고 말이죠. 우리는 이제 구분해야 합니다. 과학은 "드러난 사실"을 다루고 종교는 "그 사실을 어떻게 받아들일지 고민"하는 당위의 학문이라고 말이죠.

왜 지금 절대종신형인가?

대한민국 사회는 유독 "법 法"에 관해서 비관적입니다. 법이 선고한 형량이 무척 낮거나 무고한 피해자의 입장을 대변해주지 못 한다고 여기는 법(法)의 불감증(不感症)이 심각하다고 봅니다.

흉악범죄가 점점 심해지고 그에 따른 법의 심판과 대응이 어설프다고 생각하는 추세입니다. 그렇다면 법(法)은 도대체 왜 존재하고 사형제는 왜 필요하며, 궁극적으로 우리는 법(法)을 어떻게 바라봐야 할까요?

한문으로 법(法)을 풀이해보면 물(水)과 터놓은 길을 뜻하는 (去) 문자가 합쳐진 상형 문자입니다. 다양한 해석을 할 수 있는데요, "일반적으로 생각되는 당연한 것"을 '물길(法)'로 표현했다고 생각합니다. 일반적인 상식! 말이죠. 물이 터둔 길을 따라서 가는 사회. 우리가 생각하는 법" 法"은 어떤 상식을 대변하나요?

저는 모든 실정법(實定法: 계약으로 결정되고 효력이 있는 법률)의 정신이 "인권(人權)"을 보호해주는 도구라고 생각합니다. 인권(人權)에 대한 개인적인 생각을 밝히자면 "사람이라면 누구나 누려야 되는 생명의 보장, 자유의 보장, 재산의 보장"이라고 생각해요.

형법에 기초해서 사형을 선고하면 어떤 소수의 "무고한 피의자"가 생길 수 있는 "오판 가능성"을 염두해야 한다고 봅니다. 실정법(實定法)은 결국 사람이 만들어낸 도구일 뿐이라서, 모든 개별적인 사례에 있어서 100% 확실하게 피의자를 가려낼 수 없기 때문입니다. 대한민국은 실질적 사형폐지국입니다. 1997년 12월 이후, 모든 법적 선고에서 사형은 무기징역으로 바뀌었죠, 다들 큰 이유로는 김대

중 전 대통령의 일화가 한몫했다고 합니다. 김대중 대통령은 군사독재 시절 사형수로 수감되었거든요, 무고한 사형수의 애환을 잘 알고 있기에, 법(法)이라는 제도가 권력자의 도구로 사용될 수 있다는 걸 알았기 때문일지도 모릅니다.

여기서 우리는 조금 더 나아가서 생각해봐야 합니다. 법(法)의 기능에 관해서 말해보겠습니다. 현재 중국과 인도는 사형을 실행하고 있는 나라입니다. 그들의 주장은 법(法)의 '응보주의'입니다. 국가에 귀속된 시민의 개인적인 복수를 "국가가 대신"해주는 일이죠. 여기서 국가는 독점한 폭력을 일시에 사용합니다. 곧 법의 정의(正義)는 국가의 '공적 복수'라고 합니다. 국가가 나서는 것이죠, 법(法)의 이름으로.

장-자크-루소의 사회계약론 관점에서 사형은 이렇게 바라볼 수 있습니다. 사람이 계약을 맺는 이유는 개인의 "생명"을 효과적으로 보장받기 위함인데, 그 계약을 함부로 파기한 범죄자는 법(法)적 절차에 따라서 사형을 시켜야 마땅하다고 말이죠, 루소의 관점은 현대 사형 국가가 주장하는 응보주의 관점이라고 할 수 있습니다.

반면 법에 의한 사형 절차를 '공리(功利)적' 관점으로 바라볼 수 있습니다. 영국의 제레미 벤담은 '사형제도'는 사회 전체 관점에서 범죄 예방 효과를 크게 높일 수 있는 아주 공리(功利)적인 제도라고 말하죠.

여기에 덧붙여서 체사레 베카리아의 <범죄와 형벌>의 한 구절을 인용하고 글을 마무리할까 합니다.
베카리아는 근대 국가의 형법 제도 기틀을 다진 학자라고 하네요, 그러면 그의 주장을 한 번 살펴볼까요?

"한순간의 강렬한 인상을 남기는 사형보다는 참담한 미래를 보여주는 종식노역형이 더욱 공포스럽고 범죄 예방 효과도 강하다."

법을 공리(功利)적인 관점에서 사형제도를 폐지하고 종식노역형으로 판결할 때, 그 효과가 더욱 크다고 합니다. 여기서 다시 물어볼 수 있습니다. 실정법(實定法)은 도대체 누구를 위한, 제도이냐고 말이죠.

저는 이렇게 생각합니다. 법이 존재하는 이유는 정의의 여신 디케(Dike)가 두 눈을 가리고 들고 있는 '저울추'라고 생각해요. 법은 피해자와 피의자를 둘 다 '인간의 존엄'으로 접근합니다. 사형은 존엄의 박탈이고, 사형수의 갱생 가능성을 앗아간다고 봅니다. 정의구현은 눈에는 눈, 이에는 이라고 생각할 수 있지만, 우리가 채택한 헌법(憲法)은 그렇지 않아요. 아주 겸손하게 '나는 틀릴 가능성도 있어'라고 주장합니다. 덩달아 '그리고 나는 피의자가 언제라도 자신의 잘못을 깨닫고 참회할 수 있도록 유도하도록 노력할 뿐이야'라고 말합니다.

영문으로 정의(正義)를 'justice'라고 부릅니다. 이는 로마의 'Justitia'에서 왔습니다. 위에서 언급한 눈을 가린 정의의 여신 디케(Dike)와 동의어죠. 올바른 뜻으로 "공정함"이라 볼 수 있습니다. 제가 생각하는 공정(公正)은 "피해자와 피의자"를 둘 다 "사람으로서, 사람의 존엄"을 지켜주는 일이라고 생각합니다.

사형수를 지키자는 말이 아닙니다. 일부 무고한 "피의자"를 예방하기 위함이고, 베카리아 선생이 주장한 대로 "한순간의 사형"보다는 지속적인 괴로움을 안겨줄 "종식 노역"이 범죄 예방을 높여준다고 믿습니다.

팬덤 정치와 정치 현수막을 어떻게 바라볼까?_조지 레이코프의 <코끼리는 생각하지마> 인용

저는 유튜브 플랫폼의 댓글 기능을 참 좋아합니다. 뭐랄까 민주주의의 핵심 가치인 구성원의 표현이 자유자재로 구사되는 걸 보면 과거의 오프라인 시대에서 가능했던 표현과 결사의 자유가, 이제 온라인 플랫폼으로 이동해서 2017년도의 미투 운동과 더불어 사회 정의 운동을 실현하는 새로운 공간이라고 생각합니다.

그러나 댓글 창을 보거나 블로그의 글이나, 트위터의 게시글을 살펴보면 "대안적인 비판"이 아니라 "무책임한 비방"성 글이 더욱 많아지는 추세라고 느낍니다. 당장 바깥에 외출하면 정치 현수막을 몇 개는 볼 수 있는데, 죄다 "대안적인 생각이나 비판"이 아니라 무책임한 말과 글, 상대 정당의 흠만 꼬집는 비방들만 가득합니다.

이른바 팬덤 정치라고 부르는 새로운 현상 때문에 이런 극단적인 움직임이 커졌다고 생각하는데요, 팬덤 정치 현상은 언론에서는 "콘크리트 지지층"이라 부르는 일명 "빠"현상이라고 볼 수 있죠. "문빠"부터 시작해서 "이재명 대표의 개딸(개혁의 딸)"까지 현재 야당을 포함해서 집권 여당도 마찬가지로 무책임한 지지와 비방적인 생각과 행동으로 꽁꽁 뭉쳐있다고 느껴집니다.

세상을 바라보는 방법 중 하나인 "정치"는 거시적인 투표 행위 외에 일상에서도 정치적인 활동을 자주 접할 수 있습니다. 왜냐하면, 정치는 "내 정체성"을 반영하기 때문이죠. 무인도에 나 혼자 갇혀있다면 정치 행위는 필요가 없습니다. 다시 말해서
정치(政治)의 본래 뜻은 "관계에 있어서 지켜야 할 최소한의 규칙인 올바름(正)을 세워두고 그것을 다스리는(攵) 제도와 과정"이라고 생

각합니다. 즉 정치는 "관계적"인 개념이죠. 그런데 관계에서 중요한 미덕은 "배려" 아닙니까? 저는 배려는 "마음가짐"이라고 생각하고, 그 마음가짐이 적극적인 행동으로 나타나는 게 "경청"이라고 봐요. 현시점에서 대한민국의 소통능력은 점점 퇴행하고 있다고 생각합니다.

세상을 바라보는 관점은 달라야 하고 그것을 "어떻게 포용"하는지 고민하는 과정이 정치의 필요성을 채워준다고 봅니다. 그런데 그 "관점" 자체를 부정하기 때문에 문제가 생기는 거 같아요. 노엄 촘스키의 제자이자 인지 언어학의 큰 인물인 조지 레이코프는 자신의 저서 <코끼리는 생각하지마>에서 "언어"가 사고방식을 결정하고, 그 사고방식대로 정치 활동을 한다고 주장하면서 독특한 "프레임 이론"을 주장합니다. 한 번 살펴볼까요?

"프레임이란, 우리가 세상을 바라보는 방식을 형성하는 정신적 구조물이다. 프레임은 우리가 추구하는 목적과 우리가 짜는 계획, 우리가 행동하는 방식, 우리가 행동한 결과의 좋고 나쁨을 결정한다. 정치에서 프레임은 사회 정책과 그 정책을 실행하기 위해 만드는 제도를 형성한다. 프레임을 바꾸는 것은 이 모든 것을 바꾸는 일이다. 그러므로 **프레임을 재구성하는 것은 곧 사회 변화를 의미한다.**"
- 조지 레이코프의 <코끼리는 생각하지마> 10p 인용

"프레임은 직접 볼 수도 없고 들을 수도 없다. 프레임은 우리 인지 과학자들이 '인지적 무의식'이라고 부르는 것의 일부다. 인지적 무의식이란 우리 뇌 안에 있는 구조물로서 의식적으로는 접근할 수 없지만, 그 결과물을 통해 그 존재를 알 수 있다. 이른바 우리의 '상식'은 무의식적이고 자동적이고 자연스러운 추론들로 이루어져 있다.

그러한 추론은 **무의식적 프레임**에서 나온다."
- 조지 레이코프의 <코끼리는 생각하지마> 11p 인용

어디서 들었는데요, 우리는 부당한 입장과 누명에 씌워질 때 "프레임 씌우지 마!"라고 대꾸합니다. 그 프레임과 레이코프 선생이 말하는 프레임은 동일합니다. 우리가 꼭 정치뿐만 아니라 사람을 바라볼 때, 어떤 중대한 사건을 바라볼 때 모두 "의식"에서 생각하고 판단하는 거 같지만 레이코프는 그렇지 않다고 말합니다. 우리는 모두 의식보다 밑에 있는 어두컴컴한 무의식에 자리 잡은 "생각의 구조물"인 "프레임 (frame)"에서 자동적으로 생각하게 되고 행동하죠.

"또한, 우리는 언어를 통해 프레임을 인식한다. 모든 단어는 개념적 프레임과 관련지어 정의된다. 우리가 어떤 단어를 들으면 우리 뇌 안에서 그와 관련된 프레임이 활성화된다."
- 조지 레이코프의 <코끼리는 생각하지마> 11p 인용

여기서 저는 정치인들이 애를 쓰면서 정치 현수막을 걸고, 듣기 쉬운 말로 상대 진영의 흠을 잡고 욕하는 이유를 어느 정도 깨닫기 시작했습니다. 예를 들면 근래 일본에서 원전 오염수를 해양에 방류한 사건이 있었습니다. 언론에서 보도하길 집권 여당은 "처리 수"라고 정정하고 야당은 "오염수"라고 주장하고 시위 때 사용하고 있죠. 조지 레이코프 선생은 이 "간결한 언어"가 주는 힘을 알고 있었습니다. 우리의 무의식 프레임은 특정 "단어"를 들을 때 활성화됩니다. 가령 "오염수"라고 들으면 "영화 괴물에서 방류한 그 폐기수"가 떠오르고 "처리 수"라고 들으면 무언가 깨끗하고 안전한 "느낌"을 주지 않나요? 같은 "사실"을 두고 다르게 표현하는 이유는 이처럼 언어는 우리의 프레임을 강화하기 때문입니다.

"공적 담론의 프레임을 재구성하는 데 성공하면, 대중이 세상을 바라보는 방식을 바꾸게 된다. 상식으로 통용되는 것을 바꾸게 된다. 언어가 프레임을 활성화하기 때문에, 새로운 프레임은 새로운 언어를 필요로 한다. "
- 조지 레이코프의 <꼬끼리를 생각하지마> 11p 인용

"신경과학에 의하면 우리가 가지고 있는 모든 개념들, 우리의 사고 구조를 이루는 장기적인 개념들은 우리 뇌의 시냅스에 구체화되어 있습니다. 개념들은 누가 사실을 알려준다고 해서 바뀔 수 있는 것이 아닙니다."
- 조지 레이코프의 <코끼리를 생각하지마> 47 p 인용

레이코프의 말은 우리 시대를 꿰뚫어 말합니다. 공적담론(公的談論)은 우리가 함께 살아가는 세상에서 벌어지는 여러 가지 문제를 두고 "대안책"을 마련하는 대화의 장을 지칭합니다. 여기서는 다양한 문제가 있죠. 레이코프는 미국인이라서 총기규제와 낙태 및 정부가 걷는 세금의 폭을 두고 말하고 있습니다. 공적담론(公的談論)에서 "상식 common sense"이 되는 주장은 오로지 "프레임"을 활용해서 가능한 전술이라고 말하죠. 예를 들면 "원전 오염수 반대"와 "검사독재 정권" 그리고 "더 불어 돈 봉투" "민생경제 파탄" 등 간략한 언어 속에는 "개념"이 있고, 그 개념은 "대뇌 피질을 이루는 신경 세포(neuron)"의 사이를 연결해주는 시냅스를 끈끈하게 만들어준다고 합니다.

실제로 우리의 대뇌 피질(상층부)은 신경 세포(neuron)가 자유자재로 강화할 수도 있고 퇴화할 수도 있다고 해요, 자주 활성화되는 신경 세포 간의 시냅스는 촘촘해진다고 합니다. 그것을 시냅스의 "신경 가소성"이라고 말하죠. 우리의 뇌는 결국 반복하면서 들을수록

신경 세포의 시냅스가 자주 활성화되고, 친숙해지면서 "프레임"이 새롭게 만들어진다고 합니다. 어때요. 언어의 힘은 정말 무섭지 않나요?

"신경과학의 가장 큰 발견 중 하나는 거울 뉴런 체계다. 단순하게 말하면. (중략) 이는 감정이입 능력의 핵심이다..(생략) 이 모두는 뇌의 운동 중추와 감각 중추를 연결하는 회로망인 거울 뉴런 체계 덕분이다. 그 결과로 내가 관찰하는 타인의 행동은 나 자신의 운동을 통제하는 뇌 활동과 신경적으로 짝을 이루게 된다. 근육은 뉴런의 점화로 활성화되며, 내가 어떤 행동을 취할 때와 다른 사람이 그와 같은 행동을 취하는 것을 보고 있을 때는 거의 같은 뉴런이 점화된다. 이 '거울 작용(mirroring)' 덕분에 나는 타인의 감정과 결부된 근육 조직을 보고..(중략) 그 감정을 몸소 느낄 수 있다.
이것이 바로 감정이입이다.!"
- 조지 레이코프의 <코끼리는 생각하지마> 93p 인용

언어는 그냥 문자(文字)나 기호(記號)가 아닙니다. 그것은 분명 나의 "정체성"을 반영하는 감각적인 것들이 쌓여있는 "개념"들을 차분하게 기록물로 남겨둔 것입니다.
팬덤 정치는 단순하고 간결한 언어를 통해서 정치 활동을 합니다. "프레임"을 자극하는 것이죠. 오염수와 처리수의 대결. 국정농단과 촛불혁명이라는 단어를 생각해보면,
우리는 너무 많은 부분에서 "내 생각"이 아닌 "사회 담론에서 당연시되는 생각"을 "내 생각"처럼 말하고 행동하는 일이 다분합니다.

언어를 사용하면 "뇌의 운동 신경을 담당하는 중추"신경의 거울 신경 세포를 활성화한다고 합니다. 오염수를 들으면 "뇌의 신경 세포 시냅스가 끈끈해져서 진보적인 발언"을 많이 하게 되고 처리수를

들으면 동일하게 "보수적인 발언"을 하게 된다는 것이죠.

"모든 정치는 도덕적이다. 유권자들은 자신들이 암묵적·자동적·무의식적으로 옳다고 믿는 것에 투표한다..(중략) 그리고 선거는 유권자들이 선거 운동 기간뿐 아니라 일상에서 매일 접하는 언어와 이미지에 좌우된다."
- 조지 레이코프의 <코끼리는 생각하지마> 118p 인용

그래서 레이코프는 이렇게 결론을 내버립니다. 정치는 우리의 "도덕성"과 연결되어 있다고 말이죠. 그리고 그 도덕(道德, morals)은 "일상에서 자주 접한 단어와 이미지"에서 차곡히 형성된다고 말합니다. 그래서 도덕은 거창한 게 아니라 "일상적인 말과 친숙한 이미지"에서 시작된다는 것이죠.

도덕을 영문으로 "moral"이라고 하는데요 "습속(習俗)"이라고 번역할 수도 있습니다.
이는 "습관처럼 굳은 올바름의 기준"이라고 해석할 수 있죠. 습관은 어떻게 됩니까, 아주 사적인 일상에서 반복해야죠. 레이코프도 똑같이 말하고 있습니다. "무의식적으로 옳다고" 믿는 것. 그것은 "매일 접하는" 것과 아주 연관되어 있다고 당부하죠.

우리의 일상이 곧 정치적이고. 정치적인 것이 일상적인 것입니다.
사람들은 구분합니다. 정치는 여의도에서 한심한 국회의원들이나 하는 짓이라고 하지만. 실제론 아니죠.
그래서 팬덤 정치가 위험하죠, 팬덤 정치에 함몰된 "개인"은 자기만의 "의사"나 "소신" 없이 이리저리 휩쓸리기 때문입니다. 그래서 선출된 인간들도 아무런 책임감 없이, 딱 팬덤 수준에 맞는 말을 하고, 행보를 보이는 것이죠.

결론은 우리가 명심해야 합니다, "일상적인 것이 정치적인 것"임을 알아야 합니다. 그리고 미디어에 노출되는 모든 언어를 조심하세요. 그 언어는 아주 정밀하게 만들어진 "개념"들이며, 개념은 "실제 (real)"을 바라보는 "해석"이니까요. 우리는 조심해야 합니다. 일본의 오염수 방류는 "하나의 사실"이지만 그것을 대하는 "해석"은 "언어"로 다가옵니다. 자주 접하는 언어가 "나의 정체성"을 만들어 간다고 했듯이 우리는 명심할 필요가 있습니다.

조용한 공간을 생각하면서

저는 조용한 공간을 좋아합니다. 조용한 카페도 좋아하고 조용한 길거리도 좋아하고, 가끔 전시회의 적막도 무척 그립기도 합니다. 어렸을 적 아버지 손 잡고 강남의 교보문고에 가면, 교보문고만의 특유한 냄새가 있어요. 냄새보단 향(香)에 가깝네요. 수많은 책더미 속에서 풍기는 내음과 사람들의 조용한 발소리, 구두 굽과 바닥 표면이 부딪치면서 나는 또각또각 소리들. 초등학교 2학년부터 초등학교 5학년까지 한 달에 두 번씩은 다녀왔던 거 같아요. 시끄러운 공간과 조용한 공간을 굳이 이분법으로 나누고, 가치평가를 하고 싶지 않지만 제 취향은 늘 조용한 공간이 좋았던 거 같아요.

요새 노키즈 존이 많아지는 추세입니다. 아이들의 활동력은 "고성방가"로 여겨지고, 떼쓰는 아이들은 어른들의 눈초리를 받곤 하죠. 개개인에 따라서 노키즈존의 생각이 다를 거라 생각합니다만 출산율이 금세 0.7명으로 내려가는 시점에서 노키즈 존의 문화는 한 번쯤 생각해볼 수 있는 현상이라고 생각해요.

아리스토텔레스는 아이들 그 자체는 마땅히 존중받을 만한 면이 없다고 보았습니다. 그러나 아이들은 잠재적으로 가지고 있는 "영혼(psyche)"의 일부인 "이성혼"을 키워나갈 수 있는 가능성이 있기 때문에 가치가 있다고 말하죠. 너무 인색한 평가인가요?

프로이트는 특히 아이들에게 집중했습니다. 솔직하게 아이들보다는 "성장 과정에서 성의 발달과 연관" 지어서 봤기 때문에 순수한 목적은 아니라고 봅니다. 여하튼 프로이트는 본래 신경외과로서 성인을 진찰하면서 몇 가지 특이한 케이스를 접하게 되죠.
예를 들면 신경에는 아무런 이상 증세가 없는데, 계속 불편함을 토로하는 경우처럼 말이죠. 우리는 압니다. 일종의 공황증상인데 당시에 심리학 개념 자체가 없던 시기라서 프로이트는 여러 고민을 했다고 해요. 그래서 "최면술"부터 시작해서 보이지 않는 어떤 "마음의 구조인 무의식"을 가정하게 됩니다. 프로이트는 성장 과정에서 외부의 권위자로부터 심적인 "억압"과 금지를 당하면 어른이 되어 "신경증세"를 보이게 된다고 말합니다. 그래서 아이들의 발달 과정에 "성적 발달 과정"이라고 붙여주고 세 단계로 나눠요. 순서대로 나열하면 "구강기" "항문기" "남근기"입니다. 각 기준은 "성적 쾌감을 느끼는 주요 기관이 이동한다고 생각해서 입에서 항문, 그리고 성기로 나눈 것이죠." 가장 나중에 발달하는 성기의 쾌감은 주로 4세~5세에 발달한다고 합니다. 이때 동성의 부모의 권위에 대항하고 이성의 부모에게 성적 매력을 느낀다는 "오이디푸스 콤플렉스"가 생긴다고 말하죠. 그러나 동성 부모의 강력한 "권위"에 짓눌리면서 남자아이 같은 경우에는 "거세 불안"을 느낀다고 합니다. 남근에서 발생하는 성적 욕구가 "무의식"으로 숨어버리는 것이죠. 그래서 어른이 되면, 아프지도 않은 신경통에 호소한다고 합니다. 억눌린 성적 충동(id의 리비도 충동)이 의식 위로 올라오는 것이죠.

뭐 이런 이야기는 너무나 먼 얘기 같아요. 그게 뭐가 중요할까요. 글을 쓰는 저도 아동기를 거쳤고, 품격 있는 어른들도 "아동기"를 거쳐왔는데 말입니다. 노키즈 존이 많아지고, 육아의 부담을 부당하게 생각하는 문화도 점점 확대되는 거 같아요. 그뿐만 아니라 인권의 개념이 점점 여성의 성적자기 결정권으로 확대되면서 결혼 제도와 육아 자체를 바라보는 관점이 많이 달라지는 거 같습니다.

전통적으로 동아시아의 문화 현상은 "철저히 가족과 집단"중심으로 "개인"이 결정되었죠. 생물학적인 성별을 넘어서 문화적으로 인식하는 남성과 여성은 서로 위계관계에 있었습니다. 그래서 2세대 페미니즘의 주요 운동도 "문화적으로 구성된 성별의 해체" 아닙니까?

노키즈 존과 더불어 젠더의 이해와 오용, 비타협적인 사회 현상을 보면, 앞으로의 출산율이 더더욱 암울합니다. 정부에서는 다양한 정책을 내놓고 있습니다. 출산하는 신혼 가구별 부동산 정책도 파격적입니다. 그러나 그것보다 "사회 문화"적으로 왜 출산율이 떨어지는지, 그것도 한 번 생각해봐야 한다고 봅니다.

전체주의를 이해하는 다양한 방법들_ 에리히 프롬의 <자유에서의 도피> 인용

다양한 오해가 있습니다. 일반적인 통념으로 국가와 "행정부"가 동일시되기도 하고 국가와 "민족"을 동일시하기도 합니다. 우리는 막스 베버가 정의한 국가의 세 가지 요소 위에서(토지, 국민, 주권) 직업을 선택하고, 돈을 벌어서 마음대로 쓰고, 내가 살고 싶은 방식대로 삶을 살아갈 수 있는 "자유"를 누리고 살아갑니다. 그러나 "자유"를 위해서 싸운 사람들은 자유의 가치를 제대로 알지만, 자유를 누리기만 한 사람은 그 가치와 더불어 "자유"를 누릴 수 있는 제도를 이해하지 못 하는 경우도 많다고 봅니다.

막스 베버의 국가관은 "폭력"을 합법적으로 소지한 기관으로 해석했고, 동시대의 칼 마르크스는 국가 자체가 잘사는 부자 계급의 대변인이라고 조롱했습니다. 그리고 그 계급의 도구인 국가를 전복한 러시아의 혁명(1917년 2월 10월 혁명)은 볼셰비키라는 공산주의 정당의 일인 체제로 굳어버렸죠. 역사의 아이러니입니다.

모든 전체주의는 자유를 누리기만 하는 "우민(愚民)"들의 결과라고 해석하기엔 무리가 있습니다. 에리히 프롬의 눈으로 살펴본 독일의 나치즘 현상은 분명 독일국민들이 멍청하기 때문에 1933년 나치가 의회의 제1당으로 군림하도록 투표했다고 단정 짓기 어렵다고 말하죠. 그렇다면 도대체 어떤 요소 때문에 나치즘을 비롯한 집단의 전체주의 양상이 드러나는 걸까요?

모든 이념(~ism)은 극단적으로 가면 갈수록 독재의 민낯을 살펴볼 수 있습니다.
민족주의는 극단적인 인종주의(人種主義)로 나타납니다. 찰스 다윈의 자연선택을 오독한 하버트 스펜서는 "살아남은 인종은 곧 능력 있고 우월한 인종"이라는 진리를 선포하게 됩니다. 극단적인 민족주의는 나치즘 현상에서 살펴볼 수 있죠. 개인적인 해석입니다만 1929년 미국발 대공황을 직격으로 맞은 독일은 하이퍼-인플레이션이라 부르는 화폐 가치의 지속적인 하락 현상에서 벗어나기 위해 누구보다 "공산주의"적인 정책을 펼치는데, 당시 급전이 필요한 나치당의 히틀러는 "저열한 인종 유대인"이라는 하버트 스펜서의 "사회진화론"을 미끼로 유대인을 차별하고 죽여버립니다. 곧 극단적인 나치즘의 특징인 "인종의 우월함"은 19세기 유럽에서 만연했던 민족주의 열풍과 찰스 다윈과 스펜서의 "생명체의 진화론"이 짬뽕 된 것이죠.

"히틀러의 정부는 곧 독일과 일체적인 것이었다. 히틀러가 일단 정부의 권력을 장악한 이상, 그에게 도전하는 것은 스스로 독일인의 공동체와 인연을 끊는 것을 의미했다. 다른 정당들이 해체되고, 나치 정당이 곧 독일 국가 자체와 다름없게 되었을 때, 이런 나치당에 대한 반대는 곧 독일에 대한 반대를 의미했다."
- 에리히 프롬 <자유에서의 도피> 249p 중

국가를 단일 민족으로 이해하는 경우는 대한민국 사회에서도 만연합니다. 우리는 "한국 사람!"이라고 생각하면 공통되는 특징으로 우선 "단일한 인종"으로 떠올리기 마련이죠. 한국 사람은 "대한민국 헌법과 정부가 인정한 모든 인종"을 가리킵니다. 그래서 북한사람, 인종이 다른 외국인도 모두 포함해서 "한국 사람"이 될 수 있죠. 단일 민족을 국가로 오해하는 경우처럼, 1930년 독일의 경제 위기(마르크화의 지속적 하락)와 제국의 몰락으로 일반 시민들은 "새로운 집단과 의존할 수 있는 지도자"를 은연중에 바라왔다고 봅니다. 히틀러 정부는 곧 독일과 일체가 되었다는 점을 생각해보면, 얼마나 "국가"의 범위가 넓고, 또 추상적인지 알 수 있습니다. 아울러 국가는 "헌법으로 규정된 모든 것"으로 봐야지, 민족이나 인종으로 해석하거나 "선출된 행정부"를 국가 그 자체로 파악하면 위험할 수 있다고 말합니다.

"군주 정치의 권위는 확고부동한 것이었는데, 하층 중산 계급의 성원은 이 권위에 의지하여 그것과 일체가 됨으로써 안정감과 자기만족적인 자부심을 획득했다."

"종교와 전통적인 도덕이 갖는 권위도 여전히 확고하게 뿌리 박고 있었다. 가족도 확고부동한 지위에 있었으며, 이는 적개심이 충만된 세계에 있어서 일종의 안전한 피난처였다. 개인은 하나의 안정된 사회적, 문화적 조직에 소속되고 그곳에서 그의 명확한 지위를 가지고 있는 것으로 보았다."
- 에리히 프롬 <자유에서의 도피> 252 p 중

꼭 국가뿐만 아닙니다. 우리는 다양한 "회會"를 이루고 살아갑니다. 사람이 셋 이상 모인 곳은 "관계"라 부르지 않습니다. 곧 어떤 특징을 내비치는 공동체가 됩니다. 그러나 공동체는 실체가 없는 "정신적 개념"입니다. 공동체를 이루는 것은 "공동체의 일원"이죠. 그러나 프롬이 보기에 인간은(애당초 인간이라는 말도 유와 종차의 개념입니다. "인간"이라는 명사는 개별적인 한 사람의 공통된 특징을 모아둔 것이죠) 종교 "집단"에 의해서, 가족 "집단"에 의해서 설명된다고 합니다. 그래서 "개인은 안정된 사회적, 문화적 조직에 소속된다."라고 말한 것이죠.

"한 개인으로서의 안전성과 공격성이 결여되어 있는 것을 자기가 복종하고 있는 권위의 힘으로써 보충했다."
- 에리히 프롬 <자유에서의 도피> 253 p 중

집단은 어떤 "힘"을 가지게 됩니다. 집단 앞에 개인은 무력합니다. 우리가 "상식(common sense, 常識)"이라고 말할 때 "common"이 포함됩니다. "공통 共通"이라는 말은 이렇게 재해석하고 싶습니다. "나는 동의하지 않았으나, 나를 둘러싼 모든 환경에서 옳다고 말하는 생각과 행동 규칙들."이라고 말입니다.

우리는 집단에서 오고 가는 생각과 행동에 동의 "해야만" 합니다. 그래서 우리는 "집단의 권위"나 권력자의 권위에 추종하려고 합니다. 프롬은 "한 사람의 안전감이 결여된 부분을 바깥의 권력자의 권위"에서 보충한다고 말하죠. 우리는 그래서 저항해야 합니다. 끊임없이.

다음은 나치즘의 홍보대사이자 나치당의 2인자를 자처한 요제프 괴벨스의 말입니다.
"대중 집회는 다음과 같은 이유만으로 필요한 것이다. 즉 새로운 운동의 지지자가 되는 데 있어서 고독함을 느껴 외롭게 되는 공포에 사로잡히기 쉬운 개인은 대중 집회 속에서 처음으로 보다 큰 공동체의 모습을, 즉 대부분 사람을 강하게 하며 용기를 북돋아 주는 것을 알게 된다."
- 에리히 프롬 <자유에서의 도피> 263p 중

서두에 언급한 "과격한 인종주의(人種主義)"는 히틀러식 정치관인 "저열한 유대인을 죽이고 우월한 우리 독일인과 아리아인들이 유럽의 땅을 확장해서 우월한 인종을 많이 생산하자!"라는 논의로 흘러갑니다. 생각해보시죠, 집단이나 국가, 인종은 모두 "허구"입니다. 그것은 물리적으로 실재하나요? 존재합니까? 아닙니다. 그것은 "새빨간 거짓말"이죠. 그러나 우리는 그것을 원합니다. 우리의 나약함을 외부의 권력자와 혹은 권력 집단과 동일시하면서 "일체감"을 느끼고 싶어 하죠.

"다위니즘(Darwinism, 進化論)에 대한 히틀러의 조잡한 통속화 속에 표현되고 있는 것처럼 자기 자신 이외의 어떤 권력에 복종하고자 하는 욕망에서 생겨난다. 바로 '인종 보존의 본능' 속에 '인간 사회를 형성하는 1차적 원인'이 있다고 히틀러는 보고 있다. 이 자기 보존의 본능은 약육강식의 투쟁으로 이끌 뿐만 아니라 경제적으론 궁극적으로 적자생존(適者生存)으로 이끈다. 자기 보존의 본능과 다른 사람들을 지배하려는 권력을 동일시하는 일은 히틀러의 최초의 인류 문화는 확실히 순치된 짐승보다는 오히려 열등한 인간을 사용하는 데 의존하고 있었다고 표현되고 있다."
- 에리히 프롬 <자유에서의 도피> 267~ 268p 중

찰스 다윈의 자연선택은 "우월한 생명체"가 살아남는다고 말하지 않았습니다. 왜냐하면 진화(進化)란 목적 없이 진행되기 마련이고, "우월한 생명체"가 살아남는 게 아니라 "우연히 살아남은 생명체"가 지구촌에서 자손을 번식하고 유지할 수 있다고 말했을 뿐이죠. 다윈의 생각을 "우월한 생명체, 그리고 우월한 집단"으로 해석한 스펜서는 "우연히 살아남은 생명체는 곧 우월한 특징이 있기 마련이다"라고 다윈의 순수한 생각을 뒤집어버립니다. 그래서 히틀러는 "우월한 인종이 지배한다.!"라고 말하게 되죠. 모든 생명체는 "자기를 지키려고" 합니다. 그게 생명체의 제1원인 이죠. 생명체는 살아남기 위해서 발버둥 칩니다. 전체주의는 이렇게 "인종의 우월함"으로 해석하게 되고, 히틀러의 생각은 곧 "독일"의 생각이 됩니다.

마지막 인용 구절을 살펴보면서 글을 마무리하려고 합니다. 한 번 살펴보시죠.

"자아의 상실은 일치의 필요성을 증대시킨다. 왜냐하면, 그것은 자기 자신의 동일성에 대한 심한 의문을 낳게 하기 때문이다..(중략) 다른 생각에 의하지 않고 다만 딴 사람들의 기대에 일치함으로써 자기의 동일성에 대한 의심이 가라앉고 일종의 안정감이 주어진다. 그렇지만 지불되는 대가는 비싸다. 자발성과 개성을 포기하는 일은 생명의 저해를 가져온다. 심리적으로 자동 인형처럼 되어 있다면 비록 생물학적으론 살고 있다고 하더라도 감정적으로나 정신적으로는 죽어있는 것과 다름이 없다."
- 에리히 프롬 <자유에서의 도피> 298p 중

정리하자면 이렇습니다. 역사는 꾸준히 "개인의 자유"를 장려하도록 싸워왔습니다. 그러나 개인의 자유란 사실 심리적으로 "불안하고 고독한" 감정을 가져다줍니다.
수많은 가능성, "나는 앞으로 ~을 할 수 있다."는 수많은 선택지는 "무거운 책임감"을 요구합니다. 즉 자유는 "나의 책임"을 요구하는 가치라서 인류는 자유를 두려워한다고 합니다.

프롬은 고독한 개인에서 안정감을 찾아 군중 속으로 기어가면 개성 없는 "자동인형"이라고 했습니다. 익살스러운 표현이지만, 정말 재밌죠. 안정감을 찾아서 집단을 찾으면 "나만의 표정"따위 없는 인형이 된다고 말합니다. 생물학적으로 살고 있지만 "심리적으로 죽어버린" 상태라고 진단합니다.

나만의 표정을 찾고 나만의 언어를 정제하고, 나만의 얼굴을, 나만의 신조(信條)를
갖추기 위해서 고독한 시간을 견뎌야 한다고 말합니다.

모든 역사의 폭력은 "늘 집단의 이름"으로 시행되었으니까요. 집단은 다양한 개념을 "극단적으로 끌어올려서" 행동하자고 부추깁니다. 다윈의 순수한 생각 "우연히 살아남은 생명체"를 "우월해서 살아남은 생명체"로 오독한 스펜서와 히틀러처럼, 한 개인의 오해를 수많은 사람이 자기 자신으로 견뎌야 하는 외로움 때문에 동조하기 시작하면 역사는 늘 폭력을 동반하게 됩니다.

나로서 산다는 것은 얼마나 힘든 일입니까, 그러나 모두 "나는 나로서 산다."고 긍정해야 합니다. 남의 말, 남의 생각은 하나의 의견일 뿐이니까요.

나로서 산다는 것을 조금 더 생각해보면 좋겠습니다.

우리는 모두 신경증을 겪고 있다_ 에리히 프롬의 <자유에서의 도피> 인용

"프로이트는 성적 충동과 자기 보존을 위한 충동은 인간 행위의 두 개의 기본적인 동기라고 보는 그의 초기 가정에 있어서 파괴적 충동의 비중과 중요성을 무시했다는 사실을 인식하게 되었다. 프로이트는 나중에 파괴적 경향은 성적 경향과 똑같이 중요하다는 것을 믿고 인간 속에는 다음과 같은 두 개의 기본적인 성향이 발견된다고 생각하게 되었는데, 그중 하나는 생명에로 지향되어 얼마간 성의 리비도와 일치되는 충동이고 다른 하나는 바로 생명의 파괴를 목표로 하는 죽음의 본능이다."
- 에리히 프롬 <자유에서의 도피> 219p 인용

1918년 유럽에서는 1차 세계 대전이 막을 내렸습니다. 1차 세계 대전을 경험한 프로이트는 인간의 기본적인 성향 중에서 성적인 충동보다 등한시했던 "죽음의 본능"의 중요성을 깨닫게 됩니다. 심리학이라는 분야를 체계적으로 정리한 프로이트는 인간을
"무의식에 자리 잡은 원초아"에 의해서 끊임없이 신경증에 시달리는 존재라고 말합니다. 원초아(id)는 쾌락의 원동력으로 움직이는데, 바로 "성적인 충동"을 말합니다. 위에서 말하는 "생명에로 지향"과 "리비도"는 모두 성적인 충동을 말합니다. 프로이트 이후로 모든 심리학의 기본 전제는 인간은 이성적인 존재가 아니라 "충동"적인 존재라고 이해한다는 점이죠.

글을 쓰는 시점은 23년도 팔 월입니다. 한 달전에 신림역 사건을 시작으로 수많은 묻지마 칼부림 사건이 발생했습니다. 언론에서는 사회 구조의 문제로 생각하는데, 저는 언론의 해석이 마음에 썩 내키지 않았습니다. 구조의 문제는 언제나 있었고, 소득 불평등을 논

하기에는 절대적 빈곤을 벗어난, 심리적인 상대적 빈곤의 사회기 때문입니다. 다시 돌아와서, 굳이 신림역 사건과 프로이트의 인간 이해를 접목하려는 이유는 인간에 대한 이해의 폭을 조금 더 넓혀 보려고 의도했기 때문이죠.

"파괴적 경향 역시 참고 견딜 수 없는 개인의 무력감에 뿌리 박고 있다. 나와 나 자신의 외부 세계와의 비교에서 느끼는 무력감은 그 외부 세계를 파괴함으로써 벗어던질 수가 있다."

"파괴적 충동은 인간 속에 있는 하나의 격정이며 그것은 항상 대상을 찾는 데 성공한다. 만일 어떤 이유 때문에 다른 사람들이 자기 자신의 파괴적 경향의 대상이 되지 않는 경우에는 그 자신이 쉽게 그 대상이 되어버린다."
- 에리히 프롬 <자유에서의 도피) 217~218p 인용

프로이트는 의식을 도형처럼 풀어서 설명합니다. 가장 밑 단계는 무의식 영역(the uncon-scious, 無意識)이 존재합니다. 그리고 그 위에는 전의식(前意識)과 의식(衣食)의 영역으로 구분합니다. 모든 인간은 빠짐없이 전의식-의식의 영역보단,
무의식(the uncon-scious, 無意識)속에 잠자고 있는 두 가지 충동에 지배받는 동물이라고 하죠, 한 가지 충동은 성적 충동 본능(libido)이라고 합니다. 나머지는 자기를 지켜내기 위해서, 공격하는 본능, 죽음의 본능(Thanatos)으로 움직인다고 합니다.

에리히 프롬의 말은 여기 프로이트의 생각 위에서 새롭게 시작됩니다. 인간이라면 누구나 파괴적 충동이 있다고 합니다. 그런데 그 이유를 "비교"에서 찾아냅니다. 우리는 평생 "나"라는 주체적인 삶과

"타인"이라는 객체적인 삶, 그 사이에서 상호작용하면서 살아갑니다. 그런데 문제가 생깁니다. "나"와 "타인"에 극심한 불균형이 생기면 언제나 우리는 무력감을 경험합니다. "나는 할 수 없어" "나는 안될 거야" 등등 이런 부정적인 생각은 "나"보다 "외부의 타인 혹은 환경"의 힘이 강할 때 생깁니다. 무력감을 경험할 때 인간은 파괴적 충동을 느낀다고 합니다. 즉 그것을 해소할 대상을 찾는 것이죠. 그게 "내"가 되면 자살을 한다고 하고, "남"이 되면 살인을 한다고 합니다. 물론 극단적인 경우를 논하고 있지만 말입니다.

"파괴적 경향이란 참고 견딜 수 없는 무력감에서의 도피라고 우리는 생각해왔는데 그것은 개인이 자기 자신과 비교해야 할 모든 대상을 제거해버리고자 하기 때문이다."
- 에리히 프롬 <자유에서의 도피> 218p 인용

참고 견딜 수 없는 무력감에서 도피! 모든 살인과 자살을 심리적인 감정으로 해석합니다.

감정은 일반적으로 경험되는, 그것에 나름대로 이름을 붙여준 충동이라고 생각해요, 무력감은 우리가 경험할 수 있는 감정 중에서 가장 적나라한 충동이 아닐까 싶어요.
그러나 우리는 적절히 "승화(昇華)"해야 합니다. 프로이트와 더불어 모든 정신분석학파는 인간의 신체에 초점을 맞추고, 신체에는 고유한 "에너지"가 흐른다고 보았어요.

그 에너지가 무의식 속 "원초아(id)"에 흘러가면 성적-공격적 충동이 폭팔적으로 늘어나고 의식(ego)에 집중되면 "현실적으로 경험하는 불안감"을 느낍니다. 마지막으로 늘어놓자면 초자아(super-ego)에 에너지가 집중하면 "도덕적인 불안감" 속에서 헤어나올 수 없다

고 합니다. 우리는 이 에너지를 어디론가 내보내야 합니다. 그것을
"승화"라고 부르는 것이죠. 살인자는 잘못된 방법으로 승화시켰다고
봅니다. 프로이트는 외부적 압박으로 쌓이는 스트레스를 적절히 해
소해야 한다고 봤습니다.

견딜 수 없는 감정을 견뎌야 한다면 자기만의 방법을 몰두해야 합
니다. 내 삶에 의미를 주는 것을 찾으면 살인이나 자살같이 파괴적
인 충동성을 잘못된 방법으로 해소할 거 같지는 않아요. 저는 책을
읽을 때, 그리고 그 문장과 개념을 나만의 언어로 새롭게 풀어 쓸
때 삶의 의미를 느낍니다. 여러분들도 그런 취미나 일이 있겠죠?
우리는 모두 신경증을 경험하지만, 그것에 대처하는 방법은 천차만
별입니다.

"생명은 그 자체의 내적인 역학을 갖고 있다. 즉 생명은 성장과 표
현과 생존을 원하는 경향이 있다. 만일 이런 경향이 방해되는 경우
에는 살아가고자 하는 에너지는 분해 과정을 더듬게 되어 마침내
파괴하려는 에너지로 변화하는 것같이 보인다. 바꾸어 말하면 살아
가려는 충동과 파괴하려는 충동은 서로 독립된 요인이 아니라 상호
반대의 입장에서 의존하고 있다."
- 에리히 프롬 <자유에서의 도피> 221p 인용

마지막 인용구절입니다. 프롬은 인간을 포함해서 모든 생명체는 살
아가려고 하는 성(性)의 충동과 자신의 생명을 유지하는데 방해되는
요인을 모조리 없애버리려는 공격적인 충동은 서로 의존적이라고
말합니다. 사람을 "이성적" 존재가 아니라 "생명체"의 특징으로 이
해한 부분이죠.

늘 "금기"라는 것이 존재합니다. 프로이트는 역사가 불경하다고 여긴 점을 인간의 근본적인 특징이라고 주장했죠. 성적 충동, 공격적 충동이 우리를 지배한다.? 그리고 사회의 도덕적 명령이 동물적인 충동을 억누를수록 "신경증"이 발생한다고 하는데,
얼마나 불경스러운 소리를 정성스레 했는지 보시죠.

그러나 오늘날에 있어서, 범죄를 이해할 때 프로이트와 프롬의 이야기는 무척 도움이 된다고 봐요. 분명 우리는 동물적인 본능을 가지고 있기 때문이죠. 사회 구조의 문제보단, 사회 구조에 대처하는 건강한 방법을 모색하고 권면해 주는 게 중요하다고 봅니다. 승화! 건강한 삶은 나만의 의미를 찾은 상태라고 생각합니다.

참을 수 없는 자유에서 벗어나는 의미에 관하여_ 에리히 프롬의 자유에서의 도피

"홉스 이후로 사람들은 권력을 인간 행동의 근본 동기로 보아왔다. 그러나 그 뒤 수 세기 동안은 권력을 억제하고자 하는 합법적, 도덕적인 요인에 더 중점을 두게 되었다. 파시즘의 대두와 함께 권력에의 갈망과 그 권력에 대한 확신이 새로이 고조되었다."
- 에리히 프롬 "자유에서의 도피" 198p 중

불교에서는 삶의 전체를 고해(苦海)라고 합니다. 살아가는 내내 인간의 보이지 않는 정념(情念)과 욕심(慾心)으로 고통스러운 마음을 내내 간직한다는 소리입니다. 모두 동의할 거라 생각합니다. 그래서 불교는 모든 정념으로부터 벗어난 해탈(解脫)의 상태를 강조합니다. 후기 그리스 철학 에피쿠로스학파는 아타락시아(ataraxia)를 주장하죠, 해탈의 상태와 비슷하게, 육체적-정신적 고통스러운 상태에서 벗어난 "상태"를 말합니다. 생각해보길 우리는 매번 사건을 경험하면 뒤이어 "감정"을 느끼게 됩니다. 그 감정에 다양한 해석을 붙여서 받아들이곤 하죠, -슬프다. -기쁘다. -좀스럽다.
모든 감정은 "일시적인 상태"를 빗댄 말이라고 생각합니다.

개인적인 말입니다. 저는 수많은 감정 중에서 "고독감"을 자주 경험합니다. 고독은 "혼자 있다고 느끼는 상태"라고 누군가 해석했더군요, 탁월한 말입니다. 사람은 혼자 있는 상황을 거부합니다. 견딜 수 없을 만큼 그 상황을 괴로워합니다.

아래는 프롬이 도스토옙스키의 <카라마조프가의 형제들>을 인용한 구절입니다.

"인간이라는 불행한 피조물은 그가 타고난 자유의 선물을 가능한 한 빨리 양도해버릴 상대방을 찾아내고자 하는 간절한 욕구밖에 갖고 있지 않다."

대문호답게 간결하고 날카로운 문구입니다. 일반적으로 사람은 자유를 괴로워한다고 합니다. 자유는 무엇이든 선택할 수 있는 무엇이든 될 수 있는 가능성이지만, 동시에 자유란 행위자의 책임감을 요구하기 때문이죠. 내가 자유인이라면 나의 언행과 행동의 책임, 그 결과의 몫은 오로지 나의 것이 됩니다. 사람은 그걸 견뎌 할 수 없다고 말하는 부분이죠.

"위험에 직면해 있는 개인은 자기 자신을 어떤 사람이나 또는 어떤 사물에 결부시키고자 한다. 즉 그는 이미 자신을 지탱해 갈 수 없다. 그는 미친 듯이 자기 자신으로부터 벗어나려고 하며, 그리하여 자아라는 무거운 짐을 제거함으로써 또다시 안정감을 얻고자 하는 것이다."
- 에리히 프롬 "자유에서의 도피" 188p 중

"내가 여기서 다루려고 하는 자유에서의 도피에 대한 첫 번째 메커니즘은 인간이 그 자신의 개인적인 자아의 독립을 포기하고 또 그 개인적인 자아에 결여되어 있는 힘을 획득하기 위하여 자기 이외의 어떤 사람이나 사물에 그 자신을 융화시키려고 하는 경향이다."
- 에리히 프롬 "자유에서의 도피" 177p 중

"매저키즘적 노력으로서 가장 자주 나타나는 형태는 열등감과 무력감과 개인의 무의미성에 대한 감정이다. 이러한 감정에 짓눌려 있는 사람들에 대해 분석해보면, 그들으 의식적으로는 그런 감정에 대하여 불만을 품고 그것들을 쫓아버리려고 하나 무의식적으로는 그들의 마음속에 깃들여 있는 어떤 힘에 자극되어 자기 자신을 열등하며 중요하지 않다고 느끼고 있다는 사실을 발견할 수 있다."
- 에리히 프롬 "자유에서의 도피" 177p 중

에리히 프롬은 독일 제국이 1918년 1차 세계 대전 패전국으로 부당한 베르사유 조약(부당한 배상금과 알자스-로렌 지역을 빼앗기고 군비 규모도 축소 당하는 설움을 경험합니다.)으로 1933년 아돌프 히틀러로 대표되는 나치당에게 "자발적이고 민주적인 선거로 당선되는" 기현상을 분석하기 위해 이런 책을 펴냅니다. 에리히 프롬의 문제의식과 별개로 우리는 살아가면서 주체적으로 살아가기보단, 비겁한 간신배처럼 강한 자로 대표되는 권력 앞에 엎드려 권력과 자기를 동일시합니다. 우리가 살아가는 민주-공화국 제도는 "나의 주체적인 투표권리"로 권력자가 선출되는데 우리는 일상에서,
특히 대인 관계와 직장에서 "권력자"에게 굴복하려는 성향이 있다고 진찰합니다.

프롬의 경우에는 권력자와 권력 앞에 넙죽 엎드리는 심리의 기원을 "개인이 경험하는 견딜 수 없는 고독감"에서 시작된다고 말합니다. 다시 개인적인 이야기입니다, 저는 고독감을 자주 경험하고, 그 고독감에서 여러 생각을 붙잡고 있는 거 같아요.

우리는 보다 주체적(主體的)인 삶을 살아야 합니다. 근데 주체적인 삶은 굉장히 고독한 거 같아요. 그래서 니체도 "초인(superman)"을 이야기하면서, 윤리적인 선함과 악함의 판단 기준이 "내"가 되는 순간 견디기 어려운 고독의 감정을 짊어져야 하기 때문에, 주인 의식을 가진 자는 "강인"인 하다고 주장하죠.

성경, 그리고 제가 믿는 개신교 교리도 그런 거 같아요, 삶의 주체에서 객체로 넘어가는, 그것을 인정하는 일 같습니다. 프롬과 니체가 기독교를 본다면 구차한 변명으로 자신의 고독감을 둘러대는 종교라고 보겠지만, 적어도 제 삶에 있어선 삶의 주체가 되는 것 보다, 주체적인 "객체"가 되는, 하나님의 종이 되는 삶이 가치가 있어 보입니다. 주체적인-객체는 모순적으로 들릴지 몰라도 자세히 생각해보면 그렇지 않습니다.

삶의 주도권은 하나님께 있으나, 그럼에도 최선을 다하는 자세, 그것이 주체적인-종의 모습이 아닐까 싶습니다. 주체적인-종은 그래서 고독이라는 감정을 덜 느낄 거 같아요, 삶의 책임은 하나님이 짊어지니까, 그리고 삶을 최대한 살아보는 것은 나의 것이니까.

해탈도 아타락시아도, 고독에서 벗어나려는 사디즘도, 주인 의식을 갖는 초인도 모두 중요하지 않습니다. 결국 "해석"이잖아요. 내가 믿는 기독교도 하나의 "해석"이라고 볼 수 있지만, 우리는 "해석" 없이는 살아갈 수도 판단할 수도 없습니다.

마무리하면서, 결국에 고독이라는 상태도 하나의 해석입니다. 단순히 신경전달물질에 문제가 생겼다고 "해석"할 수도 있죠, 우리는 부단히 혼자라는 느낌, 외롭다는 느낌 속에서 "해석"을 해야 합니다. 더 나은, 더 올바른 해석을 위해서 공부하고, 배워간다고 생각하면서 글을 마무리합니다.

두서없는 글들

이 글을 쓰는 시점은 팔 월 중순입니다. 아니죠. 정확히 중순을 넘어가는 시점입니다. 지금은 스물네 개의 절기 중에서 열 한 번째 절기에 해당하는 처서라고 합니다. 무더위가 소리도 없이 사라지는 문턱이라고 말하고 싶습니다. 저는 이맘때마다 가을에 입을 옷을 찾아두거나 구매해요, 지금 구매해야 정가보다 값싸게 구매할 수 있거든요. 저는 가을에 입는 스웨터를 좋아합니다. 특히 폴로를 좋아해요, 아버지가 물려주는 폴로 재킷이 있는데 중학생 때부터 쭉 입고 다녀도 그다지 크게 훼손되지도 않고 오히려 레트로한 인상을 주기 때문입니다. 입춘이 오길 바래요, 가을바람을 맞으면서 길거리를 걷고 싶기도 하고, 가을바람을 앞두고 카페에 눌러앉고 싶어요. 가을 학기가 시작되면 소설 읽는 걸 좋아합니다. 무라카미 하루키 소설을 돌려서 읽거나, 이번 가을에는 나쓰메 소세키의 "나는 고양이로소이다"를 읽고 싶은데 장편소설이라 꺼리게 되네요. 가을이 점점 짧아져서 아쉽습니다. 변색되는 나뭇잎은 멜라닌 색소가 빠져서 색도 없고 힘도 없는 중년의 머릿결을 쳐다보는 거 같거든요, 한마디로 가을의 인상은 무척 쓸쓸한 느낌입니다.

오랫동안 생각했어요. 생각하는 게 병처럼 생각할 때가 있습니다. 중학교 3학년 때 크루셜스타의 "가을엔"이라는 노래가 발매되었는데 2016년 10월의 저는 매일 이 노래를 반복재생하면서 길거리를 쏘다녔어요. 생각하기 위해서 걷기도 하고 도대체 무슨 생각을 했는지 기억이 나진 않지만, 생각은 계속했던 거 같아요. 10할 중에서 7할은 쓸데없는 공상 같습니다. 요즘 말로 파워 "N" 같네요. 일어나지도 않을 일을 걱정하기도 하고 일어나면 안 되는 일은 막상 생각하지 않았던 거 같습니다. 그만큼 미숙하고 정제되지 않은 순수한 백설기 같았어요.

가끔 지나간 일들이나 사람들을 떠올릴 때가 있습니다. 제가 처음 접한 철학책이 "니코마코스 윤리학"이라서 그런지 모르겠는데 아리스토텔레스는 현명한 삶의 자세가 "관조 觀照"라고 말했거든요. 중요한 포인트는 "거리감"이라고 생각했어요.

여태껏 짧은 시간 동안 사람들의 이야기를 들으면 거리감의 조정이 흔들려서 불안해하거나 다투거나 그런 거 같아요. 내적인 거리감은 저마다 다를 거라 생각합니다. 모든 인간관계는 상대적이니까요, 더 친한 사람이 있는가 하면 덜 친한 사람이 있고, 나랑 안 맞는 사람이 있는가 하면 나랑 잘 맞는 사람도 있듯이 말이죠.

"젊은이들은 기하학과 수학에서 능력을 계발하여 이런 분야에서는 지혜로워지더라도 실천적 지혜가 있는 사람은 되지 못한다는 사실이다. 그 이유는 실천적 지혜는 개별적인 것에도 관련되는데, 개별적인 것은 경험을 통해 알려지기 때문이다. 그리고 경험을 쌓는 데는 오랜 시간이 걸리는데, 젊은이들은 경험이 없다."
- 아리스토텔레스 "니코마코스 윤리학" 231P 중

지금 현재 이 글을 쓰는 시점은 이십대 초반입니다. 아리스토텔레스가 보기에 저는 아직 한창 젊은 젊은이죠. 젊은이는 기하학과 수학이라는 개념적인 지식을 습득하고 연마하면 분명 똑똑해진다고 말합니다. 그러나 우리가 실생활에서 사용할 수 있는 "실천적인 지혜"는 얻기 어렵다고 말합니다. 왜냐하면, 그런 지식들, 처세술이라 부를 수 있는 지혜는 지식과 달라서 "수많은 경험"이 필요하기 때문이죠. 그래서 저는 한시름 놓습니다. 고작 이십대 초반의 데이터로는 도달할 수 없는 처세가 있기 마련이죠.

사람들이 말하는 "실수"가 대표적으로 무엇이 있을지 생각해봤습니다. 상황에 따라서 실수의 경우는 다르므로 섣불리 단정 지을 수는 없지만 보통 타인에게 "무례한" 말이나 행동을 했을 때 그것이 "고의"인지 아닌지에 따라서 실수와 잘못으로 나뉘는 거 같아요. 저는 그래서 이십대를 처세술을 익히는 시기라고 생각했습니다. 젊은이들이 저지르는 숱한 실수를 인식하고 최대한, 그리고 최소한의 피해를 주기 위해서 끊임없이 실수해보는 것이죠. 저는 그렇게 생각하게 되었습니다.

말이 가장 어려운 거 같습니다. 말은 함축적이라서 의도와 말은 때때로 엇나가기도 하니까요. 왜 항상 나의 의도는 말에 전부 담기지 않을까, 심각하게 고민했던 거 같습니다. 말의 그릇이 작은 걸까, 내 말의 부피가 너무 큰 걸까? 하등 이런 고민을 했습니다.

사람들을 만나면 소속감을 주기 때문에 안정감을 느낍니다. 에리히 프롬이 "자유에서의 도피"에서 말했던 거처럼 우리에게 심리적인 안정감을 주는 자궁에서 벗어나, 유일한 연결고리인 탯줄을 잘라내는 순간, "시원적-결연"이라 부르는, 조금 낯설고 난해한 말을 합니다. 결국 "심리적인 불안"을 말하는 부분인데, 저는 여기서 깊이 공감했습니다. 태아는 울어버립니다. 자궁이라는 완벽한 에덴에서 쫓겨난 태아는 마구 눈물부터 흘려요. 그리고 "나"와 단절된 "세상"을 천천히 더듬어가면서 이해하기 시작합니다. 그때부터 우리는 또 다른 자궁, 심리적인 안정감을 주는 집단을 찾아서 부단히 노력합니다. 심리적 안정감은 "일체감"에서 오니까요.

그래서 우리는 집단의 소속이 필요하고, 거기서 의미를 만들고 그 의미대로 "나의 모습"이 결정되는 거 같습니다.

자크 라캉은 태아의 발단 단계를 "상상계"와 "상징계"로 설명합니다. 태아는 "어머니"와 한 몸으로 인식합니다. "나"라는 인식이 없어요. 곧 눈으로 보여지는 세상이 "나"고 "나"가 곧 세상이자 어머니라고 생각하기 때문이죠. 그러나 태아는 "거울" 앞에 자신의 모습을 보자마자 좌절합니다. "나"의 개념이, 그 최초의 분리가 발생한 것이죠. "상상계"는 이처럼 "나"라는 주체적인 개념이 부재한 태아의 심리 상태를 말합니다. 그러나 거울 앞에서 자신의 나약한 모습을 쳐다본 순간, "상징계"라는 문턱을 밟습니다. "나의 세계"는 단순히 문법 구조 안에서 딱딱한 주어와 술어로 설명될 뿐이죠. "나"는 타인에게 설명되고, 결국 그 과정에서 오해하게 됩니다.

가을을 유독 좋아하는 이유는 쓸쓸함 때문인 거 같아요, 저는 라캉의 이야기를 듣고 프롬의 이야기를 들을수록 참 마음이 아프거든요, 우리는 한평생 나만의 오해를 진리처럼 받들면서 싸우고 지쳐가는 거 같아요. 아리스토텔레스가 말한 대로 나이가 조금 더 들면, 그 시간이 쌓인 만큼 "관조"의 시선으로 살아갈 수 있을지 모르겠습니다. 내적인 거리감을 두고 바라보면 좋겠어요. 누구를 오해하기도 싫고, 누구를 미워하고 싶지도 않은데, 살아갈수록 그게 어려운 거 같아요. 앞으로 남아 있는 날 동안 얼마나, 누구를 미워하게 될지, 누구를 사랑하게 될지 모르겠어요. 그래서 더 불안하기도 합니다. 누군가를 미워하는 거 자체가 참 질려요, 학을 뗄 거 같습니다.

라캉이 말한 태아는 상상계 속 자신의 정체성이 "상징계"라 부르는 문법 구조 속에서 무수히 오해되고, 찢기면서 불안에 시달린다고 말했죠. 마찬가지로 사람과 사람 사이를 이어주는, 탯줄과도 비슷한 "말"은 늘 오독의 가능성이 있어서 싫어요. 말 대신 차라리 몸짓이나 눈 맞춤이 더 좋은 거 같습니다.

가을을 앞두고 있습니다. 말 대신 다른 매체를 찾으려고 합니다. 말보다 믿음직스러운 그 무언가를.

국가의 역할에 관해서

국론 분열! 대한민국 공동체의 감정은 "분열"과 그 틈 사이에서 솟구치는 갈등과 혐오의 시선이 아닐까 싶어요, 근래 흉기 난동 사건도 연이어 문제가 되고 있고, 쓸데없는 정치 현수막도 얼마나 낭비같이 느껴지는지 모르겠습니다. 국론 분열(國論分裂)은 누구의 책임이냐, 어느 집단의 일방적인 문제라고 생각하지 않습니다. 다만 정치학을 쓴 아리스토텔레스가 말한 대로 공동체 유지와 존속을 위해서 시민들이 갖춰야 할 미덕(Arete)은 무엇보다 "우정, 우애(philia)"라고 했었죠, 주관적이지만, 불과 몇 년 사이에 이런 갈등과 혐오의 프레임이 부쩍 늘어나고 강도가 심해진다고 생각합니다.

윤리와 사상이나 정치와 법을 고교 시절에 배우게 되면 꼭 등장하는 세 명의 사상가가 있죠, 토머스 홉스, 존 로크, 장-자크-루소인데요, 이 세 명의 생각은 어느 면에서 동일했습니다. "권력의 기원은 시민들의 계약"에서 시작된다고 말이죠.

당대 권력이란 로버트 필머 같은 왕당파 사람들이 주장한 대로 "신"이 왕에게 선사한 절대 권력이었습니다. 이를 "왕권신수설"이라고 불렀죠, 봉건제 시대를 벗어나 전제군주제 시대에 왕의 권력은 "인민"이 아니라 "신"으로부터 기원을 두고 있습니다.

로버트 필머는 신의 권력을 지상의 대리인에 해당하는 왕에게 위탁했다는 점을 구약 성경에서 찾습니다. 구약 성경의 창세기는 이른바 족장 시대, 아브라함-이삭-야곱으로 쭉 다윗에 이르러 정점을 찍는 족장의 계보는 이른바 유일신이 지상의 대리인 족장에게 권력을 위탁했듯이 군주국가의 권력은 오직 "신"에서 유래했다는 논리를 펼칩니다.

토머스 홉스는 왕권을 "시민들의 계약"에서 시작되었다고 말합니다. 국가의 존재 목적은 국가가 없는 상태에서 "각 개인은 자신의 신체와 재산"을 보존하기 위해 다른 사람에게 칼을 겨누는 이른바 "만인에 대한 만인의 투쟁 상태"에서 벗어나기 위해 "계약"을 해서 "절대 권력"이 탄생한다고 보았습니다.

존 로크는 여기서 더 나아갑니다. 이른바 법치주의를 세우게 되는데요, 우리가 인식하기에 법치주의는 단순히 "법으로 다스리는 제도"로 여기지만 로크는 그 정도 수준에서 말하지 않습니다. 모든 권력은 부패하기 마련이라서, 권력을 견제하는 제도, 바로 헌법이 권력을 다스리도록 세팅했다는 점이 로크의 위대함이라고 생각합니다. 법치주의는 "권력자를 법대로 다스리고 견제하는" 장치라고 볼 수 있죠.

홉스가 "군주의 권력"에 자발적으로 합의해서 "계약"을 했다면 로크는 "모든 권력을 감시하는 헌법을 시민의 자발적인 동의에 의해서 만들자!"라고 주장합니다.

여기서 홉스와 로크의 차이점이 두드러진다고 생각해요, 홉스는 군주제를 지향했지만 로크는 공화제, 왕이 없고 선거 제도로 대리인을 선출하는 "대의 민주제"를 옹호했기 때문입니다.

또한, 로크의 위대함은 "시민의 저항권"을 제대로 확립하고 기초를 다졌다는 점입니다. 맹자가 사단(인간의 기본적인 네 가지 마음)에서 벗어난 권력자를 내쫓자는 역성혁명을 주장했듯이, 로크는 정부의 권력을 "헌법"에 두고, 그 헌법의 권력은 "시민들의 동의"에서 출발했기 때문에, 정부가 제멋대로 법이 규정한 그 바깥으로 일탈을 시도하면 가차 없이 교체할 수 있다고 합니다. 왜요? "시민들의 천부적인 권리인 자연권"을 양도받은 "대리기관"이기 때문이죠.

우리는 여기 이 지점에서 많은 갈등이 있습니다. 민주주의가 무엇일까요? 국론 분열에서 국가관을 두고 대한민국 우파와 좌파는 다른 견해를 가지고 있습니다. 우선 민주주의의 영문 "democracy"의 어원은 "Demos"와 "kratos"가 붙은 명사입니다. 즉 민중에 의한 지배라고 풀이할 수 있죠, 민주주의의 원로 아테네는 당시 그리스 지역의 수많은 도시 중 하나였습니다. 그리스 지역 자체가 자연 장벽으로 구획이 명확해서 지리적으로 분리가 되었고, 중국의 진-한나라처럼 통일된 국가가 아닌 도시마다 색깔이 명확한 도시국가 문화를 가지고 있었습니다. 그중에서 아테네는 페르시아 전쟁을 겪으면서 "해군"의 핵심인 노 젓는 노잡이들이 중요해졌습니다.
여기서 노잡이의 2/3은 "노예"들이었기 때문에 소수의 아테네 자유민들이 정책을 결정하는 귀족정에서 "민주정"으로 넘어가게 됩니다. 그래서 아테네는 "민회"라 부르는 최고 의결 기구에서 "1인 1표"와 "다수결의 원칙"을 채택해서 정책을 결정하고

각 지역마다 "평의회"가 있어서 민회를 견제하기도 하고 하위 업무를 대행하기도 했습니다. "민중을 뜻하는 demos"는 클레이스테네스의 개혁으로 새롭게 구성된 10개의 지역을 부르는 단위 명칭이었습니다. 그래서 민중에 의한 지배는 곧 공동체를 구성하는 일반 시민(자유민)의 선거제도와 다수결의 원칙을 대표하는 "정치 제도"입니다.

여기서 민주주의는 "통치 방식"일 뿐이지 "통치의 정신"이 아닙니다. 민주주의는 말 그대로 선거 제도와 다수결의 원칙을 포함한 방법이에요. 우리한테 중요한 개념은 데모크라시가 아니라 republic, 공화주의 정신입니다.

공화주의 정신은 통치 방법이 아니라 통치의 정신입니다. 로크의 사상이 짙게 풍기는 공화주의 개념은 "법에 의한 지배" "견제와 균형의 원리" "비지배의 원리"로 크게 가닥을 잡을 수 있습니다.

우선 모든 권력의 부패를 인정하고 "헌법"을 만들어요. 로크의 생각대로 지배를 받아야 하는 시민들의 "동의"에서 헌법은 그 힘을 얻습니다. 시민들의 자발적인 동의로 만들어진 헌법은 "정부 기관"을 쪼갭니다. 법을 만드는 기관과 법대로 정책을 실행하는 기관, 그리고 그 법이 올바른지 해석하는 기관, 총 세 가지 기관으로 나눠지고 각 기관은 서로서로 감시합니다.

마지막으로 "비지배의 원리"는 정부 기관에서 일하는 "사람"과 그 기관은 시민들의 자발적인 동의로 만든 그 헌법보다 넘어서는 권력을 부릴 수 없다는 생각입니다. 헌법의 존재 이유는 "권력자의 감시"이니깐요.

다수결의 원칙이 민주주의가 아닙니다. 중요한 것은 "법이 권력을 감시한다."라는 공화주의 정신이 민주적인 통치 방법보다 "먼저"와야 합니다.

아테네의 민주주의 정신은 "이소노미아(Isonomia)"입니다. "ios는 평등함"을 의미하고 "nomia는 관습과 법을 뜻하는 nomos"에서 유래했습니다. 즉, 법에 의한 평등이죠. 우리는 "법"을 제외하고 그 법의 의미인 "시민들의 자발적인 동의"를 무시하고 오직 "다수의 힘"만 몰아세우는 반쪽짜리 민주주의를 생각하곤 합니다.

아까 소개한 클레이스테네스 개혁 중에서 하나 소개하자면 아테네는 대한민국의 전국 팔도처럼, 행정 지구가 네 구역으로 나뉘었습니

다. 그러나 네 구역은 "가족" 중심으로
이뤄졌고, 따라서 각자의 이득만 추구하다 보니, 클레이스테네스는
마구잡이로 섞어버리도록 "10개의 지역"으로 나눠버립니다. 그 지
역 이름을 데모스(demos)라고 불렀죠. "쪼개고 나눈다." 권력을 나
누는 것, 그 권력의 기원은 공동체를 이루는 한 사람
한 사람의 인간으로서 권리라는 것을 기억하는 것. 그것이 법치주의
이자 민주주의 정신이라고 생각합니다.

국론 분열은 이러한 "권력의 견제와 균형"에서 극단적으로 선을 넘
은 케이스라고 생각합니다. 아까 소개한 아리스토텔레스의 우정과
우애(philia)가 곧 타협의 마음이라고 보는데 그 마음이 "나와 생각
이 다른 사람의 말도 들어보려는 태도"이죠. 사랑 없이는, 우애라는
공동체 감정 없이는 모든 소통은 공허한 메아리라고 생각합니다.

공정하다는 것은 무엇일까_ 유시민의 국가란 무엇인가 일부 인용

"민주주의는 통치자에 대한 공적 통제를 허용하고, 피통치자가 통치자를 해고할 수 있어야 하며, 통치자의 의사에 반하는 개혁을 폭력 행사 없이 피통치자들이 할 수 있게 하는 일련의 제도적 틀을 의미한다."

- 유시민 "국가란 무엇인가?" 177p 중.

공정성, 국론 분열에서 극명하게 갈리는 주제가 바로 "사회의 공정성"입니다. 그러나 사회의 공정성은 무척 광범위하고 다양해서 추상적이고 사변적이라고 생각이 듭니다. 공정하다는 것은 무엇일까, 그리고 사회는 무엇을 위해서 존속하는가?
여러 질문을 마음속에 품고 제 생각을 말해보려고 합니다.

학교에서 배운 존 롤스의 모습은 한 가지 키워드로 정리할 수 있습니다.
"공정성을 상징하는 헌법은 그 헌법이 어떻게 만들어지는지 과정이 중요하다. 따라서 헌법 체결 과정을 보다 공정하게 만들기 위해서는 무지의 장막이라고 부르는 가상의 사고 실험이 필요한데, 그 무지의 장막이란 헌법의 지배를 받게 될 모든 시민이 헌법을 체결할 때 장막 커튼 뒤에서 자신의 직업과 자신의 인종, 성별, 가치관을 모르는 상태에서 체결한 계약만이 공정하다고 볼 수 있다." 제가 정리한 존 롤스의 무지의 장막은 이렇다고 생각합니다.

그리스어로 이소노미아(Isonomia)라는 말이 있습니다. 뜻은 "법에 의한 평등"인데요, 공동체의 정의는 곧 "평등"인데 그 평등의 실현은 "법"으로서 실현 가능하다고 본 게 아닐까 싶습니다. (물론 주관적인 의견입니다.)

이소노미아의 정신은 유시민 작가의 문장처럼 권력자의 권력을 "견제"하는 데 있습니다. 권력이라는 말 자체가 지배하는 사람과 지배받는 사람으로 구분되죠. 민주주의 힘은 존 로크가 말한 대로 "계약된 정부"일 뿐이고 계약은 "일반적인 시민의 동의"에서 시작된 헌법 아래에 굴복합니다. 즉 헌법의 정신이 곧 민주주의 정신이라고 볼 수 있습니다.

롤스 선생은 무지의 장막 뒤에서 두 가지 합의가 발생한다고 말했습니다. 첫째는 "기본적인 자유권"이 체결되고 둘째는 "소수자를 위한 차등의 원칙"을 세우게 된다고 말하죠. 기본적인 자유권은 존 스튜어트 밀의 자유론에서 강조한 "내면과 양심의 자유" "각자 타고난 개성대로 삶을 꾸려갈 자유" "언론과 집회 결사의 자유"를 포함한 기본권을 말합니다. 두 번째가 롤스의 핵심인데요, 차등의 원칙은 말 그대로 사회에서 가장 소외된 계층과 불리한 사람들, 능력이란 곧 자연이 주사위를 던져서 잭팟을 터트리는 "운"이기 때문에 자연적으로 능력을 타고나지 못 한 사람을 위해서 "최소한의 삶을 보장하자"라는 정신이 가미된 복지 정책이라고 볼 수 있습니다.

공정성은 우리가 최종적으로 생각해야 할 것은 아니라고 봅니다. 공정성은 말 그대로 수단에 불과하다고 봐요. 공정성이 중요한 이유는 국가나 사회에 참여한 구성원들이 "공통된 목적"을 두고 나아갈 때 부당한 일을 당하면 안 되기 때문에 필요한 제도적인 장치라고 생각합니다.

그렇다면 그 공통된 목적은 무엇일까요, 여기서 또 국론 분열! 아주 첨예하게 대립합니다. 상대적으로 좌파 계열에서 국가의 목적은 "국민의 기본적인 생활을 보장해줘야" 하기 때문에 정부의 역할을 조금 더 강조합니다. 반대로 우파 계열에서 국가의 목적은 애덤 스미스 선생이 주장한 국가관과 유사합니다.

애덤 스미스 선생이 생각한 국가의 모습은 시장(상품을 생산하고 소비하는 모든 추상적 공간)에서 부당한 일이 생기지 않도록 "제도적인 장치"를 세우고 불법을 감시하는 감시자의 역할과 시장에서 자본이 투자되기 어려운 사회간접자본(SOC:항구, 고속도로, 난방, 군대, 경찰)을 국가 예산으로 투자하는 역할만 해야 한다고 주장했습니다.

우파 계열의 국가관은 말 그대로 "공공재"만 공급하고 불법을 감시하는 최소한의 개입을 주장합니다.

여기서 어디에, 무엇에 주안점을 두고 살아가느냐에 따라서 정치적인 입장이 달라진다고 봅니다. 두 입장 다 필요하고, 어느 한 쪽만이 옳다고 보는 시각 자체가 국론 분열의 시선이자 아주 위험한 생각이라고 봅니다 저는.

마치기 전에 존 스튜어트 밀이 자유론에서 주장한 사상과 표현의 자유가 중요한 이유를 살펴보려고 합니다. 밀은 공동체를 구성하는 모든 사람은 "절대적인 옳은 의견"이 없다고 합니다. 모두 다 부분적으로 옳은 면이 있는가 하면 어느 부분은 틀린 부분도 있죠, 그래서 사상의 자유가 있고 토론이 왕성한 공동체에서는 서로 대화하면서 오류는 수정하게 되고 부분적으로 옳은 부분은 차곡히 쌓이면서 "진리"에 도달할 수 있다고 주장했습니다. 그래서 자유에 의한 진보는 이처럼 토론의 과정에서 서로 다른 입장, 부분적으로 옳은 진리는 차곡히 쌓아가고 틀린 부분은 빼버리면, 완벽한 진리에 도달한다고 생각했던 것입니다.

밀은 사회적 통념을 경계해야 한다고 했습니다. 그리고 그 사회적 통념은 일방적으로 어느 한 쪽이 옳다고 여기며 "무오류"를 주장하게 되면 공동체의 큰 해악을 끼친다고 보았습니다.

저는 우파도 옳고 좌파도 옳다고 생각합니다. 우파도 부분적으로 옳고 좌파도 부분적으로 옳으면서 동시에 우파는 부분적으로 틀리고 좌파도 부분적으로 틀린 면이 있다고 생각합니다. 박정희 대통령은 1962년 군사 정변으로 20년간 권력자의 자리에 앉아서 반공주의를 내걸고 국가 주도 아래 모든 외화를 축적하고 국영기업, 국영은행을 통해서 부가가치가 높은 상품, 제조업으로 탈바꿈해서 경제 체질을 바꿔버렸습니다. 박정희 대통령은 좌파인가요 우파인가요? 반공산주의자를 자처했지만, 공산주의 정책을 받아들였습니다. (보호무역주의, 제1, 2, 3, 4, 5차 경제개발 5개년 계획, 해밀턴의 유치산업론)

이른바 이런 사회 체질을 "혼합경제"라고 부르는 이유가 이런 면 때문입니다.

무엇이 옳은가? 에 초점을 두기보단 어떻게 타협하지? 가 중요하다고 생각합니다. 저는 우리 사회가 어떤 기점으로 어떤 복합적인 이유로 대화 부재가 심해졌다고 느낍니다. 타인의 말, 타 집단의 말, 다른 국가의 말을 우선 들어볼 생각조차 하지 않는 문화는 정말 유아 퇴행적인 문화로 나아가고 있습니다.

우리가 할 수 있는 일은 무엇보다 인정과 경청이 아닐까 싶기도 합니다. 밀의 혜안을 감탄하면서, 사상의 자유와 표현의 자유가 필요한 이유를 다시 떠올리면서, 부분적으로 옳은 면과 부분적으로 오류가 있다는 그 생각을 마음에 품으면서 살아가야 할 것 같습니다.

윤루카스의 차가운 자본주의_ 그럼에도 우리가 따뜻함을 말해야 하는 이유.

간만에 경제 관련 저서를 읽었습니다. 뭐랄까 경제학 저서라기보단, 인문 경제 저서라고 분류하는 게 알맞아 보입니다. 자본주의 메커니즘을 이해하고 싶으신 분들은 가볍게 읽기 부담 없고 쉽고 재밌게 잘 썼다고 생각합니다. 몇 가지 부분에서 저자의 생각을 비판하고, 또 인상 깊었던 부분을 기록하려고 글을 끄적입니다. 하도 오래간만에 경제를 접해서 생소하기도 했네요.

첫 장부터 저자는 "애덤 스미스"의 국부론을 이야기합니다. 사실 애덤 스미스가 살던 18세기는 경제학이라는 별도의 과목, 분야가 독립되지 않았습니다. 그는 당시에 왕정과 결탁한 "중상주의 기업체"의 독점 행위를 비판하기 위해서 "국부론"을 집필했다고 알려져 있습니다. 애덤 스미스의 철학적 의의는 그가 설명한 인간에 대한 이해가 현재 경제학이 받아들이는 기본 입장이기 때문에 주의 깊게 살펴볼 가치가 있죠.

스미스는 인간의 두 가지 측면을 강조합니다. 첫째는 인간의 "이기적인 측면"과 둘째, 인간의 "이타적인 마음"으로 나눠서 보았습니다. 우리는 누구나 "나아지고 싶은 욕망"이 있습니다. 경제학에서 생산자는 "욕망"으로 이해하는데, 스미스가 살던
18세기는 프랑스의 계몽주의 사조 영향으로 "인간의 위대한 이성적인 측면"만 강조했죠, 그래서 더더욱 스미스의 인간관이 충격적이라고 말할 수 있습니다.
"인간은 고상하지 않고 욕망에 근거해서 생산한다.!"라고 주장한 셈이니까요.

두 번째로 중요한 "이타적인 마음"은 애덤 스미스의 핵심 개념입니다.

스미스는 인간의 내면에 "공정한 관찰자"가 있다고 생각했어요. 쉽게 생각해서 "양심"으로 해석할 수도 있는데, 스미스는 인간의 "공정한 관찰자"가 "이기심"을 적절하게 제어하는 제동장치라고 본 것이죠. 이 두 가지 마음에 의해서 인간은 집단을 유지하고, 생산하며 "근대적인 자본주의 문화"를 형성하고 있다는 것이죠.

저자 윤루카스는 애덤 스미스가 말한 "근대적인 자본주의 문화의 분업과 전문화"를 두고 칭찬합니다. 애덤 스미스는 자본주의의 위력을 "상품" 생산을 "한"사람이 전부 다 하는 게 아니라 여러 사람이 각자의 파트를 맡아서 생산하면 시간을 단축할 수 있다고 주장합니다. 당연하죠? 그래서 스미스는 "핀" 공장의 분업 시스템을 예시로 들면서 자본주의의 생산성은 "분업 시스템"에서 시작된다고 합니다.

그러나 칼 마르크스는 애덤 스미스가 주장한 "분업 시스템"을 비인간적이라고 비판했습니다. 인간이 단순 노동만 반복해서 하면 바보 멍청이가 되기도 하고, 언제든지 다른 노동자로 대체할 수 있는 "불안"에 시달린다고 비판한 것이죠. 저자는 분업 시스템을 비판하는 이런 사고를 비판합니다.

저자는 자본주의 생리를 이야기하면서 이렇게 주장합니다. "대기업과 공기업 중 어느 쪽이 대한민국의 번영을 이끌었는가? 정부가 아닌 시장이 번영을 이끌었다."라고 했습니다. 그러나 저는 이 주장을 비판합니다.

대한민국은 1948년 8월 15일 건국이 되고 1980년대 말까지 고도성장을 경험했습니다. 1인당 소득과 국가의 부를 가늠하는 GDP를 보면 필리핀보다 가난했는데, 현재 경제 규모가 10위 안쪽이죠. 이와 같은 성장은 기업이 아니라 "정부"의 일방적인 계획 경제로 성장했습니다. 한 번 살펴보시죠.

이승만 정부의 정책으로 "농지개혁"을 꼽습니다. 이승만 대통령은 당시 대지주가 국토 대다수를 차지한 상황에서 "유상몰수 유상분배"정신으로 국토를 재분배합니다.
정부가 대지주의 농지를 사들이고 대지주한테 "지가 증권" 즉 정부의 채권을 건넵니다. 그리고 사들인 농지를 소작농에게 헐값에 판매하는 것이죠. 이런 농지개혁의 후생을 살펴보면 어마어마합니다. 우선 대지주의 "지가 증권"은 후임 박정희 정부의
경제계획 5개년 개발 당시에 "투자 자본"으로 기능했습니다. 국가에 투자할 수 있는 돈으로 작용했다는 것이죠. 그리고 소작농에게 나눠 준 토지는 "소작농의 저축"과 "세금"으로 흘러가 국부의 튼튼한 원천이 되었습니다.

1961년 5.16 군사 정변 이후 집권한 박정희 대통령은 강력한 계획 경제를 시행합니다. 외국 자본을 축적하기 위해서 일본과 대일청구권협약을 체결하고, 독일에 광부도 보내고 월남전에 참전해서 얻은 달러를 "기업"육성에 사용하기 위해서 "정부"가
보조금을 기업에 지급하고, 투자를 지시하고 생산량을 계획합니다. 그리고 타국의 상품에 세금을 부치는 관세 제도도 활성화합니다.

이러한 두 정부의 정책 속에서 대한민국은 "노동집약적이고 부가가치가 낮은 상품"을 생산하고 값싼 노동력만 제공하는 개발도상국에서 "기술집약적이고 부가가치가 높은 상품을 생산하는 선진국"으로

도약했습니다. 이는 자유무역의 결과가 아니라
소련과 나치의 계획 경제를 모방한 정부의 육성 아래 성장한 것입니다. 저자의 생각은 일부 틀렸다고 주장합니다.

자본주의는 무엇인가요? 자본은 "자기 몸을 불리는 돈"이라고 해석할 수 있습니다. 거대 은행은 예금주의 예금한 돈으로 10%만 "지급준비금"으로 중앙은행에 예치하고 나머지 90%는 대출로 돌려버립니다. 신용 창조의 세상, 자본주의는 뻥튀기, 부채로 굴러가는 세상이라고 볼 수 있죠.

시장에는 생산, 가격, 소비 행위가 끊임없이 발생하면서 굴러가는 제도입니다. 저자는 이 세 가지 분야에서 시장 경제의 "자유"를 강조하면서 자유의 가치를 주장하고 변호하는 데 큰 힘을 들입니다. 시장에서 "자유"는 무엇일까요?
시장에서 자유는 "기업"이 투자할 수 있도록 법인세율과 누진세율이 최대한 낮게 책정하자는 "기업 투자의 자유"라고 해석할 수 있습니다. 이를 낙수 효과라 말하기도 합니다. 반대로 시장 경제의 "자유"를 부정적으로 보는 입장은 이러한 낙수 효과가 거짓말이라고 말합니다. "기업의 투자 자본"이 "노동자를 고용할 인건비"로 사용되지 않고 "원료와 기계"에 더 많은 투자를 통해서 "자동화 시스템"에 박차를 가할 수도 있다는 것이죠. 일리가 있는 지적을 합니다.

또한, 기업이 원료와 기계에 투자하지 않더라도 금융에 투자해서 "기업이 보유한 돈의 가치"만 지키기 바쁘지, 실제로 인건비에 투자하지 않는다고 주장합니다. 이도 일리 있는 주장입니다.

이래서 저는 경제가 참 어렵습니다. 자유라는 가치나 분배라는 가치도 모두 적절히 필요합니다. "독점"을 기업이 해도 문제가 되고 국가가 해도 문제가 됩니다. 자본주의는 곧 돈의 증식, 이윤을 위해서 투자하는데 그 끝은 결국 "독점 기업"이라고 주장한 레닌의 말을 기억합니다. 중국이나 소련은 국가가 "전부 투자"하는 국가독점자본주의를 유치하다가 망했고 규제 없는 대기업은 생산량을 멋대로 낮춰서 가격을 휘어잡는 독선을 보여줍니다. "독점"을 방지하기 위해서 정부는 필요합니다.

정치가 더욱 혼란스러운 이유가 경제에 대한 일방적인 지식을 고집하기 때문이라고 봅니다. 저자의 생각은 조금 극단적인 자유 방임에 가깝습니다. 정부의 개입으로 복지는 필요하고 기업의 자유가 곧 양질의 일자리를 만들어야 합니다.

정부가 필요 없다는 생각과 기업의 독선을 막아버리자는 생각을 적절히 융합해서 새로운 길을 모색해야 한다고 생각합니다.

끝으로 몇 가지 인상적인 부분을 말해볼까 합니다.
저자는 참여 정부의 부동산 정책을 프랑스 혁명 당시 혁명 정부를 자처한 자코뱅당의 "최고가격제"로 비유했습니다. 로베스피에르는 자코뱅당의 당수였는데, 루이 16세가 단두대에서 죽고, 사람들은 혁명투쟁과 혁명을 반대하는 다른 국가와 전쟁하느라 필수재 가격이 폭등했는데, 민중의 의사를 반영해서 "생필품 우윳값"의 상한 가격을 인위적으로 결정해버립니다. 결국, 목장 주인은 모든 젖소를 도살해서 육류로 팔아버리고 가격은 더더욱 폭등했다고 전해집니다. 노무현 정부의 부동산 정책도 가격 통제라고 비판합니다. 분양가 상한제, 취득세와 양도세 중과, 종합부동산세는 매물 거래를 틀어막고 전세 쏠림으로 전셋값이 폭등해

결과적으로 서민 정부를 자처한 노무현 정부는 서민을 괴롭게 했다고 주장합니다.

또 다른 인상적인 부분은 "인플레이션으로 이득을 보는 자"가 누구인지 설명한 부분입니다. 국가는 채권을 발행해서 사회간접자본, 도로나 항구를 만들죠, 그때 발행한 채권은 모두 국가 부채입니다. 국가 부채가 1000조가 넘어간 시점에서
화폐량이 많아지면 "국가 부채의 가치"는 떨어집니다. 당연하죠? 그래서 국가는 교묘히 인플레이션을 이용해서 국가 부채 가치를 낮춘다고 말합니다. 이 부분은 우리에게 큰 시사점을 안겨줍니다. 현재 인플레이션을 잡겠다고 미국 연방준비은행에서 금리를 자꾸 올리는데, 미국은 기축통화국으로서 교묘히, 인플레이션 국면을 즐겼다고 생각합니다.

마지막으로 기본소득을 비판한 저자의 생각을 조금 비판할까 합니다. 저자는 기본소득을 위선적인 제도라고 봅니다. 저도 현재에서 기본소득은 부정적으로 봅니다만, 20년 뒤에는 필연적으로 시행될 제도라고 생각합니다. 왜 그럴까요? 이는 칼 마르크스의 자본론 공식 "S/C+V"로 설명할 수 있습니다.
자본가의 이윤은 다시 투자됩니다. 이때 상품의 원자재와 설비 기계에 해당하는 "생산 자본"에 투자되지 "노동자" 혹은 인건비에 투자되진 않습니다. 그래서 마르크스는 결국 자본가의 투자 때문에 언젠가 "기계"가 "노동"을 대체할 거라고 예측했습니다. 저도 20년 뒤에 투자되는 자본에 의해서 "많은 분야에서 자동화"될 거로 생각해요, 그러면 많은 사람은 직업을 잃게 됩니다. 그래서 정부는 기업에게 "기계세"를 물려서 기본소득 재원으로 나눠줄 거 같습니다.

기계가 노동을 대체한 상황에서 기본소득 제도가 없으면 "상품을 사 줄 돈"이 없어요, 기본 소득세는 결국 기계가 노동을 대체한 상황에서 상품을 구매할 소비 여력으로 작동하게 됩니다. 그래서 기본소득세는 먼 훗날 필요한 정책이라고 생각합니다.

우리는 매우 차가운 세상을 살아갑니다. 자본주의 이치는 능력을 따지고, 이력을 보기 때문입니다. 우리는 능력주의 사회를 차가운 사회라고 생각합니다. 능력이란 곧 상대적인 개념이라서 그래요, 능력은 다른 누구보다 탁월할 때 비로소 능력이라고
붙여주기 때문입니다. 그러나 우리는 자본주의가 안겨준 기적을 감사해야 합니다. 불평등도 능력처럼 상대적인 개념입니다. 우리는 아무 생각 없이 영화도 보고, 스마트폰도 구매하고, 커피도 마시고 치킨도 시켜 먹고 여행도 갑니다. 대한민국의 소득 하위계층은 동남아시아 수준에서 상위계층에 해당합니다. 이처럼 불평등은
상대적인 개념이에요.

자본주의는 차갑지만, 그 차가움 속에서 우리는 "최소한의 정의"를 맛보았습니다. 경제는 어렵지만 한마디로 요약하면 이렇습니다.

일한 만큼 돈을 벌고, 전문화로 한 가지 일만 할 수 있고, 좋은 상품을 구매할 수 있는 사회, 저축할 수 있고, 저축하면 이자를 부쳐 주는 사회, 정부의 개입으로 청약 제도와 이자가 높은 금융 상품을 제공하고, 사회간접자본과 기업유치로 일자리도 양질인 사회. 이 모든 사회는 차가움 속에서, 오직 차가운 사회 속에서
피어났다고 말할 수 있습니다.

우리 시대의 인어 공주_ 벤 샤피로의 <권위주의적 순간> 인용

이민자의 나라 미합중국, 일명 U.S.A(United States of America.)는 이민자의 나라입니다. 16세기 말, 영국 본토의 청교도 박해가 이어지자, 메이플라워호를 탐승하고, 도착한 이민자의 땅, 북아메리카는 다양한 인종이 사는 나라죠. 미국 남부 경우에 목화 및 플랜테이션 등 대규모 노동력이 필요한 산업에 종사하고 있던 터라, 아프리카의 흑인 노예를 수입해서 노동력을 착취합니다. 1860년대 이후 남북 전쟁이 벌어지자, 에이브러햄 링컨 대통령이 노예 해방령을 내리긴 하지만, 일각에서는 북부의 "공업 주" 자본계급을 위해서 값싼 흑인 노예 노동력을 착취하기 위해서 시행했다는 소리도 있지만, 여하간, 미국의 역사는 원주민과 이주민, 그리고 흑인 노예와 19세기 이후 건너온 제2, 3세대 이주민이 어우러진 사회입니다. 그만큼 인종 갈등이 첨예하다고 볼 수 있죠.

인종이 다양하고 다원화 사회인 만큼 이 시대의 혐오 논쟁과 문화적 충돌 역시 가장 폭발적이라고 볼 수 있는데요, 사회 정의 운동, PC 운동과 문화 산업에서 보여주는 소수인종 및 성 소수자 인식 개선 등, 문화 영역에 침투해서 소비자의 아우성을 사고 있습니다. 대표적으로 디즈니가 적극적인 행보를 보이고 있죠.

인어공주의 인종을 "흑인"으로 상정한 점에서 국내 및 해외에서 논쟁이 일어났습니다. 왜 하필 "흑인"일까? 백인과 흑인, 남성과 여성, 기독교와 이슬람, 이성애와 동성애 등 우리 사회는 정말 그 사람들의 말대로 "착취하는 계급"과 "착취당하는 계급"이 따로 나뉘어 있는 걸까요?

"이것이 바로 소위 비판적인종이론(critical Race Theory)이을 옹호하는 사람들의 주장이다. CRT는 미국 사회 근원적 불합리에 대한 논쟁의 초점을 경제적 계급에서 인종으로 이동시켰다. CRT 옹호론자들의 주장에 따르면 미국 사회에 존재하는 모든 제도는 백인우월주의에 바탕하고 있었다. 다시 말해 미국 사회의 모든 시스템은 '구조적'으로 또는 '제도적'으로 인종차별주의를 조장하고 있다는 뜻이었다."
- 벤 샤피로 <권위주의적 순간> 120P 인용

마르크스주의자의 시각으로 바라본 세상은 배불뚝이 자본가가 굶어서 아사하기 직전인 노동자를 가혹하게 일 시키고 임금은 개미 똥만큼 주는 세상이었습니다. 이른바 "노동의 착취"가 지속해서 일어나고, 착취한 임금은 또다시 "기계나 원료"에 투자해, 노동자의 노동력을 기계로 대체하려는 자본주의적 시스템이었죠. 그러나 비판적인종 이론을 내세운 프랑크푸르트학파는 "경제적 착취"에서 한 걸음 더 나아갑니다. 이제 피해자는 한 명이 아니다! 피해자는 두 명, 세 명, 네 명이다! "노동자도 피해자"이며!

"흑인도 피해자"이며, "여성과 이슬람교, 동성애자"도 피해자야! 라고 말입니다. 샤피로 선생의 말에서 중요한 점은 "인종차별이 구조화"되었다는 말입니다. 왜 프랑크푸르트학파는 "구조"를 운운하고 그러는 걸까요?

"이 학파의 리더 막스 호르크하이머는 모든 인간은 환경이 부산물이기 때문에, 미국 사회에 만연한 악의 존재는 자본주의적이고 민주적인 환경에 의해 초래된다고 주장했다. 호르크하이머의 주장을 빌리자면 '우리가 살아가는 시대의 가련함은 사회의 구조와 긴밀하게 연결돼 있는'것이었다. (중략) 이 말은 곧 미국의 전통적 자유가 제한돼야 함을 뜻했다. 주관적 자존감이 존중되기 위해선 표현의 자유가 사라져야 했다.

프랑크 푸르트 학파 철학자였던 헤르베르트 마르쿠제가 설명한 것처럼 '해방적 관용은 우익적 활동에 대한 불관용을 의미하는 동시에 좌익적 활동에 대한 철저한 관용을 의미하는데, 해방적 관용은 (중략) 행위와 말의 영역에까지 확대된다."
- 벤 샤피로 <권위주의적 순간> 119P 인용

모든 인간의 정체성과 성품, 가치관은 오로지 "구조"에 의해서 결정된다고 합니다.

호르크하이머의 주장은 철저히 마르크스적이라고 볼 수 있어요, 일찍이 마르크스도 "당대의 지배적 사상은, 지배계급의 사상이 반영"된 도구물로 이해했습니다. 거기에 모든 존재는 "주관적 의식이 아니라 사회적 의식으로 결정된다."는 계급 사관을 설파했죠, 인간이란 "사회 및 제도와 무관한 존재"가 아니라 "인간의 정체성 그 자체가 사회의 문화-구조"에 의해서 결정된다고 보았습니다.

우리가 채택한 제도는 자본주의제도입니다. 자본주의와 자유시장 경제는 조금 분리해서 살펴봐야 하는데, 자유시장(Free market)은 "생산과 소비의 주체가 각 기업과 개인"에게 있다고 보고, 자본주의(capitalism)는 자본가 계급이 돈을 법적 규제 없이
투자해서 잉여가치를 착취한다는 "맑스적 용어"입니다. 호르크하이머는 자본주의 제도에서 인간은 "구조적으로 착취"를 당하고 있는데 그 착취의 범위가 "노동자"를 넘어서 "백인이 흑인을, 기독교인이 이슬람교를, 이성애자가 동성애자를" 문화적으로 배척하고 별종으로 취급한다고 피력하고 있습니다.

세상은 정말 가해자와 피해자로 나뉘어 있을까요, 자본가 계급이 투자하는 "돈"은 정말 노동자의 피와 땀이 서려 있는 착취한 돈일까

요, 문화적으로 수용되는 "정상성"은 정말로 백인이 흑인을, 남성이 여성을, 이성애가 동성애를 배척하고 제거하려고 드나요? 저는 잘 모르겠습니다.

"권위주의적 좌파가 만든 사회학적 개념 중 교차성이론 (intersectional hierarchy)이란 것이 있다. 다인종 사회인 미국에서 자신이 어떤 인종, 종교, 성적 배경을 가지고 있느냐에 다라서 각기 다른 형태 및 강도로 차별과 피해를 경험한다는 논리다."
- 벤 샤피로 <권위주의적 순간> 104p 각주 인용

교차성이론과 비판적인종이론을 책의 번역자 "노태정"작가님이 달아주신 각주로 살펴봤습니다.

다원화 시대에서 중요한 덕은 관용(toleration)이라고 합니다. 타자의 입장을 그 자체로 인정해주는 것, 그러나 비판적 인종 이론이나 교차성이론의 핵심은 "가해자와 피해자를 구분하고 잠재적 가해자를 몰아세워 편향된 관용의 미덕을 요구"한다는 점입니다. 좌경화된 자유주의(liberalism)는 "판단으로부터의 자유"입니다. 국가가 보장하는 법과 백인과 남성, 이성애 중심으로 구성된 문화로부터 "자유"가 이들이 주장하는 자유의 실체입니다.

"타인의 감정을 상하게 할 수 있는 모든 것은 금지되어야 한다는 원칙말이다. 우리가 '정중함의 원칙'이라고 부를 수 있는 이 원칙들은 자유롭게 표현하지 못하게 됐다. 보수주의 철학에는 옳고 그름, 또는 선과 악이 분명한 기준으로 존재한다. 선악을 구분하려면 (이성을 통한)판단을 활용해야 한다. 좌파는 판단하는 행위 자체가 잘못됐으며, 야만적이고 저속한 행위라고 주장했다."
- 벤 샤피로 <권위주의적 순간> 81p 인용

앞서 호르크하이머가 주장한 대로 "관용의 미덕"으로 우익 인사, 혹은 우파적 사고를 표현하는 순간, 입에 재갈을 물리는 주장입니다. 보수주의적 가치관은 "선과악"이 존재하며, 그것을 판단할 수 있고, 표현해서 상호 간의 조율이 가능한 사회를 "이상"적이라고 보지만, 좌파의 시각으로 "표현에도 일부분 규제"가 필요하다고 주장합니다. "보편적 표현의 자유"보다 "주관적 감정의 자유"가 중요하다고 판단하고 있죠,

관용의 미덕은 "판단하지 않는 것이 정의"라고 말합니다.

" '평등'과 '포용' '다양성' 그리고 '다문화주의' 같은 단어들이 오늘날 미국 사회를 대표하는 상투적 표현들이 되었다. (중략) 그들은 타인이 가진 삶의 양식을 판단하는
행위 자체가 범죄라는 이야기를 듣고 있다. "
- 벤 샤피로 <권위주의적 순간> 81p 인용

판단으로부터 자유, 우리가 판단하는 그 "맥락" 역시 남성-백인 중심주의의 문화적 도구물이라고 보는 시각에서 모든 표현은 소수자의 입장에서 규제되어야 한다는 주장은 정말 과격하고 위험한 생각입니다. 여기서 중요한 점은 "인종차별"을 조장하는 게 아닙니다. 개인적인 차원에서, 시민 사회 차원에서 "혐오 발언"은 계급과 인종을 넘어서 사람 대 사람이라면 절대로 해선 안 됩니다. 그러나 "특정 계급을 상정하고 특정 단어를 규제"하는 순간, 오웰의 빅 브러더가 텔레스크린으로 일거수일투족 감시하는 사회는 시간문제라고 볼 수 있습니다.

인어공주가 "흑인"이라서, 디즈니 플러스에 공개되는 "동성애 코드" 때문에 이 글을 쓴 게 아닙니다. 저는 사람 대 사람으로서 그 사람

의 인종과 종교, 성적 취향은 간섭할 수 없다고 분명하게 생각합니다. 그러나 법적인 차원에서 "발언의 규제"를 시작하게 되는 순간, 오웰이 우려했던 텔레스크린은 정말 시간문제입니다.

"영국의 철학자 존 스튜어트 밀(J.S.Mill)은 그 유명한 위해 원칙(harm principle)을 상정했던 사람이다. 밀의 위해 원칙에 따르면 실제 누군가에게 피해를 주는 행위는 규탄돼야 했고, 심지어 법으로도 금지돼야 했다. 하지만 밀 자신도 해악과 타인을 기분 나쁘게 만드는 행위를 분명히 구분 지었다. 밀은 어떤 사람이 무언가를 기분 나쁘게 받아들인다고 해서, 해당 행위가 사회적으로 규제되거나 금지돼선 안 된다고 말했다."
- 벤 샤피로 <권위주의적 순간> 83p 인용

자유론에서 밀은 "내면과 양심의 자유를 보장하고 토론을 장려하면 그 자유로운 사회는 진보"한다고 말했습니다. 시민 사회에서 "표현의 자유"는 한 사람의 주장 속, "타당한 측면과 선입견으로 가득한 주장"이 서로 부딪쳐, 타당한 주장은 진보를 가져오고, 선입견은 상대방의 발언으로 도태된다고 주장했습니다. "표현의 자유"는 보편적으로 보장되어야 하고, 개인의 주관적 입장도 보장되어야 하지만, 가장 중요한 자유의 미덕은 "표현"이라고 말했습니다.

표현의 규제는 양날의 검입니다. 존중과 관용은 "자유롭게 선택"해야 하는 부분이지, 그걸 입법권으로 강제하면 "전체주의 사고관"과 별반 다를 게 없습니다. 존중은 필요하되, 각 사안에 대한 입장은 자유롭게 표명하고, 그 발언의 책임은 민사상 짊어질 수 있습니다. 발언의 책임을 지되, 그것을 "형법으로 강제"하는 순간, 빅 브라더는 우리 도처에, 텔레 스크린을 설치해두고 감시하고 있을 게 분명합니다.

문명과 야만의 경계선_ 재러드 다이아몬드의 "총균쇠"를 읽으면서.

문명(文明)에 관해서 생각해봅니다. 거창한 말 같으나 사실 모든 표기 문자는 "추상성"이 절반, 지시성이 절반입니다. 개인적인 생각으로는 "문명(文明)"은 실체가 없는 단어입니다. 유럽중심사관은 오랜 시간 동안 "문명"으로 취급되어 왔습니다. 문명과 야만의 이분법적인 구분은 우리 일상 생활에서도 찾아보기 어렵게 녹아들었습니다. 제레드 다이아몬드의 역작 "총균쇠"는 왜 유럽은 문명의 길로 제국주의 선봉대가 되고, 비유럽권은 왜 야만의 구렁텅이에서 식민지 국가가 되었는지 설명하려고 합니다.
아직 다 읽진 않았지만, 다이아몬드 선생의 서론에서 언급한 부분을 잠깐 논하면서 문명과 야만의 구분이 얼마나 허위적이고 우연적인 요소가 강하게 개입되었는지 알아보겠습니다.

"피사로를 성공으로 이끈 직접적 원인으로는 총포와 철제 무기와 말에 기반한 군사적 기술, 유라시아의 풍토병, 유럽의 해양 과학 기술, 유럽 국가들의 중앙집권적 정치 구조, 문자 등을 들 수 있다. 이 책의 제목은 이런 근접 요인들을 압축한 것이다."
- 제레드 다이아몬드 <총균쇠> 1부 3장 "카하마르카에서의 충돌" 129p 인용

벽돌책 답게 서론이 무척 긴 책입니다. 다이아몬드 선생은 유럽권의 발달과 비유럽권의 발달 차이를 무기와 풍토병 유행, 그리고 문화적 차이에서 찾고 있죠. 언급한 "피사로"는 1492년 콜럼버스가 아메리카 중간에 있는 카리브해에 도착하고나서 스페인 제국이 남미의 잉카제국과 아즈텍 제국을 정복하는 두 명의 장군 중 한 명입니다.
재밌는 점은 당시에 피사로 장군이 이끈 스페인 병사들은 고작 162명에 불과하고 제대로 된 총도 4구밖에 안되었는데, 잉카 제국의

병사 8만명을 상대로 이겼다는 점입니다. 알쏭 달쏭한 카하마르카 전쟁은 사실 유럽의 문명이 비유럽의 야만을 상대로 짓눌러버린 사건의 일면이라 볼 수 있습니다. 두 문명의 차이는 어디에서 기원하는걸까요?

총균쇠의 요약본을 보면 명료하게 설명할 수 있습니다. 아메리카대륙의 지형도와 유럽권의 지형도는 두드러진 차이점이 있죠, 유라시아와 유럽 대륙의 지형도는 "가로축"으로 길게 늘어져있습니다. 다양한 문화권 충돌이 있고, 그 과정에서 문자와, 풍토병의 교환, 철제 무기와 기병과 보병의 전술의 자연스러운 공유가 잇달아 발달했다는 점입니다. 반면 아메리카 대륙은 "세로축"으로 길게 늘어져있습니다. 적도가 다르면 재배할 수 있는 농작물의 품종도 달라집니다. 다이아몬드 선생은 문명의 생활 양식에 큰 영향을 미치는 조건으로 인구 규모와 지형도를 꼽았는데, 아메리카 대륙의 "가로축"은 적도에 의한 불규칙적인 기후대 때문에 경작물을 상호 간 공유할 수 없기 때문에 "발달"이 더디었다고 주장하죠. 여기에 대한 예시로 뉴질랜드와 하와이 문명을 말합니다.

"일반적으로 규모가 크고 밀도가 높을수록 과학 기술과 조직이 전문화하고 복잡해졌다. (중략) 간단히 언급하면 인구 밀도가 높은 곳에서는 인구의 일부만이 농사일에 종사했지만 집약적인 식량 생산에 전념함으로써 잉여 작물을 수확해 비생산자들을 먹여 살렸다. 농민이 생산하는 잉여 작물의 혜택을 누리는 비생산자에는 군장과 성직자, 관료, 전사가 있었다. 규모가 큰 정치 단위는 노동력을 대거 동원해서, 관개 시설과 양어장을 건설해 식량 생산을 더욱더 강화할 수 있었다."
- 제레드 다이아몬드 <총균쇠> 1부 2장 역사의 자연 실험 99p 인용

2장에서 다이아몬드 선생은 "정치단위의 인구 규모는 인구밀도와 상호작용"을 한다고 말합니다. 인구 밀도는 기본적으로 인구 수 곱하기 면적 단위로 결정됩니다. 인용구에서 살펴보면 16세기 기점으로 "제국주의적 문명국가"로 탈바꿈한 유럽의 정치적 단위와 "식민지배 국가"로 전락한 비유럽권의 차이점을 살펴봅시다. 인구 밀도가 낮은 지역에서는 "잉여 생산물"이 생산되어도 직업의 전문화가 이뤄지기 어렵습니다. 애당초 인구가 없는 지역에서는 모두 자급자족의 형태로 살아가죠. 기후대가 따뜻하고 인구 밀도가 높은 지역에서 농업화가 시작되는데, 이때 "잉여생산물"을 축적한 계급이 생기고 가난한 계급이 발생합니다. 칼 맑스가 역사를 "잉여생산물의 소유권"으로 이해했듯이, 문명국가로 거듭난 유럽권에서는 "절대왕정"이 시작되는데, 절대 왕정의 관료제는 우선 "잉여생산물을 축적한 계급"에서 발생하는 정치 제도입니다. 남미의 잉카제국과 당시 유럽

신성로마제국도 "신정일치"사회였고, 거대한 잉여생산물이 축적된 계급사회인데 왜 동일한 정치적 구조에서 이런 문명과 기술의 발전 차이가 생기는걸까요? 앞에서 이야기한대로 이부분은 "지형도"차이 때문입니다. 유럽은 14세기 유라시아를 지배한 몽골제국에 의해서 흑사병, 이름하여 흑사병에 시달려왔고 이외에 티푸스, 목축업을 겸해서 밀재배하는 "삼포제"운영 방식에서 "천연두"가 발생했는데, 유라시아 지형의 "가로축"은 동일한 기후대를 공유하고, 이동하기도 간편해 이러한 "균의 전파"가 한결 수월했다고 합니다. 균의 전파 외에도 적도가 동일하고 기후대를 공유하는 만큼 다양한 품종을 공유할 수 있고, 문자 체계와 무기 및 전술도 상호간 영향을 끼쳐 문명의 발전 속도가 빠를 수 밖에 없다는 것이죠. 우월한 문명의 힘은, 적도를 공유하는 지형도 차이에서 발생했다고 결론 지을 수 있습니다.

사회에서 발생하는 갈등의 문제는 대다수 "선천적으로 타고난 우월함과 저열함"이 있다는 생각에서 시작된다고 믿습니다. 인종 문제와 종교 문제, 정치적 갈등과 빈곤의 문제 등 사실 거대한 문명사적 시간에서 바라보면, 어쩌면 모든 갈등의 문제는 완벽하게 해결할 수 없는 난제라고 봅니다. 갈등 문제를 해결하기 위해서 급진적인 혁명을 일으킨 역사를 보면 알 수 있습니다. 소비에트의 정신과 중국 공산당의 정신은 하향평준화를 약속하는 유토피아적 구호에 불과했고, 그렇다고 반대급부적인 신-자유주의적인 경쟁과 효용의 가치를 추구한 사회는 공동체 결속감을 무너뜨리는 능력주의 문제로 이어집니다.

문명사를 읽으면 사람이 참 겸손해지는 거 같습니다.
어느 정치 체제를 선택하던, 사회 문제로 취급되는 현상을 완벽하게 해결할 수 없고, 단지 기후대와 지형도에 의해서, 재배하는 품종에 의해서, 사람이 살아가는 거대한 환경에 의해서 "우연적"으로 길러지고, 살아갈 뿐입니다.

이동형 인간과 정주형 인간_ 제레드 다이아몬드의 <총균쇠>를 읽으면서.

앞서 소개한대로 유라시아 대륙과 아메리카 대륙의 지형(地形)차이에서 발생하는 문명의 힘을 살펴봤습니다. 이번 장은 조금더 자세하게 농업 사회와 수렵 채집 사회의 생활 양식 차이와 거기서 비롯되는 문화적 차이를 천천히 살펴보겠습니다.

"식량 생산은 간접적으로 총과 균과 쇠의 발전을 위한 전제조건이기도 하다. 따라서 각 대륙의 종족들이 농경민 혹은 목축민이 되었는지, 만약 그랬다면 지리적 차이에 따라 언제 그렇게 되었는지가 그 이후의 대조적인 운명을 설명해준다."
- 제레드 다이아몬드 <총균쇠> 2장 4장 농업의 힘 134p 인용

결국에 문명(文明)이라 불리는 개념도 각 대륙마다 다른 생활 양식을 가르키는 단어입니다. 다이아몬드 선생은 대륙마다 식량 품종과 식량 생산 방식에 따라서 각 다른 생활 방식을 가지게 된다고 주장합니다. 식량 생산 방법이 곧 생활 양식을 결정짓는다라.. 결국에 문화적인 요소도 모두 필수적인 생존에 의해서 만들어진 틀에 불과하다고 볼 수 있겠습니다.

"첫째 가축은 야생에서 사냥한 짐승을 직접적으로 대체하며 사회의 주된 동물성 단백질 공급원이 되었다. (생략) 둘째 대형 포유루 가축은 단순히 젖을 제공하는 데 그치지 않고 버터와 치즈와 요구르트 같은 유제품의 공급원 역할까지 해냈다. (생략) 대형 포유류 가축은 작물화한 식물과 두 가지 방법으로 상호작용을 하며, 농작물 증대에 도움을 주었다. (생략) 즉 두엄을 비료로 살포하면 농작물 수확량이 크게 증가한다는 것이다."

- 제레드 다이아몬드 <총균쇠> 2장 4장 농업의 힘 137p 인용

농작물을 개간하면 작물뿐 아니라, 동시에 "야생"동물도 가축화한다고 합니다. 농경 사회에서 숱하게 볼 수 있는 동물의 가축화는 대규모 인구 증가에 박차를 가하는 이유로 네 가지 근거를 들고 있는데, 위 인용한 구절이 그 근거들입니다. 우선 수렵 채집민들이 힘겹게 야생 짐승을 사냥해오지 않아도, 동물성 단백질을 섭취할 수 있다는 장점이 있다. 둘째로 포유동물(젖소,양,염소,말,순록,물소,야크)의 젖에서 짜낸 우유가 곧 유제품으로 훌륭한 에너지원으로 기능하는 데 있다. 셋째로는 짐승의 배설물이 아주 질 좋은 비료가 된다는 점, 마지막으로는 빙기(氷期)로 딱딱한 땅을 짐승을 가축화해서 손 쉽게 개간할 수 있다는 점까지가 그 근거입니다.

농경 사회에서 가축화는 곧 작물화에 긍정적인 영향을 주며, 이는 수렵채집형 사회보다 더 많은 인구를 부양할 수 있다고 합니다.

"식물과 동물을 길들인 결과, 수렵 채집민보다 많은 식량을 생산할 수 있었고, 이는 자연스레 인구 증가로 이어졌다. 식량 생산에 필요한 정주형 생활 방식도 인구 증가에 간접적인 기여였다. 수렵 채집 사회에서는 구성원들이 야생에서 먹을 거리를 찾아 빈번하게 이동하지만, 농경민은 밭과 과수원 근처에 머물러야 한다. 따라서 고정된 거주지가 필요하고, 그 때문에 아이를 낳는 간격이 줄어들고, 그 효과로 인구밀도가 높아진다."
- 제레드 다이아몬드 <총균쇠> 2장 4장 농업의 힘 138p 인용

군사력은 곧 인구밀도가 큰 영향을 줍니다. 다른 글에서 언급했다시피, 인구 밀도는 단위면적당 인구 규모를 곱한 값이죠, 수렵채집민은 이동형 사회를 지향합니다. 그래서 임신 간격이 대략 4년이라고

하죠, 정주형 사회 즉 농업 사회는 임신 간격이 2년으로 줄어든다고 합니다. 수렵 채집민처럼 이동할 이유가 없고, 이동의 제약이 없기 때문이죠, 덩달아 정주형 농업 사회에서는 작물화, 가축화의 이점 때문에 출산 인구가 많아져도 인구 수용이 감당 가능합니다. 풍부한 동물성 단백질과 유제품, 그리고 넓은 땅을 개간할 수 있는 가축을 길들였기 때문이죠.

"식량을 인위적으로 생산하는 사회는 출산율도 높은 데다 단위면적당 더 많은 사람을 먹일 수 있기 때문에 수렵 채집사회보다 인구 밀도가 훨씬 높을 수 밖에 없다.
잉여 식량을 저장할 수 있게 된 것도 정착 생활의 또 다른 영향이다. "
- 제레드 다이아몬드 <총균쇠> 2장 4장 농업의 힘 139p 인용

정주형 농업 사회는 곧바로 "잉여농산물"이 생겨납니다. 맑스(marx)의 말대로 잉여 농산물이 축적되는 순간 권력 관계가 발생하기 시작하죠. 즉 농업에 종사하지 않아도 되는 계급이 생겨납니다. 제레드다이아몬드 선생은 그 계급을 대표적으로 "왕과 관료"로 뽑았는데요, 한 번 살펴보겠습니다.

"그런 전문 계급에 속한 대표적인 두 유형이 왕과 관료이다. 수렵 채집사회는 상대적으로 평등한 사회여서 전업 관료와 세습 군장이 없고, 정치조직도 소규모 무리나 부족 수준을 넘어서지 않는다. (중략) 반면 농경 사회에서는 식량을 비축하기 시작한 순간부터 엘리트 정치조직이 농부가 생산한 식량을 통제하는 권한을 장악하고, 세금을 부과할 권리를 주장하며, (중략) 과세를 통해 거두어들인 잉여 식량으로 왕과 관료 이외 다른 직업 전문 계급도 부양할 수 있다. (중략) 저장 식량은 정복 전쟁에 종교적 정당성을 부여하는 성직자,

금속을 다루며 칼과 총 등 다양한 기술을 개발하는 직공과 상인, 기억보다 훨씬 많은 정보를 정확히 보존하는 필경사를 먹이는데도 쓰였다."
- 제레드 다이아몬드 <총균쇠> 2장 4장 농업의 힘 139p~140p 인용

마지막 인용구이자 제일 중요한 대목입니다. 이동형 수렵 채집 사회는 권력의 구심점이 생길 수 없습니다. 인구 밀도도 낮은데다가(이동의 제약과 임신 간격) 인구를 부양할 수 있는 식량 공급도 낮아서 늘 소그룹 부족 사회에 머물러 있고, 정치 조직도 평준화되어 있습니다. 읽으면서 생각난 사람이 노자입니다. 노자가 주장한 이상적인 국가 시스템으로 "소국과민"을 주장했죠, 적은 수의 인구는 권력의 구심점에 큰 기여를 할 수 없다는 점을 꿰뚫어본 게 아닐까 싶습니다. 이동형 수렵 채집민과 달리 정주형 농업사회는 "잉여생산물"이 발생하게 되고, 임신 기간도 짧아지고, 잉여 생산물로 그 증가된 인구도 부담할 수 있으며, 가축화를 시도해 동물성 단백질 및 유제품과 좋은 비료, 그리고 척박한 땅의 개간으로 농업사회 규모는 날이 갈세 더더욱 커지게 됩니다. 잉여생산물을 차지한 계급은 왕권과 똑 부러진 관료를 세우게 됩니다. 거기서 이 잉여생산물을 "과세"로 걸고, 자신의 권력을 유지하기 위해서 관료들과, 종교적 정당성을 보장하는 성직자한테 나눠줍니다.

총균쇠라는 문명사적 특징은 초기의 인구 부양 요소에서 갈리게 됩니다. 필요한 칼로리를 수렵 채집으로 확보하는지, 아니면 정착해서 작물을 심고, 가축화하는지에 따라서 생활 양식이 달라지고, 정치 조직이 달라지는 모습을 확인할 수 있습니다.

민주적 정치 조직은 소그룹, 노자가 제시한 소국과민에서 시작됩니다. 이동의 제약이 있어 임신 간격이 길고, 필요한 칼로리에 비해 수급이 어려운 이동형 채집민은 작은 사회로, 혹은 주변부로 밀려나게 됩니다. 반대로 이동의 제약도 없고, 가축과 작물화에 성공한 정착형 농업 사회는 임신 간격이 짧고 인구 부양 칼로리도 손쉽게 확보하고, 잉여 생산물로 계급이 발생해 권력의 구심점이 발생하게 됩니다.

이 점을 유심히 봐야합니다. 식량 생산이 문화적 요인을 결정했다는 점을요. 권력관계는 어디에서 시작되었나, 왜 수렵 채집민은 농업민과 다르게 역사를 지배하지 못 하고 사라졌나, 어쩌면 "농업 생산물"에서 많은 인구를 부양할 수 있고, 계급이 분화되고 전문화되어 군사계급, 성직자 계급, 왕과 관료가 권력의 구심점이 되어 역사를 이끌어왔다고 이해할 수 있습니다.

환경에 따른 생활 양식의 차이성이 권력의 위계질서를 만들어 낸다는 점이 오늘의 메시지가 아닐까 싶습니다.

문명의 방향은 위도가 결정한다.? - 재러드 다이아몬드 <총균쇠>를 읽으면서.

"결국, 유라시아에서는 중심축이 동서로 연결된 덕분에 비옥한 초승달 지역의 작물이 아일랜드부터 인더스강 유역까지 온대권 위도에서는 농경의 시작을 자극하고, 동아시아에서는 독자적으로 시작된 농업의 질을 높이는 데 기여할 수 있었다."
- 제레드 다이아몬드 <총균쇠> 2부 10장 300p 인용

세계화, 혹은 글로벌화라는 담론은 이제 시시한 이야기가 되었습니다. 경제적 입장에서 세계화는 "각 비교 우위에 있는 산업을 육성해 교환"하는 효율적인 체제입니다. 그러나 언론사에서는 늘 "부가가치"가 높은 반도체 산업과 금융 시장의 이야기에 큰 지면을 할애하고, 부가가치가 낮은 바나나, 커피 원두를 생산하는 아프리카 혹은 동남아시아의 이야기는 작은 지면조차 할애하지 않습니다. 세계화 담론은 익숙해졌지만, 보이지 않는 "중심"과 "주변"이 이분법으로 나뉘어 있다고 생각됩니다.

재러드 다이아몬드 선생은 1960년대 뉴기니섬에서 친구 "얄리"의 질문에 대답하기 위해서 이 거대한 저작을 풀어냈습니다. 얄리 선생의 질문은 요약하자면 이렇습니다.
"왜 당신네는 이런 선진 문물을 개발하고 들여오는데 왜 우리는 이렇게 하지 못한다는 거요!"라고 말이죠. 결론부터 말하면 다이아몬드 선생의 주장은 "지리적 차이"에 의한 "위도"의 문제와 "가축화"를 성공한 유무에 따라서 달라진다고 했습니다.

다른 글에서 언급했는데, 문명의 조건은 수렵 채집 단계에서 "정착"한 농경 사회 단계라고 소개했습니다. 농경 사회란 거주하는 기후대

에 알맞은 품종을 선택하고 재배해 부양 중인 인구수보다 "많은 양의 식량"을 생산해야 하고, 작물화에 성공하기 위해선 대형 포유류를 반드시 "가축화"해야 한다고 했습니다. 가축화란 인간의 손으로 길들인 짐승들인데, 사실 많은 시간이 지났음에도 우리 손으로 길들인 짐승의 수는 매우 적습니다. 자, 가축화에 성공해야지 곧 작물 재배의 생산성도 높아진다고 말하는데, 그 이유는 무엇일까요? 무엇보다 "가축화한 포유류"에서 동물성 단백질을 얻을 수 있고, 풍부한 유제품도 짜낼 수 있으며, 포유류의 배설물이 훌륭한 비료가 되기 때문입니다. 마지막으로는 소를 이용한 쟁기질이 딱딱한 땅을 쉽게 개간할 수 있기 때문에 재배 면적이 늘어나 "부양 인구 규모"가 급격히 확대된다고 말할 수 있죠.

메소아메리카 대륙과 유라시아 대륙의 축이 서로 다르다고 소개했습니다. 다이아몬드 선생님은 문명의 축이 하필 유라시아 대륙 쪽으로 유리하게 편성되어 있는데, 거기에 더해 "가축화"할 수 있는 대형 포유류의 종이 유라시아 대륙에 몰려있다고 말했습니다.

"가축화하기에 적합한 야생 포유동물과 작물화하기에 좋은 야생 식물이 다양하게 분포한 덕분에, 비옥한 초승달 지역 사람들은 집약적인 식량 생산을 위해 생물학적으로 건강하고 균형 잡힌 작물들을 어렵지 않게 조달할 수 있었다."
- 제레드 다이아몬드 <총균쇠> 2부 10장 235p 인용

언급된 초승달 지역은 역사 시간에 자동반사적으로 배운 "메소포타미아" 문명의 발원지인 유프라테스와 티그리스강 유역을 지칭합니다. 이 지역에 가축화하기에 적합한 야생 포유동물이 몰려있다고 말하죠, 그렇다면 인과적으로 왜 유라시아 대륙이 다른 대륙보다 포유동물이 서식하기 적합한 이유를 찾아야 합니다. 저자는 이렇게 말

니다.

"그 이유는 유라시아가 세계에서 가장 넓은 대륙이어서 생태학적으로 무척 다양한 데다 광활한 열대우림부터 온대림과 사막과 습지를 거쳐 역시 광활한 툰드라까지 동식물의 서식지도 변화무쌍하기 때문이다. (중략) 아프리카는 동남아시아보다 면적이 좁고 생태학적으로 덜 다양하기 때문이다."
- 재러드 다이아몬드 <총균쇠> 2부 9장 265p 인용

생태학적으로 다양하다는 말은 대륙의 지형 범위가 넓어서 다양한 기후대를 공유하기 때문에 다른 아프리카 대륙이나 메소아메리카 대륙보다 서식지가 풍부하다고 주장합니다. 가축화에 성공한 메소포타미아 문명은 자연적 장애물이 없는 유라시아 동-서 방향으로 작물 하기 쉬운 "자화수분 작물(자웅동체/무성생식:감자, 완두콩)"을 위도가 동일한 여러 방면으로 전달하게 됩니다. 가축화한 포유동물은 앞서 말씀 드린 대로 이동 수단이 되기도 하고, 영양가 넘치는 비료를 배설하고, 동물성 단백질과 유제품을 제공하며 궁극적으로 땅을 개간할 때 인간의 노동력을 능가하기 때문에 인구 규모 확대에 선제조건인 "식량 생산"을 폭발시켜줍니다.

"축 방향의 대륙 간 차이는 식량 생산뿐 아니라 과학 기술과 발명의 확산에도 영향을 미쳤다. 예컨대 기원전 3000년경 서남아시아에서, 혹은 그 부근에서 발명된 바퀴는 동서로 유라시아 거의 전역에 수 세기 만에 신속히 확산했다. (중략) 마찬가지로 기원전 1500년경 비옥한 초승달 지역 서부에서 개발된 음소 문자(音素 文字), 즉 알파벳 원리는 약 1,000년 만에 서쪽으로 카르타고까지, 동쪽으로는 인도아대륙까지 전해졌다. 그러나 선사 시대에 메소아메리카에서 꽃피었던 문자 체계는 적어도 2,000년 동안은 안데스 지역에 전해지

지 않았다."
- 재러드 다이아몬드 <총균쇠> 2부 10장 307~308p 인용

문명의 방향은 대륙 축이 결정한다는 "지리 환원주의"에 빠질 수 있지만, 다이아몬드 선생님의 메시지 이면에는 "뉴기니 친구 얄리의 부당함"을 해소해준다고 생각합니다.

세계화 담론에는 "중심과 주변"이 나뉘어 있습니다. 이제 와서 우리는 문명의 발달 순서가 "대륙 축에 의한 위도와 가축화 여부"에 따라서 달라졌다고 믿는 추세지만, 19세기 계몽주의 사상은 곧 인종주의를 만들어내고 "열등한 민족"과 "우월한 민족"의 보이지 않는 구분을 만들어냈습니다. 찰스 다윈의 진화론은 "자연선택의 우발성"입니다. 다윈은 "살아남았다는 것은 우월한 게 아니라 우연의 요소"일 뿐이라고 생각했지만, 후대의 사회진화론자 "하버트 스펜서"는 "살아남고 진보하는 문명은 곧 우월한 민족의 특징"이라고 교묘히 단어를 바꿔버립니다. "우연과 우월"의 한 끗 차이는 살아 있는 고통을 양산해냈습니다. 아프리카 흑인 인종한테 시행된 "아파르트헤이트"정책은 흑인 자녀와 흑인 부모를 분리시켰습니다. 미국에서는 300년 이상 흑인과 백인의 대대적인 분리 정책이 시행되었습니다. (물론 제가 이런 말을 한다고 해서 진보 진영의 정체성 정치에 공감하고 지지한다는 소리는 아닙니다) 결론은 이렇습니다. 인종으로 나눠서 생각하고, 열등과 우월의 기준으로 차별하는 태도를 조금 더 내려놔야 한다고 생각합니다.

동아시아에서 다원화 사회로 나가기 어려운 이유는 "민족 정체성"이 너무 강하게 자리 잡았기 때문입니다. "국뽕"혹은 "k"문화는 자랑스러운 대한민국의 소프트웨어 강점이지만, 자칫 자제 없이 자국 문화에 너무 심취해버리면 "문화 상대주의자"로 빠져서 국내에

거주하는 다른 민족의 문화와 고유성을 해쳐버리기도 합니다.

다이아몬드 선생은 총균쇠에서 "문명의 우월성"은 사실 "문명의 우연성"으로 비판하면서 "소수인종과 주변"으로 밀려난 모든 소외의 목소리를 대변해주고 있는 게 아닌가 싶습니다. 문명의 발달은 "가축화에 유리한 유라시아 대륙의 생태학적 환경과 위도의 차이"가 결정했으니 그 문명의 힘을 스스로 이뤄냈다고 자만하지 말라고 당부합니다.

권력의 자살은 가능한가?_ 재러드 다이아몬드의 <총균쇠>를 읽으면서.

소국 과민, 노자의 도덕경에서 궁극적으로 지향하는 사회 모델을 소국과민이라고 주장합니다. 일반적으로 노자를 루소와 똑같은 "자연주의자"라고 해석하곤 하지만, 제 주관적인 생각으로 노자 선생의 소국과민은 "상선약수"에 기반한 사회 모델이라고 생각됩니다. 노자는 물보다 강한 권력은 없다고 생각했습니다. 권력의 속성은 똑같을 수 있지만, 권력의 사용 방식에는 큰 차이가 있죠, 노자의 소국 과민은 마치 고도가 높은 곳에서 낮은 곳으로 흐르는 "물의 흐름"처럼, 자연상태에서 맡은 소임대로 꿋꿋하게 살아가는 사회 모델을 이상적으로 바라본 게 아닌가 싶습니다.

재러드 다이아몬드 선생의 총균쇠는 결국 "문명 유럽인"의 "비문명 비유럽인"의 대체현상을 두고 "그저 환경에 의한 우연"이라고 일축하는 내용입니다. 애국심, 문명인, 성장, 개발도상국과 선진국, 인권, 여기서 언급된 단어 모두 "추상적인 명사"입니다. 물질적이지 않으며 해석하기 나름인 "추상 명사"입니다.

"국가를 위해 자발적으로 희생해야 한다는 것은 현대 국가에서도 학교와 교회, 정부를 통해 우리 머릿속에 깊이 각인된다. 그래서 우리는 이러한 희생정신이 인류 역사에서 유례가 없는 현상이라는 걸 잊은 채 살아간다."
- 재러드 다이아몬드 <총균쇠> 14장 평등주의에서 도둑 정치로 443p 인용

아리스토텔레스는 "국가"가 자연스러운 현상이라고 생각했습니다. 현대적 개념인 국가의 범위와 아리스토텔레스가 살다 간 헬리니즘

시대의 "국가"의 범위는 무척 다르죠, 도시국가 개념으로서 "폴리스"는 아리스토텔레스가 말한 대로 인간의 자연스러운 본성이었습니다만, 대한민국만 보더라도 5천만 인구수가 비좁은 땅덩어리에 아무런 갈등 없이 살아가기란 "자연스러운"일은 아닙니다. 장 자크 루소는 국가의 개념을 "계약"으로 이해했습니다. 자연스러운 위계에 따른 권력은 "인민"이라 불리는 일반 서민의 이해관계가 반영된 합법적(合法的) 기구라고 말합니다.

다이아몬드 선생은 군중이 모인 사회를 단계별로 주장하는데 순서대로 나열해보자면,
"무리 사회" "부족 사회" "군장 사회" "국가"로 이동한다고 합니다. 각 단계의 구분 점은 인구 규모에 의한 문화적 차이가 있다고 말하죠,

"무리 사회에는 오늘날 우리가 당연하게 생각하는 많은 사회적 제도가 없다. 하나의 항구적인 거주 기반도 없다. 무리 사회의 땅은 구성원 모두가 함께 사용하고, 개인이나 하위 집단에 분할되지 않는다. (중략) 무리 사회의 조직은 흔히 '평등주의적'이라는 말로 표현된다."
- 재러드 다이아몬드 <총균쇠> 14장 평등주의에서 도둑 정치로
  423p 인용

칼 마르크스는 목적론적 역사로 공산주의 사회의 필연성을 주장하는데, 역사의 첫 번째 단계를 위에서 언급한 "원시 사회"라고 말합니다. 맑스는 "원시 공산 사회"라고 주장했는데, 다이아몬드 선생과 맑스 둘 다 "잉여농산물"이 축적되지 않은 단계에서는 정치적 결정 권한이 평등하게 배분되고, 위계적인 질서가 발생하지 않는다고 합니다. 다이아몬드 선생은 무리 사회와 부족 사회의 결정적인 구분

점은 "작물화와 가축화" 유무에 따른 잉여 식량이라고 생각했습니다.

"인간이 무리 사회를 넘어 맞이한 첫 단계는 '부족 사회'이다. 부족 사회는 규모가 더 크고 대체로 일정한 곳에서 정착 생활을 한다는 점에서 무리와 다르다. (중략) 정착 생활을 위한 선결 조건은 식량 생산, 아니면 좁은 지역에서 사냥하고 채집할 수 있을 정도로 자원이 집중된 생산성이 높은 환경이다."
- 제레드 다이아몬드 <총균쇠> 14장 평등주의에서 도둑 정치로 427p 인용

부족 사회는 "씨족(clan)"집단입니다. 정착 생활과 이동 생활 경계에 있는 이 단계에서는 자원의 집중화, 즉 인구 규모가 폭발적으로 증가하기 위해서 요구되는 식량 자원의 축적이라고 말할 수 있습니다. 무리 사회와 부족 사회는 위계적인 질서와 전문화된 직업, 지배자의 지위 세습이 발생하지 않는 평등주의적인 성향을 보인다고 합니다. 원시 공산 사회답네요! 여하간 부족 사회에서 증가하는 인구를 부양할 수 있을 만큼, 작물 재배에 성공적이면, 자연스레 인구는 증가할 테고, 규모는 더욱 커지면서 "다양한 사회 해악"이 발생할 경우가 많습니다. 결국, 토머스 홉스가 말한 자연상태의 폭력이 일상화가 되고, 그 해악을 저지하기 위해서 강제력이 필요해지는데, 이때 "중앙집권적으로 통치하는 군주제"가 발생한다고 합니다.

"인구 규모에서 군장 사회는 부족 사회보다 상당히 커서 수천 명에서 수만 명에 이르렀다. 그 정도 규모의 군장 사회에 속한 사람들은 혈연이나 결혼으로 맺어진 가까운 관계도 아니고 이름도 서로 몰랐기 때문에 내부 갈등이 일어날 가능성이 다분했다.
(중략) 그 문제를 해결하는 방법 중 하나는 한 사람, 즉 군장이 무

력 사용 권리를 독점적으로 행사하는 것이었다. (중략) 또 군장은 권력을 항구적으로 장악한 권위체여서 모든 중대한 결정을 내렸으며, 중요한 정보도 독점했다."
- 제레드 다이아몬드 <총균쇠> 14장 평등주의에서 도둑 정치로 431p 인용

국가는 내부적으로 발생할 수 있는 모든 폭력과 힘을 "합법적"으로 독점합니다. 내부 치안 유지를 위해서, 외부의 적을 상대하는 안보의 이름으로 권력의 구체적인 폭력성은 "합법"적으로 처리됩니다. 여기서 맑스의 도식대로 쭉 살펴보면, "작물화"에 성공하고 "가축화"에 성공해 인구 규모가 급격하게 불어난 집단에서 "잉여농산물"을 축적한 계급과 잉여농산물을 생산해도 그것을 "사적으로 소유할 수 없는 계급"이 발생하면서, 항구적인 불평등 관계가 발생합니다. 군장 사회로 묘사한 군주제 사회는

이처럼 힘에 의한 분업 사회로 이해할 수 있습니다. 맑스나 루소는 군장 사회를 현대 국가의 전신으로 이해합니다. 이를테면 "잉여"생산물이 발생해서 위계적인 계급이 발생하는 이유는 "사적 소유권리" 때문이라고 생각하기 때문이죠. 공산당 선언에서 맑스와 엥겔스는 교묘하게 말장난을 합니다. "소유권의 일반 형태는 문제가 없지만, 부르주아한테 생산수단 독점을 허용하는 사적 소유권 제도"는 철폐되어야 한다고 말이죠. "무언가를 소유한다."라는 소유 그 자체는 아무런 문제가 없지만, 물건을 생산하는 공장을 "사적으로 소유"하는 사적 소유권은 부당하고 없어져야 할 개념이라고 정의합니다. 소유권 제도에 의한 권력 집단은 집단 내 중요한 정보를 독점하고, 일방적인 견해로 결정권을 독점하게 됩니다. 군주제 사회는 "식량을 생산하는 계급"이 따로

주변부에 서 있고, 풍부하게 생산된 식량으로 "군인, 관료, 성직자" 한테 배분해주면서 권력의 정당성을 끝없이 옹호하는 "지배계급"이 있습니다. "왕과 농민"은 이렇게 위계적인 관계, 중심과 주변의 관계로 나타납니다.

"군장 사회의 특징을 꼽자면, 군장의 권위에 힘을 실어주는 이데올로기가 있었다는 것이다. 그 이데올로기는 제도화된 종교의 예고편이라고 할 수 있다. "
- 재러드 다이아몬드 <총균쇠> 14장 평등주의에서 도둑 정치로
  437p 인용

종교(宗敎)의 어원은 두 가지가 있다고 합니다. 영문으로 "religion"이라 표기하는데, 이때 첫 번째 어원은 "끊어진 것을 다시 잇는다"와 "경전을 반복해서 읽는다."라고 합니다. 아마 후자는 그리스 문명에서 유래했다고 파악되는데, 군장 사회에서 "경전"은 곧 "권력의 속성을 감추고, 현재 체세가 옳다고 여기는"모든 것을 포함한 문서입니다. 예컨대 많은 군장 사회는 "신정(神政)"사회입니다. 신의 대리인이 곧 "군주"라고 해석해서 지배력을 정당화합니다. 살아 있는 권력은 미디어를 통해서, 구성원에게 좋은 호응과 반응을 얻기 위해서 선전(宣傳)합니다. 세뇌 교육이죠. 일종에, 경전을 반복해서 읽는다는 종교의 어원은 어쩌면 권력 집단을 위해서 미디어를 반복해서 쳐다본다고 현대적으로 이해할 수 있을 거 같습니다.

글의 제목을 "권력의 자살"이라고 표기했는데, 마무리하면서 설명하겠습니다. 권력도 역시나 추상 명사입니다. 정보를 독점하고 결정을 일방적으로 내리는 모든 단위를 싸잡아 "권력"이라고 부릅니다. 권력은 "잉여농산물"에서 시작되었고, 차례대로 무리 사회, 부족 사회, 군장 사회, 국가"로 나아간다고 합니다. 핵심은 "잉여"농산물이

죠, 가축화와 작물 재배에 유리한 유라시아 대륙은 다른 대륙권보다 일찍 "군장 사회"로 나아갔습니다. 군주제가 발생하고 기술력을 접목한 상품을 만들어냈습니다. 그럴수록 권력은 자신의 속성을 예리하게 감추고, 오히려 선전하는 기술이 발달하게 되었죠, 그럴수록 권력은 자살하고, 권력의 속성을 보다 많은 사람이 누릴 수 있도록 "평등"한 사회로 나가길 주저합니다. 권력은 쉽게 해체되지도, 자신의 모습을 전면에 드러내지도 않습니다. 권력은 자살해야 합니다. 소국 과민! 오늘도 외쳐봅니다.

2. 철학 예찬

생명과 원자에 관한 나의 생각들

"만물은 허공(虛空)과 원자(原子)로 이뤄졌다."
데모크리토스와 에피쿠로스의 생각에 생명체는 그 어떤 숭고한 목적이나 계획안에서 태어난 존재가 아닙니다. 우리가 살아가는 시대는 더 이상 자연 현상을 신화적(Mythos)으로 해석하지 않고 과학이라는 이름하에, 관찰과 잠정적 가설로 받아들입니다.
태양의 빛은 수소 핵융합 과정에 일부로서 수소와 헬륨 사이의
핵력으로 설명합니다. 모든 생명체, 우선 인간이라는 생명체는 포도당을 산화시켜 에너지를 얻습니다. 과학은 하나의 가설이고, 그 가설에는 인간적인 의미를 부여하지 않는다고 생각합니다. 인간적인 의미는 그야말로 살아 있는 생명에게 필요한 것이죠.

원자는 위에서 설명했습니다. 원자의 철학사적 의미만 다뤘지
과학적 의미에서 다루지 않은 것은 우선, 제가 과학적 지식이
부족하기 때문입니다. 원자를 다룬 데모크리토스의 생각과 에피쿠로스의 생각은 "죽음"이라는 불안으로부터 벗어나기 위해 고안했다고 생각합니다. 에피쿠로스는 죽음을 별거 아닌 애들 장난으로 취급하죠, 인간은 "원자가 운동 방향에 의해서 충돌한 합성물"일 뿐이고, 죽음은 사후 세계의 과정도 아니며, 단순히 원자가 나름의 구조를 갖춰 그 힘을 유지하다가, 어느 순간 흩어져버리는 사건일 뿐이라고 말입니다. 죽음은 살아 있을 때 경험되지
않고, 죽은 후에는 죽음을 경험하는 "신체"가 사라지기 때문에 경험할 수 없다고 합니다. 말장난 같지만, 에피쿠로스의 여유가 느껴지죠.

원자는 단순히 "목적론"과 "관념론"을 대체하기 위해서 만들어낸 유물론이라고 생각했습니다. 학문의 분화가 일어나고, 인간을 이해하기 위해서 "원자"를 관찰하면서 물리와 화학, 그리고 코펜하겐 해석으로 불리는 양자 역학까지 발전했다고 생각합니다.

모든 생명체는 흩어지려는 분자를 붙잡기 위해서 많은 에너지가 필요합니다. 열역학 2 법칙인 엔트로피 증가 현상은 에너지 총량은 변하지 않으나, 시간에 따라 사용 가능 형태에서 사용 불가형태로 진행된다고 합니다. 즉, 무질서가 커진다고 볼 수 있죠, 그래서 식물은 광합성을 거쳐 엔트로피 현상에서 벗어나고, 동물은 호흡 과정을 통해 흩어지는 분자를 움켜잡습니다. 동물의 호흡은 포도당을 산소에 산화시켜 수소 이온으로 만들어내 에너지에
사용한다고 합니다. 반대로 식물의 광합성은 태양의 정열적인 빛으로 엽록체에서포도당을 분해해 수소 이온을 취한다고 하죠, 살아남기 위해서 미토콘드리아와 엽록체는 부단히 투쟁한다는 사실이 참신기했습니다.

살려는 의지가 없는 사람의 미토콘드리아는 부단히 포도당을
산화시키려 호흡하고, 혈관 내 적혈구를 만들어내기 위해서 허파 속 산소를 사용한다는 사실이 참 아이러니하게 느껴졌습니다. 자살이라는 하나의 사건을 굳이 윤리학을 들먹이지 않아도 "자연"의 섭리를 거스르는 사회적 행위라는 것을 다시 생각했습니다.

젠더와 권력_ 보부아르와 주디스 버틀러의 젠더 이데올로기에 관한 나의 생각

시대적 문제점을 다양한 시각에서 논의하는 과정을 담론(談論)이라고 합니다. 우리 시대에 산적한 문제점 중에서 "젠더"갈등이 첨예하게 대립하고 있죠. 오늘은 마치 사회 속 금기어 "젠더"에 관해서 이야기하려고 합니다. 중학교 과학 시간에 "생명"을 배웁니다. 지금 교과 과정으로 필수인지 모르겠지만 8년 전 저는 생명 시간에 염색체의 구조를 배웠습니다. 호모 사피엔스의 염색체는 23쌍으로 구성되어 있습니다. 그중에서 23쌍은 상염색체로서 2개씩 상동염색체로 존재하죠, 나머지 1쌍은 성염색체로서 남성의 경우 XY 여성의 경우 Xx 염색체를 갖게 됩니다. 우리의 "성별"은 두 번의 감수 분열 과정에서 결정됩니다. 한 쌍의 성염색체로서 "성"을 생물학적 성별인 "sex"라고 지칭합니다. 그러면 젠더(gender)는 대체 무슨 뜻일까요?

실존주의 사상가 시몬 드 보부아르는 자신의 주저 "제2 의성"에서 유명한 말을 남겼습니다. "여성은 태어나는 것이 아니라 만들어지는 것이다"라고 말이죠, 여성은 생물학적 성별을 뛰어넘은 "사회적으로 결정된 행동 양식"에 따라 "종속적인 성별"로 만들어진다는 것입니다.

젠더의 개념은 보부아르의 성과죠,
다시 말해 젠더는 "사회와 문화적으로 결정된 행동 양식"입니다.
예를 들어 "여성은 ~~해야 된다."라는 암묵적인 통념들 말이죠,
역사를 계보학처럼 순서대로 나열했을 때 생물학적인 남성과 여성 위에 "사회적인 성 역할"이 존재합니다. 15세기 조선 시대 생물학적인 여성은 "조선 시대의 유교적인 여성의 역할"을

강제적으로 부여받았습니다. 여기서 젠더의 역할은 "유교적인 여성관"을 지칭합니다. 감수 분열로 발생한 "성염색체 차이"가 "성별에 따른 차별"로 군림하게 된다는 것이죠,

위에서 우리는 데카르트적 주체관을 살펴봤습니다. 세상을 "나"와 "너"의 관점으로 바라보는 이분법적인 구조에서 "나"는 권력을 갖게 되고 "너"는 권력에 의해 파악 당하는 위치로 전락합니다. 마찬가지로 남성의 성 역할을 "나"가 되고 여성의 성 역할은 "너"가 되어 지배적인 권력 관계로 이뤄졌습니다.

철학에서 이를 "주체와 객체"의 관계로 본다고 했죠, 마찬가지로 능동적인 남성성은 "주체"로 군림해 수동적인 여성성을 "객체"로 억압한다고 주장합니다.

보부아르는 여기서 문제점을 말하고 있습니다. 생물학적인 성별 차이를 뛰어넘어 문화적으로 강요당하는 남성성은 여성성을 만들고 "지배"한다고 말이죠, 애당초 남성성과 여성성은 "문화가 만들어낸 인공적인 가공품"에 불과한데,

우리는 아무런 의심 없이 "남성의 지배적인 우월함을 내면화"하고 "여성의 수동적인 열등함을 내면화"한다고 비판합니다. 이런 사회적 통념을 내면화해서 최종적으로 젠더 속 숨겨진 권력 관계를 자연화 (naturalzation)하는 사회적 구조를 비판합니다.

보부아르의 생각은 1968년 프랑스의 성혁명 속에서 진가를 발휘하게 됩니다. 그리고 보부아르의 젠더 개념이 주디스 버틀러의 "퀴어 이론"에 영향을 미치죠,

퀴어 이론(queer)은 사실 동성애자를 경멸적으로 부르는 단어입니다. 그러나 동성애자들이 적극적으로 이 단어를 재해석하면서 부정적인 동성애 시각을 전복하려고 노력했습니다.

주디스 버틀러는 "생물학적인 성별과 문화적으로 강요된 성역할, 젠더" 모두 "수행성(performativity)"으로 결정된다고 주장합니다. 수행성은 말 그대로 행동과 생활의 반복이 곧 "체화"돼서 "나"를 만들어간다는 생각입니다. 고정된 "나"는 없고 습관에 의해서 "나"라는 정체성이 만들어진다는 것이죠, 버틀러의 수행성 이론은 이성애와 동성애의 구분, 남성과 여성의 구분을 해체합니다.
성별이라는 구분 자체가 폭력이고 "오로지 나의 수행성, 행동과 행동의 반복"에 의해 "나"라고 부르는 성적 정체성이 결정된다는 이론을 전개합니다.

그런데 우리는 여기서 한 가지 의문을 제기할 수 있습니다. 왜 "여성"과 퀴어 이론의 "동성애"자는 연결되어 생각하는가? 그 이유는 "여성과 동성애"자를 사회적인 소외 계급, 종속적인 집단이라고 파악하기 때문입니다.

앞서 살펴본 주체와 객체의 이분법에는 권력의 속성이 숨어 있습니다. 그래서 보부아르나 버틀러 모두 "주체와 객체"라는 이분법 구조를 해체하려고 노력합니다. 그들이 생각하기에 사회 문화적인 주체 계급은 "남성, 기독교인, 자본가, 백인, 유럽인, 이성애자"가 되고 객체 계급은 "여성, 이슬람교, 노동자, 흑인, 아시아인, 동성애자"가 됩니다. 완벽한 대척점을 가지고 있죠? 풀어서 설명하면 남성의 성 역할은 여성의 성역할을 지배하고, 이성애문화는 동성애자를 혐오와 차별을 가하고, 기독교인은 이슬람교도를 차별하며, 자본가는 임금 문제로 노동자를 착취한다는 생각입니다. 사회 내 모든 계층은 "권력 관계"로 이뤄졌으며, 이러한 집단적인
권력 관계를 "상호 교차성이론(intersexuality)"이라고 합니다.

오늘날 젠더 이론과 페미니스트 이론은 "교차성"에서 소외된 계급을 옹호하고, "수행성"이라는 활동에 의해 나의 성적 정체성이 결정된다고 주장합니다.

여러분들이 생각하시기에 이들의 이론과 말이 어떻게 다가오는지 모르겠습니다만 개인적으로 저는 동의하지 않습니다. 우선 생물학적인 성별을 고려하지 않은 점과

사회의 모든 관계를 **"권력에 의한 종속 관계"**로 해석한 점이 특히 불편하게 다가옵니다. 생각해봅시다. 자연은 애당초 "권력에 의한 투쟁 관계"입니다. 권력의 종속성,권력을 쥐고 있는 사람이 다수의 사람을 지배하는 현상은 역사적으로 지속되어 왔고, 민주주의의 위대함은 그 권력성을 견제하는 수단을 "법적 관계"로 바꿔놓았다는데 있습니다. 물론 보부아르와 버틀러가 말하는 권력은 "공적 영역"을 제외한 우리의 일상들, 학교와 가정, 미디어와 모임에서 발생하는 "주체와 객체"의 권력의 속성을 비판하는 데 있지만 말입니다.

이들은 사회 이면에 깔린 모든 "권력에 의한 지배"를 밝히고, 그것을 전복하려고 합니다. 남성성을 "권위주의적인 폐습"이라고 지적하고 기독교인의 교리와 전도 생활을 "다수의 기독교적 가치를 강요하는 폭력"으로 규정하고 남녀의 관계를 이성애 중심주의라고 말하면서 "이성애 관계 자체"가 동성애자를 향한 차별과 폭력이라고

규정합니다. 모든 것을 "교차성"으로 해석합니다.

차별하는 자와 차별당하는 자로 구분하고 그 프레임을 해체한다는 명분으로 역으로 차별하고 발언과 토론의 자유를 심각하게 훼손하는 반문화투쟁이라고 봅니다.

사견입니다. 동성애"자"는 물론 "동성애"라는 정체성 이전에 "사람"으로서 존중받아야 합니다. 그것은 법적 권리입니다. 그러나 "동성애"라는 "특정 행위와 현상"에 "가치 판단"을 거부하는 자유주의 사상은 잘못된 것입니다. 이성애는 선이고 동성애는 악이다고 극단적으로 주장하기 전에, "애당초 동성애 행위가 어떤 사회적 파급을 일으킬지 논의하는 과정 자체를 없애버리는 차별 금지법"은 민주주의의 고유한 기능을 자발적으로 걷어차 버리는 행동입니다.

생물학적으로 남성과 여성은 구분되어 있습니다. 이것은 자연적인 "차이"입니다. 물론 문화적으로 강요하는 성 역할은 개선되어야 합니다. 그러나 많은 영역에서 개선됐고 우리가 사는 사회는 개선하려고 노력할 것입니다. 남녀의 임금 격차도 줄었고, 여성의 고용도 남성과 다를 바 없이 증진되어 왔습니다. "성"이 아니라 "능력"과 "자격"으로 주어지는 사회가 왔습니다.
(물론 롤스와 같은 사람은 능력도 공정하지 않은 우연에 의한 것이라고 합니다만.)

그러나 극단적인 페미니스트 이론은 "성"이라는 구분 자체를 무시합니다. 주디스 버틀러의 말을 들어보면 "수행성"이라는 것, 나의 일상적인 행위가 "나의 성적 정체성"을 결정하는 것을 보면 구분 자체를 허물어 버리는 시도입니다. 이런 사상에 의해 법률이 채택되면 사회 전체가 큰 혼란에 빠지게 됩니다.

동성애자에 관한 존중은 자발적인 시민 사회 측면에서 이뤄져야 하고 법적인 보장은 다른 문제입니다. 저는 성경을 믿습니다. 그들은 아마 성경의 성 역할도 권력 관계로 해석하고 성경의 남성 성 역할이 수동적인 여성 성 역할을 강요하고 지배했다고 주장할 것입니다. 그러나 성경에서의 성 역할은 무엇보다 공평하다고 생각합니다. 우리는 남성과 여성으로 생물학적으로 결정되었습니다. 남성의 성 역할과 여성의 성 역할도 생물학적인 "차이"에 의해서 생긴 것이지 무조건적으로 없어져야 할 문화는 아니라고 봅니다. 동성애 행위는 항문 성교시 발생하는 면역 결핍 현상으로 각종 합병증이 발생합니다. 동성애 행위의 해악을 알려줘야 하고, 그에 따른 책임도 무거우며 그것이 장려돼야 할 생활 양식인지 따질 수 있는 민주주의 사회를 우리가 지켜야 합니다. "토론"은 "차별"이 아닙니다. 차별 금지법은 "토론 금지법"과 다를 바 없습니다.

우리의 자유는 소중합니다. 보부아르와 버틀러가 말하는 교차성이론에서 소외된 사람, 사회적인 폭력에 무참히 짓밟힌 사람들에게 말할 수 있는 자유가 보장되려면 차별 금지법과 같은 토론 제한법은 하루빨리 폐기해야 합니다.

나는 사람을 존중합니다. 그 사람이 살아온 삶도 존중합니다. 그러나 어떤 행위는 가치 판단으로부터 중립을 유지하기 어렵습니다. 동성애 행위는 분명 토론의 과정에서 장려되어야 할 문화인지 조심해야 하고 해악이 큰 문화인지 밝힐 수 있는 지성적인 민주사회가 오면 좋겠습니다.

"나"라고 부르는 환상_ 흄의 인상론, 불교의 오온과 무아론

이전에 언급한 데카르트의 주체는 철학사적으로 "근대적 주체"를 낳았다고 말한 바 있습니다. 주체를 영어로는 "subject"라고 부릅니다. 서브젝트의 어원은 라틴어 "수비액툼"에서 파생되었는데, 이 뜻은 "~을 밑으로 비추다"로 해석합니다. 즉 조금더 완곡하게 표현하자면 "기초,토대"라고 바라볼 수 있습니다. 주체와 객체의 이분법은 쉽게 생각해서 지배하는 사람과 지배받는 사람의 관계라고 볼 수 있죠, 여기서 막강한 권력을 가지는 지배자는 "생각하는 나"인 코키토(cogito)입니다. 오직 인간만이 추상적인 사고를 할 수 있기 때문에 이 능력으로 "다른 사람과 사물, 환경"을 "파악"합니다. 여기서 지배받는 객체가 발생하죠, "파악 당하는 사람인 객체"는 주체에 의해서 지배받는다고 했습니다. 데카르트는 이런 이분법적인 관계를 인간과 자연의 세계에 그대로 도입합니다.

인간에게 파악 당하는 자연은 오직 물리 법칙에 따라서 운영되는 기계라고 보았습니다. 당시의 카톨릭적 신본주의를 그대로 해체한 셈이죠, 많은 사람이 데카르트의 기계론적 사고에서 "근대적 학문 분화"가 생겨났다고 보고 있습니다. 자연의 세계는
신의 영역이 아니라 목적 없는 물리 법칙의 세계라는 생각이 과학이라는 분야를 낳았다는 것이죠, 당시에 과학적 추론은 화형의 대상이었습니다. 갈릴레이도 그렇고 코페르니쿠스도 찰스 다윈도 자신의 저작물을 뒤늦게 내거나 욕먹을 각오를 했어야 했습니다.

여기서 "주체"가 정말 실재하는 것이냐고 반문을 든 사람이 있습니다. 스물여섯 살의 데이비드 흄은 <인간 본성에 관한 논고>를 발표하면서 데카르트가 주장한 "이성하는 주체의 권력성"을 그대로 박살 내버립니다.

흄은 데카르트가 말한 코키토(cogito)가 허구라고 주장합니다. 우리는 생각하는 이성을 소유한 "주체"라고 믿고 있으며 허상을 믿는 것에 불과하다고 타이릅니다.

흄은 정신이 오랜 습관(custom)에 의해서 만들어진 구성물이라고 했습니다. 예를 들어봅시다. 저는 손민수입니다. 손민수는 손민수로서 쭉 살아왔습니다. 무슨 개똥 같은 말장난이냐고 할 수 있지만 우리는 "내가 나임을 의심하지 않습니다."

손민수는 손민수다.라는 말을 "자기 동일성"이라고 부릅니다. 철학에서 자기 동일성은 매우 중요한데 위에서 말한 근대적 주체의 특징이 "자기 동일성"에 기반을 두기 때문입니다. 저는 2001년생이고 2001년도의 손민수는 지금의 손민수라고 여기는 까닭은 "시간의 연속성"과 "기억"을 공유하기 때문입니다. 우리는 살아온 시간 속에서 기억을 공유하지 않으면 더이상 "내"가 아닙니다.

흄은 데카르트가 생각한 이성적인 나를 감각 기관이 수용한 정보의 총합이라고 설명합니다. 매 순간 관찰하는 시각은 한 장의 사진처럼 우리 뇌에 "이미지"를 전송하고, 우리는 그 이미지와 청각과 후각을 동원해서 "나"와 "너"를 구분 짓고 "나"는 "나"라고 생각한다고 합니다.

수많은 인상(impression)이 습관처럼 축적돼서 "나"라고 생각할 뿐이라고 말합니다. 나는 생각한다고 고로 존재한다는 말은 흄의 언어로 재해석해 보면 "나는 생각한다고 믿는다. 고로 존재한다고 믿을 수밖에 없다."라고 말할 수 있습니다. 흄의 해체 사상은 초기 불교의 무아론과 유사하다고 합니다.

불교에서 주체는 "허상"이라고 봅니다. 흄과 유사하죠, 우리가 "믿고 있는 나"는 불교에서 "오온"이라고 불리는 다섯 가지 변화에 의해 흔들린다고 봅니다.

오온을 구성하는 것은 물질(색)과 지각(수), 정념(상) 의지(행) 인식 행위(식)을 뜻합니다. "나"는 물질과 지각과 정념, 의지와 인식 활동으로 구성된 그 무엇일 뿐이지 고정적인 "나" 코키토에 의한 "정신"은 없다고 말합니다.

불교의 연기론도 고정된 주체가 없다는 생각에서 발생하는 생각입니다. 연기론은 "나"와 "너"의 구분 없이 모든 것이 연결되어 있다는 것이죠, 인간에 한정되지 않고 모든 생명체와 전 우주를 뛰어넘어 모든 것은 분리되지 않고 서로 영향을 주는 관계라고 봅니다.

"나"는 만들어진 사유물일까요? 저는 데카르트의 생각하는 주체관도 흄의 해체적인 주체관도, 불교의 무아론도 모두 받아들이기 힘든 생각이라고 봅니다. 왜냐하면 "나"의 삶에 목적과 의미가 애당초 없으며 모든 생명체를 우연에 의한 진화와 생명체의 죽음 이후 아무것도 없는 말 그대로 無로 돌아갈 뿐이죠, 끔찍하다고 생각합니다.

여기서 한술 더 떠 니체가 신의 죽음을 고언합니다. 우리가 신을 죽였다고 비판한 니체는 위에서 제가 언급한 문제들, "나"라는 존재의 의미가 없어진 사회를 예견하고 혼란스러운 시대를 반영하면서 데카르트의 코키토적인 인간상을 비판합니다. "코키토, 사유하고 의심하는 내"가 주체가 된다는 말은 곧, 세상의 모든 원인과 조건이 "인간"이 된다는 말입니다. 니체는 이것을 비판합니다.

"나"는 하나의 사유 현상이라고 주장하는 니체는 인간 중심적인 사고관을 인도-유럽어 문법 구조에서 원인을 찾습니다. 보통 문법 구조는 주어와 술어의 관계로 엮여있는데, 니체는 여기서 "주어"의 선험성 때문에 인간중심주의가 확산하였다고 주장합니다. "나"는 "생각한다."라는 주어와 술어의 관계에서 "생각한다."는 동사적 표현 앞에 "나"라는 주어가 먼저 "존재"한다고 가정하기 때문에 데카르트의 명제는 이미 동어반복, 같은 말의 반복인 동시에 오류라고 주장합니다.

니체와 흄의 말대로 "나"는 그저 사회 환경 속에서 해석되고 만들어진 "구성물"일까요? 저는 그것 자체가 비극이라고 생각합니다. 그렇게 되면 윤리와 도덕도 "만들어진 기준"에 불과합니다. 그래서 사르트르는 "인간은 자유를 선고받은 존재"라고 했나 봅니다. "나"라는 "존재"가 만들어진 구성물이면, 우리는 "삶의 의미"를 있지도 않은 곳에서 찾아야 합니다. 자유의 비극, 자유의 역설이죠, 무엇이든지 될 수 있지만, 무엇도 진실은 아닌 상태입니다.

주체에 관하여_ 데카르트의 주객 이분법

세상은 고유한 "나"와 아직 파악되지 않은 "바깥"으로 이뤄져 있습니다. 많이 언급한 프로이트는 불안을 자연스러운 것, 관계에서 시작된다고 보았습니다. 우리는 고유한 "나"를 유지하기 위해 노력합니다. 그리고 그것이 흔들릴 때 "불안"을 경험합니다. "고유한 나"는 물리적으로 엔트로피가 낮은 상태라고 부를 수 있고, 철학적으론 코나투스를 유지하는 상태라고 말할 수 있습니다.

이런 따분한 개념 말고도, 우리는 우리 스스로를 유지하기 위해서 고군분투 노력합니다. 팍팍한 철학에서 고유한 "나"를 주체(subject)라고 부르고 "나"외 둘러싼 모든 것을 객체(the other)라고 부릅니다. 오늘은 주체와 객체에 관해서 끄적여 보겠습니다.

주체의 영문어 서브젝트(subect)는 라틴어로 수비액툼(subiectum)이라고 부르고, 헬라어로 히포케이메논(hypokeimenon)이라고 불렀습니다. 이를 풀어서 "눈과 마음 아래에 어떤 목표로서 놓인다."라고 한답니다.

주체라는 단어는 무언가 강압적이고 위압적인 힘이 느껴집니다. 그런 이유가 근대적 사고 방식에 있다고 합니다. 주체라는 단어가 그리스 일상어에 불과했다면 어째서 위압과 힘이 느껴지는 단어로 변모한 것일까요?

르네 데카르트는 모든 것을 의심했습니다. 그가 염세주의자라서 그런 것은 아니고, 인식하는 과정에 있어서 "확실한" 토대를 구축하기 위해서 그랬습니다.

한 번 그의 말을 들어 볼까요?

"그러므로 내가 보는 것은 모두 거짓이라고 가정하자, 저 기만적인 기억이 나에게 나타내는 것으 결코 현존한 적이 없다고 믿자. 나는 어떠한 감각도 갖고 있지 않으며 물체, 형태, 연장, 운동 및 장소도 환영 이외에 다름 아니다. 그러면 참된 것은 도대체 무엇이란 말인가. 아마 확실한 것은 아무것도 없다는 이 한 가지 사실 뿐이다." - 르네 데카르트 <성찰> 中

우리는 생각합니다. 여기서 "내"가 "생각"을 하는 걸까요, "생각을 하는 나"에서 "나"가 생기는걸까요? 말장난 같이 느껴질 수도 있습니다.

데카르트는 후자를 지지합니다. "나"라는 개념은 "오직 생각하는 순간"에서 발생한다고 주장한 셈입니다. 여기서 데카르트의 주객 이분법이 탄생합니다.

"생각하는 나"는 "주체"가 되고, 외부의 "객체"는 주체에 의해서 파악됩니다. 생각하는 "나"가 "파악당하는 너"를 지배하는 것입니다. 위계적일 질서가 생기는 것이죠,

데카르트의 주객 이분법, 생각하는 "나의 이성"과 파악되는 "객체"의 위계는 신체와 정신에 적용된다고 합니다. 데카르트는 "신체와 정신"을 분리한 심신이원론을 주장했는데, 여기서 재밌는 현상이 발견됩니다. 우리는 신체를 경멸하고, 정신을 추앙하죠, 신체를 활용한 노동을 가볍게 여기고, 정신을 활용한 노동은 신격화합니다. 정신 노동과 신체 노동의 위계 질서가 드러나는 부분이죠,

블루 칼라와 화이트 칼라라고 부르는 것처럼, 우리 일상 도처에 정신과 신체의 위계적인 분리는 살펴보기 쉽습니다.

세상은 "나"와 "너"의 만남으로 시작되고, 두 지점에서 인간(人間)의 진정한 의미가 태어납니다. 사이-공간에서 우리는 각자의 문화권에서 통용되는 언어 문법과 기호를 사용하며 표현을 하죠. 언어는 참 신기합니다. 단순히 기호에 불과한 언어에 의미가 생긴다는 것은 기적이라고 설명할 수 밖에 없죠. 기호는 무언가를 표시하는 기능(시니피앙)이 있고 표시 되는 의미(시니피에)가 있죠. 우리는
마치 표시하는 것과 표시 되는 것 사이에 있습니다. 언어의 문법과 대인 관계, 주체와 객체도 유사하죠. 주체가 객체를 지배하듯이, 표시하는 문자는 표시되는 의미를 지배합니다. 갑과 을은 참 재밌게 일어납니다.

"나"와 "너"가 만나면 "우리"라는 굴레에 갇혀버립니다. 모든 이야기는 속박된 상태에서 시작되죠.

우리는 때로 주인공이 되기도하고 조연이 되기도 합니다. 주체가 되기도 하고 객체가되기도 하죠. 생각하는 사람이 되기도하고 생각하는 사람에게 붙잡혀 이미지로, 소환되기도 합니다.

그래서 저는 카페에 앉아서 사람들 하는 이야기를 들으면 참 재밌습니다. 누군가의 뒷담화는 특히 재미지죠. 우리는 존재하지도 않는 사람을 이미지로써 소환합니다. "나"와 "너" 사이에 "제3의 인물"이 개입해서 관계를 풍성하게 만들어 줍니다. 저는 데카르트의 근본 명제를 철지난 생각이라고 봅니다. 물론 현대 포스트 구조주의자들, 들뢰즈는 특히나 그랬죠, 들뢰즈는 데카르트 덕에
주체와 객체의 권력적인 위계 질서를 "횡단"하라고 합니다.

데카르트는 의심할 수 없는 튼튼한 인식 토대를 만들고 싶어서 "나"라는 개념을 없애고 "생각하고 의심하는 순간의 나"를 넣었습니다. 우리는 정말 데카르트의 말처럼, 생각하고 의심하는 순간에만 존재하나요?

생각하기 나름입니다. 그러나 저는 많은 사람이 "과거의 형식"에 갇혀 살아간다고. 봅니다. "나"와 "너" 사이에 무리수가 등장하는 것이죠, 우리는 "나"와 "너" 사이에 "과거의 나와 너"를 불러냅니다. 그래서 저는 데카르트의 근본 명제를 한차례 개정하려고 합니다.

"나는 존재했다. 그러므로 이야기한다." 우리는 "존재했던" 과거형을 끄집어내면서 뒷담화도 하고 추억을 회상하기도 합니다. 우리가 의존하는 모든 과학적 가설은 "과거형"이라는 시제가 없으면 시체에 불과합니다. 우리는 과거지향적이고 과거의 감정 속에서 허우적대는 사람들입니다.

클리나멘(Clinamen)_ 모든 만남은 우연일까 (에피쿠로스의 쾌락/철학 개념 인용)

예정대로라면 6월 26일부터 지인들과 함께 여수에 놀러 가 휴양을 즐기고 있어야 하지만 장마철이 시작되어 모든 게 물거품이 되었습니다. 습도가 80%에 가까워 짜증도 나고 불쾌한 월요일이 되었습니다. 머리도 지끈거리고 집중도 되지 않아 집 앞 프랜차이즈 카페에 눌러앉아 책을 읽었습니다. 가만히 창가를 바라보니까 빗줄기가 하염없이 부딪치고, 흘러내렸습니다. 수십 년 전 알튀세르가 정신착란을 일으켜 아내를 교살하고, 학문계를 떠나 있던 10년의 세월 끝에 집필한 대목이 생각납니다.

"비가 온다. 그러니 우선 이 책이 그저 비에 관한 책이 되기를. 말브랑슈는 왜 바다에, 큰길에, 해변의 모래사장에 비가 오는지 자문했었다. 다른 곳에서는 농토를 적셔 주는 이 하늘의 물이, 바닷물에 대해서는 더해 주는 것이 없으며 도로와 해변에서도 곧 사라져 버리기에"
- 루이 알튀세르 "마주침의 유물론이라는 은밀한 흐름 중"

빗줄기는 직선으로 떨어지기도 하고 몽골 굴러서 사선으로 다른 물방울과 부딪치기도 합니다. 직선으로 떨어지는 빗줄기와 사선으로 흩어지는 빗줄기, 알튀세르는 빗줄기를 감상하면서 "마주침의 유물론"을 전개합니다.

"에피쿠로스는 세계 형성 이전에 무수한 원자가 허공 속에서 평행으로 떨어진다고. 설명한다..(중략) 클리나멘은 무한히 작은, 최대한 작은 편의로서 어디서 언제, 어떻게 일어나는지 모르는데 허공 중에서 한 원자로 하여금 수직으로 낙하하다가

빗겨나가도록, 그리고 한 점에서 평행 낙하를 극히 미세하게 교란함으로써 가까운 원자와 마주치도록, 그리고 이 마주침이 또 다른 마주침을 유발하도록 한다. 그리하여 하나의 세계가, 즉 연쇄적으로 최초의 편의와 최초의 마주침을 유발하는 일군의 원자들 집합이 탄생한다."
- 루이 알튀세르 "마주침의 유물론이라는 은밀한 흐름 중"

유물론이라고 생각하면 무엇이 떠오르나요? 아무래도 부정적인 느낌이 들 거 같습니다. 그러나 우리는 과학 시간에 화학식을 배우고 주기율표를 달달 외운 경험이 있죠. 주기율표는 원소 기호로서, 단독으로 존재하는 원소나 원소 간의 배합으로 합성된 원소도 외웁니다. 여기서 원소는 "원자(atom)"를 포함한 개념이라고 봅니다.

원자의 희랍어는 atones로서 부정문 "~a"와 나눈다는 동사의 "tom"의 합성어입니다. 에피쿠로스 이전의 데모크리토스는 세상이 "어떤 물질"로 구성되었는지 밝히는 게 학계의 흐름이었나 봅니다.

"어떤 물질"로 구성되었는지 논의하기 위해서 데모크리토스는 나눌 수 없는 단단한 물질이라는 원자를 주장합니다. 이 "원자"는 운동합니다. 그러나 아리스토텔레스가 말한 "목적"에 의한 움직임이 아니라 맹목적인 힘처럼 그냥 움직입니다.

원자가 운동하기 위해서는 하나의 공간이 필요하죠? 데모크리토스는 그 공간을 "허공"이라고 주장합니다. 즉, 세계는 허공과 원자로 이뤄졌다고 주장한 셈이죠.

우리는 의미를 부여하는 존재입니다. 우리의 탄생과 문명의 기원도 숭고한 의미를 부여하려고 하지만, 데모크리토스와 같은 유물론자에게 "목적"은 "허구"와 다름없습니다.

데모크리토스에 따르면 원자는 허공 속에서 운동하지만 "직선"으로 움직입니다. 질량을 갖는 원자는 중력에 의해서 수직으로 떨어지죠, 그래서 "우연의 요소"가 없습니다. 모든 원자의 움직임은 방향이 정해져 있으니깐요, 그러나 에피쿠로스는 그것을 부정합니다.

세상에는 무한한 허공이 있고 그 공간에서 나눌 수 없는 단단한 원자가 목적 없이 운동하지만, 꼭 직선으로 떨어지진 않는다, 사선으로, 기울어지기도 하고, 자기의 질량을 벗어나는 "일탈" 행위도 서슴없이 저지른다. 모든 생명체는"원자"의 "우발적인 기울어짐" 원자가 사선으로 떨어지기 때문에 탄생한다.! 라고 주장했습니다.

데모크리토스는 "우연성"을 배제했다면 에피쿠로스의 유물론은 "우연에 의한 기울어짐"을 주장한 것이죠, 이러한 우연성을 "Clinamen"이라고 부릅니다. 위에서 마주침의 유물론을 주장한 알튀세르의 생각도 여기서 나온 것이고 그가 빗줄기를 바라보면서 모든 생명체와 삶은 "마치 원자가 우연히 사선으로 기울어져 떨어지듯이" "우리가 갖는 관계도 우연히 사선으로 삐뚤어져 만나게 된다."라고 긍정합니다.

모든 만남은 평행선으로 그어지는 선분이 어떤 힘에 의해서, 알튀세르가 주장하고 에피쿠로스가 말했던 클리나멘의 힘으로 "충돌"하게 된 결과일까요?

애인이 있다면 생각해보죠, 어떻게 만나게 되었습니까? 같은 국적, 같은 인종, 같은 날에 하필, 거기서 "마주치게" 되었습니다. 첫 만남에 필요한 "우연성"은 제곱으로 몇이나 나올까요?

마주침의 결과는 "관계"의 시작이고 마주침의 원인은 "우발적인 기울어짐"입니다.

"원자들은 영원히 운동한다."
이 부분에서 눈여겨볼 부분은 "원자"를 복수형으로 사용했다는 점입니다. 원자는 수많은 복수로서 서로 충돌합니다. 어떻게요?

"원자들 중 어떤 것은 아래로 곧장 떨어지고 어떤 것들은 비스듬히 떨어지고 다른 것들은 충돌해서 위로 튕긴다." 앞서 언급한 원자의 직선 운동은 무게를 갖는 질량 때문에 그렇다고 설명해 드렸습니다. 어떤 것은 아래로 떨어지지만 "또 다른 어떤 원자"는 비스듬히 떨어진다고 주장합니다.

"그리고 튕겨 나가는 것 중 어떤 것들은 서로 멀리 떨어지게 되는 반면, 어떤 것들은 다른 원자들과 엉키거나 주위를 둘러싼 원자들에 갇혀서, 한곳에 정지해서 진동한다. 이러한 운동은 출발점을 가지지 않는다. 왜냐하면, 원자와 허공이 그 운동의 원인이기 때문이다."

이렇게 에피쿠로스는 "절대적인 원인이자 출발점"이 없다고 주장합니다. 수많은 원자는 저마다의 위치에서 직선으로 운동해서 다른 원자와 결합하거나 사선으로 빗겨나가 결합하거나 결국 중심축이 없고 오로지 "운동하는 원자"들만 있다고 말합니다.

로마서에서 바울은 에피쿠로스학파와 한바탕 싸웠습니다.
에피쿠로스의 생각을 보면 무신론 정점에 가깝다고 볼 수 있습니다.
모든 생명체와 관계, 사후 세계와 영혼은 "원자들이 운동해서 만들어낸 인간이 갖는 허구"라고 생각하니 말이죠.

저는 모든 사건과 관계를 우연처럼 보이는 필연이라고 생각합니다.
평행선을 그리는 두 점, 두 사람이 우연이라는 이름으로 만났지만,
알고 보면 그것은 계획 일부입니다. 저는 그렇게 믿습니다.

우연의 이름, 그것을 클리나멘 효과라고 부르지만 저는 동의하지 않습니다. 비스듬히 떨어지는 것, 사선으로 삐뚤어지면서 새롭게 만나는 사람들, 모든 것은 우연히, 충동적으로 시작했으나 결국 그것도 하나의 계획이었길 바랍니다.

철학에서 생각하는 신_ 부동의 원동자 (아리스토텔레스의 4원인설)

밀레투스라는 지역은 그리스 8세기부터 동방의 페르시아와 교역을 활발하게 했다고 합니다. 그래서 지역색이 덜하고 으레 무역 도시가 그렇듯이 무척 개방적인 문화가 자리 잡았다고 하죠, 당시 그리스 문화는 모든 자연 현상과 권력의 원천이 "신화"에 있었습니다. 밀물과 썰물, 태풍과 번개의 자연 현상을 "올림포스의 12신과 제우스의 명령"으로 해석했습니다. 이러한 신화적인 해석 방식을 두고 "뮈토스(mythos)"적 해석이라고 부릅니다. 지역색이 덜한 밀레투스 항구는 신화적인 접근법을 거부합니다.

탈레스라는 사람은 "만물은 물로 이뤄졌다,"라고 말했습니다. 당시에 헤시오도스가 쓴 신들의 계보에서 헤시오도스는 "시인"으로서 "신들의 계시"를 "무사 여신- 뮤즈"에게 영감을 받아 세상을 온통 신들의 놀이로 설명했는데, 탈레스가 등장해서 신들은 없으며 만물은 "자연 현상인 물"로 이뤄졌다고 선언한 셈입니다.

성경에서도 창세기 1장 1절이 "태초에"라는 말이 나옵니다. 그리고 태초에 유일신이자 인격신인 하나님이 "창조"했다고 기록되어 있습니다. 이처럼 "태초"는 중요합니다. 그것이 모든 현상의 "원인"이기 때문입니다.

그리스어로 원인을 "아이티아(aitia)"라고 합니다. 그리고 원리를 "아르케(arche)"라고 원인의 원(原)의 상형 문자는 "물이 흘러나오는 샘"을 형상화한 것입니다. 이는 "첫 번째 장소"를 뜻하죠, "원리는 존재와 존재 방식의 첫 번째 것"을 묻고 "원인은 인식 방법"을 묻는다고 정리할 수 있습니다.

밀레투스 학파라고 부르는 자연 철학자들은 우리가 살고 있는 세상의 구성 방법을 물었습니다. 그 구성 방법은 "구성된 물질이 무엇인가?"로 해석되었죠, 대표적으로 바울과 한바탕 싸운 에피쿠로스는 만물은 원자와 허공으로 이뤄졌다는 데모크리토스의 영향을 받았습니다. 데모크리토스는 "세상을 나눌 수 없는 최소한의 물질인 원자(atomes)"와 그 원자가 아무런 목적과 계획 없이 운동하는 "허공(Kenon/vide)"으로 이뤄졌으며 인간은 원자가 수직으로 운동해서 충돌한 합성물질이라고 주장했습니다.

데모크리토스처럼 세상의 구성 방법을 "구성된 물질"로 해석하는 흐름은 자연철학자 혹은 밀레투스 학파라고 불렸습니다.

유물론자들과 달리 원리(arche)를 물질이 아닌 "정신"의 작용이라고 생각한 철학자들도 많습니다. 대표적으로 아낙사고라스가 그렇습니다. 아낙사고라스는 세상을 "물질에 해당하는 종자(spermeta)"와 그것을 구성하는 "누스(nous)"로 이뤄졌다고 주장했습니다. 데모크리토스처럼 물질을 주장했지만 "어떤 목적"에 의해서 만들어진 것이 "인간과 세상"이라고 합니다.

이에 아리스토텔레스는 이렇게 말을 남겼습니다.
"최초로 철학을 했던 사람들 가운데 대다수는 오직 물질(질료)의 형태를 가진 것들만이 모든 것의 원리들이라고 생각했다."

아리스토텔레스는 세상을 단조롭게 "물질" 혹은 질료적으로 파악하는 점을 꼬집었습니다. 거기에 자신의 철학을 내세우면서 응답합니다.

"원인들에는 네 가지 종류가 있다. 그중 하나는 실체와 본질(형상)에 관한 것이고, 다른 하나는 질료이자 기체에 관한 것이며, 셋째는 운동이 시작되는 출처이고, 넷째는 그것과 대립하여 지향대상이자 좋음에 관한 것이다."

조금 낯설게 느껴지지만 하나씩 풀어서 봅시다.
처음에 언급한 "질료"는 세상을 구성하는 "물질"에 해당합니다. 문명사회에서 다양한 광물이 없으면 하루라도 제대로 살 수 없습니다. 희토류, 니켈, 코발트, 석유 등등 다양한 "물질"은 세상을 구성하는 중요한 부분입니다.

두 번째로 언급된 "형상"은 무엇일까요? 쉽게 생각해봅시다. 희토류라는 물질(질료)로 테슬라 자동차의 배터리를 만들 수도 있고 현대 전기차의 배터리도 만들 수 있습니다. 머릿속으로 테슬라 배터리를 생각하고 다양한 광물을 통해서 만들 때, "머릿속으로 생각한 원형이 바로 형상"이라고 합니다.

여기서 형상은 희랍어로 eidos라고 부르는데 그 뜻은 "본질 (本質)"이라고 부릅니다. 형상이란 사물의 "본질", 물질적이지 않은 "개념"에 해당한다고 보면 됩니다.

세 번째로 "운동하는 출처"가 등장합니다. 아리스토텔레스는 "작용인"이라고 불렀는데, 가령 이런 것입니다. 내가 테슬라 직원으로 고용되어(그럴 일은 없지만) 광물(질료)을 가지고 테슬라 자동차(형상)를 만들어야 할 때 노동하는 주체가 바로 "나" 아닙니까? 작용인은 "질료에서 형상으로 이동할 때 노동을 가하는 주체"입니다.
그래서 어떤 사물이나 사건을 논할 때 외부적으로 드러난 "작용인"을 찾습니다. 노동이란 물질로 형상대로 만들어가는 과정입니다.

마지막으로 목적인을 내세웁니다. 여기서 매우 중요한 점은 아리스토텔레스는 원자론을 주장한 유물론과 달리 "분명한 목적"이 있는 운동을 설명합니다. 데모크리토스는 인간을 원자들의 "목적 없는 충돌"이라고 설명했습니다. 반면 아리스토텔레스는 "목적을 향해 운동하는 질료"라고 못 박아 설명합니다.

여기서 목적은 "움직이지는 않으나 모든 운동의 원인"이라고 설명합니다. 목적(Telos)은 고정되고 변하지 않는 속성이 있죠, 이는 "형상"의 최고 형태라고 부를 수 있습니다. 모든 물질은 각자의 "목적"을 향해서 운동합니다. 그 목적은 움직이지 않으나 모든 운동의 원인이며. 이를 부동의 원동자(unmove mover)이라고 부른다고 합니다.

부동의 원동자는 플라톤과 파르메니데스가 주장한 "존재"와 유사합니다. 변하지 않는 속성, 눈에 보이지 않고 단 "하나"로 있는 상태인 "신"의 속성을 가지고 있죠,

자연철학자들과 아리스토텔레스 그리고 플라톤은 힘들게 "변하지 않는 하나의 존재"인 신을 설명합니다. 신의 속성은 곧 세상의 이치를 설명할 수 있는 유일한 방법이라서 그렇죠, 신의 속성을 해석하는 집단이 권력의 주체가 되기도 합니다. 중세 교황은 해석권을 독점했죠, 이처럼 "신"은 "세상의 구성 방법"을 설명할 수 있는 역할이자 그것을 해석할 수 있는 자에게 "권력"이 집중됩니다.

맑스 레닌교는 "세상의 생산소비재"를 사유화한 사람에게 소유권을 박탈해야 계급적인 착취, 곧 노동자의 노동 시간을 보장할 수 있다는 교리를 가지고 권력을 독점했습니다.

맑스 레닌교에게 "신"은 "계급착취를 마구 낳는 물적 토대를 없애는 것"입니다. 결국, 신은 "세상의 해석"이기 때문입니다.

아리스토텔레스는 신을 "움직이지 않지만 모든 움직임의 원인"이라고 설명합니다. 플라톤은 못지않게 "일반인들은 알 수 없는 개념의 세계에 있다."라고 주장하죠,

단절에 관한 생각들_ 06.26

현대 수학에서 "실수의 연속성"이라는 개념이 있다고 합니다. 우리는 자연수 1과 2, 3과4를 자연스럽게 넘어가지만 1과 2 사이, 3과 4 사이에는 셀 수 없는 빈공간이 있다고 합니다. 1과 2 사이에는 1.3과 1.5를 넣어도 되고, 1.3333과 1.4444를 넣어도 됩니다. 그래서 자연수 사이의 수를 "무리수"라고 하죠, 수의 개념을 넘어서 이런 무리수는 도처에 있다고 생각합니다.

아이는 자기 개념과 자기의식이 없습니다. 라캉의 해석대로 태아는 어머니와 한 몸으로 파악합니다. 어머니와 "나"의 사이에 그 어떤 무리수와 같은 것들을 인식할 수 없습니다. 그래서 라캉은 이 시기를 "상상계"라고 부릅니다. 오직 어머니와 한 몸으로 인식하고 분리의 경험이 없어 "나"의 개념이 없는 단계, 바깥의 사물과 상황을 "나"의 개념으로 파악하지 않고 "이미지"로서 받아들이는 단계를 상상계라고 합니다. 그러나 태아는 "아버지"라는 제3의 이방인이 어머니와 아직 형성되지 않는 "나"를 분리합니다.

그래서 라캉은 프로이트의 이론인 "오이디푸스 콤플렉스"를 받아들입니다. 프로이트는 인간의 "신체" 내 "성 에너지"가 입과 항문을 거쳐 남근에 올 때, 동성의 부모를 "원망"하고 이성의 부모를 "탐"한다고 합니다. 라캉이나 프로이트나 "관계"의 해석을 이렇게 합니다. 조금 거부감이 들지 않나요?

자연수의 공백을 무리수로 메운다고 할 때, 라캉과 프로이트는 제삼자의 개입, 아버지라는 무리수를 "거세 불안"으로 표현합니다. 아동의 남근을 힘이 강한 아버지가 거세할 수 있다는 불안 때문에 "오이디푸스 콤플렉스"는 사라진다고 합니다. 억지 주장일 수 있지만, 이처럼 가정 내 "관계"는 "어머니와 분리"를 통해서, "아버지의 힘" 앞에 굴복하면서 시작됩니다.

우리는 무의식이라는 정신 구조 속에서 "분리된 경험"을 받아들입니다. 모두 분리를 경험하고 그 공포를 품고 살아가죠, 그래서 인간이 견디기 힘든 것이 버려짐과 버려질 것 같은 두려움이라고 생각합니다.

라캉은 태아의 "상상계"를 넘어서 "상징계"에 돌입한다고 합니다. 상징계는 쉽게 언어와 기호 체계입니다. 우리는 어머니와 분리되고 교육을 받습니다. 언어를 배운다는 것은 언어 규칙을 배운다는 것이고 주어와 동사와 목적어를 배우고 높임말을 배우면서 "사회 속 문화"를 받아들입니다.

상징계는 "상상계"의 이미지를 판단합니다. 이것이 옳은지 나쁜지 구분해줍니다. 언어란 그렇습니다. 피아를 식별하고 이것인지 저것인지 분류합니다. 일종의 분리행위입니다. 이것을 이것대로 묶고 저것을 저것대로 묶습니다.

"나"라는 개념은 "어머니"라는 따뜻한 공간과 분리되듯이 말입니다. 분리는 필연적인 행위라고 생각합니다. 분리가 있어야 독립할 수 있고, 독립은 책임감의 다른 말이니깐요, 그러나 과도한 분리는 두려움과 불안을 낳습니다.

이어령 선생님의 책을 한 번 읽었는데 거기서 "종교-religion" 어원의 뜻을 풀이하면 "끊어진 것을 다시 잇는다."라고 한답니다. 그래서 예수 그리스도가

"내가 곧 길이요 진리요"라고 했던 이유가 종교의 어원 뜻을 고려하면 "끊어진 길을 다시 잇는 새로운 길"이라고 생각해볼 수 있습니다.

religion의 단어가 유난히 새로워 보이는군요!
끊어짐과 연결, 어쩌면 전부일 수도 있고 일부일 수도 있다고 봅니다.

부조리와 극복_ 알베르 카뮈의 시지프스 신화 인용

"무대 장치가 문득 붕괴되는 일이 있다. 아침에 기상, 전차로 출근, 사무실 혹은 공장에서 보내는 네 시간, 식사, 전차, 네 시간의 노동, 식사, 수면 그리고 똑같은 리듬으로 반복되는 월, 화, 수, 목, 금, 토 이 행로는 대개의 경우 어렵지 않게 이어진다. 어느 날 문득 왜? 라는 의문이 솟아오르고 놀라움이 동반된 권태의 느낌 속에서 모든 일이 시작된다."

서점에서 책을 구매하면 날짜 스탬프로 하단 부분에 찍어 줍니다. 보통 교환이나 환불의 용도로 찍어 주지만, 제게는 남다른 의미가 있습니다. 감명 깊었던 책을 다시 꺼내서 읽어 볼 때 꼭 구매한 날짜를 확인합니다. 저는 습관적으로 책을 더럽히면서 읽기 때문에 페이지를 펼치면 그때 제가 했던 생각들이나 감상평을 끄적이기 때문에 "과거의 나"를 만날 수 있습니다.

카뮈의 시지프 신화는 2022.08.15.라고 찍혀있네요, 대략 일 년 전 즈음, 이 책을 구매하고 읽었습니다. 이제 와서 느낀 거지만, 책은 "이해"의 목적이 되는 순간 무척 재미없는 문헌이 됩니다. 그래서 제가 학생 때 집중을 못 했던 거 같아요, 책은 텍스트 사이 비어있는 여백을 누비면서 쉬어가는 또 다른 공간이라고 생각합니다. 책을 이해의 목적으로 읽기보단 "화자의 생각을 들여다보는" 목적으로 읽다 보면 재미가 붙는 거 같아요, 무엇보다 카뮈가 주장하는 "부조리"개념이 일 년 전 십자인대 재건술을 하고 병실에 누워지낼 때라 더더욱 와닿았던가 같네요.

첫 문단에 인용한 부분은 카뮈가 묘사한 현대인의 삶입니다. 우리는 출근하고 퇴근하고, 등교하고 하교하면서 일상을 꽉 채워 보냅니다. 그것을 "무대 장치"라고 묘사합니다. 에픽테토스는 인간의 생애를 "무대 위 역할극"이라고 묘사했죠. 칼 구스타프 융은 외부 세계와 직면할 때 "페르소나"라는 관념적인 가면을 덮어쓰고 관계를 이어 간다고 주장했습니다. 우리는 무대 위 주연 배우이자, 또 다른 사람의 조연 배우가 되기도 합니다. 반복되는 요일과 의미 없는 노동, 우리는 열심히 살지만, 언젠가 의구심이 들기도 합니다. "나는 왜?" 이렇게 살아야 되는걸까, "왜"가 솟아오르게 됩니다. 카뮈는 이런 "권태"라는 감정 속에서 "부조리"를 인식하는 기회라고 생각했습니다.

"권태는 기계적인 생활의 여러 행동이 끝날 때 느껴지지만, 그것은 동시에 의식이 활동을 개시한다는 것을 뜻한다."

"권태는 의식을 깨워 일으키며 그에 뒤따르는 과정을 야기한다. 뒤따르는 과정이란 아무 생각 없이 생활의 연쇄 속으로 되돌아오는 것일 수도 있고 아니면 결정적인 각성일 수도 있다."

쇼펜하우어에게 "권태"는 부정적인 가치였다면 카뮈에게 권태는 절호의 기회입니다. 우리는 매일 반복되는 지겨운 일상 속에서 권태감을 느끼고 "왜"를 찾게 됩니다. 내가 이렇게 살아야 할 이유를 납득하고 싶어서 "왜"를 묻게 됩니다. 그러나 본질적으로 무신론자인 카뮈에게는 "왜"를 명쾌하게 설명할 수 없습니다. 애초에 세상은 "우발적인 요인"으로 생겼으며 거기서 왜라고 물어봤자 찾을 수 없다는 것입니다. 그러나 권태감으로서 중요한 "의식"이 생겨난다고 합니다.

의식은 "왜"를 묻다가 "결정적인 각성"을 합니다.

"여기서 나는 이 권태가 좋은 것이라고 결론지어야겠다. 왜냐하면, 모든 것은 의식에 의해 시작되며, 그 어떤 것도 의식을 통해서만 가치 있는 것이 되기 때문이다."

"마찬가지로 하루하루 이어지는 광채 없는 삶에서는 시간이 우리를 떠메고 간다..(중략) 미래란 결국 죽음에 이르는 것이니 말이다. 그러나 어느 날 문득 내가 서른 살이구나 하고 인정하거나 그렇게 말하는 때가 온다. 그는 이렇게 자신의 젊음을 확인한다. 그러나 동시에 그는 시간과 관련해서 자신을 자리매김한다.
시간 속에서 위치를 정하는 것이다."

"그는 시간에 속해 있는 것이다. 그는 자신을 사로잡는 공포로 미루어 보아 거기에 최악의 적이 도사리고 있음을 알아차린다. 내일, 그는 내일을 바라고 있었던 것이다. 그의 전존재를 다하여 거부 했어야 마땅할 내일을, 이 육체의 반항이 바로 부조리다."

카뮈의 긴 문장을 인용해 보았습니다. 저는 그의 음울한 문장을 사랑합니다. 개념의 이해보다, 행간 사이에 카뮈가 숨겨둔 위안들, 그리고 여유를 즐겨보시길 바랍니다.

카뮈는 권태 속에서 의식하지 않는 삶, 맹목적으로 살아가는 삶을 "광채 없는 삶"이라고 합니다. 그리고 아무런 의문도 품지 않고 살아가는 삶을 꾸짖습니다. 일찍이 이 부분에서 일가견 있는 소크라테스는 "검토되지 않는 삶"을 비판했죠,
카뮈도 마찬가지로 "안주하지 말라"고 합니다. 우리가 생각하는 미래는 결국

죽음이기 때문입니다. 아직 젊다고 안주하는 것은 "나"를 "시간에 위치시키는 것"이라고 합니다. 결국 시간 속에서 "나"는 현 존재라고 부르는 하이데거의 사상이 인용됩니다. 하이데거는 인간이라는 "존재 (存在)"를 "시간의 흐름"속에서 파악했어요, 우리의 생애를 살펴보면 탄생과 죽음 뿐입니다. 카뮈는 우발적으로 태어난 하루살이 인간들이 이유를 물어봤자 "부조리"라는 벽에 부딪친다고 합니다. 저는 카뮈의 부조리에 매료되었습니다. 일곱 살부터 이사를 6번 정도 했고, 안정적인 생활을 누리지 못했으며, 스물한 살에 십자인대가 박살 나서 제대로 된 생활과 걸음걸이조차 어려웠기 때문입니다. 누구나 부조리를 경험한다고 생각합니다. "이해할 수 없는 무의미란 장벽"에 부딪치고 엎드린 인간은 참 구슬프게 다가옵니다.

"모든 아름다움의 밑바닥에는 비인간적인 그 무엇이 가로놓여 있다. 그리하여 이 언덕들, 다사로운 하늘, 이 나무들의 윤곽이 지금까지 우리가 부여해 왔던 허망한 의미를 단숨에 잃어버리고서 이제부터는 잃어버린 낙원보다도 먼 존재로 변해 버리는 것이다."

다시 2022년 4월로 돌아갑니다. 저는 의료보험에 가입하지 않아서 자기공명영상 촬영 비용조차 부담감을 느꼈습니다. 대학 등록금이니, 생활비니, 기본적인 아르바이트를 할 수 없는 몸 상태라서 더더욱 괴로웠습니다. 의사 선생님께서는 "손민수 씨 수술하지 않으면 서른 살 되기 전에 염증이 심해져서 제대로 못 걸으실 거예요"라고 진단했습니다. 그때도 계속 절뚝이고 있었기 때문입니다.

모든 아름다운 밑바닥에 비인간적인 그 무엇이 가로놓여 있다. 이 말은 참 슬프고 처연하게 다가왔습니다. 우리가 아름답다고 느끼는 것은 실상 "아름답다는 그 실체"가 없이 "아름답다고 생각하는 믿음"을 부여했을 뿐입니다. 아름다움은 실상 존재하지 않으며 "아름답다고 느껴지는 사람의 관념"을 투영했을 뿐이라고 합니다. 그래서 "非人間的"이라고 부른답니다.

반대로 추함, 고통스러움도 실체가 없이 "사람이 바깥으로 투영"한 가치가 됩니다. 절뚝이는 그 순간, 인대를 파고드는 염증 사이로 비명을 지르던 스물두 살의 나는 부조리의 절벽 아래로 굴러떨어지고 있었습니다.

"지금까지 우리가 부여해 왔던 허망한 의미"라는 말이 참 와닿았습니다. 저는 한 차례 단절을 경험했습니다. 건강하고 활기 넘치는 "스무 살까지의 손민수"와 절뚝이고 예민한 "스물두 살 이후의 손민수"는 철저히 분리된 단절 속에서 헤어져야 했습니다.

"우리로서는 이해할 수 없게 된다. 습관에 의해 가려 있던 무대 장치들이 다시 본연의 모습으로 돌아간다."

무대 장치의 붕괴, 단절은 그런 의미를 가지고 있습니다. 우리는 모두 단절을 경험합니다. 부조리라고 부르는 "무의미"한 세상을 경험하게 됩니다. 의미가 없으나 허황된 의미가 부여되어 있는 상태, 저는 이것을 부조리라고 생각합니다. 2022년 스물두 살의 나는 많이 울었습니다. 수술비용도 만만치 않았고, 무엇보다 부모님께 손 벌리기 싫었기 때문입니다. 간단한 아르바이트라도 하면 좋겠건만, 할수 없이 집구석에 처박혀 있던 그 시간이 참 길게도 느껴졌습니다. 그 시기에 저를 마주쳤던 분들께 죄송합니다. 마음에 여유가 없었고, 원망스러운 기분으로 살아갔기 때문입니다. 하나님께 기도했습니다. "당신의 뜻이 무엇인지 모르겠습니다. 저보고 어쩌란 말입니까? 제게 이러시는 이유를 알려주세요"

부조리의 감정을 그대로 드러내면서 기도했습니다. 어떤 의미가 있기를 바랬습니다. 모두 같은 마음일 거라고 생각합니다. 우리는 힘들면 원인을 찾습니다. 그리고 이유를 알아도 신을 미워하게 됩니다. 모든 책임을 떠넘기는 것이죠.

힘들다고 호소하는 것은 기댈 곳이 필요하다는 말이라고 생각합니다. 기댈 곳이 없을 때, 그땐 힘들다는 말보다 비참해서 말도, 호소도 못 하게 됩니다. 모든 사람을 미워하고 원망하게 됩니다. 프로이트의 방어기제로 설명해보자면 "반동 형성"이라고 봅니다. 원초아가 강하게 요구하는 그 무엇을 도덕 명령인 초자아에 의해서 강하게 부정될 때, 자아는 "원하는 것과 반대의 것"을 추구하게 된다고 합니다. 우리가 원망하는 이유는 반대로 사랑받고 무조건적인 수용을 받고 싶어서 그렇습니다.

카뮈의 책은 그의 대표작 "이방인"처럼 이방인 철학이라고 생각합니다. 우리는 내집단, 우리가 소속된 연대로부터 무한한 사랑과 수용을 받아야 합니다. 그러나 우리는 어느 때를 가리지 않고 "분절, 단절"을 경험합니다. 그때 비로소 진짜 세상을 보게 됩니다. 이방인의 신세가 된 우리는 "부조리의 장벽"을 경험하고 주저앉아서 울게 됩니다. 속임수에 속은 것이죠, 내가 사랑하는 것들로부터 배신, 나는 배신자보다 배신당한 사람이 바보라고 생각합니다.

2022.08.15. 이 책을 구매한 제게 말해주고 싶은 것은 카뮈의 말로 대신하겠습니다.

"여기서 나는 이 권태가 좋은 것이라고 결론지어야겠다. 왜냐하면, 모든 것은 의식에
의해 시작되며, 그 어떤 것도 의식을 통해서만 가치 있는 것이 되기 때문이다."
- 알베르 카뮈 "시지프 신화" 중

있음과 없음_ 파르메니데스 / 인용_ (철학 개념_박준영 저)

"있는 것은 생성되지 않고 소멸되지 않으며. 온전한 한 종류의 것이고 흔들림이 없으며 완결된 것이다. 그것은 언젠가 있었던 것도 아니고, 있게 될 것도 아니다."

위 인용문은 파르메니데스의 말입니다. 난해하죠, 난해한 이유는 명확한 정의가 없기 때문입니다. 보통 난해하지 않은 것은 이것은 이것이다!라고 말하는 것들이죠, 파르메니데스는 있음과 없음을 움직이지 않는 것과 움직이는 것으로 분류했습니다.
가장 가치가 있는 금괴와 다이아몬드는 원소가 하나로 이뤄져 있어서 무척 단단합니다. 다른 원소들과 전자들을 공유하지 않고 그 자체로 단단하죠, 일종의 비약일 수 있지만, 파르메니데스가 생각한 "있음"은 곧 "단단하고 변할 리 없는 그 무엇"입니다.

사람한테 제일 실망할 때는 "그 사람이 변했기" 때문입니다. 변했다고 생각하면 꼭 인간관계뿐 아니라 모든 영역에서 실망해요, 자주 가는 식당의 음식 맛이 변하면 "아 이 집도 변했네."라고 탄식하면서 쓸쓸한 마음이 듭니다. 자주 가는 카페의 인테리어가 변할 수 있죠, 저는 그럴 때마다 아쉬움이 듭니다. 우리는 "변하는 것"을 두려워하고 무서워합니다. 왜 그럴까요, 변한다는 것은 낯선 혼돈의 영역입니다. "배신"이라는 것도 그렇습니다. "낯설어지는 사람과 낯설어지는 이 환경"들 우리는 낯선 것을 두려워하지만 또 원하기도 합니다. 파르메니데스는 변하는 것은 "존재한다고 볼 수 없다"라고 생각했습니다. 존재한다는 것, 있음의 상태, 있음의 "이어짐"이 존재한다는 것인데 그 속성이 "변한다면", 혹은 사라진다면,
그것은 존재한다고 볼 수 없다는 것이죠,

파르메니데스의 생각들은 플라톤의 이데아론으로 계승됩니다. 플라톤의 생각은 이원론적 세계관을 만들었죠, 우리가 딛고, 살아가는 이 세상은 "시간이라는 형식"에 의해서 모든 것이 사라집니다. 내 말, 내 생각, 내가 했던 실수들, 내가 사랑했던 사람과 그 순간들이 어떤 흔적도, 아쉬움도 남기지 않고 사라집니다. 그래서 우리는 변하지 않길 바라고, 우리의 순간도 영원하길 바랍니다. 그러나 시계추는 기다려주지 않습니다. 끝없이 진자운동을 하면서 자명종에 소리를 냅니다.

"직관적 사고"와 직관적 지식은 다섯 가지 감각 기관으로 얻어낸 지식입니다. 그러나 시간에 의해서 사라집니다. 사람도 마찬가지죠, 우리는 아주 잠깐 이름을 빌려서 살아갑니다. 파르메니데스의 눈으로 "모든 인류"는 "존재하지 않는 것과 별반 다를 바 없습니다."

그럼에도 우리는 변하지 않는 그 무언가를 계속 찾습니다. 새로운 애인을 만나면 "이 사람은 다르다"고 말합니다. 변하지 않을 거야, 지속될거야, 그러나 그것도 속수무책으로 시간 앞에 희미해집니다. 저는 그래서 새치가 날 때마다 오랫동안 그것을 감상합니다. 멜라닌 색소의 변화로 색이 사라지는 것이 가을날 추위를 대비해 이파리에 모든 영양소를 끊어내는 나무들처럼, "생존을 위해" 견뎌낸 시간을 보여주는 것 같아서 그렇게 행동합니다. 조금 별나기도 하네요.

우리는 종교에 관한 거북함이 있습니다. 영원성, 불멸성, 유일신, 인격신, 그래서 일반적으로 "직관적"인 다원주의에 손을 들어줍니다. 빅뱅의 시작점으로 우주가 팽창하고, 수많은 은하계 중에서 태양이라는 수축 점에 이끌려 지구가

23.5도 기울어진 상태로 자-공전을 합니다. 그리고 수많은 시간이 축적되면서 바닷속에서 유기화합물이 생깁니다. 우주가 빅뱅이라는 한 사건과 한 점에서 시작되었듯이 생명체의 기원도 하나의 유기세포에서 시작되었답니다. 다윈의 자연선택은 시간 앞에 조금 더 유리한 개체가 살아남아 "우연히" 뛰어난 23쌍의 상염색체와 1쌍의 성염색체를 보유한 호모 사피엔스로 이어집니다.

모든 것은 "우연히" 시작됐습니다.

그러나 우리는 소멸됩니다. 플라톤의 생각대로 현상계는 "생성하고 소멸되는"세계입니다. 이제까지 믿었던 사람이 배신을 하고, 그러지 않을거란 사람이 그런 행동을 합니다. 세월은 우리를 어디론가 내몰고, 우리는 허무 앞에 지나간 시간을 아까워 합니다. 그래서 "영원성"을 갈망하지만 직관적으로 설명되지 않아 께름직합니다.

파르메니데스는 존재한다는 것은 언제 어디서나 변하지 않는 속성을 가지고, "단 하나"라고 말했습니다. 우리는 파르메니데스가 말한 "존재", 우리를 배신하지 않고 변하지 않고 언제 어디서나 그 자리에 있을 그 "하나"를 좇습니다.

돈이 될수도 있고, 조금 더 나은 형편이 될수도 있습니다. 그러나 그런 것은 죄다 "사라집니다." 플라톤은 모든 악의 원인과 태만의 원인을 "변하는 세상 속에서 변할 수 밖에 없는 그 무엇을 놓지 않기 때문"이라고 진단했습니다.

국가론 7편에서 동굴 안에 눈과 몸이 동굴 벽면으로 포박된 사람은 한평생 모닥불에 비친 "동물 모양의 그림자"를 보고 그림자 맞추기 게임이나 하고 있습니다. 딱 그꼴이라는 것입니다. 돈이나 사회적 위치는 "도구적인 성격"일 뿐이지 최종 목적지는 아니라는 것이죠,

그렇다면 무엇이 중요할까요, 파르메니데스가 말한 "단 하나", 변하지 않을 그 무엇이 무엇인 찾아야 한다고 합니다. 파르메니데스는 그 과정을 "이성적 추론"이라고 설명합니다. 조금 진부하죠,
저는 생각합니다. 우리는 아무것도 남기지 못한다. 호랑이는 가죽이라도 남기지만 우리는 아무것도 남기지 못 한다.
그 사실을 깨닫지도 못 하고 살아가면서, 허둥대며 살아간다. 우리는 모두 변하고, 변할 수 밖에 없고 누군가에게 실망을 줄 수 밖에 없다. 동일하다는 것은 불가능하다. 초심(初心)은 변심(變心)을 품고 있다.

그래서 저는 예전보다 실망하는 마음이 덜합니다. 어차피 모두 변하니까요, 우리가 실망하는 이유는 변할 수 밖에 없는 사람을 놓지 못해서 그렇습니다. 실망의 이유는 "나"입니다. 배신은 "내가" "나"를 배신한 것과 다를 바 없습니다.

모든 것은 변합니다! 당신도 나도 모두가 변합니다!

표현하지 않으면 모른다는 말을 자주 접합니다. 드라마를 보다 보면 답답할 때가, 남자 주인공이 여자 주인공에게 제대로 표현하지 못해 타이밍을 놓쳐버릴 때. 그 때가 제일 답답합니다. 어쩌면 인생은 타이밍이다.라는 말은 "인생은 무모한 표현이 좌우한다."라고 바꿔 쓸 수 있겠습니다. 사실 우리는 모든 인간 관계에서 표현을 해야 합니다. 무례한 사람한테는 정중한 거절이 필요하고, 사랑하는 사람한테는 적절한 표현이 필요하죠. 그래서 은유가 있고 상징이 있고 직유가 있다고 생각합니다. 모든 표현 문법은 자신의 감정을 절묘하게 숨깁니다. 메타포라고 부르는 은유법은 내가 강조하고 싶은 원관념을 "보조 관념"으로 내세워 표현합니다.

왜 그런지 생각해 보았습니다. 하나의 의견이 되겠지만 "진심"을 날 것 그대로 표현하면 첫 째로 시시하게 느껴지기 쉽습니다. 날 것 그대로의 진심은 포장되지 않아서 어딘지 어색하게 느껴지고 어설픈 느낌마저 주기 때문입니다.

우리는 매번 표현을 해야 합니다. 인생 (人生)은 인(人)과 인(人)사이의 관계라고 생각할 때 나만의 표현법, 나만의 문장을 갖는게 중요하다고 생각합니다. 우리는 언어에 의해서 생각합니다. 이 말은 유명한 금언 "언어는 존재의 집이다."를 떠올리게 만들죠, 언어는 문법 구조를 가지고 있습니다. 서양의 문법 구조는 "인도-게르만어"라고 부르면서 "주어와 술부"의 관계로 병렬되어 있습니다. 주어는 스스로 자신을 설명할 수 없습니다. "나"는 "~이다."라는 동사와 목적어가 붙어줘야 비로소 "나"가 무엇인지, 어떤 인간인지, 지금 무엇을 하는지 결정됩니다.

중요한 것은 "나"라는 주어보다 "~이다."라는 "동사"가 중요하죠,

이를 설명한 사람이 르네 데카르트입니다. 데카르트는 고정된 주어가 없다고 생각했습니다. 악마한테 홀려서 그렇게 생각한다고 주장했습니다. "방법서설"에서 그는 "Cogito ergo sum"
나는 생각한다, 고로 존재한다! 라고 주장했습니다.

"나"는 먼저 존재할 수 없습니다. "생각한다."는 동사의 행위가 먼저 선행되어야 비로소 "나"라는 주어가 설명됩니다.

언어는 우리의 순간 순간을 반영합니다. "나"라는 사람이 지금 무엇을 하는지 술어 속 동사와 목적어의 관계에서 정리됩니다. "나"는 지금 글을 쓰고 있습니다.
"나"라는 사람은 "글 쓰는 행위"가 결정하고 있는 것입니다.

그러나 언어는 한계가 있습니다. 언어로 모든 것을 설명할 수 있었다면, 우리는 학창 시절 누군가와 다투지도 않았고 "오해"라는 말도 퇴색되었겠죠, 저는 이렇게 봅니다. 아 우리는 어쩔 수 없이 오해할 수 밖에 없구나, 오해라는 것은 단편적인 인간의 시각과 과거의 경험들로 싸잡아 판단하는 선입견 때문에 발생하죠, 우리는 거기서 벗어나기 무척 어렵습니다.

프로이트는 인간을 과거지향적인 존재라고 생각했습니다. 우리는 과거에 갇혀있고, 과거에 경험한 끔찍한 경험들, 그 경험들의 기억은 지워지고 몹쓸 감정은 불쾌감으로 남아서 우리를 괴롭힙니다. 프로이트 말대로라면 우리는 지금 이순간 조차 과거의 감정을 해독하고 설득하는 과정에 지나지 않습니다.

우리는 언어에 갇히고, 과거에 갇혀버립니다. 내가 사랑하는 사람들과 시간을 보내도 "지금 이순간"을 사는게 아니죠, 언어의 한계로 상대를 오해하고, 상대방의 말을 오독합니다. 그리고 과거의 선입견을 그대로 가져와 복사 붙이기를 합니다. 나아질 수 없는 이유는 우리의 "기억"을 담당하는 해마와 편도체의 문제라고 볼 수도 있겠네요.

칸트는 이렇게 말했습니다.
"우리는 사물 자체를 인식할 수 없으므로 그것이 존재한다고 말할 수도 없다."

"우리는 주관적인 감성형식과 열 두가지 범주의 사고 형식을 통해 외부의 대상을 인식한다."

"이런 형식이 활동하지 않고는 우리가 어떤 대상을 인식했다고 할 수 없다. 우리 주관의 형식으로 인식한 대상은 현상으로..(중략)"

우리는 무언가를 진짜 볼 수 없다고 합니다. 전부 형식에 의해 볼 수 있을 뿐이라고 합니다. 칸트가 언급한 감성 형식은 시간과 공간을 말합니다. 즉 우리는 시간이라는 지평선과 공간이라는 지붕 아래서 열두 가지로 분류되는 감각 기관의 종합적 판단 능력으로 "볼 수 있을 뿐"이라고 말합니다.

관계는 오해의 연속입니다. 언어를 사용해야 하는데 언어는 부족합니다.
그러나 다섯 가지 감각은 제대로 작동하나요? 칸트는 아니라고 합니다. 단지 감각 기관의 정보를 취합해서 만들어낸 퍼즐 조각으로 상대방을 바라볼 수 있다고 타이릅니다.

오해를 낳는 말을 삼가고 내가 바라본 그 사람의 모습이 전부가 아니라는 사실을 인정하기까지 오랜 시간이 걸렸습니다. 말은 결국 빌려서 쓰는 것이고 그 사람의 모습은 칸트식으로 "주관적인 감성형식인 시간과 공간의 형식" 속 아주 잠시 존재하는 "순간"일 뿐입니다.

언어는 힘이 있습니다. 그러나 양면적이죠, 언어의 표현으로 상대방의 마음을 살 수 있지만, 언어의 표현으로 의도와 다른 오해를 낳기도 합니다. 반대로 내가 오해하기도 합니다. 그것이 "언어의 한계성"이죠,

그래서 저는 말을 신뢰하지 않습니다. 그리고 나의 경험도 불신합니다. 일찍이 노자가 이렇게 말했습니다. "名可名非商名" 말로 붙여지면 진짜 이름이 아니다. 언어는 "살아 있는 것"을 포획합니다. 그리고 붙잡아 버리고 납치하죠, 수많은 감정에 이름이 붙여지면 감정의 생동감이 사라집니다. "설명"되는 것은 죽어가는 것과 비슷합니다. 곤충 표본처럼 말이죠.

칸트의 사물 자체 개념으로 신학과 철학의 영역을 발칵 뒤집혔다고 합니다. 에? 인식할 수 없는 세계가 있다고? 그것이 신학자에겐 삼위일체의 모든 부분을 인식할 수 없다고 주장하는 꼴이니 말입니다. 철학에서도 마찬가지입니다.
원인과 결과를 밝힌 멜레투스 학파들의 노력이 물거품이 되었습니다. 설명할 수 없는 "사물 자체"의 세계, 그것이 꼭 학문의 분야는 아니죠,

사람 속은 모른다고 말합니다. 본인도 모르는데 남들이 알 수 있을까요,

우리는 모르는 것들 투성인 세상에 던져져서 나름의 해답을 찾는 과정 속에 있습니다. 내가 무엇을 좋아하는지, 내가 어떤 목적을 가지고 사는지, 내가 어떤 가치를 최우선으로 두고 사는지, 그러나 우리는 그런 질문 조차 허락하지 않고 맹목적으로 살아갑니다. 질문의 힘을 간과하기 쉽죠.

질문의 깊이가 나를 만들어간다고 생각합니다. 질문의 예리함과 질문의 하는 태도의 끈질김은 "자신(自信)"의 원천입니다.

자본주의 원동력_욕망 (강신주의 역사철학: 주체 vs 구경꾼)

보통 "자본주의"라는 단어는 부정적인 어감을 주는거 같습니다. 애시당초 시장 경제의 부정적인 측면을 강조하고 필연적으로 대공황을 예언한 칼 맑스가 붙인 이름이라서 더더욱 그렇다고 봅니다. 우리는 다양하게,자신만의 루틴을 꾸려서 살아갑니다. 돈을 벌기 위해 직업을 갖고, 그 외 여가시간은 자기 계발을 하거나 취미 생활을 합니다. 그러나 이 생활 양식에는, "소비"행위가 포함되어 있습니다. 애덤 스미스는 핀 공장으로 예를 들어 분업 체제의 이점으로 생산 시간을 아끼고 시간 단위당 상품의 생산성을 끌어올린다고 주장했습니다. 살아가는데 꼭 필요한 의식주, 생필품을 생산하지 않고 "화폐"로 "교환"하는 것, 이것이 현대 자본주의 사회의 가장 큰 특징인 "분업"체제라고 생각합니다.

우리는 분업 체제에서 열심히 소비합니다. 소비가 없으면 어떻게 되나요? 당연히 대기업을 비롯한 모든 기업들의 상품 제고가 산처럼 쌓이고 상품의 희소성이 떨어지면서 가격도 떨어집니다. "공황"이 시작된 것이죠,

자본주의는 "공황"에서 살아남기입니다. 주기적인 소비량이 받쳐줘야 "유지"될 수 있습니다. 그러나 사회 모든 구성원이 받은 임금을 "모조리 소비"하나요? 보통 은행에 예금하고 적금 통장에 예치하죠, 혹은 중앙 은행의 금리가 낮을 때 화폐 가치를 보호하기 위해서 대기업 주식을 구매하기도 합니다. 이처럼 "소득"은 "소비"로 연결되지 않죠,

우리가 사는 사회는 상품과 그 상품을 구매할 수 있는 "화폐"로 둘러쌓여있습니다.

상품은 소비자가 누릴 수 있는 "실제적인 가치"를 안겨주고 화폐는 상품을 구매하기도 하고, 상품과 상품 간의 가치를 비교할 수 있는 척도가 됩니다. 그래서 맑스는 "자본론"에서 서두에 이렇게 언급했습니다.

"자본주의 생산 양식이 지배하는 사회의 부유함은 상품의 거대한 집적으로 나타난다." 라고 말했습니다. 여기서 포인트는 "상품의 거대한 집적"입니다. 온라인 속에서 대기업은 상품을 판매해야 투자한 자본금을 회수 할 수 있고, 그 자본금으로 더 좋은 상품을 만들 수 있는 원자재와 기계에 투자할 수 있죠? 자본주의는 상품이 거대한 산처럼 쌓여있는 사회라고 진단합니다.

1967년 기 드보르라는 사회학자는 "스펙타클의 사회"라는 책을 냅니다. 여기서 기 드보르는 한발자국 더 나아갑니다.

"현대적 생산 조건들이 지배하는 사회에서 모든 삶은 스펙타클의 거대한 집적으로 나타난다."

시장 경제를 구성하는 주체는 기업과 국가, 소비자로 나타납니다. 소비자는 곧 기업에 고용되는 "근로자"의 역할도 이중적으로 갖게 되죠, 취업 후에 우리는 사회에서 소비자의 역할과 근로자의 역할을 맡게 됩니다. 기업은 상품을 판매하고 판매금 전부를 가져가고 "최소한의 임금"을 근로자에게 건네줍니다. 나머지 판매금은 "잉여자본금"으로 아까 언급한 원자재와 기계에 투자합니다. 여기서 맑스와 기 드보르가 지적한 자본주의 비판점이드러납니다.

"노동"하지 않은 자는 먹지도 말라는 금언처럼, 육체적 노동력을 사용하지 않은 자본가 계급이 단지 "소유권"이라는 이름으로 노동자들의 "시간"을 앗아간다고 합니다. 음.. 너무 과도하고 극단적인 주장이라고 봅니다.

최소한의 임금을 받은 "근로자"는 "최소한의 소비 여력"을 갖게 되죠? 사회의 총 자본 중 "일부"만 "임금"으로 받았기 때문에 "소비력도 떨어집니다." 그렇게 되면 "공황"이 발생하죠, 이러한 문제를 맑스가 지적한 이윤율저하경향법칙이라고 수학적 공리로 계산해낸 책이 "자본론"입니다.

문제는 "소비"를 이끌어내야 한다는 것입니다. 자본가는 다수의 근로자 및 소비자에게 "결핍감"을 안겨줘서 상품의 가치를 "실제 가치"보다 뻥튀기 시킵니다. 그게 무얼까요? 광고입니다. 유명 인사들이 광고를 찍죠, 우리는 세뇌 당하듯이 광고를 봐야합니다. 악마가 유혹하듯이 어떤 상품이 가지고 있는 가치보다 뻥튀기시키는 광고들, 기 드브로는 이런 현상을 두고 "스펙타클"이라고 합니다. 스펙타클은 라틴어 스펙타르에서 유래되었으며 "본다"라는 동사의 뜻을 가지고 있습니다.

우리를 현혹시키는 상품의 광고가 바로 스펙타클! 악마의 유혹이라고 합니다. 기업 입장에서는 판매금에서 순수 이윤을 남겨야 다시 상품 생산에 들어가는 모든 비용에 투자할 수 있고 타 기업과 경쟁에서 살아남을 수 있기 때문에 이런 "유혹법"은 어쩔 수 없다고 판단합니다.

저는 명품을 좋아하지 않습니다. 명품의 역사적 유래도 17세기 프랑스 부르봉 왕가의 유명한 태양왕 루이 14세 때 정점을 찍은 문화입니다. 왕실 문화 중 유래가 된 레스토랑 식당 문화와 명품 백, 명품 옷들 문화가 있습니다. 명품은 "뻥튀기"의 끝판왕입니다.

학창시절을 포함해 우리는 어느 시기에, 어느 집단에 있든지 "결속감"이 중요합니다. 연대감이라고 부를 수 있죠, 그래서 유행에 민감합니다. 제가 어렸을 때 유행했던 노스페이스 패딩, 고등학생 때 유행했던 명품 패딩들 보면 모두 가치의 뻥튀기입니다.
사람들은 패딩이 아니라 "명품이라는 사회적 이미지"를 소비하는 것이죠, 우리는 소비의 노예입니다. 소비 행위가 나의 일상 생활을 드러내고 "나는 이정도 소비해도 끄덕없다."는 원시적인 힘을 드러내기도 합니다.

그렇다고 모든 소비 행위를 부정적으로 보면 안됩니다. 핀 공장의 예시로 분업 사회의 이점이 보다 많은 사람들의 빈곤을 해결했기 때문입니다. 그러나 모든 극단의 문화는 경계해야 합니다. 나를 결정하는 것은 소비 행위가 아니라고 봅니다. 어른들부터 반성하고 제대로 살아야 합니다. 아이들이 그렇게 명품과 이외 소비 행위, 대학 간판에 목숨 걸고 자기 패배적인 사람으로 기울어지는
영향으로는 어른들의 책임이 크다고 봅니다.

니를 결정히는 것은 나의 신조입니다. 신조는 행동 규칙입니다.
칸트의 윤리학은 행위 동기와 행위 준칙을 따지는데 행위 동기는 "무조건적인 의무"에 의해서 결정해야 한다고 합니다. 조금 과한 이야기라고 생각합니다만, 중요한 것은 외부의 소비 행위로 나를 증명하는 것, 그것은 의무가 아닙니다.

나를 결정하는 것이 무엇인지 생각해보는 것이 건강한 사람의 첫 걸음이라고 생각합니다.

쇼펜하우어를 읽고_ 의지와 표상으로서의 세계

친구들을 만나면 언제나 과거, 지금으로부터 아주 먼 옛날 이야기를 하곤 합니다. 유치한 농담이지만 그 웃음은 분명 "과거"의 어떤 인상으로부터 나오는 것이죠. 우리는 시제 속에서 여간 고생하는 게 아닙니다. 어제와 오늘, 그리고 내일 사람들의 불안은 대다수 "먼 나중의 미래"에서 시작됩니다. 삶은 고통의 바다이며, 그 고통의 바다에서 헤엄치는 사람은 고뇌와 번민, 그리고 무료함과 권태로움에서 발버둥치는 존재입니다. 어떤가요 너무 암울하죠?
이런 염세적인 주장을 한 아르투어 쇼펜하우어의 말을 빌려서 생각해봅시다.

"모든 생물의 고뇌 속에서 나타나는 의지의 내적 충돌에 대한 인식이자 의지가 본질적으로 헛되다는 인식이다."

오.. 조금 낯설게 느껴지는 문장입니다. 쇼펜하우어의 핵심 개념인 "의지"를 이해해야 비로소 한 눈에 보이는 문장이니깐요, 그렇다면 이 "의지"는 무엇일까요?

"성욕동이 단호하고 가장 강력한 삶의 긍정이라는 것은... (중략) 삶의 최종 목적이고 최고 목표라는 사실로 확인된다. 자연인의 제 1의 노력은 자기 보존이고 이 자기 보존이 달성되자마자 그는 종의 보존에 힘쓸 뿐이며..(생략)"

쇼펜하우어는 사람을 "수많은 종"의 한 개체로 보았습니다. 자연에서 사는 생명체는 어떤 특징이 있나요? 일반적으로 "짐승 같은 놈"이라고 욕할 때 "그 짐승"의 특징이 바로 "성욕,식욕,수면욕"이죠? 그렇습니다. 쇼펜하우어에게 모든 생명체란 "자신의 죽음을 극복하려고 생식 욕구를 바깥으로 발산해 자녀를 낳는"번식 기계에 불과합니다.

성욕동이란 인간이 자연에서 "자기 보존"과 "종의 보존"을 위한 욕구일 뿐이죠, 쇼펜하우어에게 인간은 이러한 원초적인 성욕동이 "신체"로 드러난 생명체일 뿐입니다.

"생식이란 새로운 개체로 넘어가는 재생산에 불과하고.."
"생식기는 의지의 본래적인 초점이고..(중략) 생식기는 삶을 유지하고 시간에 무한한 삶을 보증하는 원리다."

사람이라는 생명체는 단순히 이 "의지"라 불리는 "성욕동"이 신체로 발산하는 기계에 불과합니다. 아울러 "종의 관점"에서 종을 유지하기 위해 개체의 생식 욕구를 마구 발산해 "자녀"를 낳는 행위를 "재생산"한다고 표현합니다.정말 생리적인 표현입니다.

쇼펜하우어가 "의지"라고 주장한 "원초적인 욕구"는 "표상"의 세계 바깥에 있습니다. 아.. 이런 또 무슨 표상은 개뿔이 표상 어려운 단어가 등장합니다.

우리의 신체는 "언제" "어디서" "어떤 방식"으로 존재하게 됩니다. 이 세 가지는 하나의 형식입니다. 우리가 살아가는 세계에서 저 형식이 충족되지 않으면 "존재"한다고 할 수 없습니다. 첫 번째 형식은 "시간의 형식"입니다. 두 번째 형식은 "공간의 형식"입니다. 마지막은 "인과성"이죠, 두 가지 형식과 인과율은 "이 세상"의 기본 조건입니다.

그러나 원초적인 욕구인 "의지"는 저 두 가지 형식과 인과율 바깥에 존재합니다. 원초적인 욕구는 특별한 목적 없이 맹목적으로 "자신의 욕동"을 가시화합니다. 드러내는 것이죠, "그래서 사물과 동물, 인간"은 순서대로 "의지"가 가시화한 존재들입니다. 자연적으로 인간이라는 짐승은 "신체 내부"에 끊임없이 충돌하는 "성욕동", 자기 생명을 보존하기 위해서, 종의 존속을 위해서 욕동을 외부에 분출합니다.

이러한 욕동은 충족되는 일 없이 무한히 지속됩니다. 인간은 만족을 모릅니다. 그리고 감사한 일은 망각하게 되죠,

"이 의지의 현상은 덧없는 존재이자, 언제나 헛되고 끊임없이 좌절된 노력이며, 우리가 묘사한 고뇌에 가득 찬 세계다."

그래서 모든 종교의 기본적인 이치는 "금욕"입니다. 신체 내부에 끊임없이 솟아오르는 욕동에서 자유롭도록 장려합니다. 불교의 고행과 기독교의 성화가 그런 예죠,

쇼펜하우어는 플라톤 이후로 신체와 영혼을 분리시켜, 영혼에 완전성과 불멸성, 그리고 우월성을 부여하고 신체는 불완전성과 가변성, 저속함으로 드러나는 이원론적인 구분법을 비틀어버립니다. 신체의 욕동들, 자기를 보존하고 종을 보존하려는 "생식의 욕구"는 자연 현상이지 윤리적인 "악"이 아니라고 합니다.

"무아지경"이라는 말이 있습니다. 쇼펜하우어는 고뇌와 무료함을 오가는 생명체의 성욕동에서 벗어나기 위해 스스로 투쟁해야 한다고 주장합니다.

만물은 "자기 존속을 향한 성욕동"에서 시작되었고, 고뇌는 욕동의 무한성에 있으며 행복은 욕동을 부정하는 금욕에 있다! 그것이 열반이고, 그것이 브라마다!

우리는 어제의 존재도 아니고 내일의 존재도 아닙니다, 단지 순간의 존재입니다. 욕동의 원천인 의지가 자신을 고도로 신체화한 "인간"은 "추상적인 사고"가 가능하다고 합니다. 존재하지도 않는 어제와 내일 사이에서 벗어납시다,

모든 고뇌는 "어제"로 대변되는 무수한 과거의 나날들에서 시작됩니다. 모든 불안은 "내일"로 대변되는 무수한 나날에 있습니다.
우리의 원천은 곧 의지, 충족할 수 없는 삶에의 의지라는 사실을 염두하고, 이리 저리 살아도 어차피 만족할 수 없는 삶이기 때문에 자신을 괴롭히는 그 문제점을 잘 파악해봅시다.

행복은 작지도 크지도 누군가 정해준 것은 더더욱 아닙니다. 아리스토텔레스는 행복의 조건을 두 가지로 삼았습니다. 하나는 "좋음의 지속성"이 곧 행복이라는 것,나머지 하나는 "좋음을 직접 쟁취한 자족성"이라고 합니다.

행복은 불안의 반대도 아닙니다. 행복은 일종의 "경험되는 순간 순간"이죠, 우리의 순간은 다양한 감정들, 형언되지 않는 감정과 다양한 "인상"들이 겹쳐있습니다. 진정한 강자는 "인상"을 제거하고 감정을 "단어"로 정의해서 명확한 "지금 이 순간의 상태"를 파악하는 사람이 "행복"한 사람입니다.

기록하는 마음

토마스 홉스는 자신의 출생을 두고 "나는 공포와 태어났다."라고 말했습니다. 아무래도 홉스가 태어난 연도 1588년에 엘리자베스 1세의 함대와 스페인의 무적 함대가 격돌한 해라서 그렇다고 평가합니다. 자크 라캉도 욕망을 이렇게 평가했습니다. 명확한 대상 없이 결핍된 상태. 태아는 태어나고 탯줄에서 끊어짐을 경험합니다. 우리는 그 순간 대상 없는 공포, 그것을 항우울성이라고 생각합니다.

기록은 과거형입니다. 관념론의 아버지 게오르그 헤겔은 "자기의식"이란 대명제를 확립합니다. 이 자기의식에서 "의식"이 생깁니다.
한 살의 나와 스물세살의 나, 모두 다른 시간대에 놓였어도 왜 똑같은 인격체라고 말하나요? 그것은 공유하는 "의식"이 있어서 그럽니다. 공유하는 의식이 없다면 우리는 매순간 단절된 인격체로 살아야 합니다.

기록은 과거형이지만 그것은 분명 지지대입니다. 기록된 과거를 확인하는 순간, "나"의 동일성이 생겨납니다. 한 살의 손민수와 스물세 살의 손민수는 동일한 기억을 공유하기 때문에 "동일한 인격체"라고 평가합니다.

그러나 이런 기록, 혹은 과거의 기억은 때때로 상처를 아물지 않게 만들기도 합니다. 저는 생각합니다. 우리는 모두 버림 받았다고, 신을 믿고 유일신을 믿지만 우리는 단절의 경험을 맞이합니다. 그것이 탯줄의 끊어짐이고 태아가 우는 이유입니다. 우리는 격한 감정에 빠질 때 눈물을 흘리게 됩니다. 이 눈물은 일종의 퇴행 현상입니다. 심리학의 아버지 프로이트가 말한 방어기제인 퇴행은 직면할 수 없는 사건을 맞이할 때 과거의 친숙한 것들로부터 도피하려는 방어 행위라고 합니다.

우리가 눈물을 흘린다면 그것은 태아 시절을 기억하는 것입니다. 태아 시절 단절된 그 감정을 눈물로 표현했듯이, 눈물은 일종의 표현입니다.

저는 홉스의 말을 빌려 "나는 단절과 함께 태어났다."라고 말하고 싶습니다.기독교의 원죄성을 적극적으로 표현하면 "버려짐"이라고 생각합니다. 우리는 버려짐을 경험했고, 그 경험을 공유하면서 "나"라는 주체를 유지하기 때문에 살아가면서 무엇으로부터 버려짐을 경험하는 사건 앞에 부서집니다. 아주 처참하게.

기록물을 남기는 이유는 단순합니다. 언어로 표현되는 감정의 격동은 금세 차차 사라지고, 차후에 반성하거나 아주 훌륭한 교본이 되기도 하며, 혹은 누군가에게 위로가 될 수 있기 때문입니다. 언어는 일종의 구조입니다. 감정은 구조를 해체하고 부서진 그 틈새에서 새어나오는 비명이자 외마디입니다. 감정을 추스르고 기록하는 그 순간에 형체가 없는 감정은 "언어 구조"에 의해서 차분하게 옷을 갖춰 입습니다.

언어 구조는 단순하게 생각해서 주어와 술어로 이뤄집니다. "주어"를 결정하는 것은 "술어"입니다. 가령 "나는 배고프다."라는 단순한 문장에서 "나"라는 주체를 결정하는 것은 "배고픔"이라는 술어의 동사적 상태입니다.

나를 결정하는 것은 "술어"혹은 "동사적 상태"입니다. 아주 솔직하게 저는 타인의 시선에서 벗어날 수 없었고, 그렇기 때문에 글을 끄적입니다. 저는 글빨이 좋지 않다고 생각합니다. 가장 큰 이유는 제가 표현하고 싶은 문구보다 더 있어보이는 미사여구만 끌어다 사용했기 때문입니다. 꼭 작문에 한정되는게 아닙니다. 저는 "저"라는 사람을 아주 부끄러워 했습니다.

부끄럽다-라는 술어의 동사가 "나"라는 주어를 결정했습니다.

우리는 일반적으로 불안한 감정을 버려진다는 무서움에서 경험합니다. 버려진다는 무서움은 "관계"에서 발생하는 특수한 감정입니다. 우리를 둘러싼 관계는 다양한 이름이 붙고 다양한 페르소나를 사용해서 처신해야 합니다. 어쩌면 우리 시대가 번아웃의 시대가 된 궁극적인 이유는 버려질 것만 같은 경험을 직면하지 못 해서
그런게 아닐까요? 자문합니다. 저역시 번아웃의 경험을 몇 번이고 했습니다.

스물 한 살부터 스물 두 살 겨울까지, 오랫동안 병원과 집을 왕래하면서 경험했던 "건강한 나"로부터의 단절, 혹은 누구나 경험했을 "펜데믹" 때문에 사회로부터 단절, 부끄러움은 단절을 인정하지 않을 때 생겨납니다. 저는 18개월 동안 과거의 나, 이미 단절된 나의 형상을 끌어안고 엉엉 울었습니다. 후방십자인대가 파열되고 일년간 수술하지 못 했기 때문에 발걸음을 떼고 딛을 때 마다 곪은 염증과 파열된 인대가 수축하면서 큰 고통을 경험했습니다. 신체적 고통에 시달리면서, 저는 스무살 이후로 누군가를 제대로 사랑하지 못 했습니다. 우선 사랑의 조건은 "나"라는 주어, 주체가 건강해야 합니다. 그러나 저는 분열되었고 산산조각이 났습니다. 한걸음을 떼고 고통을 호소하고 하늘을 쳐다보면서 욕을 해댔습니다. 하나님 당신은 혹독하고 잔인한 신이라고, 내가 무슨 잘못을 했길래 벌써부터 이렇게 병신을 만들었냐고 욕했습니다. 너무 서러웠고 그 감정에 못이겨

벤치에 주저 앉아 엉엉 울었습니다. 내 꿈, 어려웠던 가정에서의 생활, 최소한의 아르바이트도 못 하는 몸이 되었고 의료 보험을 들지 않아 자기공명영상 촬영 비용도, 수술 비용도 부모님께 죄송스러웠습니다.

단절의 경험은 저에게 여유를 주지 않았습니다. 본래 사랑은 깊은 숙고에서 나타나고 숙고의 행위는 시간적인 여유가 필요한 법입니다. 물론 제게 시간적인 여유가 많았으나 깨어있는 시간 동안 울거나 욕하거나 아무것도 못 하고 책만 읽기 시작했습니다. 마침 그때 다니는 교회 청년부에서 임원을 맡았습니다. 개인적인 일이 겹친 시기에 맡게된 임원의 역할을 제대로 수행했을리 만무하죠, 사람들의 의견을 듣지 않고 미워하고 욕했습니다. 그게 전부입니다. 2022년의 한 해는 그렇게 끝났습니다. "나로부터 단절" 저는 주저 앉았고 희망적인 간증 따위는 제게 없었습니다.

그때 심취했던 작가가 프란츠 카프카와 도스토예프스키, 알베르 카뮈의 책을 읽고 큰 감동을 받았습니다. 세 명의 작가 모두 "이방인" 혹은 단절을 노래한 음유시인이라고 생각합니다. 카프카는 체코 출신이지만 한평생 어딘가에 소속되지 못 하고 방랑하면서 자신을 그레고리, k와 같은 단절되고 버려지는 인물에 투영시키며 자신을 위로한게 아닌가 싶었습니다. 알베르 카뮈는 시시포스의 신화와 반항하는 인간을 읽으면서 "삶을 부조리"로 표현한 점이 특히나 와닿았습니다. 카뮈에게 삶은 부조리입니다. 아무런 목적성도 의미도 그러므로 본질과 사는 이유, 절대적인 윤리와 원칙도 없는 순수의 세계지만 대자적인 인간, 끊임 없이 의미와 목적을 노래하는 인간의 종교성이 부조리한 괴로운 감정을 만들어낸다고 합니다. 시시포스의 형벌은 마치 우리의 생애와 닮았습니다. 우리는 마치 고도를 기다리는 블라디미르와 에스트라 공처럼, 누군지도, 무엇인지도 모르는 고도를 기다리면서 살아갑니다. 부조리 그 자체죠. 시시포스의 형벌은 "무의미"한 노동이었습니다. 정상까지 무거운 원형 모양의 돌을 굴리면 다시 하산하는 돌을 가지러 내려가는 시시포스의 모습, 이 또한 부조리라고 볼 수 있습니다. 통증이 가시지 않는 무릎을 붙잡고 시시포스의 형벌에 크게 감동했습니다. 아 삶은 정말 괴롭구나! 삶에서 의미 있는 게 뭐가 있을까! 의미는 결국 주관적인 해석일 뿐이구나! 인생은 고통스러움과 권태스러움의 반복이라는 쇼펜하우어의 말이 정말 명답이구나! 우리는 존재하지도 않는 목적과 본질을 앞에 두고 달려가면서 괴로워 하는구나! 아 정말 비극적이고 또 희극적이구나 찰리 채플린이 말한대로구나!

이 기록의 목적은 위에서 생각한 제 무신론적 생각의 반성입니다. 분명 신은 존재하고, 그것은 유일신이며, 유일신은 인간의 직관 바깥에 존재하는 구나, 인류라는 주어를 결정하는 술어가 바로 "하나님"이구나! 그러나 확신은 없는 마음으로, 책을 읽고 글을 끄적입니다.

단절의 경험은 저를 고독의 숲으로 끌어나갔습니다.

이 글을 누가 읽을지 모르겠지만 혹여 단절의 경험 중에 있다면, 반갑습니다. 무엇도 위로가 되지 않는다는 것도 압니다. 그래서 저도 함부로 당신을 위로하지 않으려고 합니다. 다만 당신도 당신의 슬픔을 발산하는 무언갈 찾길 바랍니다. 단절의 슬픔을 승화시킬 수 있는 모든 것들,

사실 저는 아직도 이해가 되지 않고 해결되지도 않았습니다. 그러나 기록물은 시간이라는 특수성을 만나 다른 시간대의 "나"에

게 큰 힘이 됩니다. 기록은 다른 시간대에 있을 나에게 거는 대화입니다. 혹시 먼훗날의 내가 이 글을 다시 읽는다면 분명 웃어주고, 또 수고했던 이십대초반의 나를 기억해주길 바라는 마음입니다.

기록의 힘, 자기 동일성의 힘, 술어가 주어를 결정하는 그 필연의 힘! 시간의 특수성과 다른 시간대의 나를 기대하는 힘, 모든 힘으로부터 저항하는 장애를 극복하길 바라면서 글을 마무리합니다.

크리톤_ 법을 준수해야 하는 이유는 무엇일까

크리톤은 소크라테스의 절친한 친구입니다. 우애가 깊어서 소크라테스가 500인 배심원에게 사형을 선고 받자 사형 집행 직전에 탈옥을 권유합니다. 크리톤은 소크라테스에게 죽음을 면할 수 있었음에도 죽음을 선택하는 일은 미련한 처사라고 주장합니다. 남겨진 자식들과 사랑하는 친구들을 위해서 탈옥하고, 절친한 친구인 크리톤이 소크라테스를 살릴 수 있었음에도 돈을 사랑하는 인색한 인간이라 죽음으로 내몰았다는 불명예를 안기기 때문에 친구의 명예를 생각해서라도 탈옥하자고 권유합니다.

소크라테스는 우매한 민중의 이야기보다 옳고 그름을 따지는 전문가인 철학자의 주장을 곱씹어봐야 한다고 합니다. 그게 바로 본인이겠죠?

소크라테스는 일흔 두 살의 삶 동안 내면의 양심, 오직 이성의 목소리에 복종해서 살았다고 주장합니다. 당장은 억울할 수 있는 사형선고 때문에 한평생 지켜온 양심의 목소리를 차마 저버릴 수 없다고 주장합니다.

크리톤의 메시지는 "국가의 헌법 판결은 어떻게 효력이 생기는지"를 묻는다고 생각합니다. 소크라테스에게 사형을 선고한 아테네의 법률은 소크라테스가 간접적으로 "동의"했기 때문에 "효력"이 생긴다는 현대 민주주의의 주권재민의 정신이 엿보이기도 합니다.

소크라테스는 아테네 법률을 의인화시켜서 크리톤을 논박합니다. 자유민으로서 아테네 구성원은 자발적인 이성의 판단을 통해 "헌법"에 동의했다는 것입니다.

무엇보다 아테네는 "거주 이전의 자유"를 보장하기 때문에 일흔이 넘는 시간 동안 아테네 법률이 마음에 들지 않았다면 진작 떠났으면 되지 굳이 떠나지 않은 소크라테스의 "행동"에서 "아테네 헌법에 간접적으로 동의했다고" 주장합니다.

헌법은 성숙한 "이성"의 결실입니다. 동시에 "헌법"은 공정성의 상징입니다. 헌법은 통치받는 사람들의 지배 방법을 "직접 동의하고 합의"해서 결정된 성문법이죠? 그렇기때문에 헌법의 권리와 의무는 강제력을 가질 수 있으며 한 사람의 예외 없이 누구나 적용되어야 한다는 생각이 소크라테스의 주장이아니었을까 싶습니다.

법에 예외가 없는 이유, 법이 강제력을 갖는 이유는 "구성원의 합리적인 의사 결정"에서"동의했기" 때문입니다. 헌법 1조 1항에서 밝힌 국가의 성격이 민주 공화국인데 공화국의 성격은 "헌법"의 예외 없는 적용입니다. 즉 헌법이라는 성문법은 통치 받는 일반 국민들의 자발적인 동의에서 시작되었다는 주권재민의 정신이라고
볼 수 있습니다. 크리톤은 친구를 잃었지만 "헌법"이라는 숭고한 원칙이 갖는 힘을 제대로 배울 수 있었습니다.

다시 읽는 공산당 선언

역사는 객관적인 서술이 아니라 역사가의 입맛대로 이것 저것 양념 장을 치는, 무척 주관적인 서술입니다. E.H카의 "역사란 무엇인가" 의 내용도 결국 역사라는 파노라마는 역사가의 취사 선택으로 무척 주관적이고 편협적인 세계관이라고 주장합니다. 그런 의미에서 마르 크스의 역사관도 편향적이라고 볼 수 있는 것이죠 "오늘에 이르기 까지 모든 사회의 역사는 계급투쟁의 역사이다."라고 선언한 마르크 스는 세상을 "계급적"으로 해석합니다.

"자유민과 노예, 귀족과 평민, 영주와 농노, 길드 우두머리와 직인, 요컨대 억압하는 자와 억압을 하는 자는 항상 서로 적대하면서, 때 로는 은밀히 때로는 공공연하게 그러나 끊임없이 투쟁을 계속해 왔 다."
- 칼 마르크스,프리드리히 엥겔스의 공산당 선언 중

자본론에서 마르크스가 그렇게 애쓰면서 밝히고 싶었던 것이 무엇 입니까, 바로 시장에서 가격으로 교환되는 "상품의 가치"는 어떻게 발생하는지 밝혔습니다. 마르크스의 결론은 매우 간단합니다. 상품 에는 원료와 그것을 가공할 기계, 그리고 사람의 노동력이 필요하고 두 상품이 서로 교환될 때 기준은 동일한 척도로 계산할 수 있는 "노동의 투입 시간"에서 생겨난다고 말했죠. 볼펜에 투입된 원료와 기계는 책에 투입된 원료와 기계와 다르기 때문에 동일하게 비교할 수 없죠, 때문에 고용된 노동자의 "노동 시간의 양"으로 비교해서 교환된다고 했습니다.

그러나 "소유권"이라고 부르는 문화적인 제도는 노동자의 노동시간 의 대다수를 "자본가 계급"이 가져가기 때문에 모든 역사는 소유권을 앞두고 착취하는 계급과 착취 당하는 계급이 부딪치고 뒤섞인다고 보았습니다.

"그러나 시장은 끊임없이 확대를 계속하였고…"
뒤이은 문구입니다. 여기서 눈여겨 볼 부분은 '확대'라는 단어입니다. 앞서 자본론에서 마르크스는 경제 공황을 예측했어요, '확대재생산'이라 부르는 개념으로 추론한 것인데요, 자본가는 노동자의 노동 시간에서 가치가 생기는 상품의 이익을 갈취하고, 그 돈의 일부는 저축하고 일부는 '투자'합니다. 그런데 어디에 투자하나요? 더 좋은 상품의 '원료'와 더 좋은 상품의 '기계'에 돈을 투자합니다. 경쟁하는 기업은 이렇게 원료와 기계에 투자 경쟁에 빠지죠, 이 현상을 '확대재생산'이라고 부릅니다. 즉 시장은 자본가로 하여금 착취한 돈을 노동자를 고용하는데 쓰지 않고 오히려 노동을 기계로 대체하기 위해서 투자한다고 합니다.

"이런 부르주아 계급의 발전은 각기 그 단계마다 그에 상응하는 정치적 진보가 병행했다…(중략) 그리하여 마침내는 대규모 공업과 세계 시장이 형성된 이래 부르주아 계급은 근대적 대의제 국가에서 독점적인 정치 지배를 쟁취하였다. 근대적 국가 권력은 부르주아 계급 전체의 공통된 사업을 관장하는 위원회에 지나지 않는다. "
- 칼 마르크스, 프리드리히 엥겔스의 공산당 선언 중

마르크스는 역사를 소유권에 의한 착취하는 계급과 착취 당하는 계급의 충돌로 이해했습니다. 거기에 더해, 늘 착취하는 세력은 국가 권력을 쟁취해 "소유권"을 더욱 강화한다고 이해했습니다. 근대적 대의제는 부르주아 계급을 대변하는 변호인이 되었다고 익살스레 표현하는 대목입니다.

"권력을 잡은 부르주아 계급은 봉건적-가부장제적-목가적인 관계를 모두 파괴하였다.…(중략) 개인의 존엄을 교환가치로 깎아 내리고, 무수한 자유를 단 하나의 비정한 상업 자유로 바꾸어 놓았다."
- 칼 마르크스,프리드리히 엥겔스의 공산당 선언 중

자본주의를 비판하는 몇 가지 개념 중에서 인용 빈도수가 높은 것이 인간의 존엄을 금전적인 가치로 환산해버린다는 주장입니다. 마이클 샌델 교수도 인간적인 가치가 시장에서 결정되면 안된다고 말했죠, 공화제를 채택한 국가의 헌법은 인간의 존엄을 보장하기 위해서 존재하고 다양한 사례에 있어서 존엄을 보호합니다. 아동 노동의 금지, 산업 재해 보험 보장, 국민 연금 가입 의무, 시간 당 최소임금보장 등등 헌법은 시민의 삶에 있어서 기본적인 존엄을 보장합니다. 그러나 마르크스가 런던으로 망명길에 올라 살펴본 1848년의 사회는 노동자와 시민의 존엄이 보장되지 않았죠, 상품을 생산하는 사람은 노동의 시간과 지불되야 할 임금을 빼앗기고 최소한의 생계비로 자신의 노동력을 겨우 연명할 뿐이었습니다. 자본가의 투자금은 이러한 노동자의 노동 시간, 생명력에서 오지만 자본계급은 "잉여가치"를 만들어 얼른 더 좋은 원료와 더 좋은 기계에 투자해야지, 다른 독점 기업에 대항할 수 있었습니다, 그래서 마르크스는 부르주아가 지배하는 역사의 시간은 필연적으로 사라질거라 내다 본 것입니다. 사람의 노동을 대체하는 '죽은 노동'인 기계의 투자는 곧 노동자의 고용률을 대폭 줄이고 돈이 없는 노동자는 기계의 자동화로 생산된 상품을 '사줄 수 없기' 때문에 자본가도 파산한다고 보았죠, 무척 암울하지만 대공황의 매커니즘은 '수요 부족'이라고 진단한 케인스의 대답만 봐도 알 수 있습니다.

"부르주아 계급은 생산 관계, 다시 말해 사회 관계의 총체를 지속적으로 혁명하지 않고는 존속할 수가 없다. 반대로 낡은 생산 양식을 그대로 유지하는 것이, 과거 모든 산업 계급의 첫째 생산조건이었다. 생산의 끊임없는 변혁, 모든 사회제도의 끊임없는 변동, 영구적인 불안정과 운동이야말로 과거의 모든 시대와 차별지우는 부르주아 시대의 특색이다."
- 칼 마르크스,프리드리히 엥겔스의 공산당 선언 중

역사를 소유권을 고집하지 않는 유토피아로 해석한 마르크스는 '생산관계'의 끊임 없는 변화 과정을 설명합니다. 생산 관계가 무엇입니까? 자본가는 원료와 기계에 지속적인 투자를 하고 노동자는 본인의 노동 시간의 대다수를 자본가에게 빼앗기는 관계를 말합니다. '자본'은 곧 노동자의 생명력이요, 자본의 투자는 곧 노동자의 생명을 투자하는 것이라고 합니다.

생산력은 자본가의 투자"자본"이 꾸준히 원료와 기계에 투자될 때 "발전하는 현상"을 말합니다. 생산 관계는 "투자하는 자본"이 노동자의 노동시간에서 왔으나 그것을 소유권의 명목으로 빼앗는 착취 "관계"를 지칭하는 것입니다.

생산력은 계속 발전합니다. 노동자의 노동 시간이 "잉여가치"로 환산되고 "잉여 가치는 자본가의 돈"으로 흐르며 그 돈을 원료와 기계에 투자하면 "새로운 상품"과 이전과 비교할 수 없는 공장 지대가 생기지 않습니까? 그러나 한 가지 문제는 생산력이 이렇게 발전하면 생산 관계는 틀어진다고 합니다. 자본가는 더 큰 자본에 잡아먹히고 노동자는 다른 노동자에 대체되거나 기계에 대체됩니다. 아주 공평한 자연선택이라고 볼 수 있습니다.

역사를 이해하는 방법이 중요합니다. 역사를 소유권으로 착취계급과 착취 당하는 계급으로 이해하는 역사관은 결국 소유권 자체를 말살하기 위해서 "폭력투쟁"을 옹호하게 됩니다. 인간의 존엄을 대의라는 핑계로 죽여버립니다. 소유권은 자연스러운 인간의 욕심입니다. 공산주의 투쟁 운동은 인간의 자연스러운 이기심을 모두 "사회 구조"에서 생겨버린 문제로 치부했지만 말입니다.

인간의 이해가 있다면 이상적인 대의를 위해서 폭력투쟁 따위 하지 않을거라 믿고 있습니다.

우리의 생각을 지배하는 것들_ 칼 마르크스의 공산당 선언 인용

"여러분의 사상 그 자체가 부르주아적 생산 관계 및 소유 관계의 산물이기 때문이다. 실제로 여러분의 법률이라고 하는 것은 다만, 법으로까지 높여진 여러분의 계급 의지, 즉 여러분의 계급의 물질적 생활조건에 의해 미리 내용이 정해진 의지에 지나지 않는다."
- 칼 마르크스와 엥겔스의 "공산당 선언" 중

불온 서적 답게, 악마의 혀처럼 현란하게 구사하는 문필가다운 주장입니다. 꼭 마르크스라서, 공산주의자라서, 일종의 통념을 분리해서 저 말을 생각해보면 참 재밌고 여러모로 생각할 여지가 많습니다. 대학교 독서 모임에서 교수님이 첫 시간에 그런 질문을 던졌습니다. 윤리는 만들어지는 것일까 발견되는 것일까? 물론 철학부가 아니라서 답변다운 대답을 하진 못 했습니다. 예로 대한민국의 높임말과 예의를 중시하는 "문화"는 만들어진 것일까요, 발견된 것일까요? 독일에서는 학부를 떠나서 교수진과 학부생 간의 높임말이 오가지 않습니다. 우리 문화권에서는 상상도 할 수 없는 일이지만 모든 "문화"는 이렇게 지역마다, 겪어온 역사마다 다르게 형성되는 거 같네요. 이런 의미에서 마르크스가 지적한 것, 우리가 상식이라고 받아들이는 사회적인 "통념"은 모두 "소유 관계"에서 시작된다고 주장하는 것도 이상히 보이진 않습니다. (동의한다고 하진 않았습니다.) 저게 무슨 말일까요, 부르주아적 생산 관계니, 소유 관계니 모두 허황되고 난해한 말같습니다. 조금 더 친숙한 표현법으로 고쳐보겠습니다.

"여러분의 생각들, 사회적인 상식은 그 시대를 장악한 자본가 계급의 이해 관계를 반영한 것이다."라고 바꿔서 말할 수 있습니다. 마르크스는 역사를 계급 투쟁의 흔적이라고 설명했었죠, 계급이라는 것은 착취 하는 부류와 착취 당하는 부류라고 합니다.

그렇다면 계급은 곧 "착취"와 연관되어 있다는 소린데, 도대체 착취는 또 무엇인가요? 마르크스는 현대 사회를 상품의 모음집, 상품이 산더미처럼 쌓인 사회라고 이해했죠, 상품이 만들어지는 과정을 이해하면 자본주의의 시스템을 알 수 있다고 말합니다. 상품은 "노동자의 노동력"과 상품의 원료와 기계(공장)가 맞물려서 만들어집니다.

상품이 시장에서 "가격"으로 서로 교환될 때, 동일한 척도가 필요한데, 각 다른 원료와 기계로 만들어진 상품 간에 동일한 요소가 없기 때문에 유일하게 "노동자의 노동 시간"을 정량화해서 비교하자고 제안합니다. 상품이 다른 화폐나 상품으로 교환될 때 그 가치는 "오직 노동자의 노동 시간"으로 환산된다는 말이죠. 여기서 착취가 발생합니다. 착취는 노동자의 노동 시간을 임금으로 보상해주지 않고 "최소한의 생계"만 유지할 수 있도록 돈을 던져주고 나머지는 꿀꺽하는 것이죠. 그래서 자본가가 투자하는 모든 돈은 "노동자의 피와 땀, 시간"에서 온 것입니다. 그러므로 착취는 시간의 착취라고 볼 수 있죠.

마르크스는 사회 이끄는 힘은 "착취하는 계급"의 "소유권"이라고 봅니다. 모든 사회의 상식들, 교육에서 가르치는 내용들, 정부의 인사들은 죄다 "착취하는 계급의 앞잡이"라고 이해한 것이죠. 이런 이해 방식을 아울러 "토대와 상부구조"라고 말합니다. 우리의 생각, 문화 양식, 미디어 매체, 법률의 조항, 정부의 정책은 모두 착취하는 "있는 자"의 이익을 유지하고 강화하기 위해서 존재하는 "문화적 도구"라고 주장합니다.

문화는 삶의 방식을 매체로 표현하는 도구라고 생각합니다. 우리가 당연하게 믿어왔던 상식들, 미디어에서 내비치는 "상식"들이 죄다 "착취하는 자들"의 입장을 지켜주기 위해서 존재한다고? 저는 퍽 이해가 되질 않았습니다.

문화를 이해하는 방식은 삶을 헤아려보는 태도이며, 삶을 헤아려보는 이유는 연민에 의해서 시작되어야 하는데 마르크스는 다가올 공산주의를, 착취하는 자는 끊임없이 노동자의 생명(노동하는 시간들)을 빼앗아 오고, 노동자는 넘치는 물건을 사 줄 돈이 없어져 대공황이 불어닥칠거란 그의 예언도 보기 좋게 빗나갔지만 말입니다.

마르크스의 철학의 빈곤을 읽으면서

철학의 빈곤은 마르크스가 프루동의 "빈곤의 철학"을 읽고 비판하는 책이라고 소개됩니다. 서두에서 언급되는 주제는 상품의 가격은 어떻게 결정되는지, 그 방법에 있어서 두 명의 사상가는 다른 의견을 제시합니다. 우선 프루동은 상품의 가치를 두 가지로 나눕니다. 상품은 '효용 있는 가치'와 '교환 가치'로 구분해서 살펴보자는 것이죠.(이 부분은 맑스와 유사합니다.) 프루동은 상품의 가치는 화폐로 나타나고, 가격으로 매겨지는데, 상품과 상품이 가격을 매개체로 교환되는 기준이 "상품의 공급량"에 있다고 합니다. 즉 상품의 희소성이 상품의 가격을 결정한다고 이야기 하는 것이죠.

반면에 마르크스는 상품과 상품이 교환되는 기준이 상품의 공급에 있지 않고 상품을 만들 때 투입된 "노동의 시간"이라고 주장합니다. 상품을 구성하는 "원료와 기계"는 서로 다르기 때문에 공통된 기준으로 비교할 수 없죠, 오로지 노동자의 노동한 "시간"은
절대적인 양으로 비교할 수 있기 때문에 상품의 교환가치는 노동자의 노동시간으로 비교된다고 합니다.

"일단 효용가치가 인정되면 노동은 가치의 원천이 된다. 노동의 척도는 시간이다. 생산물의 상대적 가치는 그 생산물을 생산하기 위해 쓸 필요가 있던 노동시간에 의해 결정된다. 값이란, 어떤 생산물의 상대적 가치를 화폐로 나타낸 것이다. 결국, 어떤 생산물의 구성된 가치란 다만 그것에 고정된 노동 시간에 의해 구성된 가치에 지나지 않는다."
- 칼 마르크스 "철학의 빈곤" 제 2절 인용

저는 이 문장이 마르크스 경제학의 핵심이라고 생각합니다. 상품을 "노동생산물"이라고 부르는 이유도 여기에 있다고 봐요, 상품이 시장에 공급되고 소비되는 모든 과정을 "교환 시스템"이라고 보는데, 마르크스는 상품과 상품이 만나는 시장에서 각 상품의 상대적인 "가격"은 "상대적으로 차이나는 노동의 시간"을 그대로 반영했다고 주장한 셈이니까요.

가격은 곧 노동자가 내다 판 노동의 시간량이라는 소리죠, 조금 황당한가요? 마지막 구절이 차분하게 정리해준거 같아요, 한번 더 살펴보겠습니다. "어떤 생산물의 구성된 가치란 다만 그것에 고정된 노동 시간에 의해 구성된 가치…" 상품을 생산물이라고 표현했습니다, 거기에 가치는 '노동 시간'이라고 대못을 박아버리죠. 이는 고전경제학과 마르크스경제학파가 줄곧 주장하는 상품의'노동가치론'입니다. 모든 상품의 가치는 가격으로 나타나고, 그 가치의 원천은 노동자의 노동시간이다!

고전경제학자 데이비드 리카도의 말도 인용되는데 한 번 살펴보겠습니다. "물건의 교환 가능한 가치를 정하는 것은 물건 안에 고정된 노동의 양이라고 한다면, 노동량의 증가는 노동이 쓰인 대상물의 가치를 꼭 증가시킬 것이고, 노동의 감소는 그 대상물의 가치를 감소하게 된다."

한 가지 의문이 드는 점은 물건 안에 고정된 노동의 양이 교환의 기준이라면 정말로 노동의 양을 늘리면 가격이 증가하고 노동의 양을 줄이면 가격이 떨어지나요? 이 부분은 많은 사람들이 비판했기 때문에 넘어가겠습니다. 중요한 점은 리카도 역시 "노동의 양"이 상품의 가치를 결정한다고 생각했다는 것이죠 마지막으로 프루동의 말을 살펴보면서 마무리하겠습니다. "일정량의 노동은 이와 똑같은 양의 노동에 의해서 창조된 생산물과 등가이다. 모든 노동일은 다른 노동일과 똑같은 가치를 갖는다. 즉 같은 양이면, 어떤 사람의 노동은 다른 사람의 노동과 같은 가치를 가지며, 거기에는 질적인 차이는 존재하지 않는다."
-칼 마르크스의 철학의 빈곤 인용

저는 여기서 이해가 좀처럼 되지 않습니다. 상품을 만든 시간이 동일하면 같은 값을 가진다는 이야기는 상품의 부가가치를 모조리 무시한 논리라고 생각해요, 가령 개발도상국의 노동집약적인 상품들과 선진국의 기술집약적 상품은 같은 노동량을 사용해도 가격이 다릅니다. 왜그럴요? 대한민국에서 생산하는 메모리 반도체와 필리핀에서 생산하는 바나나를 비교할 때 "같은 노동량"을 따져봐도 시장에서는 메모리 반도체가 훨씬 비싸요, 왜 이런 일이 일어나죠?

부가가치를 따지는 이유는 만들어내는 상품이 얼마나 '희소'한지, 희소성에 따라서 가격이 달라집니다. 그런 의미에서 프루동이 말한 공급의 "희소성"에 따라서 가격이 결정된다는 주장이 더 설득력 있다고 생각했습니다.

교환이라는 말 속 함축적 의미는 "상품을 만들 때 사용된 노동자의 노동일수와 노동 시간"을 맞바꾼다는 개념으로 사용했다고 봅니다. 그것은 하나의 과정이자 하나의 이론일 뿐이지, 실물 경제에서 정말 상품 속 "노동의 시간량"으로 가격이 정해지면 얼마나 큰 혼란이 있을까요, 상품의 희소성도 무시되고 덩달아 부가가치도 무시되는, 어마한 혼란이 불어닥칠거라 봅니다.

우리의 생명을 앗아가는 자본?_ 마르크스 경제학 마무리.

대략 7편 정도 마르크스 경제학과 철학을 말해왔습니다. 이제 어느 정도 마무리하기 위해서, 마르크스가 강조하고 싶었던 개념과 말을 인용하고, 그것에 대해 살펴보면서 끝내려고 합니다.

사람들은 다양한 관점으로 어떤 사실을 해석합니다. 여기서 우리는 숱한 오해를 저지르기도 합니다. 벌어진 "사실"을 누군가의 "해석" 으로 잘못 이해하거나, 누군가의 "해석"일 뿐인 의견을 "사실" 그 자체로 오해하기도 하니까요, 저는 그래서 교조화된 무언가를 기피 합니다. 기독교인 이지만 원자론자의 말을 들어보려고 하고, 자유시 장 신봉자이지만 계획 경제의 이점이 무엇인지 찾아보기도 합니다. 가장 무서운 적은 오류를 인정하지 않는 독선이라고 생각하기 때문 이죠. 카를 포퍼가 말한대로 민주주의의 적은 "오류 가능성"을 배제 하는 모든 전체주의적 문화라고 말하죠. 동의하고 공감합니다. 이런 의미에서 제게 마르크스와 니체는 고마운 적입니다. 성경의 권위를 정말 체계적으로 비판하기 때문이죠(니체의 경우 체계적이라기 보단 경쾌하게 비판하지만 말입니다.) 마르크스 경제학은 자본주의 허점, 자본주의라는 시스템 자체가 절대 다수의 시민의 노동력을 착취한 다고 주장하고 그 근거를 아주 방대하게 제시합니다.
자본주의 시스템에 살면서 자본주의 허점을 밝혀내는 그의 생각을 마지막으로 살펴보겠습니다.

"한 상품가치는 그 상품에 포함되어 있는 총 노동량에 의해 결정된 다. 그런데 그 노동량의 일부분은 임금 형태로 대가가 지불된 가치 에 실현되어 있다. 또 그 일부분은 아무런 대가도 지불되지 않았던 가치에 실현되어 있다. 상품에 포함되어 있는 노동의 일부분은 지불 노동이고 일부분은 지불되지 않은 노동이다."

- 칼 마르크스의 "임금-가격 이윤" 중 인용

조금 투박한 문체같이 느껴지긴 합니다만 여기서 중요한 개념을 말하고 있어요. 바로 "상품 가치가 노동량"에 의해서 결정된다는 주장입니다. 왜 하필 노동량일까요? 마르크스가 예측하고 직접 살던 시대와 공간은 1850년대 영국 맨체스터였습니다. 아시다피시 영국의 맨테스터는 최초의 철길과 증기 기관차가 운행한 역사적인 도시죠. 상품과 상품이 서로 교환되는 시대, 봉건제 시대는 상상할 수도 없는 시장의 시대입니다. 마르크스는 상품(노동생산물)을 구성하는 두 가지 요인 중에서 원료와 도구(기계,원료)는 상품마다 다르기 때문에 같은 기준으로 가격을 매기기 어렵다고 판단했습니다. 동일한 기준이 되는 요인은 오직 "노동자의 노동력", 그 중에서도 "노동의 시간"만이 상품과 상품을 비교할 수 있는 유일한 척도라고 말합니다.

그래서 상품가치는 투입한 노동량(총 노동 시간)으로 비교해서 매길 수 있다고 주장합니다. 만약 노동의 시간으로 상품가치가 가격으로 나타나면, 상품을 판매한 수익금은 모두 "노동자"의 몫이 됩니다. 그러나 그렇지 않죠. 노동자는 자본가에게 임금을 받습니다. 그러나 그 임금은 "노동자가 자신의 노동력을 유지하기 위한 최소한의 생계비"일 뿐이고 나머지 분의 몫은 어디론가 쓱, 사라집니다. 그것이 "지불되지 않은 임금"이라고 꼬집는 것입니다.

지불된 임금은 말그대로 노동자가 월마다 받는 "돈의 액수"입니다. 그러나 상품의 가격은 다른 상품과의 "노동량"을 비교해서 매겨지기 때문에 상품의 판매금은 모두 노동자의 몫이지만 나머지, "지불되지 않은 임금"은 자본가가 가져가는 부당한 "착취"가 발생한다는 말합니다. "지불되지 않은 임금을 마르크스 표현대로 말하면 잉여노동시간"이 됩니다. 노동자가 일을 했는데 일한 만큼 돈을 못 받는

"잉여노동시간"이라는 말이죠.

"잉여가치, 즉 상품의 총 가치 중 노동자의 잉여노동 또는 지불되지 않은 노동이 실현되어 있는 부분을 나는 이윤이라고 부른다."
- 칼 마르크스 "임금-가격 및 이윤" 중 인용

마르크스 경제학은 결국 잉여가치를 밝혀내는 과정이 핵심이라고 말할 수 있습니다. 잉여가치는 노동자가 일했는데, 지불받지 못 한 임금을 말한다고 하네요.

"그 지불되지 않은 바로 그 잉여노동이야말로 바로 잉여가치 또는 이윤을 구성하는 바탕인데, 마치 노동 전체가 지불노동인 것처럼 보인다."
- 칼 마르크스 "임금-가격 및 이윤" 중 인용

우리는 월급을 받거나 주급을 받습니다. 우리는 고용되고 상품을 만들어냅니다. 상품과 화폐가 교환되고, 상품은 다른 상품과 화폐라는 매개물로 교환되는데, 상품의 가치는 가격으로 나타납니다. 도대체 상품에 투입된 원료도 다르고, 기계도 다른 상품끼리 무슨 기준으로 가격을 매깁니까? 바로 노동량, 노동자의 일한 시간으로 결정하자고 합니다. 사람의 생명력은 시간으로 나타나고, 그 시간을 투입한 만큼 상품의 교환 비율이 정해집니다. 그러나 상품을 만들어낸 것은 노동자인데, 상품 판매 이익은 고용주가 가져가고 최소한의 생계비만 던져준다는 논리입니다. 이게 부당하기 때문에, 먼 훗날 생산력(잉여착취자본으로 기계와 원료에 과잉투자하는 것)이 과잉 생산에 치닫을 때 노동자 계급끼리 단결해서 생산수단(기계와 원료)의 소유권 자체를 소멸시켜야 한다고 합니다. 그게 역사의 종말이자 종착지랍니다. 자본가는 "사람"도 아니기 때문에 죽여버려도 마땅하다고 합니다. 사람의 존엄보다 "계급"의 "올바름"이 먼저입니다. 우리는 야만인이 아닙니다. 불평등을 완화하는 방법은 폭력말고도 다양합니다.

십자가를 거부한 철학자 루트비히 포이어바흐 이야기

9월입니다. 개인적으로 좋아하는 계절은 가을이고, 이유는 간단합니다. 가을 바람 맞으면서 읽는 책이나 글들이 오래 남거든요, 잔상처럼 굳이 기억하고 싶지 않아도 생각나게끔 합니다. 가을 학기가 시작되면서 이전처럼 독서 시간을 갖진 못하지만, 틈틈이 시간이 나는 쉬는 시간이나 통학하는 지하철에 운좋게 앉게 되면 책을 펴고 메모도 하곤 합니다. 독서 뿐 아니라 영상 매체물도 많이 시청했어요, 쉬는 날에는 가끔 누워서 넷플릭스 보는 것도 좋아하는데, 넷플릭스 오리지널 프로그램에서 특히 느꼈던 감정은 기독교에 관해서 매우 부정적인 시선을 심어두고, 우롱하는 거처럼 다가왔습니다. 많은 작품에서 기독교는 광신적이고 비합리적인 집단과 교리에 맹신하는 사람이라고 비추기도 하고, 목사에 관한 부정적인 인식을 노골적으로 드러내는 작품도 있습니다. 문화 현상이라고 치부하기에 마음이 쓸쓸하기도 하고 무엇이 문제인지 참 궁금하기도 해요.

오늘 소개하고 싶은 철학자는 그 중에서도 끝판왕, 십자가를 거꾸로 돌려버린 당찬 사나이를 소개할까 합니다.(긍정적인 의미는 아닙니다.) <기독교 본질>이라는 주저를 남긴 독일의 철학자 "루트비히 안드레스 포이어바흐"입니다.

포이어바흐는 독일에서 태어나 법학자인 아버지 밑에서 성직자가 되기 위해 "하이델베르크"라는 학교에 입학합니다. 참 아이러니합니다. 종교 자체를 부정한 사나이가 신학을 배우러 오다니, 여러모로 신기한 대목입니다. 그러나 대학에서 신학보다 헤겔 철학에 심취하게 됩니다. 칼 마르크스도 그렇고 포이어바흐도 그렇고 신을 부정하는 유물론자는 모두 "헤겔의 사상"에 흠뻑 빠지는 경향이 있는거 같네요.

포어어바흐는 이후에 하이델베르크를 중퇴하고 1826년 에를랑겐 대학에서 자연 과학을 배운 뒤 지속적으로 기독교와 일반적인 종교 자체를 비판하게 됩니다. 이쯤에서 도대체 그가 비판한 문제점과 생각은 무엇인지 살펴봐야할거 같습니다.

"신이란 이상화된 인간에 지나지 않기 때문에 신을 안다는 것은 인간이 자신의 본질을 아는 것에 지나지 않는다."
- 루트비히 포이어바흐 <기독교 본질> 중 일부 인용

우선 한 문장만 읽어봐도 굉장히 파격적이지 않나요? 신은 곧 "이상화(理想化)"된 인간에 불과하다니! 그것도 19세기 초반의 유럽에서 이런 무신론적 외침은 파격적일 수 밖에 없었죠, 그렇다면 포이어바흐가 말하는 이상화된 인간이 신이라는 말은 무슨 뜻을 가지고 있을까요? 포이어바흐는 신학의 비밀은 곧 인간학이라고 말했습니다.

신이라고 부르는 모든 개념적인 요소는 "인간이 꿈꾸고 열망하는 모든 바램"을 바깥에 던져놓고 실제로 존재하는 인격적인 "신"이라고 부른다고 해석했습니다.

우리는 저마다 바라는 모습, 이상적인 "나"의 모습을 가지고 살아가죠? 포이어바흐는 이렇게 생각한 것입니다. 인간이 개별적으로 꿈꾸는 이상적인 "나"의 모습을 바깥으로 던져놓고 그것을 "신"이라 부른다! 그렇다면 "신"은 실제로 허구적인 개념이고, 덩달아 "신"이라고 생각하는 모든 요소는 곧 "나의 이상적인 모습"일 뿐이라는 말이죠. 그래서 "신"을 알아갈수록 "이상적인 나의 모습"을 알아가는 것과 다를 바 없기 때문에 신에게 가까이 다가가면 "인간적인 본질"을 알아간다고 합니다.

"인간은 자기가 만들어낸 신의 노예가 되어 자기 자신을 완전히 상실했다. 인간이 자기 본질을 대상화하여 만든 신은 점점 더 인간적이 되었고 인간은 점점 더 왜소한 동물적인 존재로 전락했다. 인간은 자기 형상을 따라 신을 창조했다."
- 루트비히 포이어바흐 <기독교 본질> 일부 인용

위의 문단으로 포이어바흐의 생각을 정리할 수 있습니다. 저는 문단속 문장을 읽을 때 마다, 신성모독을 저지르는 기분이 듭니다. 성경은 구약과 신약으로 나누어져 있고, 구약의 첫 번째 책 "창세기"에서 하나님은 이렇게 말씀합니다.

"하나님이 자기 형상 곧 하나님의 형상대로 사람을 창조하시되 남자와 여자를 창조하시고"
- 창세기 1장27절 인용

여기서 중요한 것은 누구의 "형상(image)"으로 창조되었는지 중요합니다. 그리스어로 형상을 "eidos(에이도스)"라고 부르는데 아리스토텔레스의 해석을 덧붙여보면 "형상(eidos)"은 존재하는 사물이나 사람의 "형태와 규칙"을 부여하는 하나의 그림이라고 볼 수 있습니다. 성경에서는 "스스로 존재하는 인격적인 유일신 하나님"의 "그림(eidos)"을 본따서 만들어진 존재가 "인간"이라고 하죠. 그러나 포이어바흐는 그것을 뒤집어 버립니다. 인간의 형상(eidos)을 본따서 신이 만들어진 "인공적인 가공물"이라고 비하(卑下)합니다.

"인간은 자기가 만들어낸 신의 노예가 된다"는 말은 앞서 설명한대로 인간은 자기가 인식하는 "불완전한 나"와 내가 열망하는 "이상적인 나"로 구분합니다. 포이어바흐는 전자를 "유한본질(有限本質)"이라고 합니다. 반면 후자는 "무한본질(無限本質)"이라고 부르죠. 불완전한 인간적인 모습은 "실제의 나"가 품고 완전한 형태의 모습인 "이상적인 나"는 "신의 성질"로 만들어버립니다. 즉 상상력이 가미된 창작물이 "신"이라고 격하(格下)해버리는 셈이죠.

"인간이 자기 본질을 대상화하여 만든 신은 점점 더 인간적이 되었고 인간은 점점더 동물적인 존재로 전락했다."는 말도 일맥상통합니다. 인간은 부족하고 불안한 "유한본질(有限本質)"을 내면화해서 마치 집에서 길러지는 동물이 되고, 인간이 가지고 있는 잠재된 "능력"을 모두 바깥으로 내보내서 "신"이라 부르는 정신적인 개념에 부어버립니다. 그리곤 "주인"이 되는 것이죠.

기독교의 유일신을 포함해서 포이어바흐는 모든 종교의 절대성과 "신"은 그것을 추종하고 맹신하는 사람들의 "내면"에서 창조된 가공물이라고 말합니다. 즉 신이 스스로의 형상대로 창조한게 아니라 위대한 능력을 잠재하고 있는 "인간"의 형상을 본따서 "신"을 만들었다고 말하죠.

여기서 포이어바흐의 철학 개념 "종교소외"가 발생합니다. 실제로 존재하지 않는 허구적 "신"은 사실 인간의 무한한 상상력으로 만들어졌는데, 거꾸로 인간이 "존재하지도 않는 신"에게 지배되는 이 기이한 현상을 "소외"라고 부릅니다. 전통적으로 이 "소외"의 개념은 이렇게 정리할 수 있습니다. "실제의 나"를 "조연"으로 만들고 "실제 조연에 불과한 타인이나 신"을 "주인"으로 만들어버리는 현상을 "자기 소외"라고 부르죠. "나"보다 "너"를 우선시하는 일, "나"보다 "신"을 우선시하는 종교, "실제 인간의 상상력으로 창조된 신"에게 지배되는 "실제의 나" 이 모든 기현상을 총체적으로 부르는 말이 "소외"입니다.

후일 마르크스는 포이어바흐의 "종교 소외"를 비판적으로 수용하며 "노동 소외"라는 개념을 주장합니다. 이상적인 "인간의 모습"이 "신"으로 분리되어 멀어지듯이,

노동자가 자신이 보유한 "노동력"을 "상품(노동생산물)"을 만들 때 투입해도 생산되는 상품의 몫은 모두 "자본가 계급"의 소유로 떨어지는 "노동으로부터 노동자 소외"현상을 말하기도 합니다.

조금 다른 길로 빠졌습니다. 중요한 점, 꼭 기억해야 하는 점은 무신론을 자처하고 모든 사물과 사람은 원자(原子, Atom)의 운동으로 만들어졌다고 주장하는 유물론자는 신과 종교를 어떻게 이해하나? 이렇게 이해한다는 것입니다. 신은 "물질적으로 만들어진 인간의 상상력과 이상화된 인간의 모습이 반영된 허구적 개념"이라고 말합니다. 덧붙여 인공적인 "신"에게 지배되는 현상(종교적 소외)에서 벗어나야 하며 그것이 진정한 삶의 "해방"이라고 말합니다. 신으로부터 자유! "이상적인 나의 모습과 상상력이 가미된 인격신"으로부터 "해방"이 나의 자유라고 발설하는 유물론자들의 생각에 얼마나 동의하는지 모르겠습니다.

자유와 방임을 구분해야 하며 무엇으로부터 "자유"인지 확인해야 합니다. 해방을 말하는 자는 특히나 조심해야 하고, 우리는 "목적" 없는 원자(原子, Atom)의 운동으로 집합된 물질 덩어리가 아니라는 사실을 기억해야 합니다. 에피쿠로스 학파는 신과 영혼(psyche)도 나눌 수 없는 물질의 최소 단위인 원자(原子, Atom)의 "운동성"으로 만들어진 "물질적 존재"라고 바라보았죠. 이렇게 유신론자와 유물론자는 세상을 이해하는 방법부터가 다르다고 봅니다.

십자가를 뒤집어버린 사상가. 신에게 대항하고 반항하는 그의 생각과 "소외"의 개념을 종교 그 자체에 적용한 사상가의 생각은 얼마나 동의하시나요? 정말 "신"은 존재하지도 않고 오로지 원자(原子, Atom)의 운동으로 만들어진 "인간"이 과도한 상상력을 동원해서 창조한 것일까요? 한 번쯤 생각해 볼 수 있다고 봅니다.

소외에 관해서_ 앤서니 기든스 <자본주의와 현대사회이론>인용

저는 사회 현상을 탐구하는 걸 좋아합니다. 사회(社會)는 동류의 사람들이 모인 군집체, 혹은 문화를 포함하는 단어죠. 사회는 단일한 믿음 체계가 필요합니다. 여기서 저는 "인간의 종교성"을 말하고싶네요. 초월적인 "신"이 존재하는지 그 유무는 중요하지 않습니다. 사회 속에서 개인은 모두 동일한 "믿음 체계"를 바탕으로 살아갑니다. 유발 하라리의 사피엔스도, 다이아몬드의 총균쇠의 주제도, 이 맥락과 유사한 점이 있습니다. "종교(宗敎)"를 사회적인 기능으로 이해할때는 군주의 도구입니다. 칼로 비춰지는 군주의 "무력"은 물리적인 통제력만 갖추지만, "정신적인 통제력"에 있어서 "칼"은 아무런 쓸모가 없습니다. 군주는 자신의 무력을 허용해줄 사상이 필요합니다. 살육해도 좋다는 "이론"이 필요합니다. 나치즘은 유대자본을 갈취하기 위해서 "인종이론"을 선택했고, 결과가 수단을 정당화하는 극단적인 공리주의는 불평등을 심화시켰습니다. 이처럼 "권력을 정당화하는데" 종교와 구성원의 종교성은 유용하게 사용됩니다. 카뮈도 말했는데요, 그거 모두 "허상"이라고 말이에요.

"그러나 포이어바흐는 동시에 신과 인간의 이 철저한 대조가 인간 잠재력의 실현을 위한 영감을 불러일으킬 수 있다고 본다. 헤겔주의적 시각을 전도시켜 물질 세계의 우위를 주장함으로써 인간이 변화를 불러올 비판을 통해 소외된 자아를 회복할 수 있게 만드는 것, 그것이 철학의 과제다."
- 앤서니 기든스 <자본주의와 현대사회이론> 1장 마르크스의 초기 저작 인용

인용구절이 좀 난해합니다. 하나씩 살펴보겠습니다. 우선 포이어바흐는 기독교를 비롯한 모든 종교의 "초월적인 신"은 없다고 주장한

무신론자입니다. 그렇다면 인류가 떠받든 "신"은 무엇이냐고 묻는 대답에는 "신은 인간이 꿈꾸는 이상적인 모습"을 투영한 "가짜"라고 대답합니다. 시니컬하죠, 포이어바흐의 <기독교본질>은 기독교의 하나님을 포함한 모든 종교의 신은, 사실 인간의 "종교성" 때문에 나타난 문화라고 보고있어요, 신은 사실 "인간의 잠재된 능력"일 뿐인데, 자꾸 존재하지도 않는 "신"을 만들어서, 거꾸로 비참한 노예로 전락한다고 비판하죠. 창세기 1장을 거꾸로 뒤집습니다. 신이 인간을 창조한 게 아니라, 오히려 인간이 스스로의 의식을 동원해서, 자신의 이상적인 모습을 "신"으로 만들어냈다!고 말입니다.

철학에서 "주체(主體)"와 "객체(客體)"의 관계가 몹시 중요하다고 했습니다. 왜 그렇죠? "나는 존재하다."는 명제가 있다고 가정해봅시다. 그렇다면 "나는 존재하지 않는다."는 반명제가 없으면 "나는 존재한다."는 명제는 아무런 의미가 없어져요, 즉 "나"는 곧 "내가 아닌 것"이 있어야지만 "나"로서 존재할 수 있습니다. 한 가지 예시를 더 들어보죠, 제가 아이스 아메리카노를 주문했는데, 주문 실수로 "따뜻한"아메리카노가 나왔습니다. 제가 아르바이트생한테 저는 "차가운"아메리카노를 주문했는데 왜 "따뜻한"아메리카노를 준거죠?라고 말이죠. 여기서 저는 "차갑다"는 개념이 "따뜻함"이라는 개념과 서로 등지고 있다는 걸 알 수 있어요. 모든 "이해 가능한 개념"은 "자신과 반대되는 개념"을 끌어안고 있지 않으면 의미가 발생하지 않습니다.

그렇다면 "신"도 마찬가지입니다. "신"이라는 개념은 "신"이 아닌 것을 만들어내지 않으면 의미상 성립될 수 없어요. 그래서 인용구절에 "헤겔주의적 시각을 전도시켜"라는 말이 나오는겁니다. 헤겔은 독일 철학자인데, 신이 아니라 "절대정신(Geist)"이 자신의 존재성을 만들어 가기 위해서, 다시 말해 "신"이 "신이 아닌 것"을 만들어 내는 과정이 곧 "역사의 진행"이라고 주장했거든요.

"헤겔은 인류의 발전을 스스로에 대해 분열해가는 신이라는 관점에서 보았다. 포이어바흐의 철학에서는 신은 인간이 스스로에 대해 분열하는 한에만, 인간이 자기 자신으로부터 소외되는 한에만, 존재할 수 있다. 신은 하나의 환상적 존재이며.."
- 앤서니 기든스 <자본주의와 현대사회이론> 1장 마르크스의 초기 저작 인용

그렇다면 "신"이 아닌 것은 무엇일까요? 쉽게 보면 "세상,인간"들입니다. 신의 속성이 "아닌 것"이죠. 포이어바흐는 뭐라고 했나요, 사실 "신"은 "인간에 잠재된 무한한 능력을 하나로 모아둔 가공품"이라고 격하했습니다. 무신론의 시선에서 "신"의 전지전능함은 인간이 바라고, 열망하며, 갖고싶어하는 "힘"을 투영시킨 하나의 "이미지"에 불과한거죠. 여기서 "전도"라는 말이 중요합니다. 전도(顚倒)는 뒤집는다는 의미죠. 무엇을 뒤집어요? 유물론자와 무신론자는 한 짝입니다. 이들이 보기에 기독교를 비롯한 사회 내 퍼진 모든 "믿음 체계"는 "인간의 무한한 잠재된 능력"을 자꾸 "신"이라고 착각하면서 비하하고 있어요. 그걸 뒤집자!는 것입니다.

"이전에는 신에게 향했던 사랑을 인간에게 집중시킴으로써 인간의 통일성, 대자적인간을 회복시켜줄 휴머니즘이 종교를 대신해야 한다."
- 앤서니 기든스 <자본주의와 현대사회이론> 1장 마르크스의 초기 저작 인용

신은 "주체"의 자리에서 군림합니다. 주변부로 밀려난 인간은 "객체"가 됩니다. 권력 관계는 주체가 객체를 지배하는 방법으로 이뤄

집니다. 포이어바흐 말대로 인간은 사실 "주체"의 자리에서 자신의 잠재성을 마음껏 발휘하고 지배자로 군림해야 하는데, 멍청하게도, "신"이라는 허울 아래 자신의 "모든 능력"을 헌납하고 있으니 답답할 노릇이라고 하네요.

글을 마무리하면서 개인적인 감상을 밝히겠습니다.
사회는 믿음 체계를 바탕으로 이뤄집니다. 믿음 체계는 곧 "가치 체계"입니다. 무엇이 최고선으로 여겨지는 지, 각 문화권마다 차이가 있죠. 그 믿음 체계를 바탕으로 구성원은 "행동 체계"가 결정됩니다. 사회 속에서 구성원은 어느 면에서 "제약"이 되는데, 고대와 중세는 그 제약의 주체(主體)가 "유일신"이었습니다. 그러나 회복,재생되다는 의미에서 르네상스(Renaissance)시대는 "제약의 주체가 이성"이었죠. 주체는 늘 객체를 "지배"하게 됩니다. 주변부로 밀려난, 소외된 객체는 권력 앞에 무력합니다. 그래서 포이어바흐와 마르크스는 주변부의 철학, 중심에서 이탈한 "객체"의 입장을 듣고, 혁명을 일으키자고 주장하죠. 포이어바흐가 보기에 "주체가 신"이라면, 마르크스가 보기에 "주체는 사유재산권으로 혼자 생산수단을 독점한 부르주아 계급"이었습니다. 주체의 해체, 주체와 객체의 교체! 주변으로 밀려나 소외된 것을 조망하는 감수성이 엿보입니다.

다시 돌아와서 살펴봅시다. 정말 "신"은 허구이며, 사실 "인간의 잠재된 능력으로 이뤄진 허상"일까요? 정말 이상적인 인간의 본질을 신이라 착각하고 스스로 착취당하고 있는 게 문명의 민낯인가요?
마르크스의 말대로 "사적소유권을 오-남용하는 부르주아 계급"은 노동자의 노동 시간을 갈취하는 데 혈안이 되어 있을까요?
우리는 그들처럼 사회 내 모든 현상을 "주체의 착취"와 "객체의 피해"로 이해해야 되나요?

세상을 이해하는 방법들_ 데카르트의 방법론 회의와 스피노자의 양태론

조던 피터슨 선생의 책을 읽고 가장 인상 깊었던 문구가 "해상도"라는 말입니다. 몇 년 전 읽었던 터라 정확한 문구는 기억이 나지 않지만, 아마 "지식의 폭이 깊어질수록 사태를 바라보는 해상도가 높아진다."라는 논조였다고 기억해요, 현대인의 평균 유튜브 시청시간만큼 우리는 늘 고화질로 설정해두고 영상을 시청합니다. 가끔가다 데이터 송신에 오류가 발생해서 "저해상도"로 시청하면 아주 답답해 죽을 맛이죠. 살아가면서 "지식"이 주는 유용함은 무언가를 바라볼 때 보다 더 말끔한 해상도로 바라볼 수 있다는 점에서 지식의 "기능"이 무엇인지 깨달았던 문장입니다.

세상은 "사실"과 "해석"으로 이루어졌습니다. 여기서 "지식"은 "해석"의 영역에 포함되죠. 모든 학문적 지식은 사실을 바라보는 "해석"일 뿐입니다. 현대인이 수용하는 정보의 양과 중세인이 수용할 수 있는 정보의 양은 현저하게 차이난다고 생각합니다. 보통 정보의 양이 많을수록 덜 싸우고, 완만하게 합의점을 찾을 것만 같은데, 막상 현실을 마주보면 꼭 그렇진 않아요. 왜그럴까요, 서로의 "해상도"가 달라서 그런가요? 지식의 깊이가 꼭 "해상도"를 결정하진 않는다고 생각합니다. 중요한 것은 "세계관"이죠. 세상을 이해하는 "방법"말입니다. 유신론자와 유물론자는 하나부터 열까지 이해하는 방법이 달라요. 현실적인 인명 사고를 바라볼 때 유신론자는 기도를 합니다. 반면 유물론자, 그 중에서 에피쿠로스의 생각대로 말하면 모든 인재는 "우발적인 사건"일 뿐이고 죽음도 삶의 일부처럼, 원자(原子, Atom)의 흩어짐일 뿐이라고 생각하죠. 비단 유신론자와 유물론자 뿐만 아니라 사람마다 가지고 있는 신조(信條)가 다를 수 있고 취향이 다를 수 있죠. 이상형만 봐도 다르지 않습니까?

철학사는 늘 "다름"을 어떻게 "극복"해왔는지 알 수 있는 학문이라고 생각합니다. 세상을 이해하는 방법이 서로 다르지만, 그것을 극복하는 과정으로 두 명의 사상가와 개념을 소개할까 합니다.

"세상은 정신과 물질로 이뤄졌다. 물체는 공간을 차지하고 있는 연장이다. 우리 정신이 명석판명하게 인식하는 것은 객관적 사실이다."
- 르네 데카르트의 말 인용

데카르트는 세상을 "물질적인 것"과 "정신"으로 나눠서 전개합니다. 물질적인 것의 특징은 "공간을 차지하는 성질"이 있다고 하죠. 위에서 살펴본대로 물체는 "공간을 차지하는 속성을 가지고 그것을 연장"이라고 부릅니다. 물질의 개념을 한 단어로 정리해버리죠. 그래서 공간을 차지하는 물체는 "역학 세계의 지배"를 받습니다.
그래서 물질은 모두 동일한 "자연법칙의 원리"에 지배 받는다고 말합니다.

데카르트는 명석한 수학자인 만큼 "인간의 정신적인 부분을 이해하기 위해서 유클리드의 기하학"을 도입합니다. 그것이 뭐냐? 바로 "공리"라고 부르는 동일한 원칙입니다. 유클리드의 기하학은 계산할 때 기본 전제가 되는 "공리"에서 출발합니다. 마찬가지로 정신의 "사유작용"도 "공리"라고 부를 법한 기준점이 있어야 한다고 생각한 것이죠. 데카르트는 생각합니다. "정신의 사유작용도 공리"가 있다면 어디에 있을까, 계속 의심합니다. 악마가 나를 속일 수 있으니까 우리가 당연하게 받아들인 가정마저 의심합니다. 끝없는 의심 가운데 데카르트는 한 가지 재밌는 사실을 발견합니다.
"모든 것을 의심하는 나"는 결코 의심할 수 없는 자명한 상태구나? 정신의 "공리"는 이렇게 끝없는 의심을 통해서 발견됩니다. 데카르트는 이렇게 의심을 통해서 자명한 공리를 발견하는 과정을 "방법론적 회의"라고 부르죠. 의심을 통해서 진리를 발견했으니까요.

"나는 생각한다 고로 존재한다의 라틴어 Cogito ergo sum"은 세상을 이해하려고 노력한 데카르트의 방법이었습니다. 데카르트는 중세 시대까지 "물질과 정신"을 하나로 이해한 기독교적 관점에서 벗어납니다. 물질은 공간을 차지하는 "연장"의 속성을 가지고 역학 세계에 속할 뿐이라고 말하죠. 반대로 정신은 자명한 "공리(제 1원리)"라고 부르는 의심하고 있는 "나"에서 출발한다고 합니다. 물질의 세계와 정신의 세계는 서로 "다른 원리"로 지배 받는다고 말하죠.

그러나 스피노자는 데카르트의 이분법적 해석을 반대하고 그것을 하나로 합쳐버립니다. 비판적으로 계승한 셈이죠. 스피노자는 유신론자는 맞는데 정확히는 범신론을 주장했습니다. 기독교의 인격신이 아니라 모든 자연과 정신에 "신의 속성"이 깃들었기 때문에 우리가 바라보는 물질적인 것도 "신의 흔적"이라고 보면서 초월적인 인격신을 거부하죠. 그래서 스피노자는 파문을 당하고 욕도 많이 얻어먹었다고 합니다.

데카르트가 인간을 "정신적인 면"과 "물질적인 면"으로 나누고 서로 다른 원리에 지배 받는다고 말했습니다. 스피노자는 이분법적 해석을 반대하고 "정신적인 면"이나 "물질적인 면"모두 신의 속성이 변신한 것이라고 말하죠.

"정신이 자연을 인식할 수 있는 것은 정신과 자연이 모두 신의 속성을 가지고 있기 때문이다. 신과 분리된 자연이나 정신은 존재할 수 없다. 사유는 신의 속성이며, 신은 사유하는 물체다. 만물은 신의 속성이 만들어낸 양태다. 따라서 정신과 물체를 구별하는 것은 가능하지 않다."
- 스피노자의 말 인용

스피노자의 말을 생각해보면 정신의 영역에서 발생하는 "사유 활동도 신의 성질"이고 물질의 영역에 해당하는 "신도 사유하는 물체"라고 말합니다. 그래서 정신이나 물질은 모두 "신의 성격"을 공유하는 다양한 형식이라고 말합니다. 스피노자의 양태(樣態)론은 이렇게 정리할 수 있습니다. "존재하는 물질과 보이지 않는 정신은 모두 신의 성격을 가지고 있는 신의 다양한 모습을 가지고 있다." 양태라는 것은 하나의 "상태"라고 해석할 수 있습니다. 스피노자는 데카르트의 해석에 반대합니다. 물질은 역학 세계에, 정신은 의심할 수 없는 "직관"에 따로 구분해서 생각할 수 없고 오로지 "신의 성격"을 공유하는 다양한 신의 모습일 뿐이라고 말하죠.

당대 철학의 논쟁은 "인식론(認識論)"이었습니다. 사물과 그것을 바라보는 "나"는 어떤 관계를 가지고 있지? 지식은 습득하지 않고도 알 수 있나? 아니라면 오직 경험을 통해서만 알 수 있나? 오늘 그 주제에서 비판적으로 계승한 스피노자와 데카르트의 흔적을 살펴볼 수 있었습니다.

마지막 황제의 가르침_ 마르쿠스 아우렐리우스의 명상록 인용

"네가 삼천 년을 산다고 해도, 아니 삼만 년을 산다 해도, 아무도 지금 살고 있는 것 외에 다른 삶을 잃지 않으며, 지금 잃고 있는 것 외에 다른 삶을 살지 않는다는 것을 명심하라. 따라서 가장 긴 삶도 가장 짧은 삶과 결과는 마찬가지다. 현재의 시간은 만인에게 길이가 같고 **우리가 잃는 것은 우리의 것이 아니기 때문이다.** 따라서 잃는 것은 분명히 한순간에 불과하다. 아무도 과거나 미래를 잃을 수 없기 때문이다. 왜냐하면 갖고 있지 않는 것을 어떻게 빼앗길 수 있겠는가?"
- 마르쿠스 아우렐리우스 <명상록> 2부 38p 일부 인용

"인간이 사는 시간은 한순간이며, 그의 실체는 유동적이고, 그의 지각은 불분명하고, 그의 몸의 성분들은 모두 썩게 되어 있고, 그의 영혼은 소용돌이이고, 그의 운명은 예측할 수 없고, 그의 세평은 불확실하다. 즉 육신의 모든 것은 강이고, 영혼의 모든 것은 꿈이요 연기다. 그리고 삶은 전쟁이자, 나그네의 체류이며, 사후의 명성은 망각이다. 그렇다면 우리의 길라잡이가 될 수 있는 것은 무엇인가? 오직 한 가지, 철학뿐이다. "
- 마르쿠스 아우렐리우스 <명상록> 2부 38p 인용

막연하지만 문득 10년뒤 모습을 생각해봤습니다. 서른 세 살의 나를 포함해서, 내가 짊어져야 하는 관계를 생각해봤습니다. 이제 어엿한 사회 구성원이 되고, 납세도 하며 서툴기만 했던 어린티를 서서히 벗겨내고, 누군가의 아버지가 되었거나, 누군가의 남편이 되었거나. 믿음직한 친구가 되었거나. 반대로 누군가의 질타를 받거나. 누군가의 눈초리를 받을 수도 있습니다. 뭐 지금도 별 다를 바 없는 거 같네요.

한 번은 어거스틴의 고백록을 잠깐 읽은 적이 있습니다. 거기서 "시간"에 관한 주제로 이런 문구를 봤던거 같아요. 우리는 오직 현재만 살 뿐이라고. "과거의 현재"와 "현재의 현재" "미래의 현재"가 이어진, 무수히 많은 "순간"들의 연속이라고 기록된 문구가 기억에 남네요. 누구에게나 경험되는 순간의 "길이"가 같다고 합니다.

10년 전, 열 세 살의 나는 십년 후인 스물 세 살을 떠올리면서 막연하게 즐거울거라 생각했습니다. 그러나 별 다를바 없이 누군가를 미워하고, 누군가를 좋아하고, 누군가의 눈치를 보고, 누군가를 피하고, 자신이 없기도 했고, 자신(自身)이 과신(過信)이 되어 타인에게 해를 끼친적도 있습니다. 그럴 때 마다, 가볍지 않은 실수를 할 때마다 조금 더 나아져야지, 다짐했던거 같네요.

그러면서 늘 잃어버린 것을 아까워했습니다. 아쉬움도 아니라 아까워했다는 말은 무척 속물적이라고 생각합니다. 아쉬움은 "순수한 가능성"을 두고 탄식하는 마음이라 생각되고, 아까움은 "금전적인 가능성"을 두고 탄식하는 사리(私利)라고 생각합니다.

우리는 늘 간을 봅니다. 아직 주어지지 않은, 아우렐리우스가 말한 "나의 것"이 아닌 미래의 "현재"를 "현재의 현재"보다 중요하게 생각합니다. 살면서 아쉬운 이유, 후회하거나 미련이 생기는 이유는 "내가 선택하지 않았던 그 선택지"가 "나의 것"이 될 수 있었을 거라고 믿는 과신(過信)에서 시작됩니다.

양자 역학의 세계에서 "원지핵" 주변부를 전기적 속성 때문에 빙빙 멤도는 "전자"의 위치는 제대로 알 수 없다고 합니다. 오로지 "확률"로서 알 수 있다고 합니다. 이처럼 우리도 확률에 가까운 두 가지 선택지를 두고, "내가 선택하지 않았던 선택지"를 "당연히 나의 것"인줄 착각하고 감사한 마음을 잃어버리게 됩니다.

이보다 더한 과신(過信)이 있을지 싶네요.

서늘한 초가을 밤바람에 아우렐리우스 황제의 이야기를 들으면서 하루를 마무리 합니다.

보이지 않는 권력이 나를 지배한다고?_ 미셸 푸코 <성의 역사 1권> 인용

나는 오늘도 학교에 가야합니다. 왜냐하면 "쓸모"있는 사람이 되어야 하기 때문이죠. 1호선에 탑승하면 좌석이 빽빽하게 가득 차 있습니다. 간단한 와이셔츠를 입은 직장인과 피곤한 눈, 하품하는 입과 왼쪽 다리를 꼰 상태로 꾸벅 졸고 있는 학생들. 우리는 모두 "쓸모"있는 사람이 되기 위해서, 정확히는 쓸모 있는 상품이 되기 위해서 하루 하루를 살아갑니다. 너무 극단적인가요? 저는 이 시대가 말하는 갓생살기나 미라클 모닝 모두 헛소리라고 생각합니다. 부지런함은 개인의 미덕이지 타인을 얕잡아 보기 위해서 하는 행동이 아니죠. 우리 사회가 그렇게 밀어붙이고 있습니다. 어서! 쓸모 있는 상품이 되라고 말이죠.

위에서 말하는 내용을 조금 고상하게 표현하면 "사회담론(司會談論)"이라고 말합니다. 담론이란 우리가 살아가는 공간에서 중요하게 생각하는 사건이나 가치를 말하죠. 이 시대의 담론은 "어떻게 쓸모 있는 상품"이 되나, 그것 뿐입니다.

프랑스의 후기-구조주의자 미셸 푸코는 전에 소개한대로 "감시와 처벌"에서 모든 문화적인 개념은 "규율 권력"이라는 힘이 만들어낸 억압의 도구라고 이해했습니다. 마르크스와 별 다를바 없는 해석이 있죠. 오늘은 그가 조금 더 심도 있게 파헤친 "성(性)"에 관해서 대화를 나눠보겠습니다.

"권력, 특히 우리 사회에서 작용하는 것과 같은 권력의 속성은 억압적이 것이고 쓸데 없는 정력, 격렬한 쾌락, 관례에 어긋난 성적 행동을 특별히 세심하게 억압하는 것이기 때문에 우리의 작업은 아마 그만큼 더 길어질 수밖에 없을 것이다."
- 미셸 푸코 <성의 역사 1권:지식의 의지> 17p 인용

미셸 푸코가 모호하게 말하는 "권력"이란 그 시대의 "상식적인 생각"을 결정하는 집단입니다. 예를 들어서 "나는 좋은 대학 갈거야"라는 생각은 누구나 한 번쯤 합니다. 그러나 누구도 "-좋은 대학"이 무엇이고 도대체 "왜" 나와야 하는지 그 필요성을 묻지 않습니다. 이것을 두고 저는 "관성적(慣性的)인 사고(私考)"라고 말합니다.
외부의 "힘"의 작용으로 아무런 비판도 저항도 없이 받아들이는 사고를 조심해야 합니다. 결국에 우리는 "좋은 대학을 나와서 좋은 상품이 되고 좋은 상품은 쓸모 있는 상품"으로 변신하게 됩니다. 자본주의 사회에서 "규율 권력"은 "자본가 계급"이겠죠?
푸코가 보기에 우리가 더 나은 사람이 되려고 노력하는 이유가 "나"에게 있지 않고 바깥의 담론들, "좋은 사람이 되고 좋은 상품이 되어서 쓸모 있는 상품으로 거듭"나는 이 과정을 보기 좋게 포장하고, 숨겨두었다고 비판합니다.

"즉 성을 그토록 엄격하게 억압하는 이유는 성이 전반적으로 집약적인 노동력의 동원과 양립할 수 없기 때문이라는 것이다. 노동력이 조직적으로 착취되는 시대에 노동력의 재생산을 허용하는 최소한의 한정된 쾌락 이외의 다른 쾌락 때문에 노동력이 허비되는 것을 용인할 수 있었을까?"
- 미셸 푸코 <성의 역사 1편: 지식의 의지> 13p 인용

어렵게 생각하실 필요 없습니다. 간략하게 생각해보면 대강 이렇습니다. 푸코가 생각했을 때 자본가 계급은 일반적인 사람을 "쓸모 있는 상품"으로 만들기 위해서 "성性"문화(文化)를 "다시 만들어야"한다고 생각했습니다. 너무 방만하게 성 생활을 즐기면

상품을 만들 때 투입되어야 할 "노동력"이 제대로 남아나질 않을테니까요, 조금 더 이야기 해보자면, 지그문트 프로이트(Sigmund Freud.)라는 심리학자는 인간을 성 충동으로 해석했어요, 우리는 짐승과 다를게 없어서 "의식으로 나타나지 않은 성욕구"가 의식 밑으로 억압된다고 설명했습니다. 여기서 "성적인 충동"은 다른 방향으로 전환해서 "힘(power)"으로 사용할 수 있다고 봤죠. 푸코는 그 지점에서 새롭게 해석하고 있습니다. 자본가 계급은 사람을 쓸모 있는 상품으로 만들기 위해서 "성적 충동"을 노동할 수 있는 "힘"으로 전환시켜야 하며, 거기에 사용될 "문화적인 규제"는
바로 청교도 윤리라고 말합니다. 기독교를 비판하는 것이죠.

"이것은 아마 지식과 권력의 제도가 그 사소한 일상의 무대를 엄숙한 담론으로 뒤덮을 수 있기 위한 하나의 조건이었을 것이다."
-미셸 푸코 <성의 역사 1편: 지식의 의지> 41p 인용

미셸 푸코는 "말과 사물"이라는 처녀작에서 이렇게 주장합니다. 우리는 "변하지 않는 사물"을 지칭하는 "말"의 변화를 제대로 이해할 줄 알아야 한다고 말이죠. 즉 1000년전의 "미친 사람"이나 2023년도의 "미친 사람"은 "동일한 사실"인데 그것을 대처하고 해석하는 우리의 "관점"은 달라졌다고 말합니다. 우리가 당연하게 받아들이는 "상식(常識, common sense)"은 당연하지 않습니다. 그것은 때에 따라서, 시대의 권력을 휘어 잡은 숨어 있는 "권력가"들이 멋대로 징해둔 "담론"입니다.

"성에 관해 말해야 한다. 성에 관해 말하는 사람이 합법적인 것과 비합법적인 것을 구분한다 할지라도 누구나 이 분할에 얽매이지 말고 공개적으로 말해야 한다."

"성은 판단될 뿐만 아니라 관리된다. 성은 공권력의 소관이고, 관리의 절차를 요하며, 분석적 담론에 의해 다루어져야 한다."
미셸 푸코 <성의 역사 1편: 지식의 의지> 32p 인용

왜 하필 미셸 푸코라는 작자는 변태 성욕자도 아니면서(근데 맞다고 합니다. 근래 밝혀진 사실인데 푸코는 아동성범죄를 저지른 사건이 공개되었죠)왜 "성(性)"에 집중해서 분석하는 걸까요? 성은 우리의 가장 은밀한 영역입니다. 동시에 가장 개인적인 영역이죠. 푸코는 이렇게 생각했습니다. 가장 강력한 권력은 우리의 사소한 "일상"마저 지배한다고 말이죠. 푸코는 청교도 윤리를 비판적으로 바라봅니다.

성경의 가르침은 "금욕"을 주장하는데 이는 앞서 살펴본대로 "자본가 계급을 위한 쓸모 있는 상품"이 되기 위해서 "성욕구(정확히 말해서 id'원초아'의 리비도)"를 상품에 투입될 "노동력"으로 전환시켜야 하며, 결혼 제도라는 신성한 기독교 문화로 "노동자"를 많이 양성해서 값싼 노동 임금을 유지하려는 "나쁜 속셈"의 도구가 바로 "성경과 기독교 세계관"이라고 욕하고 있습니다. 이게 맞을까요?

푸코는 모든 문화는 "꾸며진 것"이라고 봤어요, 마찬가지로 성경과 기독교 윤리관도 17세기부터 18세기까지 시대를 호령한 "자본가"들이 자신들의 입맛에 맞는 생각을 "상식"처럼 만들고 "보이지 않는 생각의 힘"을 마구 부렸다고 합니다.

우리는 우리만의 "대답"을 준비해야 합니다. 무엇을 어떻게 바라봐야 하는지, 내 시선에 힘이 없으면 저기 바깥의 "생각"들, 곧 "담론"이라고 말하는 거대한 쓰나미에 불어닥쳐 숨도 못쉬고 내 생각은 그대로 사라집니다.

1. 현재 이웃은 어떤 형태로 존재하는가?

- 우선 이웃에 대한 개념 정리가 선행되어야 합니다. 저는 개인적으로 이웃을 영문 "community"라고 의역하고 싶어요. 이웃은 "관계"의 한 형태이기 때문입니다. 영문 "community"는 "-함께"라는 뜻의 "com"과 "-선물하다. -주다."를 뜻하는 라틴어 "comunis"의 합성어입니다. 그래서 "community"를
이쁘게 번역해보면 "같은 공간에 앉아 있는 사람 간의 나눔"이라고 덧붙이고 싶어요. 앞서 설명한대로 이웃은 인간 관계의 수많은 표현 중에 하나입니다. 지역사회복지론에서는 "지리적 지역사회"와 "기능적 지역사회"로 구분해서 바라보는 관점이 있습니다. 지리적 지역사회는 과거 1960년대부터 산업화가 마무리된 1980년대 중반까지의 대한민국 모습이라고 볼 수 있죠. 산업화 이전의 대한민국은
전형적인 농업 사회였습니다. 강수량이 많고 여름에 집중 호우가 내리는 한반도 특성상 이모작과 모내기를 "다 함께" 해야만 하는 정감 있는 공동체"community"가 된 셈이죠. 그러나 수도권으로 집중된 제조업 육성과 자본의 규모 확대로 "지리적으로 분리된" 공동체가 되었습니다. 같은 공간에서 생겨나는 따뜻한 "정"의 시대에서 공간이 분리되고 사람 간의 소통의 장벽이 생기는 "벽"의 시대로 이행한 것이죠. 2023년 이웃의 개념은 "기능적 지역 사회"로 파악해야 합니다. 우리는 물리적인 만남보단, 소셜 미디어 속의 아바타로 만나는 게 더욱 익숙한 세대가 되었죠. 이제 "공통의 관심사"로 대면하는 시대로 이동했습니다. 그런 면에서 "후한 이웃 어머니들의 인심"은 더이상 느낄 수 없는 차가운 사회가 되었지만요.

2. 요즘 시대에도 이웃이 필요한가?

- 1900년 현대의 문을 열고 죽어버린 비운의 철학자 니체는 "고독"의 필요성을 강조했습니다. 물론 고독(孤獨)의 위험성이 만연한 시대에서 위험한 주장이라고 생각됩니다. 위에서 언급한대로 산업화 이전의 문화는 "지리적 지역사회"로서 소규모 농촌
사회에서 서로의 얼굴을 대면하고 모내기도 도와주는 "정"있는 사회였다면,

지금은 서로의 얼굴도 모르고 이름도 알 수 없는 대규모 콘크리트의 시대 아닙니까? 고독(孤獨)의 "고孤"는 외로운 "고"입니다. 상형문자 孤는 아들 자" 子"와 오이 과"瓜"가 합쳐진 문자입니다. 이는 줄기에 매달린 힘없는 열매처럼 "의지할 곳이 없는 마음 상태"를 나타낸다고 하죠. 현대 자본주의 사회는 "개인"이 느끼는 무력감과 박탈감도 "정"있는 사회에서 추방된, 말그대로 가인의 심정으로 살아가는 무기력한 마음이 아닐까 싶어요. 그래서 이웃은 필요합니다. 사람을 뜻하는 문자 "人"도 "연결"되어 있으며, 쉼을 뜻하는 문자 "休"도 사람이 나무에 "기댄"모습을 본 떠서 만들었습니다. 이처럼 사람이라면, 누군가의 어깨가 필요하고 기댈 곳이 필요합니다. 이웃은 곧 "관계"이며 관계 없는 사람은 죽어있는 것과 다름 없습니다. 모든 삶의 의미는 "관계(關係)"에서 발생하기 때문이죠.

3. 바쁜 현대사회에서 이웃과의 교류는 에너지 소모로 치부되는 경우가 있는데 이렇게 생각하는 사람들에게 이웃의 필요성을 어떻게 설득시킬 수 있는가?

- 이웃을 꼭 공간적으로 붙어있는 옆집 사람이라고 생각하지 않았으면 좋겠습니다. 이웃은 공간적으로 분리된, 먼 이웃 사람도 포함되는 넓은 개념 아닐까요? 그래서 이웃은 "소통"의 의미로 필요합니다. 자꾸 상형 문자 이야기해서 죄송합니다만, 한 번만 더 하겠습니다. 인간"(人間)"을 말할 때 우리는 사이 "간(間)"자를 빼놓고 생각합니다. 우리 선조는 "間"를 중요하게 생각했어요. 사람은 나와 다른 사람 "사이"에서 진정한 "사람다운 사람"이 된다고 말했습니다. 말장난이 아닙니다. 자본주의 사회는 "이웃"을 잠재적 경쟁자로 여기고, 하나의 "상품"으로 비교하고 평가하게 됩니다. 말그대로 사람의 존엄이 "자본(資本)" 즉 상품처럼 내다 팔리게 됩니다. 우리는 상품이 아니라 사람입니다. 사람의 의미를 지켜내려면, "다른 사람과 대면할 때 생기는 사이 공간"이 필요합니다. 이웃의 교류는 나의 자기 계발 뿐 아니라 "사람의 존엄"이 발생하는 공간입니다. 이웃과의 교류를 "자기 계발"로 채우려는 생각은 "나의 존엄 (尊嚴)"을 "상품(商品)"처럼 여기는 잔인한 생각입니다. 우리는 상품화(商品化)를 거부하고 끊임없는 인간화(人間化)를 추구해야 합니다.

사회에서 "나"는 어떻게 결정되는가?_ 미셸 푸코의 <성의 역사 1편: 지식의 의지>

"규범의 심급, 권력은 본질적으로 성에 대해 법을 강요하는 것일지 모른다. 이것은 우선 **성이 권력에 의해 이항(二項)체제, 즉 합법과 비합법, 허용과 금지 아래 놓인다**는 것을 의미한다. 다음으로 이것은 권력이 성에 대해 이해 가능성의 형태로도 구실을 하는 질서를 처방한다는 것을 의미한다. **성은 법과의 관계에 입각해서 해독**된다. 끝으로 이것은 권력이 규범을 공표함으로써 작용한다는 것을 의미한다."
미셸 푸코의 <성의 역사 1편: 지식의 의지> 98 p인용

저는 어렸을 적 주변에서 덕담으로 가장 많이 듣던 소리가 "훌륭한 어른"이 되어야 한다는 말이었습니다. 덕담은 덕담으로 받아들여야 하지만, 우리 사회는 "우러러 보는 이상향"이 있다고 생각하게 되었죠, 자본주의 문화에서 훌륭함은 "자본의 축적과 투자"를 말할테고 (잔고의 "0"의 개수도 포함되겠죠?) 엘리트 문화권에서 훌륭함은 "최종 학벌"이 되겠죠. 모든 노력을 비관적으로 바라보는 게 아닙니다. 여기서 생각해보고 싶은 점은 "나"는 "나"가 결정하는 게 아니라 늘 "바깥"에서 결정된다는 것이죠.
미셸 푸코의 주장에 동의하기 때문에 그의 책을 읽고 인용하는 것도 아닙니다. 다만 그가 이해하고 주장하는 점, "인간의 가치와 더불어 가장 은밀한 성행위의 가치관"도 "나"가 결정하는 게 아니라 보이지 않는 어떤 "문화적인 질서"에 의해서 결정된다고 말하는 부분이 무척 와닿았습니다.

푸코는 권력의 실체를 몇 가지 성격으로 설명합니다. 우선 "법"이라고 부르는 문화적인 제도를 "권력을 움켜쥔 집단의 바램이 투영"되

었다고 보고 있습니다. 민주주의 제도는 곧 "헌법의 지배(rule of law)"를 보여주기 때문에 법을 제정하는 "입법자"들의 "생각"을 지배하는 "문화적인 질서"가 우리의 일상 생활을 지배한다고 보았죠.

의회에서 만든 법안이 "우리의 은밀한 일상"을 지배한다고 주장합니다. "성이 권력에 의해 이항 체제, 즉 합법과 비합법, 허용과 금지 아래 놓았다는 것을 의미한다."는 푸코의 말을 다시 한 번 살펴봅시다. 우리의 일상 생활을 모두 "허용"된 행동들이죠.
법률은 우리의 행동을 감시하고 판단합니다. 법률 속에 녹아든 "가치관"을 나도 모르게 강요 받고 있다고 주장하고 있는 것이죠.

합법과 비합법 정상과 비정상 훌륭함과 볼품없는 것 등등 우리 사회는 철저하게 이분법으로 나눠지고 실제로 우리가 살아갈 때 "판단의 기준" 자체가 "이분법"적입니다. 문제는 우리가 동요하고 동의하는 "상식"은 "권력자"들이 문화 속에 심어놓은 "가치관"이기 때문이죠.

"권력은 언어에 의해, 더 정확히 말해서 진술된다는 사실 자체만으로 합법적 지위를 갖게 되는 담론 행위에 의해 성을 공략할지 모른다. 권력은 말하고 권력의 말은 규범이다. 권력의 순수한 형태는 입법자의 기능에서 발견될지 모르고, 따라서 성에 대한 권력의 작용 방식은 법 담론적 유형의 것일지 모른다."
- 미셸 푸코 <성의 역사 1편: 지식의 의지> 99p 인용

그러나 푸코는 조금 더 급진적으로 주장합니다. 우리가 평소에 사용하는 "언어"마저도 "그 실체 없는 권력"에 의해서 만들어진 "권력자의 도구"라고 주장하죠. 우리는 법 아래에서 살아갑니다. 그리고

언어를 사용합니다. 이 두가지 요소에 공통점이 있다면 그것은 "보이지 않는 문화적인 개념"이라는 점이죠. 언어는 문법 체계 속에서 문자와 의미로 나열됩니다. 법은 조항으로 세분화되었고 "언어"로 씌여진 성문법입니다. 푸코는 이렇게 생각했나 봅니다. "권력자는 유리한 지형을 유지하고자 언어와 법이 지향하는 가치를 당연한 상식처럼 만들었다!"고 말이죠.

"권력은 말하고, 권력의 말은 규범이다." 이 대목에서 푸코의 생각을 엿볼 수 있다고 생각합니다.

"검열의 논리, 이 금지는 세 가지 형태를 띠는 것으로 추정되는데 **그것들은 허용되어 있지 않다고 단언하기, 이야기되지 않도록 가로막기, 존재한다는 것을 부정하기**로서, 겉보기에는 양립하기 어려운 형태들이다. 검열의 논리는 존재하지 않는 것, 비합법적인 것, 말로 표현할 수 없는 것을 서로 연결시켜, 어느 하나가 다른 것의 원인과 결과이게 만든다."
- 미셸 푸코 <성의 역사 1편: 지식의 의지> 99p 인용

권력은 "검열"한다고 합니다. 그것은 비상식적이야! 그것은 허용되어 있지 않아! 그리고 입을 가로막는다고 말하죠 조금 더 살펴봅시다,

"장치의 단일성, 성에 대해서는 **권력이 모든 층위에서 동일한 방식으로 행사될지 모른다. 위에서 아래로,** 권력이 전반적으로 결정하고 모세관적 말단에 까지 개입하는 가운데, 권력이 기대는 기구나 제도가 무엇이건, 권력은 균질한 덩어리처럼, 획일적으로 작용할지 모르고, **법, 금기, 검열의 무한히 반복되는 단순한 톱니바퀴에 따라 작동할지 모른다..**(중략) **규모만 서로 다를 뿐인 권력의 일반적 형태가**

발견될지 모른다."
- 미셸 푸코 <성의 역사 1편: 지식의 의지> 100p 인용

권력은 위에 아래로 "짓누르는"성질이 있다고 말합니다. 우리가 살아가는 사회는 "문화적"입니다. 법 아래에 특징이 있고, 관례가 있죠. 그것을 아울러 "문화(文化)"라고 합니다. 모든 문화는 "자연스레"생겨나는 게 아니라 "인위적으로 만들어진"것이라고 하죠. "법, 금기,검열의 무한히 반복되는 단순한 톱니바퀴"라는 문구를 살펴봅시다. 우리가 살아가고 타인을 이해하는 그 "공간"을 가득 채운 "법"은 곧 "금지된 것과 허용된 것"으로 나타나고, "우리의 생각"을 검열하죠. 그래서 이런 현상을 두고 "권력의 일반적 형태"라고 부른 것입니다.

"이 형태는 합법적인 것과 비합법적인 것, 위반과 징벌의 상호작용을 내포하는 법이다. 법을 제정하는 군주, 금지를 명하는 아버지, 침묵하게 만드는 검열관, 또는 규범을 가르치는 선생 중에서 어느 모습이 이 형태로 간주되건, **권력은 어쨌든 법적인 형태로 도식화되고, 권력의 효과는 복종으로 규정된다.**"
- 미셸 푸코 <성의 역사 1편: 지식의 의지> 100p 인용

여기서 푸코가 정리해줍니다. 권력은 법으로 나타난다!고 말하죠. 그런 권력은 일상에서 살아가는 우리에게 복종을 요구하고, 그것이 지연스러운 상식으로 나타난다고 합니다. 법을 제정하는 군주나, 우리를 혼내는 아버지의 위엄이나 선생님이 가르치는 훈육은 모두 "똑같은 이치"라고 합니다. 그것은 "비정상적인 것과 정상적인 것"을 구분하고 "그 형태를 법과 제도 속에 집어넣은 뒤, 문화적으로 우리의 일상에 스며드는 것을 목적"으로 한다고 주장하고 있죠.

"권력의 편재(偏在), 이것은 권력이 모든 것을 결코 무너지지 않을 통일성 아래에 통합할 특권을 지닐지 모르기 때문이 아니라, 매순간 모든 상황에서 더 정확히 말하자면, **어느 한 지점에 대한 다른 한 지점의 모든 관계에서 권력이 생산**되기 때문이다.

권력은 도처에 있는데, 이는 권력이 모든 것을 포괄하기 때문이 아니라 권력이 도처에서 발생하기 때문이다."

- 미셸 푸코 <성의 역사 1편: 지식의 의지> 109p 인용

세상을 이해하는 방법은 다양합니다. 푸코는 세상을 "지배"하고 "억압"당하는 관계로 이해했어요, 그래서 담론이라는 도구로 우리의 일상을 지배하고 이끌어간다고 주장하죠. 한 지점에서 다른 한 지점의 모든 관계에서 권력이 "생산"된다고 합니다. 옳은 것, 우리가 옳다고 여기는 것 조차 "권력이 은근슬쩍 침투한" 생각이라고 합니다.

"담론이 권력의 도구이자 동시에 결과일 수 있을 뿐 아니라 복잡하고 불안정한 작용을 인정해야 한다. **담론은 권력을 전하고 생산하고 강화하고** 서서히 잠식하고 노출시키고 약화시키고 가로막게 해준다."

- 미셸 푸코 <성의 역사 1편: 지식의 의지> 118p 인용

오늘은 인용구절이 참 많고 빽빽하네요. 마지막 인용구를 살펴보면서 글을 마무리하겠습니다. 우리는 어제의 나, 오늘의 나, 내일의 나로 "시제 변화"로서 바라볼 수 있고 "어머니에게 나, 친구들에게 나, 애인에게 나"등 수많은 관계에서 "나"를 바라볼 수 있습니다. 담론(談論) 사람과 사람 사이에서 오가는 "말(言)"을 뜻합니다.

그 말(言)은 내 것이 아닙니다. 내가 태어나기 훨씬 전부터 수많은 시간을 견뎌낸, 시간의 침식 작용을 견뎌낸 "타인의 말(言)"입니다. 우리는 타인의 말(言) 속에서

"나"를 발견해야 합니다. 마찬가지로 나의 꿈, 내가 바라는 나의 모습, 내가 추구하는 삶의 목적, 내가 살아 있음을 느끼는 의미(意味)는 "모두 나의 것이 아닌, 타인이 만들어준 말(言)로서 드러납니다.

자본주의를 비판하고 생물학적 성 염색체의 구분도 "단순히 권력이 만들어낸 개념"이라고 치부한 푸코의 생각은 대단히 위험하다고 봅니다. 그러나 한가지 생각해볼 점은
우리가 믿고 있는 당연한 것들은 절대로, 당연하지도 않고 "나의 것"도 아니라는 점입니다. 모두 타인의 것, 타인이 만들어낸 말(言)을 빌려서, 살아가기 때문에 끊임없이 우리를 둘러싼 환경과 말(言)을 의심해야 합니다.

타인의 말(言)은 내 것이 아닙니다.

아이콘 러버의 시대_ 니체의 <우상의 황혼>을 읽으면서.

'신 개념은 지금까지 인간의 삶에 최대의 걸림돌이 되어왔다. 우리는 신을 부정한다. 그리고 신을 부정함으로써 책임을 부정한다. 이와 함께 비로소 우리는 세계를 구원한다.'
- 프리드리히 니체 <우상의 황혼> 77p 인용

사람은 '신앙(信仰)'의 존재입니다. 우리는 무언가를 믿지 않으면 살아갈 수가 없습니다. 기독교의 유일신을 믿지 않아도, '무신론(無神論)'이 주장하는 개념을 '믿습'니다. 오스트리아의 비엔나 학파는 '검증되지 않는 명제는 취급하지 않는다.'는 '본인들이 세운 기준'을 '철썩같이 믿고'있습니다. 우리는 지구의 모형이 원형이라는 점, 케플러의 말대로 비스듬히 태양을 공전한다는 점, 질량에 의한 수축 운동으로 블랙홀이 있다는 사실을 '믿고'있습니다. 니체가 살다간 시대는 중세를 호령한 유일신의 믿음이 사라지고 검증된 사실만 '믿는' 실증주의와 이성주의가 고개를 내밀던 시기입니다.

학계에서 주장하는 모든 지식을 비롯해서 종교에서 주장하는 특정 계율이나 한 사회에서 암묵적으로 강요되는 모든 '문화'는 사람의 행동 방식을 결정합니다. '모든 종교와 도덕의 근저에 있는 가장 일반적인 정식은 이것은 하고 저것은 하지 말라. 그렇게만 하면 너는 행복하게 될 것이다! 만일 네가 그렇게 하지 않는다면... 이라는 것이다. 도덕과 종교는 모두 이런 식으로 명령의 형태를 띤다.'
- 프리드리히 니체 <우상의 황혼> 64 p 인용

나는 대한 민국 사회에서 살아갑니다. 시대를 불문하고 모든 사회는 각 시대 정신이 반영된 '상식'을 강요합니다. 자본주의 사회에서는 경쟁 속에서 살아남은 '적자 (適者)'가 되어야 하고, 연봉 이정도는 벌어야 하며, 소비의 수준이 내 인격을 결정합니다. 이것을 일종의 도그마 (dogma)라고 부르고 싶네요. 우리는 도그마 속에서 아무런 생각도 없이 살아갑니다. 니체는 이 지점을 비판한다고 봤어요. 왜 그 따위 기준을 가만히 내버려두나! 그 따위 외부의 기준이 너를 결정하나! 너는 극복되어야 하고, 너는 충분히 가능성이 있는 창조자라고 말이죠.

'우리에게 가치를 설정하라고 강요하는 것은 삶 자체이며, 우리가 가치를 설정할 때 우리를 통해 삶 자체가 가치평가를 하는 것이다. 이러한 사실로부터 신을 삶에 대한 대립 개념이자, 삶에 대한 단죄로 파악하는 도덕의 저 반자연성은 단지 삶이 내리는 하나의 가치판단일 뿐이라는 결론이 나온다..(중략) 쇠퇴하고, 쇠약해지고, 지쳐 빠지고, 단죄 받은 삶이라고, 이제까지 이해되어온 도덕- 궁극적으로 쇼펜하우어가 삶의 의지에 대한 부정이라고 정식화했던 도덕은 스스로 하나의 명령으로 만들어버리는 데카당스 본능 그 자체다.'
- 프리드리히 니체 <우상의 황혼> 60p 인용

인용문이 조금 길었습니다. 여기서 언급하고 싶은 부분이 더러 꽤 있는데요, 우선 첫 문장을 살펴보면 '우리에게 가치를 설정하라고 강요하는..'이 등장하죠. 니체가 생각하기에 바람직한 삶은 '의미를 스스로 창출하는 삶은 곧 삶의 모든 행동 기준과 가치 기준을 스스로 세우는 자'라고 평가합니다. 스스로 '신의 창조성'을 발휘해야 한다고 말하죠, 이렇게 이해하면 다음 문구가 자연스레 이해가 됩니다. '우리가 가치를 설정할 때 우리를 통해 삶 자체가 가치 판단을 하는 것이다.'라는 문장도 같은 맥락에서 이해되죠. 삶의 기준이 '내가 스스로 세운 것'이라면, '내 삶의 가치 판단도 남들이 아니라, 사회의 도그마가 아니라 오직 내'가 하는 셈이죠. 그래서 하나님을 믿거나, 자본주의 도그마에 심취하거나 국가의 애국심에 소위 국뽕 당하거나, 사회주의 경제 체제를 현실화시키려는 모든 '이데올로기 움직임'은 '사람의 창조 능력을 쇠퇴하게 만들고 내 삶의 주연 역할을 조연에게 건네주는 멍청한 짓'이라고 말하고 있습니다.

위에서 언급한 '데카당스'라는 단어는 니체가 자주 사용하는 단어입니다. 이 책 각주에서는 데카당스를 '생명력 퇴화에 따른 허무주의'라고 인용합니다. 내 삶의 기준이 남의 기준이 되면 '정신적 퇴화에 따른 허무를 느끼게 되고 그 감정을 데카당스'라고 사용한 것이죠.

다음은 니체가 주장한 이상적인 삶의 자세입니다.
'나는 하나의 원리를 정식화해 보이겠다. 도덕에서의 모든 자연주의, 즉 모든 건강한 도덕은 삶의 본능에 의해 지배된다고, 이 경우 삶의 계율은 어떠한 것이든 해야 한다와 해서는 안된다라는 특정한 규범으로 채워지며, 이와 함께 삶의 노정에서 나타나는 어떠한 장애나 적대적 요소는 제거된다.'

'이에 반해 반자연적 도덕, 즉 지금까지, 가르쳐오고 숭배되어오고 설교되어온 거의 모든 도덕은 삶의 본능에 적대적이다. 그것은 삶의 본능들을 단죄한다..(중략) 신은 마음속을 꿰뚫어 보신다라고 말하면서 반자연적 도덕은 삶의 가장 낮고 가장 높은 욕구들을 부정하며 신을 삶의 적으로 만들어버린다.'
- 프리드리히 니체 <우상의 황혼> 59 p 인용

니체는 물론 기독교 도덕과 기독교의 유일신 하나님을 비판하는데, 더불어 모든 '~주의(ism)'을 비판합니다. 모든 '~주의(ism)'에는 '종교적인 믿음'이 깔려 있는, 말그대로 아이콘 러버가 되어버리기 때문이죠. 위의 인용문도 그런 맥락에서 이해할 수 있어요.
니체는 강아지의 배변 활동이나 인간의 배변 활동을 포함해서 살아서 움직이는 모든 생명체를 '이성적'인 원리로 생각하지 않습니다. 그것은 '본능 (本能)'이라고 언급하는 생명체의 '타고나는 욕구'로 세상을 바라보죠. 똑똑한 인간 문명은 나름대로 계율을 만들어 낸다고 하죠, 거기에 덧붙여 '행동 방식'도 결정합니다. 이것은 허용하고, 저것은 금지하죠. 도덕은 그 기준을 '신비화'한다고 합니다. 인간은 짐승적인 '욕구'로 살아가는데 자꾸 그놈의 '종교와 도덕의 규칙'으로 옭아서 묶어버립니다. 그래서 중세의 기독교와 근대의 실증주의는 '인간이라면 누구나 느끼는 자연스러운 욕구'를 금지하고, 방해하는 '반자연적'인 오류라고 비판합니다.
건강한 삶은 자연이 주는 욕구를 '승화 (昇華)'하면서 살아가는 것이죠.

'우리는 참된 세계를 제거해버렸다. 이제 무슨 세계가 남아 있는가? 현상의 세계일까? 아니다! 참된 세계와 더불어 우리는 소위 현상의 세계도 없애버렸다! (정오, 가장 짧게 그늘이 지는 순간, 가장 긴 오류의 끝, 인류의 정점, 차라투스트라의 등장)'
- 프리드리히 니체 <우상의 황혼> 53 p 인용

중세 시대, 조금 더 정확히 1453년 동로마 제국이 투르크 제국에 멸망한 그 해를 기점으로 '유일신'의 세상에서 증명되지 않으면 의미 없다고 주장하는 실증주의 (實證主義) 정신으로 신은 죽었다고 선고했죠. 그래서 죽으면 갈 수 있는 '저 세상'이 사라졌다고 말합니다. 문제는 여기서부터 시작되는 것이죠. 신을 죽인 인간의 문명은, 이제 어떤 '의미'로 살아가냐! 너희들 감당할 수 있냐! 신의 형상으로 지음 받은 너희 피조물은 유일한 인간의 '의미'를 보장해주었는데 너희들이 신을 죽이면서 이제 인간, 너희는 아무런 의미도 찾을 수 없다!고 주장하는 외침입니다.

위에서 언급된 '긴 오류의 끝'은 하나의 해석에 불과한 '유일신'이라는 오류가 기나긴 역사를 지배했으며, 이제 신은 죽으면서 오류가 해결되었다고 말하는 부분입니다.

그 앞에 배치된 '정오'는 신한테 전가한 인간의 창조정신을 되찾아 이글거리는 태양처럼 창조정신을 내뿜는, 이상적인 인간상이라고 니체가 '상징'하고 있습니다.
이처럼 니체의 말은 현학적이고 은유와 상징으로 가득차 철학자라고 보기엔, 문학적인 면모가 너무나 많다고 생각합니다.

'그대들은 철학자의 특이체질은 무엇인가라고 나에게 묻는다. 예를 들자면 그들의 역사적 감각 결여와 생성이라는 관념 자체를 증오한다는 이집트주의가 그것에 해당한다..(중략) 그들은 생식과 성장과 마찬가지로 죽음-변화-노쇠도 항의할 만한 결점으로 생각하며 심지어 논박의 대상으로까지 생각한다. 존재하는 것은 생성하지 않는다. 생성하는 것은 존재하지 않는다- 그리하여 철학자들은 모두 절망하면서 존재하는 것(영원불변하게 존재하는 것)을 믿는다.'
- 프리드리히 니체 <우상의 황혼> 41 p 인용

이집트주의라는 익살스러운 표현만봐도 얼마나 니체가 문학적 표현에 능통한지 알 수 있습니다. 이집트는 사후 세계를 죽은 자의 시체를 붕대로 숭숭 감아서 안치했죠. 이집트주의란 플라톤이 주장한 이데아와 기독교의 내세론을 말하고 있습니다. 니체가 보기에 '당장-지금-이순간'이 제일 중요한데 도대체 왜 죽고나서의 일을 생각하는지 이해가 안되고, 사후 세계를 위해서 '지금-여기'의 순간을 하찮게 여기는 풍조를 비판합니다. 이 세상(현세, 혹은 차안此岸)은 시간의 축이 있죠, 그래서 나아갈수록 나이가 들고 언제가는 죽어버립니다. 플라톤은 변하는 모든 물질을 하찮게 여겼습니다. 생성하고 소멸하는 이 세상보다 '변하지 않는 원형' 이데아를 우수하다고 생각했죠. 기독교는 이 세상을 원죄(原罪,Hamartia)로 접근하고 육체의 욕구를 죄악으로 생각하죠. 니체는 이 두가지 생각을 거부합니다. 불변(不變)하는 저 세상의 기준으로 네 현재의 삶을 평가하지 마라! 생동감있게 변하는 이 세상의 네 두 눈으로 모든 것을 평가하라! 라고 말이죠.

'자신의 존재를 어떤 목적에 맞추려 하는 것은 불합리한 일이다. 목적이라는 개념을 고안해낸 것은 우리 자신이다. 목적이라는 것은 실제로는 존재하지 않는다.'
- 프리드리히 니체 <우상의 황혼> 77p 인용

당신의 존재는 누가 만들어 갑니까? 무신론자이자 모든 '~주의(ism)'을 비판한 인간적인 철학자 니체의 말은 어떻게 느껴지나요?

기독교인이 바라본 니체의 반(反)기독교 정신_ 니체의 <우상의 황혼>인용

"그리스도교는 하나의 체계이며, 종합적으로 사유된 전체적 견해다. 따라서 그리스도교에서 신에 대한 믿음이라는 주요 개념을 빼버린다면 그로 인해 전체가 붕괴되고 만다."
-프리드리히 니체 <우상의 황혼> 105p 인용

오늘은 니체가 집요하게 비판한 반(反)기독교 정신을 살펴볼까 합니다. 추세가 그렇듯이 기독교 정신과 기독교인은 철저히 "소외된 소수자"라고 생각하는데 별다른 이견이 없을거라 생각합니다. 저는 모태신앙입니다. 양가 부모님과 외-친할아버지 모두 기독교인이라서 어렸을적 저는 너무 익숙하게 예배를 드리고 두손 모아 기도하고, 사도신경을 외웠습니다. 머리가 크면서 반감이 들 법한데 저는 나름대로 충실했다고 생각합니다. 하나님이 존재할까?라는 의문을 크게 갖지 않았던거 같습니다. 사람들은 댓글창에서 "신이 없는 이유"를 마구 늘어놓습니다. 민주제도에서 "의사표현"은 핵심이기 때문에 모든 의견을 존중합니다. 그러나 제가 생각하는 의견도, 기독교인의 의견도 존중받아야 마땅하다고 봅니다. 어느 분이 과학 도서 <코스모스>를 인용하면서 유일신이 존재하지 않는 이유를 설명했습니다. 제가 읽어본 바로는 칼 세이건 선생은 우주 배경 복사와 도플러 효과로 "우주가 팽창"한다고 설명했고, 그에 따라서 우주는 창조된 게 아니라 "우연"에 의해서 소수점까지 딱 맞아 떨어져 폭팔 했다고 합니다.

어느 분은 다윈의 종의 기원을 말씀하시면서 아담이나 에덴 동산은 "사피엔스 특징 중 하나인 인지 혁명"의 결과라고 말씀하셨습니다. 개체는 자연에서 유리한 변이에 의해 더 나은 형질을 전달하고, 그

개체가 "다수"로 남아서 "진화"가 이어진다고 주장했죠. 모두 존중하고 어느 면에서는 맞는 말이라고 생각합니다.

거기에 더해 오늘 살펴볼 니체의 반(反)기독교 이야기는 "종교의 당위성"을 두고 비판하기 때문에 과학적인 접근은 아니지만 한 번 들어볼만 합니다.

"그리스도교는 인간이 무엇이 자신에게 좋고 무엇이 나쁜지 알지 못하며 알 수 없다고 전제한다. 그것을 알고 있는 존재는 오직 신뿐이며 인간은 이 신을 믿어야 한다. 그리스도교 도덕은 하나의 명령이다. 그것의 기원은 초월적이다. 그리스도교 도덕은 모든 비판과 비판할 수 있는 권리를 넘어서 있다. 그리스도교 도덕은 신이 진리일 때만 진리다."
- 프리드리히 니체 <우상의 황혼> 105 p 인용

니체의 시선으로 바라본 기독교는 이렇다고 하네요. 어떤가요? 조금 거북하신가요? 아니면 일정부분 동의하시나요?

"그들의 도덕은 단지 그리스도교적인 가치평가의 지배에서 비롯된 결과일 뿐이며 그리스도교적 지배가 강력하면서도 깊숙이까지 이루어지고 있다는 사실의 표현에 불과하다."
- 프리드리히 니체 <우상의 황혼> 105p 인용

니체는 우리의 일상을 지배하는 모든 생각은 "하나의 의견"을 표현한 것에 지나지 않는다고 말했죠. 종교, 국가, 도덕, 이렇게 물질적이지 않은 모든 "개념"은 "바라보는 사람의 가치평가"에 의해서 만들어진 "결과물"이지 "원인"이 아니라고 합니다. 니체는 우리가 저지르는 숱한 오류중에서 "결과(結果)"를 항상 "원인(原因)"으로 착각한다는 데 있다고 지적하죠.

"즉 최고의 개념들, 가장 일반적이고 가장 공허(公許)한 개념들, 증발하는 실재(實在)의 마지막 연기를 최초의 것으로 간주하면서 맨 앞에 놓는다..(중략) 최고의 지위를 갖는 것은 '자기-원인'이어야 한다는 것이다. 다른 어떤 것에서 비롯된다는 것은 결점을 갖는 것이며 그 가치가 의심스러운 것으로 간주된다. 최고의 가치는 모두 최고의 지위를 갖는다."
- 프리드리히 니체 <우상의 황혼> 44p 인용

하나님은 모세에게 "스스로 존재한다."고 말씀하셨죠, 니체는 그 부분을 비판합니다. 신을 비롯한 최고의 것으로 간주되는 개념은 "다른 무엇으로부터 설명되지 않고, 오로지 스스로, 독립적으로 존재한다."고 말합니다. 니체는 그 부분을 꼬집습니다. 그것은 "결과"를 "원인"으로 오해하는 일이라고 말이죠,

우리는 니체가 "신"을 죽인 다이너마이트라고 생각하지만 실제로 그렇지 않습니다. 그는 실증을 들먹이는 현대 "이성주의"와 더불어 "신"을 몰아낸 현대인의 "불안"을 미리 걱정했습니다. 신을 죽이고 신을 믿는 그 "습관 (習慣: 행동 양식)"은 남아있잖아요? 우리는 그래서 신 대신 다른 것을 "믿는다"고 본 것이죠. 다윈을 "숭배"하고, 칼 세이건의 말을 "숭배"하게 됩니다. "신이 없다는 믿음을 숭배"합니다. 우리는 "종교적"인 존재라서 그래요.

그래서 니체는 몇 가지 대안을 제시합니다. 그중에서 하나가 "예술"이죠. 그가 바그너를 극찬한 이유 중 하나입니다. 뭐라고 했는지 살펴보겠습니다.

"예술이 존재하기 위해서는, 또한 어떠한 것이든 미학적인 행위와 관조가 존재하기 위해서는 하나의 생리적인 예비조건, 곧 도취가 필수적이다. 도취에 의해 먼저 기관 (器官) 전체의 흥분이 고조되지 않으면 안 되는 것이다."
- 프리드리히 니체 <우상의 황혼> 108 p 인용

살아 있는 생명체를 어떻게 바라봤습니까? 다양한 욕구로 파악했습니다. 그 욕구를 계속 짓누르는게 종교와 도덕이었다면 그가 대안책으로 제시한 "예술"은 신체에 오밀조밀 담겨 있는 욕구를 "마음껏 발산"합니다. 그 조건이 바로 취해버리는 것, 포도주의 신 "디오니소스"의 힘을 빌려 신체(身體)의 욕구에 완전히 잠식 당하는 것이 대안책이라고 제시합니다.

"아무리 다양한 조건에서 생기더라도, 모든 종류의 도취는 예술을 낳을 수 있는 힘을 가지고 있다. 가장 오래되었고 근원적인 형태의 도취인 성적 흥분의 도취가 무엇보다 그렇다..(중략) 마지막으로 의지의 도취 벅차고 부풀어 오른 의지의 도취도 예술을 낳는 힘을 가지고 있다."
- 프리드리히 니체 <우상의 황혼> 108~109 p 인용

기독교 관점에서 바라보면 굉장히 어긋나있다고 생각합니다. 성적 도취라는 말 자체가 신체의 성욕구를 "자연스러운 현상"으로 여기고 나아가 "추구해야 할 것"으로 결론을 내버리니 말입니다. 도취는 니체 초기작 "비극의 탄생"에서 제시한 철학 개념입니다. 자연스러운 "힘(욕구의 전체)"을 부정하는 종교와 도덕을 너머, 예술혼으로 탈바꿈하기 위해서는 "디오니소스의 취함, 광란의 도취"가 필요하다고 말하죠.

자, 여기까지 기독교의 비판적인 생각과 대안으로 제시한 예술론을 간략하게 살펴봤습니다. 마무리하기 전에 아쉬운대로 개인적인 생각을 남겨볼까 합니다.

저는 기독교인이 세상에서 영향력이 있는 사람이 되어야 한다고 생각합니다. 세상의 빛, 그리고 소금의 역할은 제대로 "구분"하는 일이죠, 여기에는 "앎"이 필요합니다. 앎은 곧 지식이고, 지식은 "성경적 세계관"과 "반성경적인 세계관"을 모두 파악해야 합니다. 독선 (獨善) 말그대로 "하나의 사례나 생각을 일방적으로 주장하는"것이죠. 니체는 애시당초 성경을 떠나서 모든 경전을 "문학 작품" 취급합니다. 하나의 "소설"이라고 말이죠. 세상에는 드러난 사실과 그걸 해석한 다양한 "관점"만 있을 뿐, 종교의 색을 띠는 모든 경전은 "중력에 짓눌린 난쟁이와 물혹을 짊어지고 걸어가는 낙타의 운명" 으로 표현합니다. 분명 니체의 말대로 기독교의 행동 양식은 예수 그리스도없이는 설명도, 이해도, 덩달아 아무런 효과도 없습니다. 니체는 기독교를 여성적이라고 말합니다. "의존적"이라는 것이죠. 로마 제국 시절 네로 황제부터 디오클레티아누스 황제까지 박해를 받던 "기독교인"이 "로마 귀족"에게 "질투하는 감정"을 느껴서 "만 들어낸 것이 내세, 즉 천국과 지옥"이라고 주장합니다. 기독교는 하나의 심리학이며, 그 심리는 바로 "노예들의 원한(怨恨: 르상티망 ressentiment)"이라고 합니다.

은총은 "아무런 값없이 받은 예수그리스도의 피"라고 생각합니다. 그리고 그걸 의존적이며 진취적이지 못 한 "노예 정신 머리"라고 욕하는 니체를 마주봅니다. 우리는 어디에, 어떻게 생각하고 대응해야 할까요? 무엇이 올바른 길인가요?

우상의 황혼을 읽고_ 프리드리히 니체 <우상의 황혼> 인용

앞서 소개한 글대로 사람은 다양한 "믿음"을 가지고 있습니다. 우리가 누리는 "자본주의"시스템도 소비자의 "믿음"에 기반해서 움직입니다. 가령 "신용"경제란 대한민국 정부가 발행한 "지폐"가 "마치 금"과 같은 값을 갖는다고 믿는 그 "믿음"도 일종의 "우상"이라고 해석할 수 있습니다. 자본은 스스로 복리를 꾀합니다. 증식하죠, 제1금융권은 "레버리지"라는 속임수로 중앙 은행에 예금주의 돈 10%만 예치하고 나머지 90%는 모두 대출 사업으로 "이자"를 떼어 먹습니다. 예금주는 본인의 계좌에 찍힌 "0"의 개수를 "믿는"것이죠. 우리가 살아가는 실물 경제도 사람의 "믿음"으로 움직일 수 있습니다. 생각해보면 우리가 말하는 모든 "문화"는 전부 "믿음"에 기초하고, 그 믿음을 "당연한 상식"으로 여기면서 "권위"에 순종합니다. <우상의 황혼>은 니체가 이탈리아 토리노 광장에서 말의 엉덩이를 붙잡고 미쳐버리기 직전, 1888년도에 집필되었습니다. 니체의 사상이 죄다 무르익은, 말년의 사상이라고 볼 수 있죠.

니체가 말하는 "우상"은 플라톤 이래로 모든 "이원론"적인 가치, 이 세상은 가짜야! 죽고 나서 "사후세계(死後世界)"가 진짜라고 말하는 서양 철학사와 그리스도교, 및 당대 민주주의, 사회주의, 무정부주의, 사회진화론까지 비판합니다. 모든 "사상"에 심취된 사람은 "군중 속에 도취한 바보같은 인간"이라고 하면서 말이죠. 니체가 제일 싫어하고 비판했던 대상은 "군중심리"라고 생각합니다. 우리가 살아가면서 마주치는 "통념" 앞에 굴복하지 말고 이겨내야 한다고 충고합니다. 한 번 살펴보시죠.

"자유주의적 제도는 그것이 세워지자마자 자유주의적이기를 그친다. 나중에 보면 그런 자유주의적 제도만큼 지독하고 철저하게 자유를 손상시키는 것은 없다. 자유주의적 제도가 무엇을 초래하는지는 잘 알려져 있다. 그것은 힘에의 의지를 서서히 무너뜨려버린다. 그것은 산과 골짜기를 평준화(平準化)하면서 이러한 평준화를 도덕으로까지 격상시킨다. 그것은 인간을 왜소하게 만들고, 비겁하게 만들며, 향락을 추구하는 존재로 만든다. 이러한 제도에 의해 매번 개가를 울리는 것은 무리 동물이다."
- 프리드리히 니체 <우상의 황혼> 144p~145p 인용

개인적으로 니체의 글은 재밌습니다. 굉장히 유쾌하고 문장마다 특유의 "리듬"이 있다고 할까요? 살펴본대로 니체는 예를 들면서 "자유주의"의 정신이 "제도화"되면 어떤 비극이 발생하는지 통쾌하게 꼬집습니다. 자유주의 정신이 제도가 되어서 우리 사회에 적용되면 "사람의 신체와 충동적인 본능"이 점점 짓눌린다고 설명합니다. 그리고 제도화된 "자유"는 한 사람의 "개성"도 일말의 망설임없이 남겨버리지 않고 죄다 지워버린다고 하죠, 그래서 "평준화"라는 말을 하고, "무리 동물"이라고 합니다. 자유를 제일로 생각하는 정신은 좋지만, 그 정신을 그대로 제도에 적용하면 "왜소한 인간"이 된다고 폄하하죠.

"각 시대는 그 시대가 갖고 있는 적극적인 힘에 따라서 평가되어야만 한다."
- 프리드리히 니체 <우상의 황혼> 143 p

이른바 니체의 "계보학적 접근법"입니다. 역사를 쭉 나열했을 때 하나의 시대 문화(文化)를 올바로 판단하려면 "지금-현재"의 잣대가 아니라 그 시대를 결정지은 "힘"으로 평가해야 한다고 하죠, 우선 니체가 말하는 이 "힘"은 생명체(生命體)가 스스로 살아 남기 위해서 가지고 있는 "보존 본능"입니다. 니체는 한 시대를 그 시대를 아

우르는 수많은 "개인의 보존 본능의 충돌"로 이뤄진 결과물로 이해했거든요.

앞서 설명한 니체의 "자유주의 우상론"을 비판하고 대안책으로 내세우는 니체식 "자유"도 한 번 살펴보겠습니다.

"그렇다면 자유란 무엇인가? 자기를 책임지려는 의지를 갖는다는 것, 고난-시련-궁핍 심지어 생명의 위협에 대해서도 무관심하게 되는 것..(중략) 그리고 자유란 전쟁과 승리를 즐기는 남성적 본능이 행복을 추구하는 본능과 같은 다른 본능들을 지배하게 되었다는 것을 의미한다."
- 프리드리히 니체 <우상의 황혼> 145 p 인용

자유는 제도적 관점에서 누릴 수 있는 게 아니라, 오직 "내 몸이 요구하는 다양한 보존 본능"을 예술적인 형태로, 사회와 당대 문화가 허락하는 "형식(形式,form)"으로 드러내는 행동을 말합니다. 내 몸이 품고 있는 다양한 욕구를 "의지(wiil)"라고 말하고 있습니다. 그러므로 자유로운 인간은 "다양한 몸의 보존 본능을 다스리는 상태"라고 주장합니다. 이외에도 니체는 결혼에 관해서 "전통적인 입장"을 죄다 무시하고 뒤집어 버립니다. 그의 말을 살펴보시죠.

"결혼은 성충동과 재산 소유에의 충동(아내와 자식은 재산이다.) 그리고 지배에의 충동에 기초한다. 지배에의 충동은 이룩해놓은 권력-영향력-부를 생리적으로 유지하기 위해서 그리고 장기적인 과제를 준비하고 수세기에 걸치는 본능들 사이의 연대를 준비하기 위해서 끊임없이 최소 지배 형태인 가족을 조직하며 자식과 후계자들을 필요로 한다."
- 프리드리히 니체 <우상의 황혼> 148 p 인용

여기서 두드러지는 특징은 사람과 현상을 죄다 "충동(衝動,drive)"으로 해석하는 점이죠. 니체는 고상한 이성(理性,reason)따위 믿지 않았습니다. 이유는 간단합니다. 근대의 모더니즘(modernism)은 곧 "이성을 신처럼"모시기 때문이죠. 하나의 우상입니다.

이성이 몸의 보존 본능을 다스리는게 아니라, 반대로 몸의 보존 본능이 이성(理性,reason)을 다스립니다. 형용모순이죠.

결혼 제도의 의미를 모두 생리학적으로 접근해서 기존의 "기독교적 의미"를 죄다 걷어버립니다. 결혼은 남성의 "성적-재산-지배하려는 욕구"가 하나로 결합(結合)된 총체적인 현상(現狀)이라고 합니다.

니체가 비판한 우상을 조금 더 살펴보겠습니다.

"저 유명한 '생존을 위한 투쟁'에 관해서 말해보자면, 현재로서는 주장만 되고 있지 증명은 안된 것 같다. 생존을 위한 투쟁이 일어나기는 하지만 예외로서 일어날 뿐이다. 삶의 전체적인 모습은 궁핍 상태나 기아 상태가 아니라 오히려 풍요와 충일(充溢)이며 심지어 터무니 없는 낭비이기도 하다. **투쟁이 일어나기는 하지만 그것은 힘을 위한 투쟁이다.**"
- 프리드리히 니체 <우상의 황혼> 115 p 인용

이 대목은 니체가 찰스 다윈의 '종의 기원'을 두고 비판한 부분입니다. 상업자본주의가 생산성의 불어나는 규모를 견디지 못 하고 새로운 "판매 시장"을 찾아 식민지를 개항할 때 사용된 이론이 "찰스 다윈의 진화론을 오독한 사회진화론"이죠. 니체가 보기에 다윈의 진화론은 헛다리를 짚었습니다. 생명체는 "보존 본능"이 있어서 "서로 투쟁하고 힘겨루기"를 하지, 다윈이 말한대로 "긴 시간 천천히 생명체의 변이 유전자"가 "적자(適者)"로 남지 않는다고 비판했습니다. 그러니까 너희들은 진화를 "우상"처럼 여기지 말고 "생명체가 품고 있는 보존 본능"을 제대로 직시하라고 충고하듯 말하는 부분입니다.

아이러니하게도 니체는 "차라투스트라"의 입을 빌려서 성숙한 초인 (超人, superman)이 되는 날에 "나 차라투스트라를 부정하라"고 말합니다. 즉 교조화(敎祖化)된 하나의 "사실"을 있는 그대로 봐야지, 신비화해서 그것에 심취하고 추종(追從)하면 안된다고 말합니다. 저는 오랫동안 생각합니다. 나는 무엇을, 얼마나 깊게 믿고 있나, 내 마음에 깊숙이 뿌리 박힌 그 우상은 어떤 얼굴을 가지고 있을까, 그 생각을 다른 이에게 강요하지는 않았던가, 내 생각을 하나의 "의견"처럼 살며시 건넸던가, 혹은 "진리"라고 여기며 쥐어주었던가. 많은 날을 보내면서 내가 배운 얄팍한 삶의 잣대를 우상처럼 자랑하며 누군가의 미간을 찌푸리게 만들지는 않았던가? 고민하고, 반복해서 생각하게 되었습니다.

저는 니체의 생각에 동의하지 않습니다. 그는 하나님을 믿지 않았고 궁극적으로 신을 "하나의 의견을 신비화한 오류"라고 정리했기 때문이죠. 그러나 그의 말을 들어보면서 무작정 그의 의견을 가로막고 싶지는 않습니다. 충분히 일리 있는 말도 하고, 무엇보다 기독교인은 "편협적"으로 세상을 바라보면 안된다고 생각합니다. 그게 우상에서 벗어난, 자유로운 사고(社告)의 소유자가 아닐까 싶습니다.

무라카미 하루키의 <도시와 그 불확실한 벽>을 읽고.

소설에서 리얼리즘(realism)을 바란다는 것은 어떤 의미일까 생각합니다. 소설에서 펼쳐지는 정경(情景)은 실제(實際)보다 사실같다면, 그것은 소설일까 하나의 실재하는 세계일까 고민해봅니다. 갑자기 뜬구름 잡는 이야기를 하는 이유는, 90년대 전 세계를 강타한 하루키월드가 다시 한 번 우리 곁으로 다가왔기 때문입니다.

"카운터 위에 놓인 내 손에 그녀가 손을 포갰다. 매끄러운 다섯 손가락이 내 손가락과 조용히 얽혔다. 종류가 다른 시간이 그곳에서 하나로 포개져 뒤섞였다."
- 무라카미 하루키 <도시와 그 불확실한 벽> 2부 637p 인용

저는 소설을 읽을 때 딱 한가지 마음을 품고 읽습니다. 딱 한 문장, 내 상식을 처참히 깨트릴 수 있는 작가의 한 문장을 남겨보자, 그리고 그것을 "내 것"으로 만들어보자, 창작은 모두 모방에서 시작된다고 생각합니다. 하루키의 표현은, 그의 나이를 이상히 여기게 만들만큼, 참 순수하고 세련되었다고 느껴져요,

이번 소설은 하루키가 서른 한 살에 문학 잡지에 투고하고 정식 출간을 안 한 미발매 원고를 일흔 한 살이 된 지금, 2부와 3부를 덧붙여 발매한 작품이라고 합니다. 그만큼 하루키의 세계관과 표현들이 보다 정제되고 뚜렷해진 지금, 하루키가 말하고 싶은 점은 무엇인지 살펴보겠습니다.

"그저 이렇게 말할 뿐이다. '이렇게 기다리는 동안은 이제부터 무슨 일이 일어날지, 무슨 일을 할지, 가능성이 무한히 열려 있잖아 안그래?' 맞는 말인지도 모른다.

실제로 상대를 만나고 나면 그 무한의 가능성은 불가피하게 오직 하나뿐인 현실로 치환된다."
- 무라카미 하루키 <도시와 그 불확실한 벽> 1부 82p 인용

소설의 주인공은 "나"입니다. 이름도 없고 가족 관계도 밝히지 않은 상태에서 1인칭으로 진행이 되죠. 주인공은 열일곱살 우연히 "그녀"를 만나게 됩니다. 역시 이름도 없이, 단순히 "너"라고 부를 뿐입니다. 주인공 "나"는 현실 세계에서 내성적이고 교우 관계가 완만하지 못 합니다. 그래서 늘 도서관에 가서 책을 읽거나 글을 끄적입니다. 우연히 수상하게 된 학교 백일장 시상식에서 "너"를 만나게 되고 주인공 "나"는 말할 수 없는 "감정"을 느끼게 되죠. 그녀는 참 미스테리한 구석이 많습니다. 마치 그림자처럼요. 그녀는 늘 자신이 생생하게 꾸었던 "꿈"이야기를 합니다. 그 꿈 속의 도시는 "거대한 장벽"으로 둘러쌓여있으며, 정문 앞에서는 거대한 문지기가 지키고 있다고 합니다. 그리고 그 성벽 안으로 들어가려면 "그림자"를 분리해서 떼어내야 한다고 하죠. 그녀는 꿈의 이야기를 합니다. "나"는 그녀의 "꿈"속의 도시가 어쩐지 생생하게 다가옵니다.

"전에도 말한 것 같은데, 여기 있는 나는 진짜 나의 대역에 지나지 않아. 진짜 나의 그림자 같은 존재, 아니 말그대로 '그림자'야. 그리고 본체와 떨어진 그림자는 그리 오래 살지 못해. 내가 지금까지 목숨을 부지한 건 매우 드문 경우야. 평범하지 않은 일이야. 나는 세 살 때 본체와 떨어져 벽 바깥으로 쫓겨난 양부모 밑에서 자랐어."
- 무라카미 하루키 <도시와 그 불확실한 벽> 1부 158 p 인용

그러나 그녀는 갈수록 혈색이 안좋아졌습니다. "나"를 대하는 태도가 석연치않게 피하는 느낌도 들고 "나"의 감정을 이끌었던 형용할 수 없는 그 "미스테리"함은 극에 달하게 됩니다. 어느날 그녀는 몇

달간 보이지 않다가 의문의 편지 한 통을 보내게 됩니다. 그리고 고백을 하게 되죠. "그림자", 그녀는 본체와 분리된 그림자라고 말합니다.

우리는 남몰래 변하지 않을 것을 품고 삽니다. 변하지 않을 애인의 믿음, 변하지 않을 부모님의 생기(生氣)와 변하지 않을 나의 환경과 조건들. 무수히 많고 또 광범위한 면에서, 어쩌면 "지금 누리는 현재(現在)"라는 시간조차 변하지 않을거란 "믿음"이 있습니다. 주인공 "나"는 진짜 그녀가 거주할 성벽 안으로 들어갑니다. 그 세계는 "시간의 개념"이 없습니다. 중앙의 시계탑에는 시계추가 없다고 합니다. 계절의 순환만 덩그러니 놓여있을 뿐, 시간을 지칭하는 시계추는 존재하지 않았죠.

"나는 멍하니 그런 생각을 하면서 해질녘 거리를 걸어갔다. 이윽고 시계탑 앞을 지났다. 지나면서 습관적으로 시계를 올려다보았다. 시계에는 여느 때처럼 바늘이 없었다. 그건 시간을 알려주기 위한 시계가 아니다. 시간에 의미가 없음을 알려주기 위한 시계다. 시간은 멈춰 있진 않지만 의미를 상실했다."
- 무라카미 하루키 <도시와 그 불확실한 벽> 3부 703 p 인용

우리가 사는 "이 세상"은 시간의 축에서 "시제 변화"가 일어납니다. "지금"은 "아까"가 되고, "나중"은 곧 "지금"으로 무수하게 많은 소수점으로 이어지는, 순환이랄까요. 그렇게 정의(定義)를 내리고 싶습니다. 우리는 "시간(時間)"의 축에서 새로운 계절을, 새로운 사람을, 부모님의 주름살을 마주봅니다. 어느 순간(時)과 다른 순간(時) 사이(間)를 "시간(時間)"이라고 부르듯이, 우리는 아직 준비하지 못 한 이별의 때와, 이미 지나가버린 과거의 소실점 "사이(間)"에서 살아갈 뿐이죠. 아르투어 쇼펜하우어의 말을 잠깐 빌리겠습니다.

"인간은 오로지 현재(現在)에만 살고 있다. 그리고 현재는 어쩔 수 없이 과거 속으로 줄달음질쳐 사라지고, 결과만 뒷날의 현재 속에서 회상될 뿐이다."
- 아르투어 쇼펜하우어 <인생론> 1장 23p 인용

"삶을 더욱 괴롭게 하는 것은 시간이다. 눈깜짝할 새 지나가 버리는 시간에 쫓겨 좀처럼 숨돌릴 여유조차 가질 수 없다. 시간은 교도관처럼 우리 등 뒤에서 회초리를 들고 감시한다. 그리고 시간은 권태라는 이름의 병에 걸린 사람들에게 고통을 안겨준다."
- 아르투어 쇼펜하우어 <인생론> 1장 16 p 인용

한 사람은 시간 속에서 "태어나고 죽음"을 동시에 품고 있는 존재라고 할 수 있습니다. 저는 해석하길 "중앙의 시계탑"은 사람의 유한성을 가르키는 생명선이라고 생각했고 시계추의 상실은 우리가 그토록 열망하는 "불멸(不滅)의 삶"을 표현하는 게 아닌가 싶습니다. 우리는 우리가 맞이하고 준비해야 할 죽음뿐 아니라 사랑하는 사람들의 죽음과 사라짐, 거기서 촉발되는 모든 감정의 동요를 수없이 마주쳐야 합니다.

그래서 하루키는 시계추가 없는, 시간의 의미가 사라진 "불확실한 벽 뒤의 완벽한 도시"를 말하고 있습니다. 일종의 유토피아라고 할 수 있죠. 그러나 하루키는 되묻고 있습니다. 그런 유토피아(utopia)는 "완벽하게 행복한 상태를 영원토록 유지할 수 있나?" 아니, 그럴 수 없다고 말합니다.

"우리가 머릿속에 그리는 천국에 인류를 송두리째 옮겨놓는다면 어떻게 될까? 모든 생물이 스스로 무럭무럭 자라나고, 종달새가 사람들 주위를 거리낌없이 날아다니고, 누구나 원하는 여성을 쉽사리 손에 넣을 수 있다면 어떻게 될까? 그렇게 되면 인간은 권태로워 죽어버리든가, 싸움과 살인을 일삼아 자연이 오늘날 우리에게 보여주고 있는 것보다 더 많은 고통을 맛보게 되리라."
- 아르투어 쇼펜하우어 <인생론> 1부 17p 인용

쇼펜하우어는 이렇게 주장합니다. 시간이 없는 완벽한 천국에서 인간은 미처서 죽거나 다른 사람을 죽여버리든가, 그 살인의 감정은 "완벽"에서 오는 권태감 때문이라고 합니다. 사람은 타고나길 완벽한 상태를 꿈꾸나, 막상 그 순간에 도달하게 되면 권태로움에 미쳐 죽어버리게 된다고 하죠.

주인공 "나"는 열 일곱 살에서 마흔 중반의 중년이 되기까지 늘 "소녀"를 기다립니다. 완벽한 세상을 안겨준, 불멸의 이상향을 맛보여준 그녀의 꿈을 탐내고, 이 "순간"의 삶을 철저히 외면하고 부정하죠. 그러나 막상 시간의 축이 사라진, 시계탑의 시계추가 사라진 "그 불확실한 벽 뒤의 도시"에서 주인공은 "괴로워"합니다. 이유야 알 수 없지만, 쇼펜하우어가 언급한, 사람은 타고나길 "완벽함을 견딜 수 없는 권태감" 때문이 아닐까 싶어요. 우리는 무수한 점. "현재"라는 소수점에서 "1"이라 부르는 확실성으로 건너갈 뿐이에요. 소수점이 하나씩 축적되어야. 비로서 "삶"이 완성되는 셈이죠. 이에 하루키는 이렇게 말합니다.

"'그건 무의미한 질문입니다. 이 도시의 시계에는 바늘이 없으니까요.' '이곳에서는 시간이 나아가지 않는다.' '그렇습니다. 이곳의 시간은 한자리에 머물러 있습니다.' 나는 말없이 생각했다. 그러고는 말했다. '시간이 없으면, 축적이란 개념도 없는 건가?' '네 시간이 없는 곳에는 축적도 없습니다. 축적처럼 보이는 현상은 현재가 던져주는 잠깐의 환영일 뿐이에요.'"

- 무라카미 하루키 <도시와 그 불확실한 벽> 3부 737 p 인용

이 "순간"은 축적됩니다. 그리고 "시간"을 이루고 그 시간 속의
"내 선택"이 비로소 "나"를 이루게 됩니다. 시제(時制)는 우리의 상
상력이 만들어낸 개념입니다. 물리적으로 우리는 "순간"만 영위할
뿐이죠. 당연한 것은 없다. 삶이 따분하고 권태로운 이유는,
내 삶을 이루는 모든 조건이 "완벽"에 가까워졌기 때문이죠. "순간"
을 느끼려면 필연적으로 상실해야 합니다. 상실 속에서, 오직 시간
이 가져다 주는 괴로운 상실 속에서만 "기쁨"이 있고 권태가 물러
갑니다.

"'늘 현재밖에 없다?''그래요. 이 도시에는 현재뿐입니다. 축적도
없습니다.'"
- 무라카미 하루키 <도시와 그 불확실한 벽> 3부 738 p 인용

왜 우리는 권태를 느끼는걸까_ 쇼펜하우어의 <인생론> 인용

대한민국은 살기 좋은 나라지만 대한민국 사회는 살아남기 어려운 문화를 가지고 있습니다. 누군가 이런 주장을 한다면 쉽게 반박하지 못 할거 같습니다. 문득 궁금해서 통계청에 접속해 인구 십만명 단위로 연 자살률을 찾아봤습니다. 2021년 기준으로 10대 자살률이 16.2명에 달하고 20대 자살률은 7.1명, 30대는 23.5명을 기록하고 있습니다. 오늘은 자살의 윤리적 쟁점을 따지기 보단, 일반적인 관점에서 왜 우리는 건강하지 못 한 문화 속에서 극단적 선택을 감행하는지 생각해볼까 합니다.

일찍이 독일의 철학자 아르투어 쇼펜하우어 선생은 사람이라면 쉽게 벗어날 길 없는 "권태"를 말했습니다. 우리가 불행한 이유를 "욕구와 권태"라는 감정으로 파악했지요.

"우리가 살아가는 직접적인 목적은 괴로움이다. 그렇지 않으면 우리가 세상을 살아가는 이유를 어디에서도 찾을 수 없다. 삶에 따르는 괴로움과 세상에 가득한 걱정과 근심이 우연히 일어나는 것이며 삶의 목적 자체가 아니라고 여기는 것은 이치에 맞지 않기 때문이다. (중략) 그러나 이 세상은 어디나 불행으로 가득 차 있다."
- 아르투어 쇼펜하우어 <인생론> 1장 15p 인용

가을이 되면 잃어버린 줄 이어폰을 찾아서 산책을 하고 싶습니다. 쓸쓸하게 낙엽을 즈려밟고 좋아하는 밴드 "넬(Nell)"의 노래를 듣고 싶습니다. 특히나 우울한 가사를 곱씹으면서, 아이러니하게 우울한 가사, 우울한 지식인의 주장을 곱씹어볼수록 큰 위안을 얻는거 같네요. 쇼펜하우어 선생의 말은 큰 위로를 안겨줍니다. 삶을 모두 불행으로 가득 차있다고 주장하는 그 주장에서. 참 애석하지만 말입니다. 아이들은 어렸을적부터 "경쟁(競爭)"문화에 깊숙이 빠져버립니다. 우리는 경쟁을 안좋은 어감처럼 여기고 사용하지만, 실은 경쟁을 뜻하는 영문 "competition"은 "com:함께"라는 부사가 혼용된 단어입니다. 무자비하게 타인을 즈려밟는게 아니라, "상호보완적(相互補完的)"관계를 말하죠. 타인을 즈려밟고, 타인과 나를 "등급(等級)"으로 평가하면서, 우리 사회가 향유하는 특유의 우울의 싹은 남몰래 싹트고 있다고 생각합니다.

"이미 이루어진 기쁨은 우리가 기대한 것보다 못하고, 반대로 괴로움은 보다 큰 아픔을 주게 마련이다."
- 아르투어 쇼펜하우어 <인생론> 16p 인용

"인간 생애 전반부는 행복에 대한 갈망으로 가득차 있지만, 후반부에는 참담한 공포에 사로잡히기 마련이다. 후반부에 접어들면 정도의 차이는 있으나 모든 행복이 망상의 산물에 지나지 않으며 실제로 괴로움만 존재한다는 것을 깨닫게 된다."
- 아르투어 쇼펜하우어 <인생론> 21 p 인용

마음이 울적할 때마다 인생론의 1부와 2부를 읽어봅니다. 개인적으로 아우렐리우스의 명상록보다 잘 읽혀요, 뭐랄까 아우렐리우스는 국방의 경계선에서 죽음의 문턱에 앉아, 끝까지, 힘이 닿는데까지 황제의 책임감을 유지하려고 발버둥치는 인상(人相)을 준다고 한다면, 쇼펜하우어는 노년기에 예민한 눈초리로 흔들의자에 앉아서 가볍고 또 경쾌하게 끄적인 느낌입니다. 보세요 얼마나 삶을 비웃는지! 모든 행복이 망상의 산물이라고 주장합니다. 흔히 이상향(理想鄕)을 유토피아(utopia)라고 부릅니다. 유토피아는 본래 "없는-공간"이라는 뜻이죠. 우리가 속내 꿈꿀 수는 있어도, 현실에서 구현할수 없는 공간, 우리가 그토록 바라는 행복도 이와 다를바 없이 "허구(虛構)"라고 따끔하게 지적합니다.

"인간의 일생이란 가장 행복한 경우라도 그저 견딜 만한 정도의 불행과 비교적 가벼운 고통 속에 사는 것뿐이며, 걸핏하면 권태라는 고통이 그 자리를 차지한다."
- 아르투어 쇼펜하우어 <인생론> 1장 25 p 인용

각자 다르게 정의한 행복을 위해서, 취미 생활을 합니다. 열심히 할 수 있는 선에서 최선을 다해 주어진 하루를 살아갑니다. 그러나 우리는 오직 "현재"만 살아갈 뿐이며, 누릴 수 있는 여건도 한정되어 있는데, 청소년 자살률이 20대보다 높습니다. 왜그럴까요? 이렇게 행복과 자기계발을 강조하는 시대에 불행한 일들이 생겨날까요.

"인간은 생물 가운데 가장 어처구니 없는 존재다. 인간은 의지 이외의 아무것도 아니며, 욕구가 육체화된 그 덩어리에 지나지 않는다."
- 아르투어 쇼펜하우어 <인생론> 1장 26p 인용

"삶이 허무하다는 것은 모든 현상에 나타나 있다. 예를 들면 시간과 공간은 무한한데 개체는 어느 면에서나 유한한 것. 실제로 삶의 유일한 기반이 되어 있는 현재가 언제까지나 개체에게 주어지지 않는 것, 모든 사물이 타자에 의존해 있으며, 상대적인 것, 참된 실재가 없고 끝없는 변천이 있을 뿐이라는 사실, 만족할 줄 모르는 무한한 욕구, 우리의 노력을 가로막는 무수한 재해 등에 삶의 허무가 나타난다."
- 아르투어 쇼펜하우어 <인생론> 2장 39 p 인용

우리는 스스로 질문하는 방법을 까먹었습니다. 나는 왜, 어떤 목적으로 살아가지? 나는 다른 사람을 대할 때 어떻게 대해야 하지? 질문하는 방법을 모르기 때문에 정답을 찾는 방법도 모르고 맹목적인 "행복"에 대한 갈증만 심해집니다. 그리고 그 행복의 상태가 물질적인 조건으로 생각하게 되고, 아파트 평수와 비례하는 "행복"으로 전락합니다. 물질의 요소는 충분조건이지 필요조건이 아니라고 생각합니다. 행복은 쇼펜하우어의 말처럼 절대적인 개념이 아니라 누구나, 전부 다른 순간에 느낄 수 있는 무척이나 주관적인 개념이기 때문이죠.

우리를 둘러싼 공간의 형식은 무한하게 넓고 시간의 형식은 나를 가로질러 무덤으로 이끌어갑니다. 두 가지 형식에 던져진 "나"는 기본적으로 늘 불안에 시달립니다. 우리는 다시, 질문해야 합니다. 어렵고 낯설어도, 그게 쉽지 않은 일이어도 나만의 질문이 필요하고 나만의 대답이 필요합니다.

"세계에서 일어나는 모든 사건에 대해서는 단지 순간적인 '있다'가 있을 때 뿐이며, 다음 순간부터는 영원히 '있었다'가 된다. 그리하여 우리는 저녁이 될 때마다 점점 더 가난뱅이가 된다."
- 아르투어 쇼펜하우어 <인생론> 2장 40p 인용

시간의 무한한 "형식"이라는 말을 생각해봅시다. 시간(時間)은 "지금 이 순간(時)"과 "저기 저 순간(時)" 사이(間)를 뜻합니다. 이러한 시간의 형식(形式: 혹은 모양)은 "무한(無限)"이라고 하죠. 다시 말하자면 각 "때와 때 사이가 정함이 없는 상태"를 말합니다. 우리는 매순간 건너갈 뿐이에요, 지금-여기에서 다가올 "저기"로. 건너가는 존재입니다. 알쓸신잡에서 김영하 선생님이 말씀하신 말이 기억에 남아요

"과거의 나는 타인이다."라는 말인데 그게 굉장히 와닿았습니다. 우리는 "여기"에서 "저기"로 건너갑니다. 건너갈 때마다 우리는 "다른 사람"이 된다고 봐요. 한 달전에 쓴 글을 읽으면 조금 황당할 때가 많습니다. 내가 이런 말을? 굳이? 이렇게 생각할 때가 많아요. 즉 과거라는 시간의 형식은 "다른 사람"이라고 봐도 무방합니다. 우리는 매순간 "나"로부터 벗어나 "또 다른 나"가 될 뿐이죠.

"오직 현재만이 실재하며 그밖의 모든 것은 다만 머릿속에 간직된 표상이다."
- 아르투어 쇼펜하우어 <인생론> 2장 40 p인용

"표상(表象)"이라는 말이 조금 생소합니다. 독일어로 표상을 "Vorstellung"이라고 한다고 합니다. 뜻을 살펴보니 "감각적 지식"을 활용한 하나의 형상(形相), 이미지라고 하네요. 우리 머릿속에 기억하는 "과거의 나"는 실제로 존재하지 않는, 마치 거짓된 행복처럼, 꾸며낸 "나"라고 말하죠. 오직 현재만이 존재한다. 저는 이렇게 생각합니다. 쇼펜하우어 선생의 말대로 우리는 동물과 다르게 "직관"을 넘어선 "상상력"을 가지고 있고 그 무한한 상상력으로 "이미 다른 사람에 가까운 과거의 나"를 계속 불러들여서 "나의 정체성"으로 편입시킵니다. 그래서 괴롭고, 추하게 느껴지고, 불쾌감을 꾸준히 느낀다고 봐요. 진정한 의미에서 행복의 출발점은 분리하는 일입니다. 뭐와 뭐를요? "과거의 나"라는 이미 존재하지도 않는 개념과 "지금-여기에 서 있는 나"를 말이죠. 여러분 우리는 모두 '있다'에서 영원한 '있었다.'로 흘러갑니다. 나는 누군가의 과거형이고 또 다른 누군가에게는 현재진행형입니다. 우리는 기억하는 "방법"을 바꿔야 합니다. 기억의 내용은 바꿀 수 없지만. 기억하는 방법은 언제나 바꿀 수 있으니까요. 여러분, 과거의 "나"는 다른 사람, "타인(他人)"입니다. 영원한 "있었다."입니다.

사랑과 행복은 속임수다?_ 아르투어 쇼펜하우어 <인생론> 인용

"본인 자신의 즐거움을 누리기 위해 노고를 아끼지 않는 것으로 생각하지만, 실은 종족의 완전한 형태를 유지하기 위해 하나의 개체(個體)를 출생시키려 움직이고 있는 것이다."
- 아르투어 쇼펜하우어 <인생론> 4장 67 p 인용

서로 사랑하라! 성경의 가르침을 곱씹을수록 참 어렵다는 생각이 먼저 듭니다. 얼굴도 모르고 속내도 모르는 타인을 위해서 기꺼이 "사랑"을 내어줄 수 있을까요? 아니면 내가 사랑한다고 믿어 의심치 않는 사람에게 나는 제대로 사랑하는걸까요? 어쩌면 우리는 스스로 속이고 있는 게 아닐까 싶어요. 나는 그를 사랑한다. 나는 어머니를 사랑해야만 한다. 그 "당위성"에 무릎을 꿇고 "~해야만 하는"정언명령에 굴복하는 거죠. 쇼펜하우어는 여기서 이렇게 말하고 있어요. "우리는 사피엔스라는 종"을 보존하기 위해서 작은 "부분"에 지나지 않는다, 우리가 타인에게 느끼는 수많은 감정 중에서 가장 숭고하다고 여기는 "사랑"의 감정은 "우리를 대체할 또 다른 개체"를 남기기 위해서 자연이 우리를 속이고 있다고 말합니다. 조금 섬뜩한가요?

"사람은 누구나 이기심이 깊이 뿌리박혀 개개인에게 어떤 활동을 할 수 있도록 하는 유일하고도 분명한 동기는 이기적인 것 외에 없다. 종족은 개체에 대해 분명 우선권을 가지며, 보다 직접적이고 큰 권한을 갖고 있다. 종족의 유지와 발전을 위해 개체는 희생되어야 하는데, 개체의 관심은 오직 자신의 욕구에만 쏠려 있으므로.."
- 아르투어 쇼펜하우어 <인생론> 4장 65p 인용

추상명사라고 하잖아요, 우리 인간만이 다양한 충동에 이름을 붙이고 거기서 발생하는 미묘한 "차이"에서 분쟁이 발생하고, 싸움이 나타나는거 같아요. 사랑의 절대적인 정의가 있나요? 저는 없다고 생각합니다. 추상명사(抽象名詞)에서 추상(抽象)은 무엇인가요? 생각해 봅시다. "사랑"은 어떤 개념입니다. 개념은 다양한 사례에서 나타나는 "일반적인 특징"을 차곡히 모아서 만들어낸 "언어"에 불과합니다. 즉 "추상명사인 사랑"은 "사람과 사람 사이에서 오고 가는 특정한 말과 행동의 일반적인 특성"이라고 생각해요. 그래서 사랑한다는 말은 공허합니다. 말은 허(虛)하고 사랑은 공(空)하기 때문이죠. 상형 문자 "空"자는 "돌무덤 아래서 쟁기로 빈 구멍을 파낸 모양"입니다. 즉 "사랑"이라는 말 그자체는 "텅 비어버려서 채워야하는 개념"입니다. 사랑한다. 나는 그대를 사랑합니다는 말은 "텅비어버린 개념을 우리만의 의미로 채워갑시다!"라고 말하는 당찬 다짐입니다.

쇼펜하우어는 사람을 움직이는 동기(動機,motive)를 이기심이라고 생각했어요, 그런 이기적인 사람이 어떻게 사회적인 감정 "사랑"을 할 수 있냐말이죠, 그것은 거짓말이라고 본 셈입니다. 그렇다면 이기적인 "사람"은 어떻게 사랑을 할 수 있나요?

그것은 "자연(自然,nature)"입장에서 다양한 "종족"을 보존하기 위해서 만들어낸 새빨간 거짓말이라고 하네요. "종족 유지와 발전을 위해서 개체는 희생되어야 한다."는 말을 보세요. 매정하다고 봅니다. 저는 이런 관점은 거부해요, 사람은 이기적이지만, 때로는 이타심을 유발할 수 있어요 분명히, 그 감정이 맹자가 지적한 인(仁)이잖아요, 같은 사람이라면, 그 동질성에서 오는 미묘한 마음 측은지심(惻隱之心)을 느낄 수 있어요. 헤아리는 마음은 우리 모두 마음 속에 깊이 간직하고 있다고 생각합니다.

"새가 둥지를 짓고, 곤충이 알을 낳기에 알맞은 장소를 찾아 새끼에게 줄 먹이를 구해 알 옆에 놓아두며, 꿀벌과 개미가 미래의 종족을 위해 그처럼 분주히 애쓰는 것도 그 때문이다. 이 동물은 분명 환상에 이끌리고 있으며, 그 환상은 종족을 위한 노동에 이기(利己)라는 옷을 씌워놓은 것이다."
- 아르투어 쇼펜하우어 <인생론> 제 4장 68 p 인용

쇼펜하우어 선생은 넓은 관점에서 "살려는 의지"를 말하고 있어요, 새의 둥지와 곤충의 알까기, 모두 "자연이 안겨준 환상통"이라고 합니다. 예를 들어서 출산한 산모는 "세로토닌"이 마구 분비된다고 합니다. 세로토닌은 우리 대뇌 피질에 자리잡은 "뇌세포(neuron)"속 신경 접합부인 "시냅스"를 오가는 "신경전단물질중"에 하나입니다. 세로토닌이 분비되면서 태아에게 "형용"하기 어려운 마음을 느낀다고 하죠. 모성애를 신경학적으로 말하면 "세로토닌의 과분비"입니다. 여기서 쇼펜하우어는 이렇게 대답합니다. 세로토닌을 분비하는 이유도 종의 관점에서 작은 부분인 개체를 유지하기 위해서 자연이 너희를 속이는 것이다! 라고 말이죠.

아래는 조금 재밌는 이야기를 합니다.
"연애는 언제나 종족의 번식을 위한 본능에 따른다. (중략) 우리가 우선 관찰할 수 있는 것은 남성은 본래 사랑을 따라 곧잘 한눈을 팔며, 여성은 사랑에 충실하다는 것은 부인할 수 없는 사실이다. 남성의 사랑은 성관계를 가진 순간부티 뚜렷이 식이비려 지기 손에 넣은 여성보다 다른 여성이 나아보인다. 그래서 남성은 언제나 여성을 바꾸고 싶어하지만 반대로 여성의 사랑은 성관계를 끝낸 순간부터 커진다. **이것은 자연이 종족의 유지와 되도록 많은 번식을 원하고 있기 때문이다.**"
- 아르투어 쇼펜하우어 <인생론> 4장 69 p 인용

너무 재밌는 구절입니다. 노골적이지만 분명한 점은 그가 지적하는 말대로 일반적으로 성관계 이후로 마음이 식는다고 말하죠? 여성은 반대로 관계 이후 사랑하는 마음이 커진다고 말하죠. 이런 목적은 죄다 "자연이 남성을 통해서 많은 개체를 유지"하려고 하기 때문이라는 해석입니다. 너무 웃겨요

"살려는 의지의 이런 형이상학적 욕구는 우선 부모가 될 사람들의 마음을 목표로 하며 의지의 작용이 마음속에 일어나면 당사자들은 오직 자신을 위해 사랑하고 있는 줄 여기면서 온갖 노력을 쏟는다. (중략) 이같이 미래의 존재가 생존을 원하고 생존할 수 있는 유일한 기회를 찾는 원동력은 **모든 생물의 원천인 살려는 의지에서 비롯된다.**"
- 아르투어 쇼펜하우어 <인생론> 4장 76 p 인용

결국 모든 언어로 표현되는 감정은 "살려는 의지"에서 비롯되었다고 합니다. 사랑이라는 말도 애정 행각이라는 행동도, 결혼의 제도와 자녀의 육성도 "자연"이 무수한 부분인 "인간"에게 부여한 "살고 싶은 의지"가 성욕의 형태로 나타난다고 하죠. 이는 과한 해석이라고 봅니다. 사랑을 앞두고 영원을 약속한 관계인 "부부"는 시간 앞에 그 의미를 잃어버리긴 하지만 말입니다. "사랑" 자체는 변하지 않아요, 그 앞에서 약속한, 우리의 손가락이 변명만 해댈 뿐입니다. 모든 것이 변하는데, 어찌 사람이 변하지 않을 수 있냐고 말이죠.

행복한 사람이 되기 위해서_ 아르투어 쇼펜하우어 <인생론>

"좋든 언짢든 인간이 살아가는 동안에 만나게 되는 사건 자체보다도 그 사람이 그것을 어떻게 받아들이는가 즉, 어떻게 생각하느냐에 따라 그 사람의 감수성의 종류와 정도가 더욱 중요하다. 인간의 자아(自我), 즉 인격과 그 가치는 그 사람의 행복과 안녕에 직접 영향을 주는 유일한 것이며, 그 밖의 영향은 간접적인 것에 불과하다."
- 아르투어 쇼펜하우어 <인생론> 자아에 대하여 170p 인용

모든 일은 내 마음먹기 나름이라는 말이 있죠, 저는 그 말이 당최 이해되지 않았습니다. 모든 일이 내 마음먹은대로라면 세상에 비극 작품을 보거나 드라마를 볼 때 눈물겨운 시청률은 기대할 수 없기 때문이죠. 어쩌면 단순하게 생각했던거 같아요. 나를 둘러싼 외부 환경이 늘 긍정적인 상태로 다가올거란 어리석은 낙관이죠. 쇼펜하우어 선생의 말을 빌려서 다시 생각해봤습니다. 우리는 살아가면서 다양한 "사실(史實)"을 마주칩니다. 사실과 사실이 만나면 "사태(事態)"가 됩니다. 우선 여기까지, 사람의 판단이 개입되지 않은 있는 그대로의 "현실(現實)"이라고 볼 수 있죠. 현실(現實), 말그대로 결과(實:열매)로 드러난(現:나타나다.) 상태라는 뜻이죠. 우리는 있는- 그대로의 사실을 마주할 때 저마다 "해석"을 덧붙입니다. 일종의 감상평이라고 할까요? 우리의 행복은 "행복감(幸福感)"입니다. 즉 행복하다고 착각하는 "감정"이죠. 그 행복감을 결정하는 큰 요소가 바로 "내 앞에 나타난 사실을 받아들이는 해석"이 좌우한다고 말합니다.

"부유한 집에 태어난 자식들이 막대한 상속 재산을 때때로 믿기 어려울 정도로 단시일 내에 탕진하고마는 엄청난 낭비의 원인은, 지금 말한 정신의 빈곤에서 비롯된 권태다. 그는 부자로 태어나기는 했지

만 정신적으로는 가난하다. 이 세상에 내던져진 부유한 청년은 모든 것을 오직 외부에서 얻으려고만 한다."
- 아르투어 쇼펜하우어 <인생론> 인간이란 무엇인가 168 p 인용

부자를 미워하라! 그말이 아닙니다. 사실 부(富)는 상대적이잖아요, 아마 쇼펜하우어 선생이 말하는 부자는 허세에 찌들어 "과시하기 위해 돈을 낭비하는"사람을 말하는 게 아닐까 싶네요. 우리는 행복을 조건으로 생각하는 경향이 있습니다. 행복은 "느끼는 상태"에요, 아파트 평수가 "행복감을 느끼는" 시간을 확장해주진 않습니다. 부(富)는 포괄적인 명사죠. 현물 자산, 동산 자산, 부동산 자산, 주식 지분 등등 이러한 부는 삶에서 오는 불편감을 제거해주긴 하지만 무한정 누릴 수 있는 만족감을 안겨주진 않아요, 앞에서 보면 쇼펜하우어 선생은 "정신의 빈곤에서 비롯된 권태"라는 말을 하죠? 사람은 권태에서 벗어날 수 없다고 단언하죠. 권태도 역시나 내 앞에 톡 떨어진 "하나의 사실(事實)"입니다. 드러난 일 배후에 있는 것이 "권태"라는 감정이죠.

여러분 신용(信用)과 신뢰(信賴)의 차이점이 무엇이라고 생각하세요? 정답은 없다고 생각하지만 개인적인 대답은 쓸 용"用"자와 의뢰할 뢰"賴"에서 벌어지는 차이라고 봅니다. 행복의 조건을 따지기 시작하면 늘 신용(信用)을 두고 계산하면서 살아야 합니다. 모든 인간 관계에서조차 쓰임새"用"를 따지기 시작하죠, 그러나 행복에서 조건을 떼어 버려버리면 쓰임새가 아니라 순수한 마음에서 우러난 신뢰(信賴)관계로 나아가는 거 같아요. 행복한 사람과 불행한 사람 모두 "순간적인 느낌"입니다. 모두 불행"감(感)" 행복"감(感)"즉 순간적으로 느끼는 상태가 "행복"의 정체입니다.

계속 말했지만 행복(eudaimonia)을 좋음의 최고상태라고 번역한 아리스토텔레스는 그 행복이 얼마나 지속(持續)되냐고 물어봅니다. 행복한 상태는 오랫동안 지속되어야지 행복이라고 말할 수 있다고 합니다.

저는 늘 불행하다고 생각했던거 같아요, 사실 불행한 사람은 없죠, "내가 나 자신을 불행한 사람이라고 착각"할 뿐일텐데요. 불행"감(感)"은 순간적인 기분입니다. 감"感"자를 보시면 아래에 마음 심(心)자가 있어요. 우리가 무언가를 느낄때도 우리의 "마음(心)"이 중요하게 작용한다고 보았던거 같습니다. 여러분들의 마음은 어떤가요? 불행하기로 마음 먹었나요? 아니면, 천천히 일어난 사실 그 자체를 있는 그대로 받아들이기로 마음 먹었나요?

교육이란 무엇인가?_ 아르투어 쇼펜하우어 <인생론> 인용

얼마전에 윤석열 대통령의 킬러문항 삭제 조치에서 큰 파문이 일어났습니다. 다양한 의견이 분분한 가운데 공통적으로 비판하는 점은 "너무 섣불렀다."고 지적하는 부분이죠, 동의합니다. 2024년도 수능 날짜가 대략 5개월 남은 가운데 발표한 정책은 너무 섣부르고 연초부터 열심히 준비한 학생들은 큰 혼란을 느낄 수 밖에 없죠.
저는 조금 뜬구름잡지만(원래 저는 뜬구름 잡는 글만 씁니다.) 교육이 무엇인지 생각해봤습니다. 마침 운좋게도 쇼펜하우어 선생의 <인생론>에 교육을 다루는 부분이 있어서 인용해보고 같이 나눠보겠습니다.

"개념은 직관을 추상화해서 생기는 것이다."
-아르투어 쇼펜하우어 <인생론> 교육에 대하여 101 p 인용

와우. 무슨 소리인지 모르겠습니다. 원문에 적힌 글을 한문으로 번역해서 살펴볼게요. "개념(槪念)은 직관(直觀)을 추상화(抽象化)해서 생기는 것이다."우선 이 문장을 이해해야 쇼펜하우어가 교육을 어떻게 생각했는지 알 수 있어서 한 글자씩 살펴보겠습니다. 우선 개념(槪念)을 이루는 두 글자 "대개 개(槪)와 생각할 념(念)"이 합쳐진 단어입니다. 개념은 "드러난 사실이나 드러난 사물에 관해서 일반적인 특징으로 겹치는 부분"을 가리킨다고 봅니다. 즉 ~에 관한 개념은 "보편적인 것"을 말하는 셈이죠. 그렇다면 쇼펜하우어는 "우리가 생각하는 일반적인 지식"에 대해서 말하고 있다고 볼 수 있어요. 우리는 "지식(知識,knowledge)"과 "지혜(智慧,wisdom)"를 구분할 필요가 있어요, 지식은 "직접 드러난 사실을 원인과 결과로 파악하는 것"이고 지혜는 "그 사실의 인과관계를 활용하는 능력"입니다. 여기서 쇼펜하우어는 교육이 다루는 "지식"의 특징을 설명하고 있는거

에요.

다음으로 "직관(直觀)"을 살펴봅시다. 이 단어 역시 "곧을 직(直)과 볼 관(觀)"이 합쳐진 단어죠, 곧을 직(直)은 눈 목(目)과 한 일(一)자가 합쳐진 단어에요, 무언가를 곧게 보다. 무언가를 제대로 본다는 것이죠, 그렇다면 여기까지 "드러난 사실을 올곧게 보는 것"이 지식의 과정이라고 생각할 수 있습니다.

쇼펜하우어 선생이 생각한 교육은 "개념(槪念)"을 다루는 학문입니다. 모든 개념은 "언어기호"로 짜여있습니다. 그러나 진정한 지식은 "사람의 눈으로 제대로 볼 때(直觀)" 그것을 점점 축적해나가면서 비로소 나만의 "지식"이 된다고 합니다. 내 것이 아닌 것, 단지 교과서에 빼곡이 적힌 글자만 머릿속에 집어넣는 일은 교육이 아니라고 비판합니다.

"반대로 인위적인 교육은 어떤 방법을 취하는가? 직관(直觀:직접 눈으로 관찰하는)의 세계에 대하여 두뇌가 폭넓은 지식을 수용하기 전에 강의나 독서 등을 통하여 머릿속에 많은 개념을 잔뜩 주입한다."
- 아르투어 쇼펜하우어 <인생론> 교육에 대하여 101 p 인용

"교육자들은 아동의 인식이나 판단 및 생각하는 힘을 기르려 하지 않고 다만 머릿속에 느닷없이 기존사상을 주입하는 데만 힘쓴다."
- 아르투어 쇼펜하우어 <인생론> 교육에 대하여 101 p 인용

우리의 교육은 늘 수입해왔습니다. 이는 최진석 선생님이 강력하게 비판한 부분이기도 합니다. 지식의 수입은 참 슬픈 일입니다. 우리 사회에서 벌어지는 다양한 일을 대할 때, 다시 말해서 "우리 사회가 해결해야 할 사실"을 대할 때 우리만의 대처 방법이 부재하다고 봐

도 무방하죠. 사회가 아니더라도 우리는 우리 앞에 수놓인 문제를 대할 때 정말 "나만의 방법"으로 해결하나요? 앞서서 우리는 직관(直觀)의 힘을 길러야 합니다. 올바르게 본다는 것은 무엇일까요, 그것은 내 눈으로 직접 마주볼 때, 다른 의견이나 다른 사람의 생각을 통해서 "드러난 사실"을 마주보지 않고, 오직 내 두 눈으로 바라볼 때 올곧게 바라볼 수 있습니다, 그 올곧음이 곧 "나답게 본다(直觀)"는 뜻이에요. 기존 사상을 무조건 반대하라! 이렇게 무책임한 말이 아닙니다. 아마 쇼펜하우어 선생은 "우리가 우리의 두 눈으로 바라보는 올곧은 시선(直觀)"을 강조하고 싶었던게 아닐까 싶어요.

"직관은 풍부하고 다양한 반면 추상적 개념은 생각을 바로 매듭 짓기 때문에.."
- 아르투어 쇼펜하우어 <인생론> 교육에 대하여 102 p 인용

우리의 눈으로 꽃을 바라보아야 "아름답다"고 느껴요, 우리의 눈을 놔두고 굳이 인스타그램에 업로드된 꽃 사진을 보면 "정말 아름답다"고 느껴지나요? 그건 가상입니다. 올곧은 시선!, 내 두눈으로 직접 바라보는 직관(直觀)은 다양한 "감정"을 느끼게 합니다. 반면에 추상적 개념은 어떨까요, 우리가 두 눈으로 직접 바라보지 않고, 다른 눈으로 살펴본 꽃을 인스타그램으로 살펴보면 어떤 감흥이나 느낄까요? 그것은 우리의 풍부한 감정과 생각의 길을 "매듭"으로 끊어버리는 행위라고 합니다. 우리는 "말"보다 "눈"으로 먼저 배우는 교육이 필요하다고 봐요.

"어떤 사물에 대해서나 직관을 개념에 앞세우고 좁은 개념을 넓은 개념에 선행시켜, 교수법은 순서대로 개념을 배치해 나가야 한다."
- 아르투어 쇼펜하우어 <인생론> 교육에 대하여 102p 인용

사물(事物)은 "드러난 사실과 드러난 물질"을 뜻합니다. 우리를 둘러싼 사실과 물질에 대해서 "남의 말과 사회가 정해준개념"을 먼저 외우기 보다는 배우는 학습자가 "직접 두 눈으로 올바르게 보는(直觀)" 직관을 먼저 앞세우라고 말합니다. 진정한 교육, 자연스러운 교육의 본질을 설명하고 있죠.

"사람들은 대부분 일생 동안 그릇된 생각과 망상과 편견, 그리고 상상의 산물이나 선입관을 갖고 있어 이것들을 때로 지렛대로도 움직일 수 없는 확고부동한 개념으로 굳어버린다. 이같이 어떤 사람이 모든 사물에 대하여 이미 만들어진 개념만 받아들여.."
- 아르투어 쇼펜하우어 <인생론> 교육에 대하여 103p 인용

우리는 끊임없이 물어봐야합니다. 내가 알고 있는 이 지식이 정말 내것일까? 내가 알고 있는 "사랑"이라는 개념이, 나쁜 사람이라는 그 "기준"이 내가 오랜 숙고 끝에 내린 대답이 맞을까? 우리는 이미 만들어진 개념을 대항해야 합니다. 선입관은 풍부한
직관(直觀)이 주는 선물을 누릴 수 없어요. 내 눈으로 보는 꽃은 얼마나 아름다울까, 내가 내린 결론이 주는 그 뿌듯함은 얼마나 오래 지속될까요, 우리는 "남"을 조심해야 합니다. 타인의 생각은 "하나의 의견"으로 생각해야 합니다.

올바른 관찰이란 뜻에서 직관(直觀)은 "내 시선만 고집하는 확고부동"한 태도가 아닙니다. 진정한 교육은 "한 사람, 고유한 두 눈으로 비쳐진 세상의 감상평"을 존중하는 데 있죠. 같은 꽃(드러난 사실)을 보고 다른 감정(직관 直觀)을 느끼듯이, 우리는 다양한 결론에 이르기 위해서, 또 나와 다른 의견과 감상을 우선 존중하기 위해서, 그리고 대화하고, 하나의 결론으로 이끌어가기 위해서 "직관 (直觀)"이라는 위대한 교육 방법이 필요하다고 강조합니다. 여러분들은

무엇이 교육이라고 생각하시나요?

가장 비참한 상황에서_ 마태복음 4장 인용

앞으로 살아가면서 우리는 다양한 사람을 만나게 되고, 다양한 말을 하게 됩니다. 한 사람을 만날 때 작은 소우주가 충돌하는 사건이라고 생각합니다. 저는 교회라는 공동체에서 다양한 사람들을 만났습니다. 그리고 너무 이른 나이에 삶을 감당하는 사람들의 이야기를 듣습니다. 몸이 아프고, 마음이 아픈 사람들 앞에 저는 제 목구멍까지 차오른 말을 되도록 구겨넣으려고 합니다. 가장 많이 듣는 말과 가장 많이 하는 말이 다를 때마다, 저는 의구심이 잔뜩 생겨요, 이 사람들이 몸소 겪는 삶의 현장을, 저 간소한 말로 담아내기란 가능한걸까? 저는 말을 믿지 않아요, 말은 "보조품"이라고 생각합니다. 우리 눈앞에 드러난 일을 "설명"할 때 아주 용이할 뿐이지 그 보조품으로 서로 위안을 얻거나, 감정이 앞서는 갈등 상태에서 "보조품"은 서로의 목을 겨누는 예리한 칼날이 되기도 하니까요, 저는 그런 경우를 참 많이 봤습니다.

상처 받은 사람들, 우리가 "트라우마"라고 말하는 이 감정적 동요 상태를 매일 겪는 사람들의 특징이 몇 가지 있습니다. 트라우마라는 말 자체가 그리스에서 "~무언가를 꿰뚫다."라고 하네요. 참 인상적입니다. 우리의 평온한 마음을 뒤흔드는 기억들, 말들, 특정 상황을 뭉뚱그려서 "외상(外傷)"이라고 합니다.

상처 받은 사람들, 정신분석용어로 "외상"을 겪은 사람은 "자아통합"이 어려워요, 내가 정확하게 누구인지 확신할 수 없는, 말그대로 분열되어 있는 형국입니다. 그 앞에서 이야기를 들을 때, 그 사람들의 눈물을 쳐다볼 때마다, 저는 참 작아집니다. 저기 저 사람이 살아온 세상은 얼마나 추울까, 얼마나 많은 시간을 견뎌냈을까, 그리고 얼마나 견뎌야 끝이 날까, 저 사람은 따뜻한 말 한마디라도 들어본 적이 있을까, 그리고 그 따뜻한 말 한마디가 과연 위안이 되기나 할까.

그래서 저는 참 난처합니다. 가끔 정말 가까운 사람들이 힘들어 할 때, 제 마음이 편하지가 않습니다. 가장 비참한 순간의 정의(定義: 뜻을 정하다.)를 내릴 수 있을거 같네요. 짧은 생애를 살면서 가장 비참한 순간은, 내가 사랑하는 사람이 너무 괴로워 하는데, 그걸 눈 뜨기 지켜봐야만 하는 순간 같아요. 멍하니 쳐다보다. 얼마나 괴롭 습니까, 내가 사랑하는 이가 병상에 누워 죽어간다면, 그리고 아무 것도 할 수 있는게 없다면. 스스로 얼마나 한심하게 생각하고, 무력 하다고 생각할까요.

공감(共感)을 생각해봅니다. 제가 생각하는 공감은 이래요, "곧장 한 몸이 느끼는 통증"이라고 말하고 싶습니다. 공감(共感)은 보조품인 "말"로서 다가가는 게 아닌거 같아요. "통증"을 "함께, 같이"느끼는 순간을 공감(共感)이라고 생각합니다. 역설이죠. 위안을 주는게 아니 라 그 비참한 상황을 함께 느껴주는 일. 그게 사랑이라고 생각합니 다. 사랑의 적극적인 표현이 일체(一體), 하나의 신체 기관이 되는 일이니까요. 저는 다짐합니다. 내가 어려울 때마다. "받아들여야 하 는 사실이 내 마음을 뒤흔들 때"마다. 이렇게 다독입니다. "아. 결 국 사랑하기 위해서. 보다 많은 사람을 헤아리기 위해서. 그 처절한 마음까지. 밑바닥으로 떨어질 법한 두려움과 불안함을 느끼는구나." 이렇게 다독입니다. 결국에 내가 남몰래 울면, 그 눈물이 언젠가 어 느 "말"이되거나, 공감(共感,sympathy)의 순간을 위해서, 지금이 감정을 느껴야만 하는구나. 사랑은 형상이 없습니다. 그래서 사랑하 는 사이라면, 일체(一體)가 되고 함께 슬퍼하자고 다독여주는 일입 니다. 함께 슬퍼하자! 저는 이 말이 "사랑한다"는 말의 진의(眞意:숨 겨진 참 뜻)라고 생각합니다. 함께 슬퍼하자. 오랫동안 슬퍼하자. 당신의 슬픔이 머무를 때까지 나는 여기 앞에 앉아서 기다리겠다. 그 슬픔의 감정을 부정하지 않겠다. 내가 당신의 슬픔을 말없이 기다려 주기 까지, 나역시 많은 밤, 남몰래 눈물로 보냈으니, 이제 당신을 이렇게 사랑할 수 있게 되었다. 원없이 함께 울자.

당신이 믿는 "옳음"에 관해서_ 니체의 <도덕의 계보> 인용

"누가 지금도 여전히 지배하기를 원하겠는가? 누가 복종하겠는가? 양쪽 모두 너무나 많은 힘을 소모했다. 목자는 없고 군중만 있구나! 모든 사람은 동일한 것을 원한다. 모든 사람은 동일하다. 다르게 느끼는 사람은 자발적으로 정신병원으로 간다."
- 프리드리히 니체 <차라투스트라는 이렇게 말했다.> 인용

문득 삶을 수많은 선택으로 이뤄진 복합체(複合體)라고 생각했습니다. 평소에 이런 생각을 자주하는 편은 아닌데, 친구들의 이야기를 들을 때, 지인의 이야기를 들을 때, 우리가 후회하는 감정을 느끼거나 아쉬움을 느낄 때 모두 자신의 "선택(選擇)"을 후회 하기 마련이니까요. 우리가 그 당시에 굳게 믿었던 선택은 "어떤 선택의 기준"을 두고 내린 판단이죠. 그러나 그 기준은 어쩐지 미숙하기도 하고 뒤돌아서 지켜보면 참 철없게 느껴지기도 합니다. 우리의 행동양식을 지배하는 "기준"은 이렇게 시간이 지나면서, 철두철미하게 수정한다고 봐요. 그래야 성숙의 의미가 비로소 온전해지니까요. 스물네 살에 박사 학위를 받고 문헌학자의 길을 포기한, 진정한 철학자 프리드리히 니체는 앞으로 다가올, 현대사회를 "말세인"이라고 지칭하면서 개성없는 사회가 올거라고 예견했어요. 위의 인용구를 살펴보셨나요? 목자가 없고 군중만 있는 사회, 우리가 바라보는 사회상은 어떤가요, 우리는 각자의 개성대로 살아가기 보다는 평균적인 삶을 원하는 경향이 있죠. 그점을 꼬집으면서, 역사를 지배한 "선택의 기준"인 "도덕(道德, morals)"이 얼마나 상대적인 개념인지 밝히려고 했습니다. 우리가 굳게 믿고 있는 기준은 "허상(虛像)"이라고 고발하면서 말이죠.

"활동,작용,생성의 배후에는 어떤 '존재'도 없다. '활동하는 자'라는 것은 우리의 사고가 고안해낸 활동에 덧붙인 것에 지나지 않는다. 활동이 모든 것이다."
- 프리드리히 니체 <도덕의 계보> 1부 '선과 악 좋음과 나쁨' 76 p 인용

우리는 말할 때 마다 "언어"의 힘을 빌려야 합니다. 문법(文法)은 말그대로 "글의 규칙"이죠. 글의 규칙은 "주어와 술어"로 이뤄져있습니다. 그래서 우리는 늘 "나"를 먼저 말하게 됩니다. 예를 들면 "나는 지금 배고파. 밥으러 가자."라는 문장 속에서 니체는 두 가지 오류가 있다고 말하고 있습니다. 애시당초 "나"라고 부를 수 있는 "존재자"는 없다고 말합니다. "나"는 하나의 현상을 빗댄, 문법(文法)에 의한 오류라고 설명합니다. "나"는 없습니다. 오로지 "나"라고 믿고 있는 그 무언가를 나타내는 "현상"들만 있을 뿐이죠. "나는 배고프다."에서 "배고픔"이라는 상태만 있을 뿐이죠.

니체는 언어규칙에서 주어와 "내가 나"라고 인식하는 철학적 주체도 인정하지 않아요. 모두 거짓말이며 언어 규칙이 만들어낸 오류라고 밝힙니다.

여기서 더 나아갑니다. 니체는 문법(文法)에 의한 "주체의 오류"를 비롯해서 이 세상에 존재하는 모든 선택의 기준들, 우리가 고등학생 때 배워야 하는 "윤리(倫理)"와 "도덕(道德)"도 모두 글의 규칙에 의한 오류투성이라고 말합니다. 우선 니체가 집요하게 공격하는 부분은 "기독교의 도덕"입니다. 기독교인은 선(善)과 악(惡)의 기준으로 살아갑니다. 현대 자본주의 도덕은 "효용(效用)"과 비효용(非效用)이 기준이죠. 짧게 살펴볼게요.

"스펜서는 '선'이라는 개념을 '공리적', '합목적적'이라는 개념과 본질적으로 동일한 것으로 상정하고 있다."
- 프리드리히 니체 <도덕의 계보> 37p 인용

하버트 스펜서의 사회진화론은 자연상태에서 변이한 개체는 "우연"이 아니라 뛰어난 "능력"에 의한 것으로 적자생존의 원칙을 내세운 인물이죠. 니체는 "선과 악"을 스펜서의 입장에서 말하고 있어요. 우리 사회를 지배하는 큰 요인은 "효율(效率)"입니다. 그죠? 자본이 투자되고 투자된 자본으로 이윤을 기대하는 사회에서 "선"은 스펜서의 생각대로 "공리적(功利的)"이어야 하죠. 즉 뛰어난 놈이, 돈 잘 버는 놈이 "도덕적으로 선"하다고 증명해주는 도덕관이 스펜서의 사회진화론이라고 합니다.

"좋음(gut)은 여러 언어에서 각기 다르게 표현되고 있다. 그러한 표현들이 어원학적 관점에서 원래 무엇을 의미하는가를 탐구함으로써 나는 그러한 표현들을 올바르게 설명할 수 있게 되었다."
- 프리드리히 니체 <도덕의 계보> 37 p 인용

니체는 전공이 "문헌학"이었습니다. 그래서 앞서 니체가 비판했던 점, 모든 도덕과 윤리는 "언어의 규칙"에서 시작되었다고 주장한 점도 그의 전공이 한 몫했다고 봅니다.

니체는 사회와 개인이 선택할 때 중요한 "기준"인 "좋음(gut)"이 언어의 역사를 파헤치면서 새롭게 알게된게 있다고 주장합니다. 즉 모든 시대마다 선택의 기준인 "좋음(gut)"이 새롭게 구성되었다는 점이죠. 절대적인 선택의 기준이 없다고 말하고 있습니다.

"억압당하고 짓밟히고 능욕당한 자들은 무력감에서 비롯된 복수심 서린 간계로 자기들끼리 이렇게 말한다. '우리는 악한 자들과 다른 존재, 선한 인간이 되자! 선한 인간이란 능욕하지 않는 자. 그 누구 도 해치지 않는 자, 공격하지 않는 자, 보복하지 않는 자, 복수를 신에게 맡기는 자, 우리처럼 조용히 사는 자, 악을 피하고 인생에서 요구하는 것이 거의 없는 자, 즉 우리처럼 인내하고 겸손하며 올바 른 자이다.' 냉정하게 선입견 없이 들을 때 이 말은 '우리 약한 자 들은 어차피 약한 존재다. 우리는 강하지 않기에 강함을 요구하는 어떤 일도 하지 않으며 이것은 좋은 일이다.' 라고 말하는 것에 불 과하다."
- 프리드리히 니체 <도덕의 계보> 77p 인용

우리에게 친숙한 흥부와 놀부이야기가 있습니다. 흔히 "착한 흥부" 와 "나쁜 놀부"라고 알고 있는데, 니체는 애당초 "착함과 나쁨"의 기준이 되는 기독교적 도덕관은 억압당한 피해자의 심리에서 출발 했다고 봅니다. 원한(怨恨, resentment.)이란 감정은 "질투"라고 볼 수 있고 "보상 심리"라고 생각해볼 수 있는데, 우리는 어렸을적 "나 쁜 놀부"와 "착한 흥부"라는 선악의 이분법 가운데 자연스럽게 "원 한 감정"을 습득했다고 봅니다. (꼭 흥부 놀부 이야기만을 주장하는 건 아닙니다.)

"원한 자체가 창조적인 것이 되고 가치를 낳게 됨으로써 도덕에서 의 노예반란은 시작된다. 여기서 원한이라고 하는 것은 (중략) 단지 상상의 복수를 함으로써 자신들이 입은 손해를 보상하려는 자들의 원한이다."
- 프리드리히 니체 <도덕의 계보> 59 p 인용

니체는 많은 대목에서 스스로 심리학자라고 소개합니다. 그의 주장대로 우리는 "언어규칙"에 의해서 "나"라고 부르는 주어(개별적인 대상)에 속아버리죠. 그리고 나보다 잘난 놀부에게 질투와 부러움의 감정을 품고 "저들은 죽어서 지옥에 갈거야!"라고 저주하고 마음을 위로하기도 합니다. 여기서 니체가 "원한 자체가 창조적"이라고 지적한 이유가 등장하죠. 보통 "악인"은 악랄하고 무자비하지만, 실상 우리가 "질투"하는 대상은 "나보다 잘나고, 모든 면에서 월등히 뛰어남" 그 자체에서 피해 의식을 느끼기 때문에 "허구의 천국과 지옥"을 만들어내고 "선한 사람과 악한 사람"을 나누어서 멋대로 손가락질하고 비아냥거립니다. 소수의 뛰어난 사람을 두고 다수의 사람들이 가진 질투심, 르상티망(怨恨, resentment.)에서 기독교 도덕이 시작되었다고 주장하죠.

"약함에서 비롯되는 것에 불과한 것을 자신들의 공적(功績)이라는 식으로 거짓말을 하고 있어요. (중략) 보복하지 못 하는 '무력함'이 '선량함'으로 바뀌고, 겁에 가득찬 비굴함은 '겸손'으로 바뀝니다. 자신이 증오하는 자들에 대한 복종은 '순종'(다시 말해서 그들이 이러한 복종을 명령한다고 말하는 자에 대한 복종, 이 자를 그들은 신이라고 부릅니다.)으로 바뀝니다."
- 프리드리히 니체 <도덕의 계보> 79 p 인용

도덕의 계보 79페이지는 꼭 읽어보세요. 정말 웃기게 기록했습니다. 웃기다는 표현이 적절한지 모르겠지만, 니체의 문체(文體)는 이렇게 경쾌하게 비꼬면서 기술합니다. 약한 것, 우리 앞에 툭 떨어진 어려운 난관을 헤쳐나가거나 부딪칠 생각 조차 안하면서, 부러운 사람들한테 "너는 악한 사람이야"라고 프레임까지 뒤집어 씌워 못 살게 구는 비겁한 집단이 모든 도덕과 종교의 교리라고 비판하고 있습니다. 우리가 믿고 있는 "선함"의 "선량함"은 어디에서 왔을까, 혹은 우리의 남모를 "원한"이 아닐까요?

내가 악한 사람이라고? _ 니체의 <도덕의 계보>를 읽고.

제가 재학하는 학교는 하교 시간이 되면 셔틀버스를 운영합니다. 보통 두 시부터 운영하는데, 한 시 수업이 끝나는 세 시가 되거나 다섯 시가 되면서 있는 줄이 에버랜드를 뺨치곤 합니다. 제가 굳이 궁금하지도 않을 이야기를 꺼내는 이유는 그렇게 "새치기"를 많이 하기 때문이에요. 학생들이 새치기를 밥먹듯이 합니다.
우리는 새치기를 그렇게 싫어하면서도 정당한 값을 지불한 어느 놀이 공원의 "매직 패스"제도에 관해서는 그닥 큰 신경을 쓰지 않습니다. 새치기는 나쁜데, 값을 치룬 새치기는 괜찮다? 조금 재밌는 주제라고 생각합니다.

철학에서는 다루는 분야가 다양합니다. 인식론, 논리학, 미학, 윤리학, 존재론 등등 크게 나누자면 이렇게 나눌 수 있습니다. 오늘 제가 읽고 온 니체 선생의 <도덕의 계보>는 굳이 따지자면 "윤리학(倫理學,ethics)"분야라고 생각드네요. 니체는 도대체 무슨 이야기를 하고 싶었던 걸까요?

제 습관 중에 하나가 무언가를 말하고 생각하려면 그 단어의 유래와 언어의 사전적인 뜻을 최소한 알아야 된다고 생각해서 사전을 뒤적거리는 습관이 있습니다. 조금 별난가요? 어김없이 오늘도 "도덕과 윤리"의 사전적 정의를 찾아보고 한문의 뜻, 영어의 유래를 찾아보았습니다. 재밌는 사실은 도덕(道德) 을 뜻하는 영문 "morals"과 윤리(倫理)를 뜻하는 영문 "ethics"는 같은 뿌리를 두고 있습니다. (저만 신기한가요?) "ethics"는 지레 짐작하셨듯 고대 그리스어입니다. 그리스어로 윤리를 "ethos"라고 번역하는데 이는 "사회적 관습으로 굳어진 개인의 성품"이라고 사전적인 정의를 내리고 있습니다. 저는 신기했어요, 보통 윤리적인 사람이라고 생각하면 "타고난 마음"에서 타인을 배려하고 희생한다고 생각하기 마련이잖아요, 그런데 고대 그리스인들은 그렇게 생각하지 않았나 봅니다. 결국 사람이 모인 사회(社會)에서 타인을 배려하고, 희생하는 문제는 "사회적으로 내려오는 관습(慣習)"에서 비롯된다고 볼 수 있습니다.

여기에 덧붙여 "도덕(道德)"을 뜻하는 영문 "morals"는 라틴어 "mos"에서 왔다고 합니다. 이는 앞서 살펴본 "ethos"를 라틴어로 번역했다고 전해지네요, 결국에 도덕과 윤리는 "사회적 관습"으로 만들어진 행동 원칙인 "ethos"에 그 어원의 뿌리를 두고 있는 셈이죠. 우리가 자주 접하는 단어 중에서 경제 (經濟) 의 영문 "economy"를 살펴보면 "Nomos"라는 그리스어가 삽입되어 있는 걸 알 수 있습니다. 여기에 사용된 "Nomos"도 뜻풀이로 "사회적 관습법"이라고 번역한다고 합니다. 그리스 문화권에서 해상 무역은 큰 활황을 맞이했죠, 그래서 상업법을 "전해져 내려오는 관습법"으로 무역 분쟁이나 상업 문제를 관습처럼 굳은 법으로 해결했다고 합니다. 옛 선조는 무엇보다 오랜 시간 통용되어 온 사회적 관례, 관습의 문화를 본삼아 문제를 해결했으며, 그걸 잘 따라가는 삶이 "윤리적인 사람"이라고 생각했나 봅니다.

우리는 일상에서 "착한 사람"과 "나쁜 사람"을 저마다의 이름으로 덧붙이고 남몰래 판단합니다. 그러나 니체는 이렇게 말하고 있습니다.

"나는 도덕을, 다시 말해 이제까지 지상에서 도덕으로 찬양되어 온 모든 것을 의심한다. "
- 프리드리히 니체 <도덕의 계보> 저자 서문 15 p 인용

니체는 모든 것을 의심한다고 합니다. 우리가 당연하게 받아들인 "착한 사람과 나쁜 사람"의 그 기준도 사실 순수하게 "내"가 만들

어낸 개념이 아니라, 위에서 살펴본 "사회적 관습(Nomos,ethos)"을 아무런 비판도 없이 받아들인 것일 수도 있죠.

니체는 독일어 "좋음"을 뜻하는 단어 "gut"에 두 가지 의미가 있다고 설명합니다. 하나는 "선량한 사람"을 뜻하는 단어에서의 "좋음(gut)"과 다른 한 가지는 "강인한 사람"을 뜻하는 단어에서의 "좋음(gut)"을 말하고 있죠. 어때요? 니체가 구분한대로 우리는 윤리적인 사람!이라고 외칠 때 보통 "선량한 사람"을 떠올리기 쉽지 강인한 사람을 떠올리기 쉽지 않습니다.

"보복하지 못하는 무력함이 '선량함'으로 바뀌고, 겁에 가득찬 비굴함은 '겸손'으로 바뀝니다. 자신이 증오하는 자들에 대한 복종은 '순종'(다시 말해서 그들이 이러한 복종을 명령한다고 말하는 자에 대한 복종, 이 자를 그들은 신이라고 부릅니다.)으로 바뀝니다. 약한 자의 비공격성, 그가 풍부하게 지닌 비겁함 자체, 문 앞에 서서 기다릴 수밖에 없는 것은 여기에서 '인내'라는 미명(美名)으로 불리게 되고 덕이라고도 불립니다. 복수할 수 없음이 복수하고 싶어 하지 않음이라고 불리고 심지어 용서라고까지 불립니다."
- 프리드리히 니체 <도덕의 계보> '선과 악 좋음과 나쁨' 79 p 인용

그 선량한 사람이 사실은 "비겁한 사람"이라고 소개하는 니체의 말을 듣고 충격을 받았습니다. 우리는 "용서"하는 게 아니라 사실 "복수할 힘"이 없는 나약한, 니체의 표현대로 노예의 정신을 가지고 있는게 아닐까? 의문이 들었기 때문이죠. 우리는 흔히 "윤리적인 사람은 모두 선한 사람이다."라는 명제에 대부분 동의합니다. 그러나 "선(善)"은 무엇인가요? 니체가 비아냥대는 노예의 질투심으로 똘똘 뭉친 "선량함"을 위장한 비겁함인가요? 니체는 한가지 예시로 나폴

레옹 보나파르트를 이야기 합니다. 예를 들면 충무공 이순신은 대한민국 역사의 영웅이죠, 그러나 이순신 장군은 어쩔 수 없는 전시 상황에서 "일본인"을 무참히 죽여버립니다. 민족적인 관점을 떠나서 우선 사람을 죽인 장군입니다. 그러나 우리는 그를 열광하고 위인이라고 칭송합니다. 왜 그럴까요? 선(善)의 관점에서 충무공 이순신 장군은 "선량한 사람"은 아닙니다. 그러면 왜..? 앞서 니체가 중요하게 생각하고 강조했던 "뛰어난 사람(gut)"이라서 그렇죠. 선의 기준은 양면성입니다.

그러나 니체는 이 두가지 선의 기준에서 오로지 "선량한 사람"의 기준만 부각되었고 그 기준이 2,000년의 서양을 지배했다고 말합니다. 그 주범으로 기독교와 플라톤의 이데아를 꼬집기도 하죠.

"전쟁은 그들에게 가장 불리한 것이다! 성직자들은 잘 알려져 있듯이 가장 사악한 적이다. 왜 그런가? 그들은 가장 무력한 자들이기 때문이다. 그들에게서 증오는 무력함으로부터 생겨나서 기이하고 섬뜩한 것, 가장 정신적이고 가장 해로운 것이 된다."
- 프리드리히 니체 <도덕의 계보> '선과 악, 좋음과 나쁨' 49 p 인용

"악(惡)"을 의미하는 독일어도 두 가지가 있다고 하는데요, 첫 째는 "노예의 정신"이 반영된 "bose"라고 합니다. 둘 째는 "강인한 자의 정신"이 반영된 "schlecht"라고 빈역하는데, 두가지 뜻이 디릅니다. 우선 "bose"은 "윤리적으로 타락한"상태를 지칭한다고 하고 "schlecht"은 "나약한 자"라고 합니다. 이 역시 선의 기준과 마찬가지로 니체가 궁극적으로 주장하는 "노예 도덕"과 "주인 도덕"이죠.

이처럼 니체는 윤리적인 기준은 절대적이지 않으며 "시대마다"다르게 구성되었다고 보고 있습니다. 이른바 계보학이죠. 충무공 이순신을 노예 도덕 관점에서 살펴보면 "악한(bose)"사람입니다. 반대로 주인 도덕의 관점에서는 "선한(gut: 강인한 능력)"사람이 되죠. 어때요? 이제 좀 감이 잡히시나요.

충무공 이순신은 "악한 사람이야!"라고 주장하는 노예의 정신은 고대 로마 제국시절, 민중의 종교로 전파된 예수 그리스도의 가르침 때문이라고 주장합니다. 우리의 행동을 결정하는 "원칙"을 "선함과 악함"이라는 가상의 선분으로 그어넣고 멋대로 강인한 이순신 장군을 "타락"한 사람이라고 손가락질 해대며 욕한다고 꼬집습니다.
당대 "노예"는 모두 자신이 섬기는 주인을 부인하고 목숨을 건진 비겁한 사람들입니다. 니체는 기독교와 민주주의의 평등, 사회주의의 이상향 모두 "비겁한 노예"들이 "노력하고 자신을 끊임없이 고취하는 강인한 사람"을 끌어내리기 위해 만들어낸 "얍삽한 교리"라고 말하고 있습니다.

"지금까지의 이 도덕 계보학자들이 예를 들면 '죄(schuld)'라는 저 주요한 도덕 개념이 '빚(schulden)'이라는 극히 물질적인 개념에서 유래되었다는 사실을 짐작이라도 했겠는가?"
- 프리드리히 니체 <도덕의 계보> '죄, 양심의 가책 및 기타' 109
  p 인용

이제 기독교는 비겁한 노예의 정신으로 "죄"와 "죄책감(罪責感)"을 만들어냈다고 주장합니다. 문헌학을 전공한 니체답게 윤리를 모두 "언어의 기호"로 해석하는 모습이 인상적인데요, 위에서 언급한 대목이 중요한 부분입니다. 니체는 기독교가 주장하는 "악함(惡,bose)"은 곧 "원죄(原罪)"의 결과라고 주장하죠, 그러면서 양심의 활동이 곧 죄책감을 가져온다고 하는데 니체는 그걸 언어로 풀이합니다. 독일어로 "죄"는 "schuld"이라는 단어인데 이 유래는 사실 금전적인 채권자와 채무자의 빚(schulden)의 관계에서 발생했다고 주장합니다. 즉 죄라고 불리는 모든 현상은 사실 "채무자의 빚"이라고 볼 수 있다고 해석하죠. 우리의 윤리적 기준은 늘 "선량한" 사람을 향해 있으며 실상 "강인한 사람"을 보고 "질투"하는 감정을 느껴서 그들을 오직 상상 속에서 복수하는, 비겁한 태도가 바로 "노예의 정신이 반영된 선과 악의 기준"이라고 정리합니다. 그 감정, 질투하고 부러워하지만 입으로는 욕을 해대는 그 복합적인 감정을 "원한(resentment)"이라고 해요, 니체가 주목한 부분이, 심리적으로 나약한 사람은 이러한 원한의 마음이 가득찼다고 봤습니다. 충무공 이순신을 "그는 사람을 죽인! 반인륜적인 사람이야!"라고 "도덕적인 악함"을 뒤집어 씌우는 것이죠. 그 마음 깊은 곳에는 바로 "원한(怨恨, resentment.)"이 있구요.

"신에 대한 죄라는 생각이 그에게 고문의 도구가 되는 것이다. 인간은 신을 자신의 떨쳐버릴 수 없는 동물적 본능들에 대한 궁극적 대립물로 보게 된다. 그는 이러한 동물적 본능들 자체를 신에 대한 죄로(주님, 아버지, 세계의 시조이자 태초에 대한 적의, 반역, 반란으로)해석한다. 그는 '신'과 '악마'가이의 대립이 일어나는 장이 된다."
- 프리드리히 니체 <도덕의 계보> '죄, 양심의 가책 및 기타' 159
  p 인용

정리하겠습니다. 니체는 우리의 선택의 기준이 되는 "윤리"가 얼마나 유동적인지 밝혀냅니다. 우리는 선과 악으로 바라보지만 니체는 뛰어난 사람과 못난 사람으로 비교해야 한다고 합니다. 그러나 기독교의 행동 양식이 퍼지면서 뛰어난 사람을, 예를 들어 위대한 충무공 이순신의 업적 대신에 그가 살인을 저지른 장군이라며 "타락한

죄인"이라 손가락질해대는 기독교 정신은 그야말로 정신착란이라고
비판합니다. 그러한 "선과 악"의 기준은 오히려 이 세상에서 소외되
고 자신의 삶에 닥친 역경을 이겨내지 못 하는 사람들이 질투심과
피해의식에 쩔어서 만들어낸 비겁한 개념이라고 말하죠.

신을 하나의 발명품이라고 본 점에서, 죄책감을 비겁한 노예들이 잘
난 소수의 사람을 다스리기 위해서 만들어냈다는 니체의 생각을 오
로지 "단어의 어원"으로 풀어냈다는 점에서 신기하기도 했지만 남
모를 거부감이 들기도 했습니다. 죄의 어원이 곧 채무적 빚에서 왔
다는 점이, "선"을 선량한 사람과 뛰어난 사람으로 구분한다는 점이
몹시 새롭게 느껴졌지만 그가 모든 종교와 더불어 민주주의 제도가
보장하는 평등의 정신도 "노예들이 주장하는 멍청한 평준화"라고
비판한 점에서 거부감이 들고 비판하고 싶습니다. 우리는 살아가면
서 피아식별을 해야합니다. 그럴 때마다 "나한테 도움이 되는 사람"
과 "피해를 주는 사람"으로 나누기 급급하기도 하지만, 때로 "선량
한 사람"을 도덕적인 "선"으로 여기기도 합니다. 그러한 선의 기준
저변에 흐르는 우리의 "질투심" 다시 말해 르상티망(원한의 감정)이
없는지 되돌아볼 필요가 있다고 생각합니다.

희망을 거부하는 진정한 반항인_ 알베르 카뮈 <시지프 신화> 인용

사람은 믿는 구석이 있으면 배를 내밀고 목에 핏대를 세워가면서 살아갑니다. 섣부른 일반화의 오류일 수 있지만, 우리는 모두 믿는 구석이 있으며, 믿는 구석이 없다면 만들어 내기 위해서 노력합니다. 누군가는 인스타그램의 팔로워 숫자, 혹은 좋아요의 개수일 수 있죠, 누군가는 취득한 자격증과 직무의 능력이 될 수 있고, 누군가는 집안의 내력이 곧 자신의 가치로 삼고 살아가기도 합니다.

천차만별(千差萬別)이죠. 아무리 막강한 권력자라도 약점이 있습니다. 그게 무엇일까요? 바로 희망(希望)입니다. 소련의 서기장으로 지낸 이오시프 스탈린도, 1933년 총통이 된 아돌프 히틀러도 모두 "희망(希望)"을 품고 자신만의 이상(貳相)을 실현하기 위해서 폭력적인 방법을 선택한 것이죠. 이처럼 우리는 희망(希望)에서 자유로울 수 없습니다. 희망이 뭔가요? 사전적 정의로는 "그렇게 되길 바란다." 본인만의 이상(貳相)을 고집하고 살을 붙이는 행위에요. 멋지게 파이프 담배를 물고 우리에겐 작가로 알려진 알베르 카뮈 선생은 진정한 자유인을 "희망(希望)"에서 벗어나 부조리(不條理)한 감정을 견디는 자입니다. 부조리? 희망? 한 번 카뮈 선생의 날카로운 목소리를 들어보시죠.

"나는 이 세계가 그 자체를 초월하는 어떤 의미를 지니는지 어떤지 알지 못한다. 그러나 나는 그 의미를 이해하지 못하며 지금의 나로서는 그것을 인식할 길이 없다는 깃을 인다. 나의 조건을 벗어나는 의미가 존재한들 그것이 나에게 무슨 의미겠는가?
나는 오직 인간적인 언어로 된 것만 이해할 수 있을 따름이다."
- 알베르 카뮈 <시지프 신화> 80p 인용

종교와 과학은 이 세상을 해석하고 그것을 강요합니다. 그러나 카뮈는 사람은 진정한 "본인이 사는 이유"를 알 수 없다고 고백합니다. 의미는 결정되지 않았고, 초월한 인격신이 존재한다해도 내가 인식할 수 없다고 말하고 있습니다. 사람은 오직 정제된 언어 구조, 니체가 말했던 "주어와 술어"로 이뤄진 문법 규칙에 의해서 추상적으로 알아갈 뿐이라고 말하죠. 카뮈는 모든 이상(貳相)을 거부합니다. 그것은 한낱의 꿈이자 어린아이의 장난, 혹은 소꿉놀이 취급하는 눈초리로 보고 있습니다.

"만일 내가 뭇 나무들 중 한 그루의 나무라면, 뭇 짐승들 중 한 마리의 고양이라면 이 삶에 어떤 의미가 있을지도 모른다. 아니, 차라리 이런 문제 자체가 제기되지 않았을 것이다. 왜냐하면 나는 이 세계의 일부분이기 때문이다. 나는 지금 내 모든 의식과 친숙함에의 요구를 통해 내가 맞서는 이 세계 자체가 되어 버릴 테니 말이다."
- 알베르 카뮈 <시지프 신화> 80p 인용

우리가 무언가를 제대로 판단(判斷)하려면 직접 눈으로 봐야합니다. 그러면 그것은 내 눈 "바깥"에 사물로서 덩그러니 놓여져 있어야 하죠. 즉 철학에서 말하는 "대상화"란 판단하는 사람 "바깥"에 분리되어 있어야 판단할 수 있는 "대상"이 된다는 말입니다.
그
러나 카뮈나 니체나 이 세상을 종교의 해석처럼, 플라톤의 이데아처럼 "진리"를 말할 수 없다고 봅니다. 왜냐하면 플라톤도 "이 세상에 속한 사람"이기 때문이죠. 우리는 무언가를 말하고, 판단하기 위해서는 "대상화된 사물"처럼 접근해야 합니다. 그러나 카뮈는 그게 가능하냐 이 바보멍청아라고 말하고 있어요, 진리를 말하는 너도 이 세상의 구성원인데 너가 전지한 신의 시점으로 그걸 알 수 있겠냐!며 말하고 있는 부분입니다.

"이렇게 되면 그토록 명백하고 그토록 정복하기 어려운 부조리는 한 인간의 삶 속으로 되돌아 와 그의 고향을 되찾는다."
- 알베르 카뮈 <시지프 신화> 81p 인용

부조리(不條理)는 카뮈가 주장한 핵심 철학 개념입니다. 그런데 오해할 수 있는 게 이 부조리는 일시적인 "상태(狀態)"입니다. 오직 사람만이 느낄 수 있는 감정적 동요라고 봐도 됩니다. 그렇다면 사람은 언제, 왜? 부조리를 경험하는 건가요? 앞에서 카뮈가 수줍게 고백했듯이 우리가 사람의 사는 이유를 알 수도 없고, 사람이 동물보다 특별하며, 소고기와 돼지 고기와 가축화된 20여종의 짐승을 멋대로 식용으로 가축해도 되는지 알 수 없다고 합니다. 인간의 신성함은 도무지 발견할 수 없다! 사람은 성찰적인 존재이며 끊임없이 "세상과 나" 사이에 "의미"를 채워넣는 존재인데, 사실 세상은, 그리고 인간은 아무런 의미도 없다고 합니다. 그 "무의미(無意味)"함,

아무런 뜻이 없이 허공에서 둥둥 떠다니는 기체의 분자처럼 아무것도 나의 가치를 보장해주지 않는 상태, 그걸 깨달은 인간이 순간적으로, 그리고 지속적으로 경험하는 무(無)의 기분이
바로 부조리(不條理)라는 감정입니다.

"인간은 이제부터 그의 반항과 통찰력을 간직한 채 그곳으로 되돌아간다. 그는 희망을 갖지 않는 법을 배운 것이다. 현재라는 지옥, 이것은 마침내 그의 왕국일 수밖에 없다."
- 알베르 카뮈 <시지프 신화> 81p 인용

카뮈는 무의미함을 극복하기 위해서 여태껏 역사는 "허구"의 이야기를 꾸며댔다고 합니다. 그것이 모든 종교의 시작점이며 모든 "주의(~ism)"의 원인이라고 생각했습니다. 무의미함, 인간은 죽음을

이미 선고받은 "사형수"이자 수인(囚人)이라고 소개합니다. 카뮈의 대표작 "페스트"는 원래 수인(囚人)들로 이름을 붙였다고 전해지죠, 그처럼 카뮈에게 "인간이란 아무런 목적도 의미도 없이 무수히 외부적 종교와 개념과 ~주의(ism)로부터 강요받는 사형수들"에 지나지 않았어요. 여기서 살펴보면 무의미함을 견뎌내는 세 가지 방법이 등장합니다. 하나는 카뮈가 말했던 "비약(飛躍)"입니다.

비약이 무슨 뜻인가요? "힘껏 날아오르다"라고 사전적 정의를 내릴 수 있어요. 우리는 무의미함을 "종교와 철학과 나의 경험과 순간적인 감정"들로 뛰어넘을 수 있습니다. 그러나 카뮈가 보기에 이것들은 모두 "정신적인 자기 위로"에 지나지 않아요. 무의미함을 "극복(克服)"한게 아니라 무의미함으로부터 "도피(逃避)"한 꼴이니 말입니다. 자 그럼 다음은 무엇이죠? 무의미(無意味)함을 그대로 받아들여서 모든 삶을 포기하는 자, 혹은 자살해버리는 사람들입니다. 그래서 카뮈가 시지프 신화 첫 페이제 이런 말을 남기죠.

"참으로 진지한 철학적 문제는 오직 하나뿐이다. 그것은 바로 자살이다. 인생이 살 가치가 있느냐 없느냐를 판단하는 것이야말로 철학의 근본 문제에 답하는 것이다."
- 알베르 카뮈 <시지프 신화> 15p 인용

맥락에서 바라보니 이해가 되시죠? 무의미(無意味)함을 "도피(逃避)"하기 위해서 자살을 하거나, 종교와 철학, 모든 ~주의(ism)로 뛰어 넘던가(飛躍) 둘 중 하나입니다. 그러나 카뮈는 위의 인용구에서 "희망을 갖지 않는 법"을 말하고 있어요. 생각해보시죠. 무의미에 봉착한 인간이 자살을 하거나 종교와 모든 주의(ism)로 도망치거나, 이 두 가지 선택지는 모두 "희망(希望)"이 있기 때문에, 무의미함을 제대로 극복하지 못 한 것입니다. 카뮈가 보기에 정말 이상적인 사람은 무의미함을 이겨내려고 이것 저것 의미를 찾거나, 의미를 만들어가거나, 그런 행동을 하지 않고 자신이 품고 있는 그 "희망"을, 순수한 희망을 갖다가 버리는 일입니다. 그런 위대한 "반항인"이 무의미함을 이겨내는 초인(超人)이 되는 것이죠. 진정한 반항인 "시시포스"혹은 시지프를 통해서 카뮈가 말하고 싶은 이상적인 인간상은 "희망"에서 자유로운 자입니다. 우리는 희망의 노예입니다. 무언가를 바라라! 그것부터가 "부조리(不條理)"의 시작점이라고 말할 수 있습니다.

"길을 가다보면 어느 길목에선가 부조리의 인간은 그에게 손짓하는 유혹을 만난다.
역사 속에는 온갖 종교, 온갖 예언자가 가득하다. 그리하여 부조리의 인간에게 비약할 것을 요구한다."
- 알베르 카뮈 <시지프 신화> 82p 인용

무의미함을 인식하고 "희망"에서 벗어난 반항인은 자꾸 주변의 유혹을 받고 있습니다. 무언가를 믿어라! 무언가의 가치를 소중히 여겨라! 반항인이 보기에 이것은 모두
무의미를 이겨내는 일이 아니라 오히려 무의미함을 "의미"로서 "뛰어 넘으려는" 바보같은 비약(飛躍)이자 멍청한 높이 뛰기라고 비아냥댑니다.

"산다는 것은 곧 부조리를 살려 놓는 것이다. 부조리를 살린다는 것은 무엇보다 먼저 부조리를 주시하는 것이다. (중략) 따라서 유일하게 일관성 있는 철학적 태도는 '반항'이다. 반항은 인간과 그 자신의 어둠의 끊임없는 대면이다. 반항은 어떤 불가능한 투명(透明)에의 요구다. 반항은 인간이 자신에게 끊임없는 현존함을 뜻한다. 반항은 동경이 아니다. **반항에는 희망이 없다.**"

- 알베르 카뮈 <시지프 신화> 85 p 인용

카뮈는 무의미함을 대하는 두 가지 반대되는 태도로서 "자살"과 "반항"을 이야기 합니다. 우리는 모두 "희망"을 품고 살아가죠, 우리가 돈을 버는 이유는 "행복"하기 위해서, 그 막연한 행복을 위해서 주어진 하루, 그 시간과 임금을 교환합니다. 그러나 카뮈 선생은 성대한 축제에 나타나서 초치는 말을 합니다. 우리는 "희망"에서 벗어나야 한다고 말이죠. 희망에서 벗어나야한다는 카뮈의 주장이 몹시 낯설어요, 행복이라는 불분명한 개념도, 돈을 버는 목적도, 친구를 사귀는 이유도 모두 "무언가를 위한 희망"이잖아요. 희망을 위해서 희망에서 벗어난다. 역설적인 말장난 속에는 깊은 사유의 흔적이 담겨있습니다. 진정한 자유인은 나의 "희망"에서 벗어날 "자유"를 갖춰야 한다. 우리는 지금, 이순간에 무엇을 희망하고 살아가나요?

희망을 희망하지 않을 용기_ 알베르 카뮈 <시지프스 신화> 인용

"진리 역시 본래 결심이 없는 것이니 말이다. 모든 자명한 사실들은 결실이 없는 것이다. 모든 것이 주어져 있을 뿐 무엇 하나 설명되지 않는 세계에서 어떤 가치 혹은 형이상학적의 풍요로움이라는 것은 무의미한 개념이다."
- 알베르 카뮈 <시지프 신화> 204p 인용

희망(希望)의 사전적 정의는 "무언가를 바라는 마음(心)"입니다. 우리의 마음은 늘 어딘가로 향해 있죠, 현상학(現象學)의 이론을 세운 후설 선생은 우리 마음은 늘 무언가를 지향(志向,intention)한다고 했어요. 우리 마음은 딱딱하게 굳어버리지 않고, 어디로 튈지 모르는, 무궁한 상태, 그게 감정의 본질이라고 해석했습니다. 우리는 누군가를 "사랑"한다고 말할 때 항상 "사랑하는 대상"을 향해 있습니다. 즉 감정(感情)은 지향(志向)하는 특성이 있죠. 우리의 삶에 비춰보다 마찬가지입니다. 우리는 늘 무언가를 갈망합니다. 한 순간의 감정 속에서 우리는 어떤 이를 사랑하기도 하고 다른 이를 미워하기도 하다가, 뒤늦은 후회라는 감정을 경험합니다. 취업준비생이 되면 면접의 순간, 간절한 "마음"을 느끼고, 취업을 성공하고나서 몇 해가 지나면 매너리즘에 빠져요. 인간은 곧 권태에서 벗어날 수 없는 존재라고 쇼펜하우어 선생이 말해주었습니다. 이처럼 우리는 "희망"하는 존재입니다. 강력한 희망을 해요. 사람이라면 때에 적절한 목표를 "길구"합니다. 취득해야 하는 조건 앞에서 좌절하는 이유도, "희망"이라는 마음 때문에 그렇죠. 첫 인용구절에서 카뮈 선생은 뭐라고 했나요? 우리는 어느것 하나 제대로 설명되지 않는 세상에 던져져서 살아가야 합니다. "의미(意味)"는 만들어 가는거에요. 살아가야 하는 이유는 어디에도 없으며, 우리는 우연히, 어느 때에 조건이 딱 들어맞아서 살아가는 분자들의 집합체라고 설명합니다.

"온갖 형태의 비약(飛躍) 신 또는 영원으로 빠져들기, 일상적인 것 또는 관념의 환상들에 자신을 맡기기, 이런 모든 병풍들이 부조리를 가린다."
- 알베르 카뮈 <시지프스 신화> 139p 인용

우리는 희망하는 존재이며, 우리 앞에 주어진 "목표"에 대해서 제대로 의심하거나 의구심을 갖지 않습니다. 카뮈는 이렇게 설명합니다. 만약에 당신들이 열심히 살아가는 그 목적이 주는 "의미"가 단지 여러분들의 착각이라면, 당신들은 노력할 이유가 있습니까?라고 묻고 있습니다. 행복에 실체(實體)가 있나요? 여기서 카뮈가 이야기하는 "부조리(不條理)"가 등장합니다. 우리의 삶은 그어떤 작은 흔적도 없는 완벽한 "무의미(無意味)"라고 말이죠. 아무런 의미가 없는데 사람은 자꾸 의미를 부여합니다. 왜요? 우리는 "희망"하는 존재라서 그렇죠. 위에서 언급한 인용구절은 이 부분을 지적합니다. 카뮈의 "비약(飛躍)"은 아무런 의미도 없이 던져진 세상과 사람을 견뎌내기 위해서 만들어낸 모든 종교와 철학과 "주의(~ism)"을 말하고 있어요. 신을 믿고 관념 속 환상, 예를 들어서 돈을 일정 부분 이상 벌면 나는 "행복"해질거야!라고 믿는 그 착각을 지적합니다. 이런 상상의 산물이 우리가 바라봐야 할 "부조리(不條理)"를 제대로 직시하지 못 하게끔 합니다.

"그러므로 여기서 희망이란 영원히 피할 수 있는 것이 아니어서 그것에서 해방되고자 하는 사람들에게 줄기차게 덤벼들 수 있는 것임을 나는 깨닫게 되었다."
- 알베르 카뮈 <시지프스 신화> 170 p 인용

같은 맥락입니다. 희망을 희망하지 않는 사람만이 진정으로 자유롭다! 이 얼마나 재밌는 역설인가요?

"교회는 그들 가운데 교회가 가르치는 모든 것의 부정인, 현재만을 중시하는 경향과 프로테우스의 압도적인 힘을 금지했다. (중략) 니체는 말한다. '중요한 것은 영원한 삶이 아니라 영원한 생동감이다.'"
- 알베르 카뮈 <시지프스 신화> 127 p 인용

사람은 희망이 없는 상태를 견딜 수 없습니다. 우리는 "우리의 쓰임새"가 있어야, 또 타인과 세상이 우리의 "쓰임새"를 알아봐주고 인정해줘야지 우리는 "살아갈 이유"가 생기기 마련이니까요, 그런데 카뮈의 생각은 우선 그 전제가 "아무런 이유도 세울 수 없는 무(無)이자 의미가 없는 상태"잖아요, 얼마나 비극적입니까, 그래서 중세까지의 세상은 "가톨릭의 종교"가 우리의 자유를 제한하는 대신에 "삶의 의미"를 보장해줬어요, 그러나 근대 이후의 세상은 가톨릭을 비롯한 모든 종교적 의미를 걷어차버립니다.
"나중의 저 세상"보다 "지금 이 순간"을 더욱 중요하게 생각했던 것이죠.

"육체는 나의 유일한 확신이다. 나는 오직 육체로만 살 수 있다. 피조물의 세계가 나의 조국이다. (중략) 그렇다. 인간은 인간 자신의 목적이다. 그의 하나밖에 없는 목적이다. 그가 무엇인가가 되고자 한다면 그것은 바로 삶 속에서다."
- 알베르 카뮈 <시지프스 신화> 135p 인용

카뮈는 모든 언어로, 현란한 수사로 이뤄진 유토피아나 종교적 의미를 신뢰하지 않았습니다. 오직 "현존(現存)"하는 육체의 감각과 거기에서 이뤄지는 "경험"만이 믿을만하다고 판단했지요. 사람이 살아가는 이유는 "스스로, 지금-이순간"에서 만들어갈 수 있지. "저기-저 너머의 사후"세상에서는 아무런 의미도 없다고 말하고 있습니다.

"이토록 팽팽하게 긴장된 마음은 영원(永遠)을 피한다. 그런데 신의 교회건 정치적 교회건 모든 교회가 영원으로 인도하겠다고 나선다. 행복과 용기, 급료나 정의 같은 것은 그들 교회의 시각에서 보면 부차적인 목적일 뿐이다. 그들이 제시하는 것은 교의(教義)로, 그것에 복종하지 않으면 안 된다. 그러나 나는 관념이나 영원 따위와는 아무런 관련이 없다. 나의 척도로 잴 수 있는 진리는 손으로 만질 수 있는 것들이다."
- 알베르 카뮈 <시지프스 신화> 137p 인용

무의미(無意味) 를 해결하는 게 아니라 또다른 무의미한 "선전(宣傳) 활동"에 기대하지 말라고 당부합니다. 살아가는 목적, 내가 쓸모 있는 "이유"를 제발 정치적 교회라 불리는 정치 구호의 이데올로기(ideology)나, 종교에서 말하는 경전 속 교리(教理)에서 발견하지 말라고 부탁합니다. 앞서 인용한 구절을 살펴본대로 카뮈는 오로지 "지금-여기"에서 느낄 수 있는 신체 감각만이 진리라고 말하고 있습니다. 이 모든 도피 행위가 바로 "부조리(不條理)를 도약(跳躍)"하는 하나의 해결책이라고 합니다. 무의함, 우리 주변에서 어렵지 않게 찾아볼 수 있는 아무 의미도 뜻도 없는 사람의 생애. 그것을 견뎌내기 위해서 "군중"속으로 기어들어가지 말라고 간청하고 있습니다.

"인간은 과연 구원을 호소하지 않고 살아갈 수 있는가? 이 문제가 바로 나의 관심의 전부다."

"모든 사물의 근저에 오직 어둠침침한 열광의 소용돌이 속에서 큰 것과 하찮은 것 등 모든 사물을 생산해 내는 원시적이고 격렬한 어떤 힘밖에 없다면, 만약 세상 만물의 저 뒤에 그 무엇으로도 채워지지 않는 바닥없는 공허가 숨어 있다면 도대체 삶이란 절망이 아니고 무엇이겠는가?"
- 알베르 카뮈 <시지프스 신화> 66p 인용

정리하겠습니다. 구원을 호소하지 않는 사람은 "희망"을 희망하지 않는 반항적인 사람입니다. 부조리(不條理)를 대면하는 태도에서 우리는 모든 무의미함에서 벗어나려고 노력하는 비약(飛躍)의 태도를 살펴봤죠, 거기서는 종교적 의미와 정치적 의미로 "개인의 가치와 의미"를 만들어냅니다. 그러나 카뮈는 모든 비약(飛躍)은 무엇으로도 채울 수 없는 "공허(空虛)"텅 빈 무의미함을 궁극적으로 이겨낼 수 없다고 말합니다.

희망이란 밑빠진 독에 물 붓는 꼴이죠, 그래서 대안으로 제시합니다. "반항하라!" 이러한 삶의 무의미함을 깨닫고 자살하는 사람은 "죽음으로 부조리를 몰고가는 비겁한 사람"이라고 말하며, 삶의 무의미를 깨닫고도 여전히 "종교와 정치적 구호"에 자신의 의미를 맡겨버리는 일도 멍청한 짓이라고 보고 있어요. 그렇다면 남아 있는 대안은 "무의미함"을 유발시키는 "모든 희망(希望)"을 희망하지 않는 거에요. 냅다 버리는 일입니다. 그것이 곧 "시지프스"의 담대한 태도이자. 자연이 선고한 무의미함을 이겨낼 수 있는 유일한 수라고 말합니다.무의미를 견뎌내는 법은 또 다른 의미를 만들어 내는 게 아니라 무언가를 바라고, 무언가를 원하는 그 "희망"을 포기하는 일, 그 반항의 태도에서 "무의미"한 세상과 나의 간격을 해소할 수 있는 길이라고 합니다

나는 당신을 알고 싶습니다_ 알베르 카뮈의 <시지프 신화>를 읽으면서

빅터 프랭클의 <죽음의 수용소>라는 작품을 아시나요? 1938년 이후에 독일의 나치 정권은 우생학에 기초한 인종 청소를 시작하면서 "저열한 인종"을 가스실에 가둬놓고 무참히 죽여버립니다. 이 이야기는 그 가운데, 특히 악명 높은 아우슈비츠 수용소에서 벌어진 이야기죠. 그들은 죽음을 기다리는 사람들이었습니다. 왜, 도대체 무엇이 그들을 그 수용소라는 작은 공간에 집어넣고 죽음을 기다리면서 벌벌 떨어야 했을까요,
그런데 그들은 그 비좁고 열악한 환경 속에서 "살아야 할 의미"를 포기하지 않았어요. 그래서 저자가 전하는 메시지가 "의미"의 힘을 강조한게 아닌가 싶어요.

개인적인 경험으로 넘어와서 저도 살면서 삶의 "의미"를 혹은 견디기 어려운 사실 앞에 "원인(原因)"을 애타게 찾은 적이 있습니다. 가장 최근에는 2년전의 십자인대파열이라는 사고를 겪고 제대로된 생활을 하지 못 했거든요. 그때 되게 궁금했습니다.
나는 왜? 하필 지금, 어째서? 하나님께 기도를 하고 성경을 찾고 문학도 읽어보고 철학도 접해보고 세계사도 읽어봐도 뭐 명쾌한 답은 얻지 못 했습니다. 다만 요새 집중해서 읽고 있는 알베르 카뮈의 <시지프 신화>에서 "흥미로운 의견"을 발견해서 이렇게 글을 끄적이고 있습니다.

"앞에서 나는 이 세계가 부조리하다고 말했는데 그것은 지나치게 성급한 말이었다. 이 세계 자체는 합리적이지 않다. 이것이 우리가 말할 수 있는 전부다. 그러나 부조리한 것은 바로 이 비합리와, 명확함에 대한 미칠 것 같은 열망의 맞대면이다. 그 명확함에 대한 호

소가 인간의 가장 깊은 곳에서 메아리친다."
- 알베르 카뮈 <시지프 신화> 41p 인용

넋을 놓고 읽었습니다. 인용구절만 봐서는 도대체 무슨 소리인지 가늠이 안될거라 생각합니다. 전후 맥락을 읽지 않으면 의미가 없는 텍스트라서 그렇죠. 여기서 제가 주목한 구절은 "명확함에 대한 미칠 것 같은 열망"이에요. 사람은 나치 정권의 구호 아래 인종 청소의 목적으로 죽음을 기다리는 상황에서도 "의미"를 갈망하거든요. 절대 놓지 못 해요. 반면 개인적인 상황에서도 마찬가지입니다. 나는 일 년간 알고 싶어 했어요. 왜! 지금 이 창창한 순간에 의료보험도 안되고 아르바이트도 못 해서 심적으로 괴로운 이 젊은 나이에 다쳤습니까! 라고 하늘에 대고 외쳐도 "대답"은 들을 수 없었어요.

카뮈가 생각했을 때 "세상(世上)"은 아무런 의미가 없이 수많은 우연이 모여서 만들어낸 환상이라고 봤습니다. 그러나 우리 인간만이, 끊임없이 탐구하고 의미를 요구하고 왜?라는 "원인(原因)"을 알아내기 위해서 고군분투합니다.
그 중간에서 생기는 마찰이 바로 "부조리한 감정"이라고 말해요. 아무런 의미가 없는 세상 앞에서 우리가 알고 싶어하는 그 열망 때문에, 고통스럽다고 이야기합니다.

"지금으로서는 부조리만이 그들을 이어주는 유일한 매듭이다. 오직 증오만이 인간들 사이를 비끄러매듯 부조리가 그 양자를 서로 묶어 놓는다."
- 알베르 카뮈 <시지프 신화> 41p 인용

사실 생각해보면 "세상(世上)"은 의미를 부여하는 "나"를 포함하고 있습니다. 우리는 우리가 논하고 있는 세계(世界)로부터 벗어날 수 없어요, 카뮈의 주장대로 세상이 곧 "무의미(無意味)" 즉 어떤 뜻도 목적도 없이 "우연의 산물"일 경우에 그 속에서 살아가는 인간(人間)도 무심결에 태어나서 사는 사람일 뿐이죠. 그래서 이런 "부조리한 감정"을 깨닫는 자는 어떻게 삶을 지속해서 살아갈 수 있는지 궁금하다며 자신의 주된 논의가 바로 이 지점이라고 말합니다.

"그러나 그보다 먼저 인간의 사유가 과연 이런 사막에서 살아갈 수 있을지 알고 싶다. 사유가 적어도 이 사막으로 들어섰다는 것을 나는 이미 알고 있다. 사유는 그곳에서 양식을 발견했다. 그것은 지금까지 환상을 먹고 자라 왔다는 것을 거기서 깨달았다. (중략) 부조리는 일단 인정되는 순간부터 하나의 열정, 모든 열정 중에서 가장 비통한 열정이 된다."
- 알베르 카뮈 <시지프 신화> 42 p 인용

사막을 떠올려보면 막연하게 낙타가 생각나기도 하고 두 개의 물혹이 생각나기도 합니다. 카뮈의 재치가 느껴지는데요, 우리는 마치 낙타와 짊어져야 하는 짐덩이처럼,
아무런 목적도 없이 무한정 걸어야 합니다. 그래서 카뮈가 부조리한 감정을 "사막"으로 비유한거 같아요. 사막이라는 환경에서 우리는 해결할 수 없는 갈증을 느낍니다.
그리고 저마다의 "오아시스"를 끊임없이 바래요. 오아시스를 찾아나서는 그 마음, 그 염원(念願)이 우리의 마음을 괴롭히는 주범이라고 소개합니다. 희망(希望) 무언가를 바라고 그것이 나의 삶의 이유와 고통의 의미를 채워넣어줄 그 한줄기의 희망이 우리의 주적이라고 말하고 있어요.

"내가 이해할 수 없는 것은 합리적인 것이 아니다. 세계는 이러한 비합리로 가득 차 있다. 내가 이 세계의 유일한 의미를 이해하지 못

하는 이상 이 세계는 그 자체만으로는 엄청난 비합리 덩어리에 불과하다. 단 한 번이라도 '이건 분명하다.'라고 말할 수 만 있다면 모든 것이 구원될 수 있으리라. 그러나 열망뿐인 사람들은 서로 다투어 아무것도 분명한 것은 없고 모두가 혼돈이며.."
- 알베르 카뮈 <시지프 신화> 48p 인용

이 세상은 "사실(事實)"과 또 다른 "사실"로 무수히 얽혀 있어요. 우리는 여기 이 사이에서 살아갈 뿐입니다. 우리가 직면할 이 사실(事實)은 도무지 "제대로 해석되지 않는다는" 문제가 있어요 그래서 카뮈는 "이 세상은 비합리(非合理)라고 말합니다. 다스려지지 않는다? 우리의 생각으로 미루어 보았을 때 드러난 사실(事實)은 어떤 숨겨진 뜻도 의미도 없다는 거에요. 우리는 한평생 아둥 바둥 분명히 무슨 뜻이 있을거라며 낙관하고 오해하기도 합니다. 그래서 "부조리 감정"이 때로 신의 분노로 오해된다고 카뮈가 말했죠. 이해할 수 없다는 말은 드러난 사실은 그저 "우연"으로 보아야 한다는 말과 다를바 없습니다. 우리를 둘러싼 모든 비극은 "일어나서는 안 될 어떤 사실(事實)"과 "내 삶의 어느 한 순간"이 만나버린 순간이죠? 그런데 비극에는 어떤 뜻도 의미도 없다고 말해요. 나아가 이 세상은 우리의 생각대로 "어떤 의도를 품고"있는 인간적인 존재가 아니라고 단언합니다. 의인화시키지 말라고 당부하죠. 세상은 어차피 이해할 수 없어 왜? 애당초 아무런 의미도 없이 수많은 우연의 모음집이야. 응? 그러니까 너의 그 열망, 네가 멋대로 해석하고 싶은, 알고 싶은 그 미음도 아무런 의미도 없이 오로지 "부조리감정"만 키울 뿐이야. 그러니 내려놔. 이 세상에서 네게 강요하는 모든 희망(希望)을 거부해! 희망에서 자유로운 자가 곧 "부조리를 이겨낸" 사람이니까!

"부조리는 인간의 호소와 세계의 비합리적 침묵의 대면에서 생겨난다."
- 알베르 카뮈 <시지프 신화> 49p 인용

세련된 무신론자는 없다_ 알베르 카뮈의 <반항하는 인간> 인용

"기독교는 세계에 어떤 반향을 제시하기 때문에 허무주의와 맞서서 투쟁하고 있다고 믿는다. 그러나 사실 기독교는 삶에 있지도 않은 가공의 의미를 부여함으로써 삶의 진정한 의미를 발견하는 것을 방해하고 있다는 점에서 그것 자체가 허무주의적인데도 말이다."
- 알베르 카뮈 <반항하는 인간> 129p 인용

지하철 벽보에 "문과생도 한 달만에 배우는 코딩"이라는 제목을 본 적이 있습니다. 자세한 문구의 글자는 기억이 나질 않지만 대강 내용은 취업의 문턱에서 괴로운 문과대 학생을 위해 "코딩"을 알려주겠다는 홍보물이었죠. 저도 약간 뼈를 맞은 기분이었습니다. 취업의 문턱에서 고민하는 주변 지인들의 이야기를 익히 들었던 터라 남의 일같지 않았죠. 그런 고민을 했습니다. 대한 민국 사회에서 "취업"이 의미하는 바는 무엇일까, 쓸데 없는 질문이지만 한 번쯤 해볼만한 고민이라고 생각합니다. 결국 안정적인 직업에서 오는 "안정적인 수익"이라면, 우리가 누리는 모든 문명의 혜택은 "안정적인 월 소득"과 거기에서 납부하는 각종의 세금 및 미납금들, 우리는 거대한 자본의 톱니 바퀴에 불과한 걸까 싶기도 합니다. 그게 아니라면, 우리는 왜 취업을 하고 왜 돈을 벌어야 하고 왜 살아야 하는지 아무런 생각이 없다면, 먼 훗날에 더 큰 걱정을 하게 될거 같더군요, 이런 질문을 소위 "실존적 문제"라고 하나 봅니다.

우리는 무언가를 믿고 있습니다. 신을 믿기도 하고, 보이지 않는 내 능력을 어렴풋이 믿기도 합니다. 믿음(信)이 심해지면 과신(過信)이라 부를정도로, 우리는 무언가를 믿고 믿지 않으면 살아갈 이유가 없기 때문에 반드시 무언가에 의존해야만 합니다. 독립적인 사람이라고 주장해도 별 의미가 없습니다. 당신의 독립은 "당신이 스스로 일구어 둔 의미"를 꾸준히 얻고, 거기에서 오는 만족감을 느끼기 위해서 살아가는 게 아닌가요? 당신이 다른 무엇으로부터 자유롭다고 생각해도 절대로 "희망(希望)"하는 마음은 쉽게 떨쳐낼 수 없을 거에요,

<반항하는 인간>이라는 철학 에세이는 제가 좋아하는 알베르 카뮈의 생각을 심도 있게 털어놓은 저작입니다. 위에서 인용한 문구가 조금 적나라하지만, 카뮈는 "기독교"그 자체를 비판하다기 보단, 모든 "믿음"의 형식을 꼬집으면서 말하고 있습니다.
다시 한 번 살펴볼까요? "있지도 않은 가공의 의미"라고 비아냥대는 카뮈의 말은 자세히 생각해보면 꼭 종교에 국한되지 않습니다. 우리는 유발 하라리 선생의 말대로 "자본, 국가, 종교"모두 "정신적인 영역"의 개념을 믿고 있으니까요. 그러나 카뮈가 걱정하는 이유는 "세상은 사실 아무런 의미"를 가지고 있지도 않고 모두 "우연과 우연의 연속"일 뿐인데 그걸 제대로 쳐다보지도 않고 오히려 부정하면서 "있지도 않은 의미"를 부여하고 그것을 강요하는 모든 정치적 목소리와 종교적 목소리를 우려하고 있습니다.

"그러나 신이란 자아의 소외, 혹은 보다 정확히 말해서 있는 그대로의 나의 소외의 한 가지 형태에 지나지 않는다. 소크라테스, 예수, 데카르트, 헤겔 등 모든 예언자들과 모든 철학자들은 다만 있는 그대로의 나를 소외시키는 새로운 방식을 고안해 냈을 뿐인데.."
- 알베르 카뮈 <반항하는 인간> 118 p 인용

"소외(疏外)"의 개념은 예전에도 소개했지만 현대 철학에서 매우 중요한 생각입니다. 동의하지 않지만 우리는 "생각하는 나"가 있고 반대로 "생각하는 나에 의해서 파악되는 상대방"이 있죠? 철학에서는 고상한 말로 생각하는 사람에 의해서 파악되는 모든 것, 사람과 사

물을 포함해서 한가지로 묶어 그것을 "대상(對象)"이라고 합니다. 그러나 사람의 "믿음"은 "생각하는 나"에 의해서 파악되는 모든 대 상물에게 큰 힘을 쥐어줍니다. 카뮈는 여기서 "종교와 철학"을 모두 포함해 "소외"를 "생각하는 나에 의해서 파악된 대상이 생각하는 나를 지배하는 사태"라고 주장합니다.

있는 그대로의 "나"는 "생각하는 나"입니다. 그러나 우리는 "세상" 을 대상(對象)처럼 접근해서 아무런 의미도 목적도 없는 세상에게 마치 특별한 사연과 의미가 있다고 여기는 "착각"에 빠진다고 하죠. 이게 소외의 방식입니다. 사람의 편의를 위해서 만들어낸 도구가 거 꾸로 사람을 지배하려는 사태, 종교와 철학과 과학이나 모두 "세상 을 이해하는 방법"인데, 여기서 이런 편의를 위한 생각들이 거꾸로 우리를 지배하려는 움직임, 이것을 "소외"라고 합니다.

"아니, 특히 혁명이 이 반항하는 인간에게는 혐오의 대상이다. 혁명 가가 되기 위해서는 여전히 무언가를 믿어야 하는 것이다. 믿을 것 이 아무것도 없는 곳에서 말이다. 프랑스 대혁명은 하나의 반동으로 귀착하고 말았다. 그것은 대혁명의 실상이 어떤 것이었는지를 말해 준다. 인류애의 노예가 되는 것이 신의 노예가 되는 것보다 나을 바 없다. 게다가 동지애란 것도 공산주의자들의 일요일의 관점에 불과 하다."
- 알베르 카뮈 <반항하는 인간> 120p 인용

위의 인용구가 카뮈의 핵심적인 생각인데요, 한 번 개념 정리가 필 요한 거 같습니다. 카뮈는 "세상은 비합리적이야!"라고 말했어요, 설명되지 않는 상태, 드러난 사실 속에서 어떤 의미도 발견할 수 없 는 난처한 마음, 세상에 포함된 "나"역시 아무런 의미도 발견할 수 없는 상태를 "비합리성"이라고 표현합니다. 여기서 "반항(反抗)"은 중요한 삶의 태도라고 볼 수 있어요, 세상의 비합리성을 "외면"하지 않고, 종교적 교리나, 철학적 탐구로 무마하는 게 아니라, "그래 세상은 비합리적이야, 아무것도 설명되지 않아, 그러나 나는 도망치지 않을거야 종교적 교리로 이 부조리한 감정을 덮어두지 않을거야, 또 정치적인 구호나 철학적인 가치로 설명되지 않는 삶을 해석하지 않을래" 바로 이런 태도가 카뮈가 주장하고 이상적인 인간으로 제시한 모델, 반항하는 인간의 모습입니다.

위 인용구에서 비교하는 부분이 나옵니다. "모든 혁명"이라고 하는데요, 앞에서 카뮈가 종교적 교리를 "설명되지 않는 세상의 비합리성"을 은폐했다고 비판했다면 여기서는 1789년에 발생한 프랑스 대혁명과 1917년 러시아의 10월 혁명과 같이 정치적 선동과 구호도 "설명되지 않는 세상의 비합리성"을 "외면"하는 겁쟁이 태도라고 비판합니다. 카뮈는 이렇게 물어요, 체게바라와 같은 혁명가도 "믿음"에서 벗어날 수 없다고 말이죠.

의미(意味)란 무엇일까요, 사전적인 정의에서 생각해보면 말그대로 "뜻을 맛보는 행위"입니다. 뜻이란 무엇일까 생각해보면 우리가 살아가야 하는 이유를 말하는거 같아요, 우리는 늘 " 왜"에 목말라 있습니다. 카뮈의 생각에 동의하지는 않습니다만, 그가 주장한 부조리의 철학은 "세상에서 찾아볼 수 있는 의미란 아무것도 없다."라는 전제가 깔려 있습니다. 공산주의 혁명의 계급 의식도 결국에 "사람의 헛된 믿음"이잖아요, 카뮈는 있는 그대로의 나, 지금 이 순간의 나를 받아들이라고 조언합니다.

"영생을 거부한다면 그에게 남는 것은 무엇일까? 가장 원초적인 삶, 그것뿐이다. 삶의 의미가 없어도 여전히 삶은 남는다."
- 알베르 카뮈 <반항하는 인간> 109p 인용

세상에는 설명되는 사실보다 설명되지 않는 일이 더 많습니다. 더군다나 카뮈같은 무신론자의 경우에서 모든 사건은 "개인적인 믿음"이 투영된 결과물이죠. 객관적이지 않다는 말입니다. 세상(世上)속의 "나"는 수많은 믿음 체계에서 허우적거립니다. 설명하려고 달려드는 사람들, 그러나 설명하려고 애걸복걸하는 순간에 "설명할 수 없는 세상의 무의미함"과 "설명하려고 구차하게 구는 인간의 열망" 그 사이에 비참한 부조리의 감정이 펼쳐진다고 합니다. 모든 것은 "설명되지 않는 세상"을 설명하려고 달려드는 무모한 사람의 의지, 거기에서 비극이 시작된다고 말이죠.

그래서 카뮈는 마치 짐승처럼, 우리집 강아지처럼 사는 게 최고라고 합니다. 원초적인 삶이라고 해서 1차원적인 삶을 말하는 게 아니죠, 세상의 "비합리성"을 설명하려고 들지 말고 그냥 받아들이라고 조언합니다. 무언가를 설명할 수 있다는 그 가벼운 믿음, "희망"을 제쳐두라고 말이죠. 글을 쓰는 내내 마음이 무겁습니다. 카뮈의 주장이 세련되었나요? 저는 조금 따분하고 두렵습니다. 짐승처럼 사는 삶, 가장 원초적인 삶을 말하는 부분이 마음에 걸립니다.

현명하게 사는 방법에 관해서_ 노자의 <도덕경 8장 인용>

上善若水.

상선약수

水善利萬物而不爭.

수선이만물이부쟁

處衆人之所惡, 故幾於道.

처중인지소오 고기어도

- 노자 <도덕경 8장> 41p 인용

남아 있는 젊은 날에게 주어진 획수가 한정되어 있는 편지를 보내야 한다면, 저는 노자 선생의 저 조언을 보내어주고 싶습니다. 노자 선생의 조언을 한 마디로 정리하면 "가장 강한 사람은 마치 물"과 같다고 말하고 있어요. 물이라니, 무슨 계란으로 바위치기 하는 것도 아니고 수소와 산소 분자가 느슨하게 엮인 액체 상태가 제일 강한 태도라고? 부드러움이 거친 면을 집어삼킨다니, 저로서 이해가 되지 않았던 구절입니다. "上善" 가장 높은 수준의 올바른 행동은 마치 끊임없이 흐르는 물(水)과 같다.
생각해보면 법(法)자도 물 수(水)자가 포함되어 있습니다. 흐르는 물길, 계란으로 바위치듯이 영겁의 시간 동안 낙하(落下)운동으로 단단한 암석도 별 다른 힘을 못쓰고 산산 조각이 나죠. 사람의 길도 마찬가지로 아주 오랜 시간 동안, 위에서 아래로 흐르는 물의 섭리처럼 부딪치고 깨져야 하나봅니다.

"水善利萬物"
물의 섭리는 자연을 이롭게 합니다.
"而不爭"
아무런 다툼없이 서로 허용하면서.

물은 다툼이 없다고 합니다. 자연은 무언가를 취하지 않죠, 있는 그대로 주어진 그대로 불평 없이 받아들입니다. 나뭇가지를 내어주어 참새들의 둥지를 받쳐주기도 하고, 탐욕스러운 문명이 전기톱으로 몸을 절단하려고 해도 묵묵히 참아줍니다. 자연(自然)은 아무말도 없이 최고의 화술인 침묵으로 잔혹한 문명인에게 삶의 태도를 알려 주고 있어요, 무언가를 취할수록 병치레가 잦아진다. 비우라, 비우라, 끝없이 자족(自足)해라. 질량을 갖는 물질은 모두 힘에 의해서 서로를 끌어당기고, 기압의 차이가 생기면서 저기서, 여기로 불어오는 선선한 가을 바람이 불어옵니다. 물처럼, 자연의 나뭇가지처럼, 참새들의 조잘거림은 한없이 들어주는 저 침묵하는 나무처럼. 우리는 무언가를 취하지 않는 태도, 노자 선생이 강조하는 무위(無爲)의 정신을 살펴볼 필요가 있습니다.

處衆人之所惡, 故幾於道.
물은 사람들이 기피하는 낮은 곳으로 흐릅니다. 무언가를 취하지 않는 무위(無爲)의 마음은 곧바로 지족(自足)하게 되는 거 같아요, 스스로 주어진 환경에서 넉넉함을 발견하고 헤벌쭉 좋아하는 순수한 미소를 짓게 되죠. 낮은 곳이란 정확히 어떤 장소인가요? 아무도 찾지 않는 장소, 사람들이 혐오하고 하찮게 여기는 삶의 벼랑 끝에 서 있는 삶, 그곳이라고 생각합니다. 물은 생명의 자양분이 되어주고, 길을 터주고, 흩어져 있는 사람을 이어주는 매개체죠,

우리 사회가 손가락으로 가리키는 곳은 항상 저 윗동네입니다. 올라가고, 치열하게 짓밟아야 하는 약육강식의 논리죠. 잔인하고 능력의 부재를 탓하면서 무시하는 태도를 솔직하게 인정하고 경계해야 합니다.

주어진 시간이 얼마나 될까 생각합니다. 고령의 외할머니와 몇 번의 봄철을 맞이할 수 있을까, 내가 당연하게 생각하는 환경에서 언제쯤 벗어날 수 있을까, 내가 당연하게 생각하는 사람은 언제 죽을까, 그 죽음을 고이 간직하고 기억하는 나는 언제쯤 마지막 호흡을 뗄까, 내가 미워했던 마음은 어떤 형체로 되돌아 올까, 혼자 처량하게 우는 날들이 몇 번이나 남아있을까, 그리고 내게 주어진 모든 감정과 삶을 소진하고 나면, 나는 도리어 무(無)가 되는걸까, 영혼과 육체가 분리되어 심판대 앞에 벌벌 떨고 있으려나, 그렇다면 여태껏 나는 왜 살아 있나, 자연의 침묵처럼 취하지 않고 아래로, 살아 있는 빈곤을 만나, 그 광경으로 흩어져 떨어지는 물의 섭리처럼, 지금의 나는 아래로 흐르는가, 아니면 거역하고 위로, 더 위로 나아가려 하는가.

上善若水.
물은 가장 이롭고 위에 처하지 않으며 자진해서 아래로 흩어진다.
자양분이 되어주고,
때로 따뜻함을 안겨준다.

다양한 삶은 다양한 의견일 뿐이라는 생각_ 알베르 카뮈 <반항하는 인간>

"이런 관점에서 볼 때 삶이란 양식(樣式)을 가지고 있지 않은 것이다. 삶이란 스스로의 형태를 찾아 달려가지만 결코 그것을 찾아내지는 못하는 하나의 운동에 지나지 않는다."
- 알베르 카뮈 <반항하는 인간> 453 p 인용

새해는 어른들의 덕담과 그것을 묵묵히 견딘 대가로 세배돈을 쥐어 줍니다. 일찍이 권위적인 세대와 풍속 아래서 젊은 시절을 보낸 우리의 기성 세대는 무척 "획일적"인 사고 방식과 행동의 통일을 요구합니다. 메뉴의 통일, 외견상의 통일, 두발의 통일, 각 개성보다 중요한 "훌륭한 삶"의 표본들. 마치 사람의 일평생을 "바람직한 자태"로 보내야 한다는 기준의 폭력에 관해서 오랫동안 생각해 봤습니다.

카뮈가 이 글을 쓰는 당시 1950년대는 2차 세계대전이 마무리되고 군국주의를 대항했던 소련과 미국의 냉전이 시작되었던 참이었죠. 트루먼 대통령의 독트린 이후에 서방과 동방은 각자의 권력 다툼을 마치 "옳고 그름"으로 나눠서 상대측을 바라보았습니다. 카뮈가 살던 시대는 대한민국의 1960년대부터 1989년도까지의 획일적인 사회와 별 다를바가 없다고 봅니다. 어린이는 늘 훌륭한 어른이 되어야 하고, 힉생은 늘 최고 대학의 네임벨류를 소지해야 합니다. 거기에는 존 스튜어트 밀이 민주적인 제도가 보장해야 하는 "권리자가 스스로의 개성대로 삶을 꾸려갈 자유"가 부재합니다.
우리는 자유를 박탈당했습니다. 우리가 요구하는 삶보다 항상 주입받는 "이상적 (理想的)"인 모습을 요구 받았습니다.

"모순은 이런 것이다. 즉 인간은 있는 그대로의 세계를 거부하면서도 그 세계를 벗어나려고 하지 않는다. 실제로 인간들은 세계에 집착하며, 거의 대부분이 세계를 떠나고 싶어 하지 않는다. 세계를 아주 망각하기를 바라기는커녕 그들은 오히려 세계를 충분히 소유하지 못하고 있어서 괴로워한다."
- 알베르 카뮈 <반항하는 인간> 449~450p 인용

내가 집착하는 것을 생각해봅니다. 불교에서는 "무아(無我)"를 말하죠, 한마디로 "나"라고 생각하는 "자아(自我)"는 모두 욕망하는 마음에서 인식하는 것이지 실제로 "아我"는 존재하지 않는다고 믿어요, 자아(自我)는 내가 생각하고 정의내린 "나"의 모습과 여러 형태라고 볼 수 있습니다. 그러나 그 사이에 "간극"은 얼마나 클까요? 저는 차라리 무언가를 성취하고, 덕담에 새겨진 모든 "바람직한 모습"을 외면하고 인정하고 싶지 않습니다. 그것은 나의 삶이 아니니까요,

인간은 공갈빵이야_ 장 폴 사르트르 <실존주의는 휴머니즘이다.> 인용

아버지와 어머니는 다양한 떡 종류를 좋아하시지만 어렸을 적부터 저는 꿀떡 외에 다른 떡에는 큰 맛을 느끼지 못 했습니다. 2000년 대 중반까지는 프렌차이즈 빵 집보다는 떡 집이 더 많았던 기억이 납니다. 확실히 저는 떡 보다는 빵이 더 맛있고 자주 찾아 먹게 되는거 같아요. 어느날 서울 종로에 아버지랑 같이 양복을 맞추러 가는 길이었습니다. 제 기억이 맞다면 거기서 처음으로 공갈빵을 먹어봤는데 뭐랄까요, 왜 조상님들이 이 빵의 이름을 "공갈"로 지었는지 대충이나마 알 수 있었습니다. 커다란 풍채에 속은 텅 빈 녀석, 굳이 의인화하자면 속이 여린 사람같았어요. 공갈빵의 추억은 이렇게 담아두고 있다가 난해한 프랑스 철학자 장 폴 사르트르의 책을 읽으면서 어? 이거 그냥 공갈빵으로 이해하면 딱이겠네 싶었습니다. 장 폴 사르트르는 이렇게 말합니다.

"존재(存在)는 본질(本質)에 앞선다."
- 장 폴 사르트르 <실존주의는 휴머니즘이다.> 9P 인용

"그래서 인간은 공갈빵과 다를 바 없다. 왜? 속이 텅 빈 존재니까!"
- 손민수 <어록> 창작 인용

이렇게 생각해보고 싶습니다. 저희집 마루에는 검정색 쇼파가 있어요, 너무 TMI인가요? 여하튼 검정색 쇼파가 큰 부피를 차지하지만 공간만 낭비하면 굳이 들여두지 않았겠죠? 검정색 쇼파는 특정한 "목적(目的)"이 있습니다. 바로 사람의 편의를 위해서 가공된 인공품이죠, 여기서 중요한 점은 "사람의 편의"라는 목적에 의해서 만들어진 사물이라는 점이에요. 사물(事物)은 이렇게 "특정한 목적"을

속에 꽉 품고 있습니다.
속이 꽉 찬 존재라고 생각할 수 있겠네요.

반대로 사람은 어때요? 검정색 쇼파처럼 목적이 있나요? 아니면 물건처럼 용도(用途)가 있나요? 없습니다. 사람은 아무것도 없고 속이 텅 빈, 마치 외로운 공갈빵의 속내와 별 다를 바 없는 존재입니다.

"본질, 즉 그것을 생산하게 하고 그것을 정의하게 하는 수단과 성질 전부, 이 존재에 앞선다고 말할 수 있을 것이다."
- 장 폴 사르트르 <실존주의는 휴머니즘이다.> 10P 인용

사르트르 선생이 웬일로 명쾌하게 설명해주네요, 본질을 뜻하는 한자 "本質"를 살펴보면 더 직관적으로 이해가 됩니다. 근본 본"本"자는 나무 목"木"에 한 획이 추가된 문자입니다. 여기에 바탕 질"質"자도 사물이나 사람의 고유한 특징을 말한다고 볼 수 있습니다. 정리하면서 본질本質이란 "존재하는 목적"입니다. 사르트르 선생의 생각은 우리집 마루에 덩그러니 배치된 검정색 쇼파는 "존재하는 목적"이 분명히 있는데, 정작 중요한 사람은 "아무런 목적도 없어!" 라고 외치고 있어요. 조금 더 살펴보겠습니다.

"실존주의자가 상상하는 사람이란 그것이 정의될 수 없는 것이라면 그것은 처음에는 아무것도 아니기 때문이다. 그는 그 뒤에야 비로소 무엇이 되어 그는 스스로가 만들어 내는 것이 될 것이다. 이처럼 인간성이란 있을 수 없는 것이 그것을 상상할 신이 없기 때문이다. 사람은 스스로가 만드는 존재(存在)다."
- 장 폴 사르트르 <실존주의는 휴머니즘이다.> 12~13P 인용

사람은 마치 공갈빵처럼 속이 텅 빈 존재라고 합니다. 나는 검정색 쇼파보다 못 한걸까요? 무신론자이자 실존주의자인 사르트르는 "고정된 사람의 본질 (本質)"이 없다고 주장합니다. 엥? 그게 무슨 소리인가요, 고정된 본질이 없다니! 앞서 설명드린대로 본질이란 곧 고유한 특징을 말합니다. 그러나 사람은 쇼파와 다르게 그 어떤 목적도 의미도 없이 우연히 세상에 던져진 존재입니다. 왜 그런 말도 있지 않습니까? 태어난 김에 사는 사람. 딱 그 표현이 적절합니다. 사르트르의 시선으로 바라본 사람은, 태어난 김에 사는 존재입니다. 내가 살아가는 이유는 결정되어 있지 않으며 오히려 "내가 살아가는 이유"를 만들어가야 하는, 고독한 자유를 선고받은 존재입니다. 이게 인간이라는 종의 운명이라고 말이죠.

그래서 사람을 정의(定義)내릴 수 없다고 보고 있습니다. 오히려 스스로 그 이유를, 살아가야 하는 이유를 만들어내는 찬란한 존재로 묘사하는 대목입니다.

"사람은 다만 그가 스스로를 생각하는 그대로일 뿐만 아니라 또한 그가 원하는 그대로이다. 그리고 사람은 존재 이후에 스스로를 원하는 것이기 때문에 인간은 스스로가 만들어 가는 것 이외엔 아무 것도 아니다. 이런 것은 실존주의 제일 원칙이다. "
- 장 폴 사르트르 <실존주의는 휴머니즘이다.> 13P 인용

다시, 인용구절입니다. 여기시 사르트르 선생은 신을 무시한 실존주의자의 제일 원칙을 천명합니다. 뭐라구요? 인간은 애초에 아.무.것.도 아니다.라고 말합니다. 유물론자는 신을 원자 (原子)의 무한한 운동성으로 밀어내버렸지만 그들 역시나 "원자의 운동성"이라는 또 다른 이름의 신을 말하고 있죠. 사르트르는 단호히 거부합니다. 일반적으로 인간이란 태어난 김에 사는 존재다. 태어난 이유도 없어

서 스스로 만들어 가야한다. 속이 텅 빈 공갈빵처럼, 인간은 자신의 정체성도, 생각도, 삶의 이유도 모르는, 나약한 동시에 불안감만 잔뜩 느끼는 운명이다. 그러므로 운명을 만들어라! 라고 말이죠. 그의 생각을 들여다보면 참 많은 생각이 들곤 합니다.

"사람은 이끼나 부패물이나 화감람이 아니라 무엇보다도 먼저 주관적으로 자기의 삶을 영위하는 하나의 지향(志向)이 존재이다. 이 지향 이전에는 아무 것도 있을 수 없고 뚜렷한 하늘에 그 무엇이 있을 리 없다. 그래서 사람은 먼저 되고자 원하는 그것은 아니다."
- 장 폴 사르트르 <실존주의는 휴머니즘이다.> 14P 인용

우리가 한 번 살펴봐야 하는 단어가 바로 "지향(志向)"입니다. 마치 공갈빵처럼 속이 텅 빈 사람의 운명은 계속 채워가야 하지 않습니까? 그 방향성이 바로 사르트르가 사용하는 "지향(志向)"입니다. 사람은 속이 텅 빈 존재라서 빈 속을 채워가는 배고픈 걸인의 운명이다! 조금 더 나아가볼까요? 사람의 목적은 결정되지 않은 상태로 태어났기 때문에 "지향(志向)" 이전에 아무것도 없다고 하죠. 이 말은요, 사람은 본래 결정되거나 고정된 "목적과 이유"가 없기 때문에 무엇이든지 될 수 있고 무엇으로도 채울 수 있다는 이야기입니다. 배고픈 걸인이 무얼 가릴까요? 가리지 않고 배를 채우잖아요. 그래서 우리는 배고픈 걸인의 뱃속처럼 음식물을 채워가야 합니다.

"그러나 정말 존재가 본질에 앞선다면 사람은 자기가 어떠한 것인가에 대해서 책임이 있다. 이리하여 실존주의의 첫걸음은 모든 사람으로 하여금 그의 존재의 임자가 되게 하고 그에게 그의 존재에 대한 전적 책임을 낙착시키는 것이다."
- 장 폴 사르트르 <실존주의는 휴머니즘이다.> 15P 인용

정리하면서 글을 마무리할까 합니다.

사람은 검정색 쇼파와 다르게 "존재하는 이유"가 없다고 말합니다. 그래서 죽기 직전까지 자신의 삶을 두고 "살아가야 하는 이유"와 거기에서 "삶의 의미"를 만들어내야 한다고 말하며, 그러므로 발생하는 "존재의 책임"도 역시 본인이 짊어져야 한다고 말합니다. 여기에서 일전에 소개한 알베르 카뮈의 "반항하는 태도"와 구별되는 지점입니다. 카뮈와 사르트르는 "아무런 의미가 없이 살아가는 인간"에서는 동일한 의견을 가졌으나 그것을 극복하는 과정에서 의견 차이를 갖게 됩니다. 사르트르는 열려 있는 존재로서 사람은 "본질(本質,esence.)"을 적극적으로 만들어가야 한다고 말했던 반면에 카뮈는 본질을 주관적으로 만들어봤자 불안한 감정인 "부조리 감정"만 키워댄다고 말했습니다.

공갈빵의 빈 공간에 팥이라도 채우자는 주장을 외눈박이 사르트르 선생이 말했다면 파이프담배를 베어 문 카뮈 선생은 "야. 무슨 공갈빵에 팥을 넣어, 그냥 인정하고 먹어. 그 빈 공간을 그냥 받아들여!"라고 조언합니다.

우리는 정말 고정된 정체성도 우리의 삶보다 먼저 선행되는 본질(本質)도 없는걸까요. 사르트르의 공갈빵 논쟁은 결국 고정된 성 정체성은 없다고 주장하는 래디컬 페미니즘에 영향을 주게 됩니다. 다음 시간에 래디컬 페미니즘의 철학적 개념인 "문화적 구성주의"를 이야기해보도록 하겠습니다.

계획 경제와 사회주의가 꼭 나쁜 건가?

철학자 최진석 선생님의 말씀이 떠오릅니다. 우리 주변에 일어나는 모든 일을 두고 "선과 악"으로 접근하면 피곤해진다고 말하죠(뉘앙스만 이렇습니다.) 저도 그렇고 대중이 소비하는 문화 가운데 어떤 사건이 터지거나 해결해야 할 사안을 두고 늘 "옳고 그름"으로 다투는 경우가 참 많습니다. 맹자 선생이 말했던대로 사람의 본성 중에서 "시비지심(是非之心)"이 있는데 이 뜻 자체가 "사람이라면 옳고 그름을 구별짓는 마음"이 타고났다고 주장합니다. 사람을 두고 선과 악으로 판단하고 경제 정책을 두고도 선과 악으로 접근해서 비효율적인 국면을 맞이하기도 합니다. 현명함의 미덕은 유연성이라고 생각하는데 그 유연성은 때에 맞는 방법을 차용하는 용기라고 봅니다. 중국의 개방 경제를 이끈 등소평의 경우도 "흑묘백묘론"을 말하면서 자본주의든 사회주의든 잘 살게 하면 그만이다!라고 말했죠. 실용은 선악의 이분법을 뛰어넘기 마련입니다.

저는 우리 경제 정책이 좌우 혼합 정책이라고 생각합니다. 예를 들어보면 대한민국의 주민등록증제도가 그렇습니다. 선진국에 가면 대한민국처럼 고유 번호 13자리로 쫙 나열하고 그 사람의 인적 사항이 차례대로 기입되는 제도는 없습니다. 주민등록증 자체는 매우 전체주의적인 정책이죠. 1968년 김신조 남파 간첩 사건으로 생겨났습니다. 박정희 정부는 반공을 자처한 공산주의적 정책을 핀 셈이죠. 남파 간첩의 이동 현황을 감시하기 위해서, 즉 국가 안보를 위한다는 목적으로 모든 국민은 열 세자리의 고유 번호로 모든 인적 사항이 국가에 보고되는 정책을 채택하게 됩니다. 아이러니하게 유일무이한 전체주의적 정책이 코로나 19에 대처하는 데 탁월한 행정력을 선보였죠. 몇 가지 예시가 더 있습니다. 예를 들면 산업재해보험과 최저시급제도, 아동노동금지,

무상교육과 무상급식, 국민 연금과 의료보험 등등 우리가 아주 당연하게 누리고 주변에서 흔하게 볼 수 있는 제도는 모두 "사회주의적 정책"입니다. 여기서 경제적 자유를 외치는 사람들이 "이 빨갱이들아!"고 말할 수 있나요? 아닙니다. 사회주의적 정책은 "실용적으로 보면 국민의 기본권을 보장해주는"제도입니다.

역사를 봐도 그렇습니다. 사회주의적 정책을 맨 첫 번째로 채택한 나라가 어디일까요? 참 수상하게도 딱딱한 군국주의의 나라 독일제국이 산업재해보험과 아동 노동 금지, 최저임금제도를 도입했습니다. 이상하죠? 독일 제국은 1871년 프랑스와 전쟁을 벌이고 통일이 되는데요, 당시에 프랑스 파리에서는 공산주의 혁명 운동이 발생했습니다. 거대 자본이 자꾸 기계와 원료에만 투자되고 노동자의 기본적인 권리는 철저히 무시되었기 때문에 혁명을 일으켰습니다. 당시 프로이센의 일등공신 재상 비스마르크는 이들의 요구를 수용합니다. 독일제국으로 통일되면서 위에 언급한 노동자의 권익을 채택한, 보수주의적 군주제에서 아주 사회주의적인 정책이 채택된 셈이죠.

강조하고 싶은 점이 "실용"입니다. 이념에 갇히면 실용적인 접근이 어렵습니다. 건국 대통령 이승만의 일화도 그 예 중에 하나가 될 수 있습니다. 이승만 대통령은 시장 경제를 채택한 사람입니다. 그러나 1941년 11월 '대한민국 건국 강령'에는 무척 사회주의적인 정책이 채택되었습니다. 당시에 일본제국의 식민지배로 전국의 토지는 매우 불평등하게 분배되었습니다. 그래서 이승만 대통령은 대토지주한테 "지대어음"을 나눠주고 땅을 싸게 사옵니다. 그렇게 매입한 땅을 압도적으로 많은 소작농한테 값싸게 판매합니다. 너무도 유명한 "이승만의 유상몰수 유상분배"정책이죠. 이 정책은 반자유적인 정책입니다. 정부의 규제가 없으면 불가능한 농지개혁이죠. 이후 박정희 정권때 대토지주의 지대어음이 산업화에 초석을 다졌다고 소개되기도 합니다.

일제의 곡물 수출과 중일 전쟁, 6.25전쟁으로 남한의 산업 생산력은 말할 바 없이 가난의 동의어로 나타납니다. 북한 지역에 일제가 남긴 인프라가 모두 남겨져있었고, 광물도 북한 지역에 매몰되어있죠, 남한은 있는 것도 없는데 거기에 전쟁까지 이어지니 제 기능 할 수가 없었습니다. 이때 이승만 대통령은 무척 사회주의적인 계획 경제를 설계합니다. 박정희 정권의 대표 트레이드 "경제개발 5개년 계획"의 초안이 발표됩니다.

저는 역사를 이해할 때 경제사를 이해하면 쉽다고 생각합니다. 가난한 나라가 빠른 속도로 부자 나라가 되려면 "강력한 힘을 가진 정부가 나서서 직접 산업에 투자하고 가격도 조정해주고 소비도 유도해주는"게 필요합니다. 계획 경제는 빠른 산업화에 있어서 불가피했던 사회주의적 정책이죠. 계획 경제의 목표는 사실 "만들어내는 상품의 부가가치를 높이는"데 있습니다. 예를 들면 필리핀의 주요 수출품 중 하나인 "바나나"에서 전세계 모든 수요가 몰린 "메모리 반도체"를 생산할 수 있다면 필리핀의 국부와 위상은 지금보다 더 커질 거에요. 무슨 차이가 있죠? "제조업의 육성"이 기준이 됩니다. 부자 나라는 모두 제조업을 육성하고 가격 경쟁에서 밀리지 않아요. 즉 좋은 공산품을 값싸게 만들어낼 수 있다는 소리죠.

계획 경제를 하려면 당시 대한민국에 세 가지 조건이 필요했습니다. 순서대로 나열하면, 달러의 축적-저임금 근로자와 저곡가-외국 상품 관세 붙이기와 자국 상품 보조금 주기가 필요했습니다. 쉽게 생각하면 우리팀은 팍팍 밀어주고 상대팀은 은근히 차별하는 정책을 말하죠. 고상한 단어로는 "유치산업론"이라고 하거나 "보호무역"이라고 부릅니다.

화폐 가치는 1944년도 이후에 달러 비축양에 달려있습니다.(브레튼 우즈 체제라고 해서 미국이 세계대전을 통해 비축한 금이 압도적으로 많아서 금과 달러를 고정시킨 제도)그래서 이승만 정부와 박정희 정부는 달러를 매입해야했습니다. 그러나 선진국이 대한민국 상품을 뭐 좋은게 있다고 구매할리 있습니까? 당연히 없죠. 그래서 박정희의 세일즈 외교가 눈부시게 빛을 발합니다. 세 가지 사건이 있었습니다.

첫 번째는 한일청구권협약을 맺습니다. 당시 6.25전쟁 이후에 미국과 소련의 냉전이 시작되면서 동아시아 거점으로 일본과 남한으로 삼았던 미국은 하루빨리 일본과 한국이 사이좋게 지내길 원했습니다. 자의반 타의반으로 일본은 미국의 눈치를 보면서 "청구권"을 맺고 달러를 보내줍니다. 두 번째 사건은 영화 국제 시장보면 황정민 배우가 독일 광부로 돈벌로 가잖아요? 독일에 광부를 파병합니다. 당시에 한국은행은 국가지분이 높아서 사실 국영은행과 다를바 없습니다. 독일광부를 포함해서 많은 이들이 "소비"하지 않고 "저축"을 유도하기 위해서 중앙 은행의 기준금리를 20%가량 높게 책정하죠. 금리가 20%면 그냥 예금만 시켜두면 돈이 배로 늘어납니다. 소비를 하면 바보죠! 정부는 이렇게 자본을 축적하기에 이릅니다. 클라이막스는 60년대 냉전 시대 대리전인 베트남 전쟁에 파병한 사건이었죠. 세 가지 외교적 세일즈로 박정희 정부는 달러 축적에 어느 정도 성공합니다. 자 이제 박정희 정부는 부가가치가 높은 공산품을 만들기 위해서 선진국으로부터 공업 단지에 필요한 원자재와 인적 자본을 들여옵니다. 생각해보세요. 전쟁으로 온 나라가 쑥대밭이 된지 20년정도 밖에 안되었는데, 배를 만들고 항구를 만들고 경부고속도로를 깔자? 바보같은 짓이죠. 고전경제학자 데이비드 리카도가 말한대로 "생산 비용이 낮은 상품"은 "수출"하고 "생산 비용이 높은 상품"은 수입하는 게 이득이죠. 그게 자유무역의 본질입니다. 근데 박정희 정부의 계획 경제는 반대로 갑니다. "생산 비용이 아주! 높은 상품"을 수출하기 위해서 조치를 취하죠. 그게 바로 "외국 공상품에 세금 때리기"입니다. 내수 시장의 소비를 비싸고 질도 안좋은 국내 상품을 구매하라고 장려하기 위해서 "떼깔 좋은 외국 공산품"에 비싼 세금을 때립니다. 치사한가요?

거기에 더해 쿼터제를 도입합니다. 상품의 물량을 조절해서 가격을 인위적으로 비싸게 만드는 것이죠. 국가주도의 계획 경제가 선악의 이분법으로 접근하면 어땠을까요?

사람이나 제도나 옳고 그름으로 접근하면 문제가 간결해집니다. 그래서 선동은 감정을 동반하면서 선과 악의 프레임을 무수히 만들려고 애쓰죠. 사람도 모난 점이 있고 괜찮은 점이 있는데, 한순간의 충동으로 모난 점만 보는 거 같기도 합니다. 계획 경제의 이점도 있고 그렇지 않은 점도 있죠. 이승만 대통령의 명과 암, 박정희 대통령의 명과 암을 모두 인정하는 용기가 필요하다고 봅니다. 계획 경제도 필요하고 자유시장경제도 필요합니다. 자본의 규제도 필요하고 자본의 투자도 필요합니다. 기업의 투자가 위축되는 불경기때는 정부의 재정지출로 견인역할도 해줘야하고, 인플레이션이 시작되면 통화량을 줄이기 위해서 금리도 올리고, 채권도 매각해야 합니다.
국가의 개입 범위는 때에 맞춰서, 상황에 따라 유연하게 반응하는 게 현명한 정책이라고 생각합니다.

미디어 파시즘의 시대_ 귀스타브 뤼 봉 <군중 심리>를 읽으면서.

우리는 크게 두 세상에서 살아갑니다. 하나는 오프라인 세상이며 다른 하나는 온라인 세상입니다. 오프라인 세상은 익명성이 보장되지 않기 때문에 굉장히 정적(靜的)이라면 온라인 세상은 익명성이 보장되기 때문에 동적(動的)인 특징을 보입니다. 오늘 다루고 싶은 영역도 온라인 세상의 익명성과 전체주의적 성향을 보이는 댓글 군중의 이야기를 해볼까 합니다.

최근에 연예인 마약 연루 사건이 잇달아 보도되면서 큰 파장을 일으켰습니다. 정부는 마약근절운동을 강화하고, 마약과 관련된 모든 형량을 강화하겠다는 입장을 보이고 있죠. 시민사회의 여론은 뉴스 댓글창과 유튜브 댓글창에서 "좋아요"가 높은 순서대로 형성됩니다. 일명 물타기 현상이라 불리죠. 저도 기사문의 내용보다 자극적인 댓글창의 수위 높은 표현들과 거기에 동조하는 댓글을 보면 무의식적으로 어떤 프레임이 형성되는 감정이 듭니다. 댓글창에서는 무죄추정의 원칙이 전혀 지키져지 않고, 지겨질 수가 없습니다. 왜요? 댓글창은 "익명성"을 보장하기 때문입니다. "나"가 아니라 "우리"만 남기 때문에 발언의 책임감이 전혀 없는 셈이죠. 꼭 인터넷 댓글창 뿐만 아니라 심리적으로 "다수"의 힘은 언제나 폭정으로 치닫기도 합니다. 1933년 바이마르 공화국은 국가사회주의노동당, 이름하여 나치당을 제 1당으로 선출합니다. 아돌프 히틀러는 정당한 선거제도로 선출된 권력자입니다. 역사직인 사건을 떠나시, 우리 주변에서 자주 목격할 수 있습니다. 개인은 언제나 집단 앞에 숙연해지는 법이니까요.

"심리학적으로 '군중'이란 단어는 전혀 다른 의미를 갖는다. (중략) 의식을 지닌 개성은 사라지고 개인의 감정과 생각이 집단화되어 모두 같은 방향을 향한다."
- 귀스타브 르 봉 <군중 심리> 32p 인용

서론 부분에서 르 봉 선생은 '심리적 군중'의 정의(定義)를 내립니다. 존 스튜어트 밀이 <자유론>에서 민주주의 사회의 "자유"는 개인의 "개성"을 존중하고 끊임없이 발휘할 수 있도록 도와주는 데 있다고 했습니다. 그러나 시민 사회의 "군중"은 때로 개인의 고유성에 해당하는 "개성"을 무시해버립니다. "너의 고유성"보다 "우리의 보편성"이 우세하는 경우입니다. 점차 군중 속에서 "개인"은 눈 녹듯 사라집니다. 오직 "우리"만 남는 셈입니다.

"개개인의 지적 능력, 즉 그들 개인의 특성은 집단정신에 녹아들어 사라진다. 이질성은 동질성에 삼켜지고 무의식과 관련된 특성이 두드러지게 나타난다."
- 귀스타브 르 봉 <군중 심리> 37p 인용

르 봉 선생은 심리적 군중의 초기 증상을 한마디로 "몰개성"으로 꼽습니다. 개인의 위대한 비판능력은 온데간데 사라지고 "나"와 "너"의 이질성도 사라집니다. 개인을 구분하는 경계선이 모두 지워지고 "우리는 하나야"라는 끈끈한 무의식적 동질감을 느끼게 됩니다.

"독립된 개인에게는 없고 군중에게만 존재하는 고유한 특성은 여러 원인에 따라 결정된다. 첫째는 군중을 구성하는 개인이 단지 인원수가 많다는 사실만으로 자신이 무적이라도 된 양 생각하는 것이다. 이런 생각에 들떠서, 혼자였다면 억눌렸을 본능을 따른다. 군중은 익명성을 띠기 때문에 무책임하게 굴기 쉽다."
- 귀스타브 르 봉 <군중 심리> 38p 인용

군중의 무서움은 자신이 "무적"이 된듯양 착각한다는 데 있습니다. 미디어 댓글창에서 "여론"이 형성되면 거기에 편승해서 같은 구호와 같은 말을 내뱉습니다. 멍청한 앵무새처럼! 미디어 속 "개인"은 자신이 동조하는 주장에 얼마나 "많은 사람"이 있는지 실감하면서 자신이 초인적인 사람이라고 착각합니다. 거기에 더해 "익명성"은 앞서 언급한대로 말의 무게감을 덜어내줍니다. 내가 인신 공격을 해도, 차마 입에 담지 못 할 쌍욕을 내뱉어도 상관 없습니다. 이따만큼 거대한 군중의 숫자가 주는 안도감, 그리고 익명성이 "일말의 책임감"마저 전부 지워버리기 때문입니다.

"둘 째 원인은 (중략) 전염이다. (중략) 감정과 행동은 군중 사이에 어김없이 전파되는데 개인이 집단의 이익을 위해 자신의 이익을 기꺼이 희생할 정도다."
- 귀스타브 르 봉 <군중 심리> 38p 인용

군중 사이에서는 합리적인 대화나 이성적인 추론 능력으로 무언가를 주장하지 않습니다. 오직 몇 가지 이미지와 감정적인 충동만 존재합니다. 감정적 충동이 없으면 군중은 생겨나지 않습니다. 르 봉 선생은 군중의 심리를 꿰뚫어봅니다. 우리와 저들 사이의 경계선은 혐오의 경계선으로 변질되기 쉽습니다. 예로 정치가 그렇습니다. 타협의 실종은 "군중 심리"의 결과라고 생각합니다. 타협은 합리적인 생각과 내가 틀릴 수 있다는 용기가 필요합니다. 그러나 군중 속 "개인"은 이미 사라졌습니다. 끊임없이 "우리"를 유지하기 위해서 혐오의 감정이 필요한거죠.

"충동은 최면에 걸린 사람보다 군중 사이에서 더 강력하게 일어난다. 모든 개인에게 똑같이 주어진 암시가 상호작용을 일으켜 상승효과를 내기 때문이다. 군중 속에서 그런 암시를 거부할 만큼 개성이 강한 사람은 드물다."
- 귀스타브 르 봉 <군중심리> 40p 인용

그렇습니다. 군중의 원동력은 충동(衝動)으로 이뤄집니다. 감정의 격한 흔들림을 충동으로 표현하고 싶네요. 군중은 "저들"의 의견을 듣지 못 합니다. 아직 판결도 나지 않았지만, 넷상 댓글창에서는 이미 낙인을 찍어버리고 매도합니다. 무죄추정 원칙은 허울 뿐인 제도입니다. 군중의 감정적 충동은 군중의 연대감을 더욱 끈끈하게 만들어줍니다. 서로 얼굴도 모르는 사람을 한 공간에 묶어두고 최단 시간 내 친해지게 하려면 뭐가 필요할까요? 쉬워요, 뒷담화만 나누다보면 아주 돈독한 사이가 됩니다.

"군중은 단순하고 극단적인 감정만 느낀다. 그들은 자신에게 암시된 의견과 사상, 신념을 한꺼번에 받아들이거나 거부하고, 그것을 절대적 진리로 여기거나 절대적 오류로 치부한다. 이성적 추론 대신 암시를 통해 결정되는 신념도 마찬가지다."
- 귀스타브 르 봉 <군중 심리> 64p 인용

미디어 댓글창에서 "진실"은 그다지 큰 힘을 발휘하지 못 합니다. 진실은 너무 시시하기 때문이죠. 결국에 남는 것은 "자극"입니다. 군중은 자극만 받아들이고 격한 반응만할 뿐입니다. 사람들은 짱돌을 집어들고 언제나 먹잇감을 노리고 있습니다. 한 놈만 걸려라! 이런 정신 상태인 거죠. 군중의 심리는 분노와 혐오입니다. 그걸 배출하면서 묘한 카타르시스를 느끼게 됩니다. 내가 저 인간보다 낫구나! 싶은거죠. 도덕성을 느끼고 싶어서 눈에 쌍심지를 켜고 달려드는 거에요.

군중은 자극과 반응만 합니다. 그렇기 때문에 극단에 있는 자극만 받아들입니다. 언론도 문제입니다. 실적을 위해서 기사 헤드라인은 더욱 자극적으로 변모합니다. 맥락을 무시한 헤드라인은 언제나 오해를 낳고 군중은 당장 댓글창을 열고 욕부터 짓껄입니다. 군중은 "진실"보다 "자극"에 민감합니다. 오늘날 미디어 파시즘의 형태입니다.

"군중의 과격한 저항과 파괴 행위는 항상 일시적 현상에 그친다. 또 군중은 무의식의 지배를 받기 때문에 (중략) 군중은 자신들을 지배하는 제도의 명칭을 바꾸고 싶어 하며, 때로는 이를 위해 폭력 혁명까지 일으킨다. (중략) 군중의 끊임없는 변덕은 피상적인 문제만 바꾸려 할 뿐이다. 게다가 군중은 원시인만큼이나 고집스럽고 보수적인 본능을 지니고 있다."
- 귀스타브 르 봉 <군중 심리> 66p 인용

마지막 인용구절입니다. 귀스타브 르 봉 선생이 살다간 시대는 19세기 프랑스입니다.
1815년 나폴레옹의 실각 이후로 프랑스는 몇 차례 정치적 제도의 혁명이 발생했습니다. 온건한 입헌군주제, 급진적인 공화정부, 다시 왕정제도, 등등 역동적인 정치사를 보내면서 "군중"의 역할이 너무 커진 시점이었죠. 그러나 군중은 몰개성한 개인의 총집합체입니다. 이들의 정신은 거세되었고 비판 능력도 상실되었습니다. 그들은 그저 "제도의 이름"뿐인 겉핥기 식 개혁만 요구할 뿐 알맹이는 전혀 모르고 관심도 없다고 비판하고 있습니다. 결국 귀결되는 대답은 "개성(個性)"입니다. 고유성을 지키는 문화가 중요합니다. 실제로 <군중심리>에서 라틴계 군중과 앵글로 색슨계 군중은 심리적 차이가 크다고 했습니다. 동일한 "민주주의"를 내걸어도 라틴계 군중은 "획일적인 군주제"와 다를바 없이 무척 폐쇄적인 반면에 앵글로 색

순계 군중은 그나마 "개성"을 존중하는 제도를 "민주주의"라고 한다고 합니다. 우리는 댓글창에서, 알고리즘의 현란한 움직임에서 벗어나기가 참 어렵습니다. 확증 편향의 시대에서 벗어나지 못 하면 우리는 미개한 군중처럼, 앵무새처럼 이해도 못 한 구호만 외치는 개미가 될 것입니다. 대중 미디어의 파시즘도 결국 "강한 자극에 반응하는 몰개성한 개인"의 서글픈 외침입니다. 나를 지지해주는 연대감이 필요하니까 익명성에 숨어서 상처주는 말을 내뱉을 뿐입니다. 미디어 파시즘에서 벗어나기 위해서는 "개성"을 되찾아야 합니다. 내 생각을 되찾아야 한다는 말이죠, "당신의 생각"은 무엇입니까?

집단 지성이라는 착각_ 귀스타브 르 봉의 <군중심리>를 읽고.

사람을 정의하는 수많은 요소가 있습니다. 심리학적인 차원에서 인간과 생리적인 차원에서 인간과 사회학적 차원에서 인간은 서로 다른 관점을 가지고 있죠. 사람은 "개인"으로 존재하기도 하고 "집단 속"에 존재하기도 합니다. 우리는 일말의 기대가 있습니다. 사람은 짐승과 다르게 특별하다고 말이죠. 르네상스 시대를 거쳐서 귀스타브 르 봉 선생이 살다간 19세기 프랑스 부근은 "계몽주의"사조가 횡행했습니다. 르네상스 정신이 계몽주의 정신으로 성장한 것이죠, 두 입장을 간단히 요약하면 이렇습니다.

인간은 "이성적 존재다."라는 대명제를 전제합니다. 그러나 여러분 사람이 정말 현명하고 합리적인 존재입니까? 집단 지성이 정말 존재하나요? 오늘 그 대답에 있어서 귀스타브 르 봉 선생님은 속 시원하게 대답해줍니다. "아니 그딴거 없어"라고 말이죠.

"군중은 이성적으로 추론하지 않으며 이성적 추론에 영향을 받지도 않는다고 단정 지을 수는 없다. 그러나 논리적으로 볼 때, 군중이 사용하거나 군중에게 영향을 미치는 논법은 수준이 크게 떨어지기 때문에 오직 유추를 통해서만 군중의 논법에 이성적 추론이라는 이름을 붙일 수 있다."

"군중의 열등한 추론은 연상을 기초로 이루어진다. 그러나 군중이 연상하는 사상들 사이에는 표면적인 유사성이나 연속성이 있을 뿐이다."
- 귀스타브 르 봉 <군중 심리> 78P 인용

르 봉 선생은 "심리적 군중"의 특징을 위의 인용구처럼 말하고 있습니다. 군중은 절대로 합리적일 수 없다, 단순히 집단이 외치는 구호가 "연상시키는 이미지"로 이해할 뿐이라고 말이죠, 우리도 마찬가지입니다. 계몽주의에 따르면 인종적으로 유럽인들은 "이성적인 존재"라서 늘 합리적인 선택을 해야 합니다. 그러나 역사가 말해주듯이 그렇지 않았죠, 아돌프 히틀러는 선거 제도로 선출되었습니다. 1793년 루이 16세는 적법한 절차도 없이 그냥 죽여버렸습니다. 1914년에 벌어진 세계 대전은 아무런 이유도 없이, 단순히 "상품을 판매할 시장"이 없어서 벌어진 것입니다. 영국의 아편 전쟁은 "은"이 청나라로 유출되는게 위험해서 마약을 유통하다가 벌어진 사건입니다. 제정신박힌 사람이라면 이런 선택은 하지 않았을 거에요, 민주적 사회가 오면 언론이 보장되고 시민 사회의 토론 문화와 집회 문화가 활짝 꽃을 핍니다. 아이러니하게 "군중"이 되는 순간, 그들은 짐승처럼 돌변합니다. "상식적인 대화"가 안되고 몇 가지 이미지를 연결지어 상대방을 매도하고 혐오합니다. "너는 틀렸어! 우리가 옳아!"라는 혐오 프레임은 집단 결속감을 끈끈하게 만들어주는 도구라서 그렇습니다.

"군중은 이미지로만 생각할 수 있기 때문에 이미지로만 감동을 받는다. 또 이미지만이 군중에게 겁을 주거나 마음을 사로잡아 그들을 행동하게 만들 수 있다. (중략)
하지만 이미지로 암시된 감정이 때로는 무척 강렬해서 일반적인 암시에 자극받은 것처럼 감정을 행동으로 옮기는 경향이 나타기도 한다."
- 귀스타브 르 봉 <군중심리> 80 P 인용

르 봉 선생은 "말의 힘"은 오직 연상되는 "이미지"를 불러오기 때문에 영향력이 있다고 주장합니다. 말은 단순히 기호입니다. 기호의 나열이 뜻을 불러온다는 것은, "연상되는 이미지"가 있어서 그런거죠, 말의 논리는 "주장하는 바의 연결성"에 해당합니다.
그러나 군중은 논리적인 어법보다, 강렬한 이미지에 큰 동요된다고 하죠, 어렴풋한 이미지를 떠올리면서 분노하기도 하고 정의감에 쏙 빠지기도 합니다.

"단어에서 연상되는 이미지는 실제 의미와 무관하기 때문에 동일한 경구에 사용되더라도 시대와 민족에 따라 달라진다. 어떤 단어에는 특정한 이미지가 일시적으로 고정된다. 따라서 그 단어는 이미지를 연상하게 해주는 초인종에 불과하다."
- 귀스타브 르 봉 <군중심리> 124P 인용

군중에게 들리는 말소리는 그저 고함소리에 불과합니다. 몇 가지 단순한 구호가 이미지를 불러오고, 그 이미지 속에는 이미 "좋음과 나쁨"이라는 가치 판단이 짙게 깔려있습니다. 군중은 생각하지 않고 "느끼는"심리적 존재입니다.

"군중의 확신은 맹목적 순종과 야만적 편협성, 폭력적 수단을 써서라도 전파하려는 욕구를 가지며 이런 특성은 종교적 감정에도 내재한다. 이런 이유에서 군중의 모든 믿음은 종교적 형태를 띤다고 말할 수 있다. "
- 귀스타브 르 봉 <군중심리> 81P 인용

르 봉 선생은 여기서 "종교적 감정"을 말하고 있습니다. 종교에서 강조하는 가치관이 행동 규칙으로 만들어지면 "교리(教理)"가 됩니다. 종교적 감정이란 그 교리를 무비판적으로 받아들이고 타인에게 강조하는 폭력성을 말하죠, 그래서 군중의 심리는 마치 종교적 감정처럼, "편협성"과 "맹목성"이 있다고 합니다. 기독교 혐오시대도 종교적 감정이 될 수 있다는 말입니다. 군중은 다양한 이름을 가지고 있습니다. 특히 물리적 제약이 없는 온라인에서 "군중"은 삽시간으로 퍼질 수 있죠. 군중은 종교적 감정을 띤다는 소리에 공감했습니다. 군중은 생각하지 않고 "느끼기" 때문에 극단적인 감정의 폭을 오가곤 합니다.

우리는 군중 심리를 제대로 이해해야 합니다. 군중은 설득의 기술보단 감정의 기술이 필요합니다. 개성이 사라지고, 구호에 단합되며, 이미지가 불러오는 과격한 감정에 탄복하는 현상을 경계해야 합니다. 논리적인 언술은 무시하고, 과격하고 검증되지 않은 주장이 더 큰 힘을 받는 사례는 찾아보지 않아도 많이 볼 수 있습니다.

말의 이면_ 의미론과 화용론 그리고 사실명제와 당위 명제의 혼용에 관해서

말실수를 생각합니다. 말의 실수(失手)가 있다는 뜻은 참 다양하게 사용되는거 같은데요, 어떤 말은 그 자체로 실수가 되기도 합니다. 사람의 진심(眞心)은 말그릇에 온전히 담을 수 없나봅니다. 내 마음은 이게 아닌데, 내 의도는 그게 아닌데 땅치며 후회해도 이미 발설된 말은 타인에게 이맛살을 찌푸리며 오해가 되기도 하죠, 그런 경우를 숱하게 봤고 겪어왔습니다. 그래서 내린 결론은 "말은 설명"할 뿐이지 내 마음을 전부 표현할 수는 없다는 잔인한 결론을 내렸습니다.

사람과 사람의 관계는 "말"로 이뤄집니다. "com"munication. 함께 "말"을 하고 "들어야"합니다. 어떤 의사소통 관계는 일방적이라서 말하는 사람만 주구장창 말하고 듣는 사람은 하염없이 듣기만 합니다. 또 어떤 관계는 같은 단어를 두고 다른 뜻을 캐냅니다. 여간 피곤한 "말"은 수만가지 얼굴을 가지고 있는거 같네요. 언어는 "비언어적 의사소통"과 "언어적 의사소통"으로 이뤄집니다. 비언어적 의사소통은 사람의 표정,눈짓,목소리,톤으로 "말"이 아닌 부수적인 행동으로 표현하는 의사소통 방식입니다. 제 기억으론 우리는 타인과 의사소통을 할 때 "70%"를 비언어적 의사소통에 기댄다고 합니다. 얼마나 "말"에 힘이 없으면..

이제부터 본론에 들어갈까 합니다. 오늘은 말의 이면을 살펴보려고 합니다. 숱한 오해를 불러오는 "말", 대인 관계에서 여차하면 실수가 되는 "말" 그놈의 말에 관해서 이야기 합니다.

1920년대 쯤, 오스트리아 비엔나 부근에서 "분석철학파"가 생겨납니다. 그들은 "증명되지 않는 것"은 모조리 사이비과학이라고 매도질하는 시니컬한 집단이었습니다. 한번쯤 들어봤을 루트비히 비트겐슈타인 선생은 젊었을 때 "언어를 그림으로 묘사"하고 늙어서는 "언어는 사용하기 나름이야"라고 철회하기도 했습니다. 뭔소리냐고요? 조금 더 상세히 살펴보겠습니다.

세상에 현존하는 모든 언어는 주어와 술어로 묶여있습니다. 주어는 "있는 것"을 말하고 술어는 "있는 것의 상태"를 설명합니다. 또한 언어는 나름의 규칙이 있습니다. 언어는 "문자"와 "의미"로 구분되어 있죠, "손민수"라는 단어는 "글을 쓰는 나"를 가리킵니다. 문자는 늘 의미를 지시하는 기호입니다. 여기서 위대한 언어학자 소쉬르 선생은 이렇게 묻습니다. "왜 문자가 지시하는 의미가 당연한가? 문자와 문자가 지시하는 의미는 사실 하등 상관이 없다. 우연히 문자와 의미가 결합된 것일 뿐이다."라고 말하면서요. 사실 그렇습니다. 왜 "제"가 "손민수인가요?" 여기 테이블 앞에 놓인 "노트북"은 "왜 노트북이라 불리나요?" 멍청한 질문이라면서 역시 철학은 개똥 철학이야!라고 호도할 수 있지만, 사실 되게 중요한 문제입니다. 우리는 언어로서 표현될 수 있는데, 그 언어 속 "문자와 의미"가 "우연히 결합된"거라고 말하는 셈이니까요.

문자가 지시하는 의미를 상세히 다루는 것을 "언어의 의미론"이라 부릅니다. 언어의 의미론은 표기되는 "문자"와 지시되는 "의미"의 연관성을 파헤칩니다. 앞서 언급한 스위스 언어학자 페르디낭 드 소쉬르 선생은 "우연"이라는 개념을 집어넣었습니다. 단지 문자가 지시하는 의미는 "사회가 지정한 방식"인데, 어떻게 결합되었나? 그 과정을 따지면 "표기되는 문자"와 구분되는 "다른 표기 문자"의

"차이(差異)"에서 생긴다고 말합니다. 즉 표기되는 문자가 지시되는 의미를 나타내려면 "분명한 경계선"에서 발생한다고 주장한 것이죠.

젊은 시절 비트겐슈타인 선생은 언어의 "의미론"에 초점을 두었습니다. 언어란 마치 스케치하는 그림의 붓처럼, 세상을 "단순히 묘사"할 뿐이지 추상적인 개념을 다루는 도구가 아니라고 못을 박아버립니다. 가령 언어는 "나는 오늘 밥을 먹었다."와 같이 딱딱한 경위는 말할 수 있지만 "나는 너를 사랑해"와 같은 추상개념은 사용할 수 없다고 말하죠, 왜? 언어는 단지 실재를 반영하는 도구인데 "모든 추상명사"는 실재를 벗어난 개념이기 때문입니다. 이를 비트겐슈타인의 "그림이론"이라고 말합니다.

그래서 그는 유명한 말 "말해질 수 없는 것은 침묵해야 한다."를 남겼습니다.

언어의 의미론은 표기되는 문자와 지시되는 의미의 연관성을 밝힙니다. 그리고 "그림이론"에 따르면 우리는 단지 실재 속에 드러난 "사실"만을 말해야 합니다. 우리는 실재를 넘어서는 모든 추상단어들, 사랑의 표현 따위 할 수 없습니다.

그러나 실제로 살아가는 이 세상은 의사소통할 때 "의미론"에 입각해서 소통합니까? 그렇죠 않습니다. 우리는 수만 가지 "맥락"을 통해서 상대방에게 표현합니다.

"맥락"은 언어의 의미를 바꿔버립니다. 맥락에 따라 상대방에게 눈치와 핀잔을 주기도 합니다. 언어는 단지 표기 문자와 의미만 연결된 딱딱한 도구가 아니라, "사용하는 맥락과 상황"에 따라서 수많은 뜻이 반영되는 도구입니다.

언어는 사용하는 맥락에 따라서 달라진다. 이를 "언어의 화용론"이라 부릅니다. 같은 단어도 상황에 따라서 달라지는 경험을 어렵지않게 생각해볼 수 있습니다. 덩달아 늙은 비트겐슈타인도 본인의 입장을 철회하고 수정합니다. 언어는 딱딱한 그림처럼 그저 반영하는 도구가 아니라 사용하는 맥락에 따라서 의미가 변한다. 언어는 유동적이다!

언어를 의미론과 화용론으로 나눠서 생각했습니다. 의미론은 표기문자와 지시되는 의미의 연관성을 밝히는 것이라면, 화용론은 문자와 의미가 "사용되는 맥락"에 따라서 불규칙적으로 변할 수 있다는 생각입니다. 나아가 우리는 맥락 속에서 "말"을 하기도하고 "말"을 알아듣기도 합니다. 타인의 의도는 중요하지 않습니다. 화용론의 한계입니다.

언어는 주어와 술어로, 있는 것과 있는 것의 상태를 설명합니다. 우리는 "~이다."와 "~해야만 한다."는 두 명제 속에서 헤엄칩니다. "나는 오늘 밥을 먹었다."와 "나는 오늘 밥을 먹어야 한다."는 좁힐 수 없는 간극이 있습니다. 언어는 실재를 반영하는 도구라고 설명했죠. 언어는 "드러난 사실" 그대로 반영하는 "사실 명제"와 드러난 사실을 토대로 해야만 하는, 의무적인 "당위 명제"로 갈라집니다. 우리가 말실수를 하는 경우, 숱한 오해를 하는 경우는 모두 "사실명제와 당위명제"를 혼용해서 사용하기 때문입니다.

이는 과학적 사고와 철학적 사고의 구분점이기도 합니다. 과학은 보통 "눈으로 확인하는 귀납"을 채택합니다. 과학의 관심사는 "드러난 사실"의 오류 여부를 묻는 것입니다. 틀렸는지 맞는지, 직접 두 눈으로 확인하면 과학적 탐구가 됩니다. 과학적 탐구를 언어에 옮겨오면 "사실명제"가 됩니다. 주어와 술어가 눈 앞에 드러난 "사실을 말하면"됩니다. 제 눈앞에 강아지가 있다고 가정해봅시다. (실제로 저는 9년된 말티즈를 기르고 있습니다.) 눈 앞의 강아지가 애먼 곳에 오줌을 누고 있습니다. 이 때 제가 입 밖으로 "강아지가 오줌을 눈다."를 속삭이듯이 말했습니다. "강아지가 오줌을 눈다."는 눈앞에 드러난 사실을 "설명"하고 있는 문장이죠, 이는 "사실명제"로서 오류를 다루고 있습니다. "강아지가 오줌을 눈다"는 "강아지가 오줌을 누지 않는다."는 반대명제로 반박될 수 있습니다. 과학의 위대함은 "반박"할 수 있고 "오류"라고 의견을 제시할 수 있는 열려있는 태도에 있습니다. 사실명제는 "옳고 그름"을 다루는 과학의 영역입니다.

반대로 "당위 명제"는 가치판단의 영역입니다. "강아지는 애먼 곳에 오줌을 누지 말아야한다." 이게 당위명제의 예시입니다. 앞서 살펴본 사실 명제는 드러난 사실을 진술하는 데 그친다면, 당위 명제는 "올바른 행동과 가치관"을 제시합니다.

말의 이면에는 독이 도사리고 있습니다. 표기되는 문자와 지시되는 의미는 정말 "우연"으로 결합된 것인가요? 언어는 정말 맥락에 따라서, 고정된 의미 없이 죄다 상대적으로 사용되나요? 사실명제는 드러난 사실을 진술하는 데 그치고 당위 명제는 가치판단을 제시하는데 어떤 경우에서 혼동되어서 사용되는걸까요? 우리는 언어가 없으면 제대로 생각하거나 사고할 수 없는걸까요? 추상적인 단어는 어째서 오류를 낳는걸까요, 사랑,평화,정의와 같은 추상은 실제로 존재할 수 있는 것들일까요?

중용을 어기는 자, 공황을 이겨내는 일등공신?_강신주 <상처 받지 않을 권리>

저는 물욕이 없는 편입니다. 씀씀이도 크지 않고 주로 소비하는 영역이 해봤자 커피값이랑 식비, 책값 정도라서 검소한 편이라고 생각합니다. 자랑은 아니지만, 생뚱맞게 물욕을 언급한 이유는 자본주의 체제에서 저같은 성향, 물욕이 없는 성향만 덩그러니 남으면 시장은 대량 생산된 상품을 처리하지 못 해서 전전긍긍 앓고 있을 거에요. 자본주의 시장에서 물욕은 "사회악"보다 악질인 "순수악"이라고 볼 수 있죠.

"화폐를 사용하는 사람들은 화폐의 어디에도 신비한 구석이 없다는 것, 화폐가 사회적인 여러 관계의 표현에 지나지 않는다는 것을 잘 알고 있다. 즉 사람들의 일상적 관념 속에는 화폐는 사회적 산물의 일정 부분에 대한 청구권을 표시하는 기호에 불과하고 완전히 편의상의 물건일 뿐이다. 그러나 중요한 것은 그럼에도 상품의 물신성이 발생한다는 것이다."
- 강신주 <상처 받지 않을 권리> 55p 인용

위 인용구는 강신주 선생이 인용한 일본 학자 "오사와 마사치"의 글입니다. 비판적 관점으로 사회를 바라는 일은 언제나 어려운 일입니다. 일상적으로 받아들이는 "상식"을 부자연스러운 관점으로 바라봐야하기 때문이죠. 오사와 마사치 선생의 글은 "화폐의 무가치성"을 고발하고 있습니다. 생각해보면 "원화"의 가치는 어디에서 오나요? 아 물론 중앙 은행이 광의통화량을 조절하려고 금리도 이리저리 올리기도 하고, 대한민국 정부가 보장하는 신용도 때문에, 나아가 중앙 은행이 보유한 외한보유액 때문에 "원화 가치"가 있다고 볼 수 있죠, 그러나 화폐 가치는 "관념적"입니다. 물질적인 이로움이 있을까요? 원화는 단지 기축통화량과 "교환 비율"에서 오는 차이만큼 가치를 갖는다고 하지만, 그것을 "믿는" 신화가 우선적으로 깔려있어야 합니다. 화폐 가치는 믿음입니다. 마사치 선생도 그점을 말하고 있습니다. 화폐의 이점은 "기능"이 아니라 상품을 교환할 때 "편의상" 표시된 기호일 뿐이라는 거죠. 그러나 자본주의 사회는 돈을 "상품"을 교환하는 수단으로 보지 않습니다. "돈" 그 자체가 목적으로 전도된 주객 전도의 현상이 펼쳐집니다. 물신만능주의는 바로 돈의 허상을 믿어버리는, 얄팍한 믿음에서 시작된다고 말합니다.

"사람이 화폐를 수용한다는 것, 즉 자신의 소유물을 파는 것은 그 화폐를 수용할 타자가 존재하고 있다는 신뢰가 있기 때문이다. 화폐를 화폐이게끔 하는 것은 (그 화폐에 대한)타자의 욕망이다. (중략) 자신은 단지 타자가 화폐를 욕망하기 때문에 화폐를 욕망한다. 다시 말해 타자의 욕망을 반복하는 것이다."
- 강신주 <상처 받지 않을 권리> 58p 인용

화폐는 교환 수단의 기능만 가지고 있을 뿐입니다. 그러나 돈 자체가 목적이 된 사회에서 모든 사람을 화폐를 욕망합니다. 교환 수단으로서 화폐는 무한한 힘을 갖습니다.
수중에 십만원이 있다고 가정했을 때, 십만원의 교환가능성은 십만원 어치의 아웃백 스테이크 세트를 압도하는 성질을 가지고 있습니다. 무엇이든 교환할 수 있는 "미래의 가능성"이 힘없이 나풀거리는 "종이조가리"에 내재되어 있다고 믿기 때문입니다.
누가요? 우리 모두가 "믿고 있어서" 그렇습니다. 내가 돈을 벌고 싶고, 불로소득자라도 돼서 돈을 벌고 싶은 이유는 두 가지입니다. 화폐의 교환 가능성이 엄청난 권력이라서 그렇습니다. 궁극적으로 돈은 "모두가 원하는 상품"이라서 그렇습니다.

사람의 욕망은 "타인의 욕망의 반복"이라고 기록되어 있죠, 이 대목에서 강신주 선생은 자크 라캉의 말을 인용합니다. 마치 인간은 "타자의 욕망을 욕망한다."는 말처럼, 모든 삶의 조건이 낯선 아이가 처음 마주치는 타인인 "엄마"의 "욕망"을 차지해서 "엄마"를 소유하려는 심리처럼, 자본주의 사회에서 모든 인간은 "타인의 욕망"을 욕망합니다. 화폐는 무서운 힘을 가지고 있는 셈이죠. 모든 상품을 교환할 수 있는 권력의 힘과 모든 소비자가 원하는 최고의 상품이라는 점에서.

물욕이 없는 저는 소비를 별로 하지 않습니다. 스마트폰 약정이 끝나도 굳이 교체할 필요성을 못느껴서 그대로 쭉 사용합니다. 시장에 참여한 소비자가 모두 저처럼 물욕이 없는 사람이라면, 시장 경제의 선순환은 어느순간 뚝 끊기면서 대공황이 발생합니다. 자본주의는 결국 대량 생산된 상품을 어떤 수단을 동원해서라도 "팔아야"살아남습니다. 그래서 산업자본주의는 "유행"을 사용합니다.

"모던(modern)은 글자 그대로 '새로운'이란 의미입니다. (중략) '모던'을 정확히 이해하려면 우리는 산업자본의 논리를 이해해야만 합니다. 산업 자본에서 자본은 항상 새로운 제품을 만들어내고 소비를 증대시키고자 새로운 욕망을 끊임없이 창출하려는 논리로 작동됩니다. 그래서 새로운 제품과 낡은 제품이라는 시간성의 문제가 제기되는 공간이 바로 산업 자본의 공간이라 할 수 있지요. 모던한 삶이란 항상 새로움을 강박증적으로 추구하는 삶이라고 정의될 수 있습니다."
- 강신주 <상처받지 않을 권리> 62p 인용

물욕없는 소비자는 대량 생산된 상품을 구매하지 않습니다. 여기서 언급된 '산업자본'은 대기업의 생산 방식이라고 볼 수 있습니다. 맑스는 상품이 생산되는 요소를 두 가지로 나누었습니다. 스마트폰에 투입되는 원자재와 그걸 가공할 생산 라인, 그리고 인간 노동력으로 나눠서 상품 생산을 설명합니다. 강신주 선생이 비판적으로 바라보는 산업 자본의 정의는 기업이 보유한 이윤 중 일부를 "투자"하는데, 투자 자본이 "노동력 구매"로 가지 않고 살아 있는 노동을 대체할 "원자재와 생산 라인에 투자"해서 자동화에 박차를 가하는, 생산 방식을 "산업 자본"이라고 말합니다. 이런 생산 방식에서는 "상품이 만들어지는 시간"이 엄청 짧아지고 상품의 가격은 더욱 낮아집니다. 원자재와 생산 라인에 투자되는 자본이 많아질수록 상품에 소요되는 자본은 낮아지거든요, 그렇게 되면 상품의 생산력이 폭팔하는데, 이걸 구매할 소비자가 없다면, 한마디로 저같은 샌님이나 물욕없는 자식만 우글거리면 대기업은 도산합니다. 아니 그냥 망합니다!

그래서 산업자본은 대중 매체를 적극활용합니다. "유행"을 만들어내는 술수를 꾸밉니다. 출시한지 얼마 안된 스마트폰 보다 "뛰어나고 세련"된 상품을 출시합니다. "새로운 상품" "새로운 광고" "새로움과 새로움"으로 범벅된 산업 자본의 소비 유도는 강매 수준으로 끌어올립니다. 이제 "철지난 상품을 들고 다니면" 유행에 뒤처진 촌스러운 사람이 됩니다. 소비 행위는 언제나 "계층"을 만들어두고 비교하는 법이니까요. 여기서 산업 자본은 인간의 허영심을 마구 공격합니다.

블레즈 파스칼의 "팡세"는 "인간의 허영심"을 전제하고 왜 신이 필요한지 논증하는 에세이라고 합니다. 우리는 평등을 견디지 못 합니다. 모두 벗어나려고 합니다. 현대 사회에서 그 이탈 행위는 "소비 규모"로 값이 매겨집니다. 인간의 허영심은 계층을 나누고 구별지으려고 합니다. 뛰어난, 늘 스포트라이트를 한 몸에 받는 "소비자"가 되려고 합니다.

"소비 사회는 필요 이상으로 상품을 구매하도록 하는 환각의 체계 입니다."

"이처럼 유행의 핵심에는 상품이 가진 사용가치가 아니라 기호가치 가 중요한 역할을 수행합니다. (중략) 여러분 집안이 사용하지 않는 상품들로 가득 차 있다면 이것은 이미 산업자본주의가 열어놓은 소 비사회의 유혹에 포획되었음을 말해줍니다. 산업자본은 계속해서 상 품을 만들고 그것을 팔아야만 합니다. 만약 소비자가 사용가치 세계 에 매몰됐다면 산업자본은 상품의 수명이 다할 때까지 공장 가동을 중지해야 할 것입니다. 이 때 산업자본은 결코 잉여가치를 달성할 수 없겠지요. 하지만 상품에 기호가치를 계속 새롭게 불어넣는 데 성공함으로써 산업 자본은 이런 위기로부터 벗어난 것입니다."
- 강신주 <상처받지 않을 권리> 323p 인용

마지막 인용구절입니다. 낯선 용어들이 마구 보입니다. 사용가치,기 호가치,잉여가치까지 말이죠. 예를 들어서 아까 제가 물욕 없는 성 격 탓에 핸드폰 약정 기간이 한참 지나도 굳이 교체하지 않는다고 말씀드렸습니다. 제 기종은 삼성 갤럭시 노트 기종인데, 사람들은 스마트폰이라는 "상품"을 구매할 때 고려하는 요소가 "기능"일까요, "다른 사람들이 인정한 사회적 가치"일까요? 제가 생각하기로 많은 경우에 "상품의 진정성 있는 기능"보다는 사람들이 인정한 "사회적 가치"를 구매하려고 합니다. 삼성 갤럭시와 애플의 아이폰은 상품의 "기능상" 큰 차이가 없습니다. 산업자본은 기업이 보유한 자본을 "원자재와 생산 라인"에 투자할수록 "기업이 생산하는 상품 의 기능"은 날이갈수록 좋아집니다. 그러나 상품은 "기능적"차원이 평준화될수록 소비자는 "구별짓고"싶어하는 허영심 때문에 "브랜 드"를 고려해서 구매합니다. 비싼 핸드백, 명품 구매 등 사실상 아무런 사용도가 없는 상품에 고가를 주고 구매하는 이유는 단 한가지입니다.

그 상품이 품고 있는 "사회적 가치" 때문이죠. 루이비통이라는 브랜드는 "상품의 기능"보다 "상품의 로고"를 먼저 보게 만듭니다. 같은 원자재로 상품을 만들어도 "브랜드값"이 붙지 않습니까? 강신주 선생은 그 지점을 "기호가치"라고 부르고 있습니다.

장 보드리야르가 소비의 사회에서 "상품의 구매는 이제 기능보단 기호" 때문에 이뤄진다고 밝힌 적 있는데, 우리가 살아가는 시대는 딱 "상품의 기호(sign)"만 보고 구매하는 경향이 짙습니다.

소비의 사회에서, 우리는 화폐를 갈망하고 명품을 구매합니다. 상품의 사용가치는 없는데, 사람들의 선망을 사고 싶어서, 우러러보는 시선을 구매하려고, 안간힘을 씁니다.

죽지 않는 잉여가치 _ 칼 맑스의 자본론 인용

"여기서 처음에 들어간 화폐액을 너어선 증가분 M'을 '잉여가치'라고 한다. 잉여 가치란 유통 과정에 들어간 자본이 자신의 가치를 넘어서 추가로 얻은 가치를 가리킨다. (중략) 이렇게 유통 과정에 들어간 화폐가 자신의 가치를 늘려서 잉여 가치를 얻게 되면, 이제 단순한 화폐는 자본으로 완전히 바뀐다. (중략) 자본은 더 많은 화폐를 얻기 위해서 끊임없이 운동한다."
- 칼 마르크스 <자본론> 1권 "3장 자본이란 무엇인가" 인용

이제 현찰의 시대는 저물었습니다. 천원, 오천원, 만원, 오만원권으로 이뤄진 대한민국 화폐 단위는 이제 디지털 상으로 "수치"로 존재할 뿐이죠. 마르크스의 철학은 흔히 비판철학, 혹은 실천 철학이라 불리고 분류되는데요, 마르크스가 "사회"의 고질적인 문제를 분석하고 그 원인을 찾아 해결책을 제시하기 위해서 "자본주의"라는 맑스적 용어로 화폐의 유통과정 속에서 "잉여 가치"가 발생해 부정적인 문제가 축적된다고 진단하고 있습니다.

위 인용구절에서 "처음 들어간 화폐액"이란 상품을 만들 때 투입되는 초기 "자금"을 말하고 있어요, 예를들어 제가 매일 아침 방문해서 도넛을 먹는 "던킨 도넛츠"의 사장이라면, "도넛"이라는 상품을 가공하기 위해서 두 가지 자본이 필요합니다. 첫 째는 도넛츠에 투입될 "생산요소"를 지칭하는데, 이는 도넛츠라는 상품을 구성할 "원료"와 "원료를 가공하는 공장"을 말해요, 반대로 매장에서 노동할 수 있는 "인간 노동력"도 필요합니다. 상품을 구성하는 두 가지 요소는 맑스적 용어로 각각 "불변 자본 (不變資本: constant capital)"과 "가변 자본 (可變資本: variable capital)"으로 부릅니다.

자본가 계급은, 수중에 있는 화폐를 "투자"합니다. 다른 상품보다 우수하고 가격을 낮추기 위해서는 가변 자본이 아니라 "불변 자본"에 화폐를 투자해야 합니다. 이른바 "확대 재생산"이 이루어지죠, 자본가 계급은 화폐를 투자한 만큼 "회수"할 준비를 합니다. 처음 투자한 "화폐액"보다 "더 큰 화폐 액수"를 기대하기 때문에, 투자되는 화폐의 목적은 "더 많은 화폐" 즉 "잉여 가치분"을 쫓아가는 게 자본의 운동이라고 명명할 수 있습니다.

"잉여가치를 계속해서 늘릴려면 자본은 반복해서 유통 과정에 새롭게 들어가야 하며, 그 결과 자본의 순환 과정이 형성된다. 자본은 더 많은 잉여 가치를 얻기 위해 무한 운동을 한다. (중략) 이 운동의 의식적 담당자인 화폐 소유자는 '자본가'가 된다. 자본가는 화폐 소유자로서, 그의 주머니가 화폐의 출발점이자, 종착점이 된다. 자본가는 잉여 가치를 늘려 더 많은 자본을 축적하는 것을 유일한 목표로 삼는다. 따라서 자본가는 의지와 의식이 부여된 '의식화된 자본'으로 기능한다."
- 칼 마르크스 <자본론> 1권 "3장 자본이란 무엇인가" 인용

자본가는 마치 회전하는 사이클 바퀴처럼 끝없이 화폐를 "유통 과정"에 투자해서 "더 많은 화폐로 불리지 않으면" 안되는 조건입니다. 유통 과정은 "화폐 투자-불변자본의 확대-상품 판매 후 남은 이익의 잉여가치화"라고 보는데, 이를 도식화하면 "M(초기 화폐)->C(싱품 내 불변지본)->M'(잉여 가치가 포함된 화폐)"로 비춰집니다. 자본가는 "의식화된 자본"이라고 합니다. 유통되는 화폐의 목적은 끝없이 확대되는 "화폐 액수의 증가"를 향해서 운동합니다. 그 과정에서 합리적인 자본가는 끝없이 "상품의 불변자본요소"에 화폐를 투자하고, 더 큰 잉여가치분을 회수합니다. 그래서

"Das kapital"에서 "자본"으로 번역되는 "kapital"은 단순히 화폐 그 자체를 지칭하지 않습니다. 자본은 끝없이 유통되는 과정 속 "잉여 가치분"을 취득하기 위해서 투자하는 자본가 계급의 욕구를 반영한다고 주장합니다.

"M-C-M의 유통 과정을 거치면서 더 많은 화폐를 얻기 위해 운동한다. 화폐 유통은 화폐, 특히 더 많은 화폐를 얻기 위한 것이다. 이렇게 더 많은 화폐를 얻기 위해 유통 과정에 들어간 화폐를 자본이라고 한다."
- 칼 마르크스 <자본론> 1권 "3장 자본이란 무엇인가" 인용

여기서 언급되는 "M-C-M"은 "초기 화폐 투자-불변자본의 확대=판매 후 잉여가치분"을 포함하는 공식입니다. 자본가 계급은, 잉여가치 창출을 위해 의식화된 자본은,
초기에 투입된 화폐량보다 더 많은 액수를 얻기 위해서 "투자"하게 되고, 그 자체가 바로 "자본"의 성격이라고 합니다.

자본(資本)은 결국 확대의 성격을 가지고 있습니다. 자본이란 결국 화폐량의 인위적인 증가, 잉여가치를 축적하는 과정을 지시하는 용어입니다. 비판적 관점에서 맑스는, 영국 맨체스터의 공업도시 속 열악한 근로 조건에서 착취당하는 어린 아이의 "실태"를 목격하고, 자본의 확대 성격과 잉여가치의 착취, 실업과 공황의 주기적 반복을 통해서 결국 자본주의가 발전할수록, "발전"이란 곧 "투자되는 화폐의 양도 많아지고, 불변자본의 규모가 너무 커져서 인간 노동력을 대체하는" 그 시점에서 "초과 생산된 상품을 구매할 수요가 낮아져 대규모 공황이 불어닥친다고" 주장했습니다. 대공황 국면에서 맑스는 "불변 자본 (不變資本, Constant capital)"의 국가소유화를 주장하게 되죠.

결국 자본의 성격은 "자본가 계급"의 끊임없는 화폐 유통입니다. 더 큰 액수, 노동자의 임금을 착취한, 잉여가치분을 획득하고 그 잉여가치분이 포함된 화폐를 또 다시 "불변자본"에 투자해 더 큰 잉여가치분을 축적하려는 "자본의 확대경향성"을 말하고 있습니다.

노동 유토피아를 향해서_ 칼 마르크스 <자본론> 1권 4장 인용

사람과 짐승의 가장 큰 차이점이 무엇인지 생각해봤습니다. 막연한 상상력을 동원해서 두 세가지 정도로 답을 내렸습니다. 순서대로 나열하면 짐승은 "의미"를 추구하지 않는다는 점, 짐승은 "노동"하지 않는다는 점, 마지막으로 짐승은 "자살"하지 않는다는 점에서 사람과 짐승의 기준점을 내릴 수 있었습니다. 조금 빈약하다고 볼 수 있지만, 사람은 끊임없이 사회적 의미를 추구하는 동시에, 한평생 "활동"과 "노동"을 하게 됩니다. 직업 선택과 좋은 대학의 의미는 "노동의 질"을 높이기 위한 수단이라서 그렇죠. 사람한테 노동은 꽤나 큰 의미를 차지합니다. 우리는 홍적세 이후로, 남아프리카로부터 출발해 베링 해협을 건너고, 또 유라시아 대륙을 건너며 정착 생활을 시도하고 성공합니다. 수렵 채집 사회에서 정착 농업 사회로 이동하면서 "노동"의 의미는 더욱 중요해졌다고 생각합니다. 요새 신문 헤드라인에서 빈번하게 볼 수 있는 대목은 a.i의 부상과 반도체 초격차 키워드입니다. 둘 다 "인간의 노동력"을 대체하는 수단이죠. 문명화 시대에도 우리는 "노동"을 해야하고, 노동의 "몫"에 민감한 사회에서 살아가고 있습니다. 실리콘벨리에서 운용되는 자본으로 A.I의 그림자는 더욱 커지고 있고, 살아 있는 노동력을 대체해버릴 문명 그 자체를 두려워하고 있죠, 이쯤에서 우리는 물어봐야 합니다.

사람을 사람답게 하는 요소, 그것을 "본질(本質)"이라고 말하는데, 사람의 본질이 노동에 있다고 가정했을 때, 노동의 "의미"는 무엇이고, 지금 우리가 살아가는 사회에서 노동은 과연 정당한 보상을 받고 있는지 물어야 합니다. 정치권에서 사용하는 "노동자의 권익 보장"과 "노동-투쟁"의 의미는 도대체 어디에서 기원했고, 노동을 어떻게 바라봐야 할까요?

"노동력의 사용이 바로 노동이다. 노동력이 자연을 가공할 수 있는 잠재적 능력이라면, 노동은 이런 잠재적 능력을 발휘하여 자연을 실제로 가공하는 활동이다. 노동의 형태는 사회에 따라 다양하지만, 어느 사회에서나 인간은 생존을 위해 노동을 해야 한다는 점에서 노동은 보편적 성격과 의미를 지닌다."
- 칼 마르크스 <자본론> 1권 4장 잉여 가치의 원천은 어디인가? 인용

마르크스는 노동과 노동력을 구분해서 생각합니다. 맑스는 "노동력"을 잠재적 능력이라고 생각하고, "노동"을 신체에 잠재된 능력을 바깥으로 배출해 자연물을 인위적으로 가공하는 사회적 활동이라고 주장합니다. 1장에서 맑스는 노동의 성격을 두 가지로 나누었습니다. 하나는 "구체적 유용 노동"과 다른 하나는 "추상적 인간 노동"으로 말이죠, 인간은 자신의 생명과도 같은 노동력을 바깥으로 끄집어내서 "상품"으로 가공하게 됩니다. 이 때 "노동자"와 "노동 대상" "노동 수단"에 따라서 노동의 형식이 달라지기 때문에 "각 상품은 서로 다른 고유성"을 보유하게 됩니다. 가령 제가 몸 속에 있는 잠재된 노동력을 끄집어내서 4시간 동안 아메리카노 원두를 추출하면 "아메리카노"라는 상품을 만들 수 있죠, 반면 동일한 시간동안 A.B.C마트에서 일한다고 가정했을 때 "노동을 투입한 시간"은 동일하지만, "구체적으로 노동한 양식"이 다르기 때문에 상호 비교할 수 없는 고유성이 발생하게 됩니다. 즉 구체적 유용 노동성이란, 노동의 "시간"을 제외한 노동의 "형식"을 말하고 있고, 추상적 인간 노동성이란 노동의 "시간"을 비교해서, 상대적 가치로 가격에 반영하는 노동 원리라고 주장했습니다.

동일한 4시간을 일해도, 구체적인 노동의 형식은 다르기 때문에, 오로지 상품의 가격은 노동을 투입한 "시간량"의 상대적 비교로 결정된다고 보았죠, 이게 바로 마르크스의 "노동가치설"개념입니다. 조금 더 살펴보겠습니다.

"이처럼 노동자는 단지 자연물의 형태를 변화시키는 데 그치지 않고, 여기서 더 나아가, 자신의 목적을 그 자연물 속에 실현시킨다. 그래서 노동을 합목적적(合目的的)활동, 즉 목적에 맞는 활동이라고 한다. 노동은 자신이 계획한 목적을 실현하기 위한 의식적 활동이다. 따라서 노동자는 노동 과정에서 그 목적을 실현하려는 의지를 갖고서 자신의 신체 기관을 계속 긴장시켜야 한다."
- 칼 마르크스 <자본론> 1권 4장 잉여 가치의 원천은 어디인가? 인용

우리는 어쩔 수 없이 일정 나이를 지나면 노동을 "해야만"하는 입장이 됩니다. 맑스의 노동관대로라면 우리는 모두 저마다의 목적을 세우고 "노동 활동"에 임해야 하지만, 막상 우리가 마주치는 세상 속에서 사람들은 자신의 목적보다는 상황에 이끌려서, 혹은 가장 취업이 잘 되는 분야로, 혹은 부모님의 권유에 못이겨 "직업"을 갖게 되는 경우가 허다합니다. 인용 구절에서 눈여겨 볼 점은 노동자는 "잠재된 노동을 자신이 세운 목적에 맞게끔 활용"해야 한다는 부분입니다. 우리가 채택한 사회는 그동안 "노동의 목적성"보다는 "노동의 효용성"을 먼저 따지기 일쑤였습니다. 조선이 채택한 유교의 "사농공상(士農工商)"이 깊이 스며들어 "어떤 직업"은 천하고, "어떤 직업은 귀"한 대우를 받으며 "노동자의 주체적인 목적의식"보다는 "사회가 우대하는 노동 활동"에 자신을 맞추기 급급했습니다. 저는 펜을 잡는 직업이나, 손을 사용하는 직업이나 귀천이 없어야 한다고 믿습니다. 노동 행위의 가치는 "얼마나 스스로 목적에 맞게끔 활용"

했는지, 그 주체성의 여부에 따라 달라진다고 생각하기 때문입니다. 직업 선택에 있어서 "스스로 하고 싶은 일"을 하는 사람들이 제일 부럽습니다. 주변에서도 그런 사람이 몇 명 있습니다. 이른 나이부터 일을 시작한 친구들인데, 정말 대단합니다. 학교를 자퇴하고 검정고시를 치루며 원하는 직업을 위해서 전문대학교를 가는 진취적인 모습을 보고 맑스가 말한 "노동의 합목적적合目的的활동"이 무엇인지 제대로 깨닫게 되었습니다.

"노동 과정에 필요한 기본 요소는 (1) 인간의 합목적적 활동인 노동, (2) 노동 대상, (3) 노동 수단이다. 노동이 실제로 이루어지기 위해서는 이와 같은 세 가지 요소가 필요하다. "
- 칼 마르크스 <자본론> 1권 4장 잉여 가치의 원천은 어디인가? 인용

위에서 언급한 노동의 구성 요소들입니다. 순서대로 목적지향적인 노동자의 "노동"과 "노동이 가해질 대상" 마지막으로 "노동의 수단"이 구성 요소입니다. 이 세가지 요소가 각각의 상품마다 "다르게" 투입되어 있기 때문에, 시장에서 거래되는 상품의 가격은 "오로지 절대적인 가치를 나타내는 시간"으로 비교될 뿐입니다. 여기서 맑스는 "노동의 몫"이 부당하게 분배된다고 생각했습니다. 자본주의 단계에서 맑스는 "노동의 소유권"을 일부 판매하는 행태, "노동의 시간"이 도둑맞는 사회를 자본주의의 "보이지 않는 손의 착취"라고 생각했습니다.

"잉여가치는 오직 노동량의 초과에 의해서만, 즉 노동 시간의 연장에 의해서만 발생한다. 이처럼 특수한 상품인 노동력은 생산 과정에서 자신의 가치를 넘어서는 잉여 가치를 만들어 낸다. 노동력이야말로 잉여 가치의 원천인 것이다."

- 430 -

- 칼 마르크스 <자본론> 1권 4장 잉여 가치의 원천은 어디인가? 인용

A사회가 있습니다. 이 사회는 몇 가지 산업만 존재합니다. 반도체 생산 라인이 떡 하니 있고, 그 아래는 순대국밥집과 베스킨라빈스, 타이어 공장이 있다고 가정해봅시다.

여기서 말하는 "시장"의 개념은 눈에 보이지 않는 재화와 상품의 "거래"를 뜻하는 용어입니다. A사회의 시장에서는 각 "반도체 칩/순대국/아이스크림/타이어"의 가격이 모두 다르게 책정됩니다. 왜 "가격" 다르게 배정되나요? 상품의 가치는 도대체 무엇이 결정하나요? 비교하기 쉽게 반도체와 순대국으로 비교해보겠습니다. 반도체 "칩"이라는 상품 속에는 두 가지 자본이 포함되어 있습니다. 하나는 불변적 생산수단(Constant capital)과 가변적 노동수단(Variable capital)으로 구성됩니다. 반도체 칩은 "반도체 생산 라인"이라는 기계와 "코발트, 니켈" 등 원자재와 "노동자의 노동력"이 만나서 발생합니다. 여기서 맑스는 상품의 가치는 오로지 "비교"를 통해서 발생하는데, 사실 반도체 생산라인과 코발트를 순대국에 들어가는 순대와 고춧가루로 비교할 수는 없습니다. "즉 동일한 척도"로 삼기에 생산수단과 원료는 저마다 각각 다릅니다. 그렇다면 비교할 수 있는 것은 오직 "노동량"입니다. 노동량은 "노동의 시간을 양으로 환산"한 값을 말합니다. 반도체 생산에 투입된 총 "노동 시간"과 순대국 한 그릇에 투입된 "노동 시간"을 비교해서 가치를 매기자는 이야기죠.

그렇지만 "실제 상품의 가치를 반영하는 노동의 시간"과 "노동자가 받는 임금"에는 큰 격차가 있다고 이야기 합니다. 보이지 않는 손의 착취가 시작된 것이죠.

예를 들어서 노동자의 총 근무 시간이 10시간이라고 가정했을 때, 상품에 투입된 총 10시간의 시간 중에서, 노동자가 임금으로 받는 돈의 크기는 사실 "6시간" "4시간" 등 "나머지 시간을 착취한다는" 이야기입니다. 잉여가치는 노동 시간의 연장에서 시작된다고 이야기한 점이 바로 이 대목입니다. 본인이 하루 일한 "시간"보다 초과로 "노동한 시간"을 자본가들이 소유권의 이름으로 가져간다고 이야기합니다.

우리가 마지막으로 기억해야하는 점은 착취보다는 "노동의 강요"입니다. 우리는 우리가 원하지 않는 직업을 늘 강요받습니다. 저는 500년 이상 유교의 편협함에 찌들어버린 우리의 직업관이 참 애석하고 안타깝습니다. 보이지 않는 손의 착취인 "노동가치설"은 사실 어설픈 이론입니다. 그래서 맑스도 "추상적 인간 노동"이라고 일축해버린 것이죠. 어떻게 상품의 가치가 오직 노동자의 시간에서만 나옵니까? 그건 궤변입니다. 그러나 눈뜨고 생각해볼 점은 "노동의 의미"입니다. 우리는 왜 노동이라는 사회적 활동을 하는지, 또 내게 어떤 의미가 있는지 진지하게 탐구해야만 합니다.

사용자는 "노동"을 상품으로 구매합니다. 이는 "노동자의 생명 일정 부분을 임대"하는 행위라고 봅니다. 맑스는 이 자체를 잉여가치를 뽑아내기 위한 착취라고 규정하지만 저는 그렇게 생각하지 않습니다. 우리는 분업 사회에 살고 있고, 분업은 중요합니다. 그러나 모두 미저있기는 합니다. 다들 "노동의 의미"보다 "노동의 효용"을 따지기 바쁩니다. 저는 그게 참 마음 아픕니다.

블루 컬러, 화이트 컬러, 등 전문직과 사무직은 모두 비효율적인 노동자가 되고 말 것입니다. 인간의 지적-육체적 노동력을 대체하는 미래에서는 "노동의 효용"보다는 "노동의 의미"를 더욱 찾지 않으면 안됩니다. 노동은 합목적적인, 다시 말해 내가 생각했을 때 의미 있는 활동을 해야 "노동다운 노동"이 되는 셈입니다.

노동의 본질은 "목적지향"에 있습니다.

제목 미정: 스물 세 살을 지나며

언제나 그렇듯이 글의 제목을 적절하게 정하는 게 쉬운 일이 아닙니다. 글의 제목이 글의 성격을 결정해버리고, 우리는 무심코 행간의 제목으로, 수 많은 문단 속 문장의 메시지를 대수롭지 않게 어물쩡 넘기기도 합니다. 스물 세 살이 되었고, 이제 또 떠납니다. 우연히 마주친 사람들도 하나같이 똑같은 목소리로, 아쉬운 마음을 차마 내지 못 해 속으로 끙-끙 앓고 있을거라 짐작합니다.

나의 이십대 초반은 대부분 우울했습니다. 그리고 그걸 직면하지 못해 에둘러 제자지를 빙-빙 돌다가, 또다시 해를 보낸 시절도 있습니다. 나름대로 노력했습니다. 주어진 시간이 얼마나 희소한지 깨닫곤 할 때, 작지만 타인에게 힘이 될 수 있는 친절을 베풀기도 했습니다. 만감이 교차하는 이 시간만 되면 올해 팔 월 즈음 읽은, 쇼펜하우어의 <인생론>이 떠오르곤 합니다. 짐짓 인간은 타고나길 괴로움과 지루함이라는 고통의 두 가지 양상을 번갈아 가는 괘종 시계 시계추처럼 왔다-갔다 한답니다.
배부른 귀족은 견딜 수 없는 권태감에 젖고, 피골이 상접한 하층-소시민은 견디기 어려운 배고픔과 공허감에 울부짖습니다.

나의 이십대 초반을 보내면서, 텍스트에 갇혀 있는 '빈곤'과 '괴로움'을 직접, 여러 차례 목도하곤 했습니다. 알베르 카뮈가 '르포'작가가 되길 결심하고 아프리카 사하라 사막 이남으로 건너갔을 때, 살아 있는 '빈곤'을 마주치고, 비참하기 이를 데 없는 괴로움을 작가의 사명으로 보잘 것 없는 텍스트에 집어 넣었습니다.

12월 31일 오늘은 누군가의 기일이기도 하고 생일이기도 합니다. 매 날, 매 순간, 숨죽이고 움직이는 괘종 시계의 시계추는 기일(릉

日)과 생일(生日)의 순간이 마주치도록 장난칩니다.

결국 나는 보고 말았습니다. 카뮈가 느낀 죽어있는 텍스트로서 경험한 '빈곤'과 '괴로움'이 아니라 정말 죽지 못 해 사는 사람의 외마디 소리를 들었습니다. 장애인을 마주치고, 자폐를 마주치고, 지체-지적 장애인을, 수시로 엄습하는 공황 증세 때문에 삶의 의욕이 모두 박탈된 사람을 마주쳐버렸습니다.

우리는 의도적으로 살아 있는 빈곤과 괴로움을 못 본척 지나갑니다. 석가모니의 전신_고타마 싯다르타의 부모처럼, 우리의 문명 세계와 처절한 빈곤 세계는 철저히 분리되고 배척되었습니다.

현 시점에서 우리 문명 세계는 '행복'에 관해 무척 관심이 많습니다. 그러나 모든 텍스트는, 즉 무언가를 "지시하는 문자"는 때로 "지시되는 의미"를 놓쳐버리기도 합니다. 추상 명사가 그렇습니다. "행복,사랑,진리,정의" 등 나열된 단어만 살펴봐도, 지시되는 문자와 지시되는 문자의 의미가 명확하게 들어 맞지 않습니다. 문명인은 제대로 지시되지도 않는 단어 "행복"이 마치 실체인 양 떠들고 살았습니다. 제 주장은 이렇습니다. "우리가 그토록 염원하는 행복은 실체가 없다."고 말이죠.

그래서 쇼펜하우어는 '행복감'을 강조했습니다. 우리의 사소한 일상 속(단순히 삶의 반복을 '일상'이라고 가정했을 때) 자주, 빈도가 높은 동물적 쾌감을 이야기 합니다. 우리는 움직이고, 노동하고, 의지에 의해서 건강한 신체를 유지할 때, 쾌활한 마음가짐을 유지할 수 있다고 합니다. 쇼펜하우어는 추상 명사인 "행복"을 건강한 신체 상태에서 찾아오는 <쾌활함>이라고 주장합니다.

이처럼 "행복"에 관해서 추상적인 안개를 열심히 걷어냅니다. 몇 가지 더 이야기 해보자면, 그는 에픽테토스의 말을 빌려서 "사물이 아니라 사물에 관한 선입견과 판단"으로부터 모든 감정이 발생한다고 주장했습니다. 우리는 "나"와 인접한 모든 관계 속에서 "일 년"이라는 무척 생소하고 좀처럼 가늠이 되지 않는 한 시기를 보내면서 다양한 "사물의 판단"을 차곡 차곡 쌓아갑니다.

돌이켜 본다는 말, 성찰과 반추라는 그 말 속의 진의는 '에픽테토스'가 말한대로
"사물의 판단"을 수정한다는 담대한 행위를 지시합니다. 행복감_ 내가 지금-여기서 느끼는 기분 좋음도 모든 "사물의 판단" 때문이라는 소리죠. 일 년간 나를 괴롭힌 사람과 말, 내가 받아들이기 어려운 타인의 시선 속에서의 "나"도 모두 "내"가 만들어낸, "사물의 판단"으로부터 비롯된 감각이라고 합니다.

이런 의미에서 나는 행복하지 못 했다- 혹은 행복을 수시로 거부해 왔습니다. "세상은 나의 표상"이라고 고독하게 외친 쇼펜하우어의 말은 곧 "세상은 나의 생각과 인식의 한계로 빚어진 이미지"일 뿐이라는 말입니다. 추상 명사인 "행복"의 개념도,
"나의 표상"에서 출발하는 감정이라고 생각합니다.

지난 날, 나는 성급하게 생각했고, 미숙하게 바라봤습니다. 세상은 나의 표상, 결국 나의 타고닌 미숙한 시야의 한계로 돌출된 모서리일 뿐입니다. 우리는 모서리를 더듬고, 헤짚으면서 바깥에서 아우성 치는 빈곤과 괴로움을, 타인의 실체적인 고통을 바라-마주봐야 합니다.

이제 나는 "꿋꿋하게 살아내는 사람"을 위해서 기도합니다.

나는 이 표현을 참 좋아합니다. 대다수 형용 부사는 말장난에 불과하지만, "꿋꿋하다"는 표현이 애절하게 좋습니다. 거기에 살아"냈"다는 수동적인 표현도 더할 거 없이 마음에 와닿습니다.

우리는 이제까지 살아"낸"사람들입니다. 오늘은 누군가의 숨이 멎고 누군가의 첫 숨이 시작되는 날입니다. 괘중 시계는 기일과 생일이 마주치도록 장난치고, 누구는 일출하는 태양을 보러, 누군가는 숨을 거두는 그 광경을 빠짐없이 기록하기 위해서. 분주합니다. 캘린더는 새롭게 채워지고 또 지워집니다. 폭설이 내리고, 차는 막히고 배기음도 짙게 들립니다. 지시하는 문자와 지시되는 의미는 줄행랑 도망칩니다. 살아가는 사람보다 살아"내"는 피동적인 사람을 좋아해서 수줍게 고백합니다.

행복에 관한 시론_ 아르투어 쇼펜하우어의 <소품집>을 읽으면서

니코마코스 윤리학에서 아리스토텔레스는 인간의 삶의 궁극적 목적은 "행복"에 있다고 설명했습니다. 그는 행복을 "Eudaimonia"라고 이야기하는데, 이는 "가장 좋은 것을 다루는 정령"이라고 직역할 수 있습니다. 조금 어색하죠? 당대 헬레니즘 문명은 다신(多神), 다양한 자연 신을 믿었기 때문에, 인간에게 가장 "좋은 것"을 관장하고 다스리는 하위의 신 "정령(daimon)"이 행복으로 향하게 만든다고 생각했나 봅니다. 역사적 배경지식을 한 가지 깔고 가자면, 아리스토텔레스가 말했던 "행복"과 그리스 후기 철학 사조인 "에피쿠로스 학파의 행복"의 개념은 무척 다릅니다. 아리스토텔레스 선생이 주목한 행복은 "공동체 속에서 덕을 행하는 시민의 의무"로 이해했다면, 후기 사조인 에피쿠로스의 행복은 "개인적이고 실존적인 차원에서의 행복감"이라고 분류할 수 있습니다. 이처럼 두 사조의 차이성은 아리스토텔레스가 살던 시대는 "도시국가"로서 작은 공동체를 이루고 사는 사회 풍습이었다면, 에피쿠로스가 살다간 시대는 대제국 마케도니아의 알렉산더 대왕이 "그리스를 식민화"했기 때문에, "공동체 속에서의 행복"보다, "불안하고 치안 유지도 제대로 되지 않던, 시대의 실존적 행복이 무엇"인지 활발하게 논의했다고 볼 수 있습니다.

행복에 관한 이야기는 지금도 끊이지 않고 이어집니다. 행복은 무엇인가, 아리스토텔레스는 "지적인 관조"를 통해서 행복에 도달할 수 있으며, 행동을 결정할 때, 치우치지 않는 "중용"을 실현해야 인간의 영혼이 에우다이모니아에 도달할 수 있다고 봤습니다. 반면 에피쿠로스는 "고통이 없는 상태"를 행복이라고 규정합니다. 고대 학파의 행복론은 자본주의 사회에서 큰 의미가 없어 보입니다. 지적인 관조는 우스워보이고, 고통이 없는 상태는 쇼펜하우어의

말대로 "헤어나올 수 없는 권태감, 지루함"에 빠지고 말테니까요,
자본주의 사회에서 행복은 "물질적 소유"로 드러납니다. 소비
행위와 소비 규모가 "행복의 크기"를 확연히 드러낼수 있고, 비교할
수 있는 유일한 척도가 되기 때문이죠.

"따라서 우리 인생이 행복해지려면, 우리를 이루는 본질, 즉 인격이
가장 큰 고려 대상이다."
- 아르투어 쇼펜하우어 <소품집> 21p 인용

쇼펜하우어 선생의 말대로 인간의 본질(本質)은 인격(人格)이라고
합니다. 개인적으로 "인격"의 범위가 무척 모호하다고
생각하는데요, 저는 영문으로 "personality"가 적확하다고
생각됩니다. 개인의 "성품"이 우리의 본질이고, 타고난 성품이 곧
우리를 괴롭게 만드는 외부 사건을 "해석"하고 받아들이는
기관이기 때문이죠. 조금 더 살펴보겠습니다.

"우리가 살아가는 세상은 각자의 견해(見解) 에 따라 완전히 다르게
느껴질 수 있다.
이 견해에 따라서 사람은 세상을 불행하게 바라볼 수도, 진부하고
단조롭게 바라볼 수도, 또는 풍요롭고 재밌으며 유의미하게 인식할
수도 있다."
- 아르투어 쇼펜하우어 <소품집> 15p 인용

견해(見解)가 우리의 감정을 결정한다고 봅니다. 견해는 우리의
의식으로 바깥에 놓인 사람과, 사건을 바라보는 태도라고
정의내리고 싶은데요, 조금 더 세분하게 들어가면,
어떤 무언가를 풀어서(解) 바라본다((見)는 의미가 있습니다. 아무리
절망적인 상황이라도 그걸 해석하기 나름이라고 이야기하는 셈이죠,

말이야 쉽지 정말 그런가요?

"현재(現在)로 충만한 현실에서 주관과 객관이 존재하는 일은 마치 수소와 산소가 결합하여 물을 만드는 이치와 같다. "
- 아르투어 쇼펜하우어 <소품집> 16p 인용

현실은 "현재現在"로 가득차 있다는 말이 중요합니다. 오직 인간만이 시제 개념이 있죠, 어제와 오늘, 그리고 내일, 과거와 현재, 그리고 미래, 표현법이 다를 뿐이지, 인간의 의식 수준에서 "어제와 내일"이 있을 뿐입니다. 그러나 쇼펜하우어는 우리가 누리는 이 세상과 현실은 오직 "지금"만 있다고 말하고 있어요. 그래서 짐승은 매일이 새롭습니다. 어제 본 "광경"이 아니라 매일 새롭게 주어지는 조건이 기쁜 것이죠, 다음은 주관과 객관이 무엇인지 살펴보겠습니다. 주관은 "인식"이고 객관은 "인식되는 무언가"입니다. 사람은 "인식하는 자"이고 바깥 사물과 타인은 "인식되는 무언가"입니다. 우리가 "행복감"을 누리기 위해서는 "인식하는 나"와 "인식되는 무언가"를 제대로 파악해야 합니다. 쇼펜하우어는 모든 감정과 인식, 견해는 "인식하는 자"가 어떤 태도를 취하느냐에 따라서 달라진다고 소개했죠.

현대인이 괴로워하는 부분 중에서 아마 "인간 관계"가 그중 하나입니다. "인식하는 나"와 "인식되는 무언가"사이에서 큰 괴리감을 겪기도 하고, 행복감을 찾아서 사람을 만났건만, 오히려 실망하는 경우가 다반사죠, 쇼펜하우어도 비슷하게 말합니다.

"총명한 사람은 온전히 홀로 있을 때조차 자신만의 생각과 상상만으로 큰 즐거움을 얻는다. 반면에 아둔한 자는 아무리 사교 활동, 연극,유흥거리를 즐겨도 고통스러운 권태로움을 피할 도리가

없다. 선하고 절제하는 온화한 성품의 소유자는 환경이 곤궁해도
만족을 찾는다."
- 아르투어 쇼펜하우어 <소품집> 20p 인용

행복은 또다시 하나의 난관에서 마주칩니다. 행복이란
"추상명사"라서 그렇습니다. 추상명사는 지시하는 문자는 있지만,
지시되는 의미가 광범위해서 명확하게 행복이 무엇인지 정의내릴
수 없기 때문입니다. 일종의 아포리즘, 난관에 처한 상태라 볼 수
있습니다. 쇼펜하우어는 인식하는 자의 태도가 감정을 결정하고, 그
감정에 따라서 인간이 살아간다고 말합니다. 우리는 매일 마주치는
일상의 광경이 많습니다. 당연하게 누리고 주어진 조건은 금세
시시해지지만, 따지고보면 엄청난 문명의 혜택을 누리기도 합니다.
가족들도 건강합니다. 내 몸도 건강합니다. 커피 한 잔 사먹을 수
있으며 학업에 집중할 수 있도록 의무교육을 시행합니다. 치안도
안전합니다. 너무 "당연한 요인"들이 더욱 더 당연하게 여길수록
우리는 불행해집니다. 결론은 "자족하는 마음"이 중요하다고 이야기
하고 있습니다. 아리스토텔레스도 행복(eudaimonia)의 조건 중에서
한가지가 "자족(自足)"이라고 소개했습니다. 내 마음과 인식하는
태도가 변하지 않으면 아무것도 변하지 않습니다.
불행하다고 이야기할 때 대다수 "감정의 동요"가 선제합니다.
감정적으로 요동치고 정리되지 않아서 "막연하게 불안"합니다. 내
감정과 인식을 결정하는 요인은 위에서 언급한 "인식"입니다. 즉
주관이 내 감정과 인식을 결정하는 셈이죠.

"물론 인간의 행복, 즉 인간의 본질이 존재하는 전반적인 방식에서 가장 중요한 것은 인간 내면에 이미 있거나, 그 내면에서 일어나는 일임은 명백하다. 유쾌함이나 불쾌함은 감정, 의도, 사고의 결과이며 내면에만 머물지만, 그밖에 외부의 모든 것은 간접적인 영향을 끼칠 뿐이다."
- 아르투어 쇼펜하우어 <소품집> 14p 인용

행복은 추상명사입니다. 지시되는 의미가 불분명합니다. 그래서 안간힘을 써서 "소비"행위로 내가 얼마나 행복한 상태에 놓여있는지 증명하려고 달려듭니다. 외부의 조건이 "인식"을 결정한다고 착각합니다. 명예,자산 규모,집안 등 외부적인 조건은 간접적인 영향을 끼칠 뿐입니다. 우리가 일상에서 행복감을 자주 느끼기 위해서는, "인식"의 태도를 바꿔야 합니다. 아리스토텔레스가 말한 자족自足도 결국에는 보이지 않는, 내면의 조건이 변화된 상태입니다.

자본주의 사회에서는 돈이 신으로 군림합니다. "물신화"라고 하는데요, 화폐는 유통수단이자, 교환수단이지만, 결국 화폐 그 자체가 신으로 군림해 아무런 가치도 없는 돈을 축적하기 위해서 별안간 애를 씁니다. 취업, 직업, 명예 모두 공허한 내면을 덮어내기 위한 수단에 불과하고, 전락해버리죠.

행복은 자족입니다. 내 인식, 주관적인 견해가 내 감정을 결정할 때, 그것에 너무 휘둘리지 않기를 바랍니다. 행복은 허상입니다. 행복은 감각일 뿐이고, 우리는 별에 별 꼴을 다 보면서 순간마다 "기쁘다는 감정"을 느낄 뿐입니다.

여수 여행기문_ 니체의 낙타, 그리고 바다의 소리들

여행(旅行)의 사전적인 의미는 "어떤 목적"으로 다른 고장과 다른 지역으로 잠시 상주하는 기간 혹은 상주하는 행위라고 말할 수 있습니다. 여행은 그래서 늘 새로운 물결로 우리를 인도한다고 생각합니다. 애석하게도 아직 해외 여행은 가본적이 없습니다. 올해 여름 지인들과 첫 국내 여행을 떠나면서, 나를 잊어가는 시간이 얼마나 중요한지 깨달았습니다.

니체는 자기를 망각하는 힘, 그것이 어린아이라고 표현하는 최고의 정신 단계라고 주장했습니다. 왜 자기를 망각하는 게 중요하고, 어린아이라는 은유를 사용했을까요? 니체가 생각하기에 우리의 삶은 "옳은 행동의 범주와 옳지 못 한 행동의 범주"안에서
아둥 바둥 살아가며 죄책감을 떠안기 때문입니다.

우리의 일상은 "해야만 하는 것"과 "하고 싶은 것"에서 아슬한 줄타기를 하게 됩니다. 해야만 하는 것이 강한 일상은 금방 지치게 되어 "해야만 하는 것"으로부터 망각할 수 있는 여행을 바라고 기대하게 되는 것 같습니다.

"정신의 세 가지 변화를 나는 그대들에게 말한다. 어떻게 정신이 낙타가 되고 낙타는 사자가 되고, 사자는 어린애가 되는가. 외경심이 깃들여 있는 강하고 인내력 있는 정신은 많은 무거운 짐을 지고 있다. 정신의 억센 힘은 무거운 짐, 가장 무거운 짐을 요구한다."

"무엇이 무거운가? 인내력 있는 정신은 이렇게 묻고 낙타처럼 무릎을 꿇어 짐을 충분히 싣고자한다."

-차라투스트라는 이렇게 말했다 中

이른바 니체의 정신의 세 가지 변화, 혹은 변용이라고 부르는 철학 개념입니다. 상당히 동화적이고 은유적으로 다가오지 않나요? 저는 잔혹 동화를 읽는 느낌을 받았습니다. 여기서 니체는 세 단계를 설명합니다. 앞서 설명한 우리의 일상은 "해야만 하는 일"과 "하고 싶은 일" 사이에서 방황한다고 말했습니다. 위에서 언급된 낙타의 이야기가 바로 "해야만 하는 일"에 짓눌린 우리, 현대인의 처지가 아닌가 싶습니다.

물론 니체는 낙타의 물혹을 "종교적인 유일신"과 "윤리적인 절대가치"를 비판하기 위해서 사용했지만 여행을 떠나려는 현대인의 심리를 살펴보기 위해서 "일상에서 경험하는 해야만 하는 윤리적인 의무"를 넓게 생각해보고자 합니다.

여행은 본격적으로 2박3일을 계획하고 아는 지인의 소형 suv를 빌려 여수까지 달렸습니다. 전라남도, 호남 지역은 처음 방문하는 터라 몇 가지 부분에서 큰 기대가 있었습니다. 우선 호남의 김치와 젓갈류가 무척 궁금했습니다. 친가댁이 충청도에 터를 잡고 계셔서 간이 강한 김치와 젓갈의 맛을 계속 기대하게 만들었습니다. 둘 째는 여수 밤바다를 구경하고 싶었습니다. 밤바다의 대명사 "여수"의 야경은 또 어떤 감상에 젖게 해줄지 기대감이 잔뜩 실렸습니다.

장마전선에 걸친 여행기간은 아쉽게도 이틀 내내 햇빛 구경 한 번을 못했습니다. 아쉬운 마음으로 첫 날 첫 번째 방문지를 돌산읍까지 내려가 대형 카페를 방문했습니다. 모이핀이라는 상호명을 가진 카페 내부는 무척 현대적이랄까요, 아무튼 내부 색감이 아이보리와 흰 색이 뒤섞인 느낌을 강하게 주었습니다.

전경은 장마전선 덕에 해무가 약간 얹어진 풍경이었습니다. 해무 아래 잔잔하게 물결치는 파도를 한 참 동안 멍하니 쳐다보았습니다.

카페 내부에서 사진을 찍는 사람들과 단체 손님들, 연인들, 모두 우연하게 같은 공간, 같은 시간을 공유하게 되었습니다. 이들 모두 니체가 말한 불쌍한 낙타의 운명을 가진 존재라고 생각했습니다. "해야만 하는" 당위에 굴복한 현대인들, 자율적인 삶이 아닌 타율적인 외부의 기준을 힘껏 끌어안고 엉엉 우는 낙타의 무거운 운명을 모두, 공유하고 있었습니다.

전경은 장관을 이루었습니다. 특히 매력적인 파도에 시선을 뗄 수 없었습니다. 한 친구와 파도의 움직임을 쳐다보며 파도가 왜 생겨나는지 묻기도 하고 사진을 찍기도 했습니다. 물리적으로 설명하면 "인간적인 해석"이 의미가 없기 때문에 지구와 달의 인력으로 발생하는 "기조력" 때문에 파도가 이리 저리 흔들린다는 해석은 재미가 없었습니다. 그 친구도 그런 해석이 재미 없었던 모양입니다.

마음 속으로 생각했습니다. 파도의 모양, 파도의 움직임, 특히 뭍을 쳐다보았는데 뭍에서 흘러 넘치는 파도의 모습은 무척 애절하게 느껴졌습니다.

파도는 살기 위해서 뭍으로 몸을 던집니다. 그럴수록 주변 바위에게 큰 상처를 주는 침식 활동을 일으킵니다. 파도는 단순한 목적으로 뭍으로 기어들어 옵니다.살기 위해서, 바다라는 대양속 흔들리는 파도의 생애는 오로지 "살기 위해서" 뭍으로 튀어나오고 다시 쓸려가길 반복하는 생이 아닐까 싶었습니다.

니체는 "바다"를 일반적인 인간의 특성, 인류애로서 사용하기도 했고 바다 속 파도의 현상을 "살려고 하는 욕망"으로 해석하기도 했습니다.

낙타와 같이 "해야만 하는 것"에 굴복한 우리의 운명, 돌산에서 펼쳐지는 광경 아래 파도의 흔들림같이 "살려고 발버둥 치는 우리의 처지"를 생각하고 곱씹게 되었습니다.

여행은 한 순간의 일탈입니다. 벗어남이고 예상하지 못 하는 공간과 시간으로 나를 추방하는 행동입니다. 여행은 목적 없이 "나"를 잊어버리기 위해서 낙타의 운명을 잠시나마 잊어보기 위해서, 파도의 처지를 잠시 헤아리기 위해서, "일상에서의 나"를 잠시 멀리 떠나 "낯설어 지는 경험"을 위해서 떠나는 것입니다.

니체는 두통이 심한 머리를 질끈 부여잡고 스위스에 정착합니다. 1899년 토리노에서 정신 착란증세를 보이기 전, 10년간 스위스에서 "여행"과 같은 생활을 이어갑니다. 질스마리아 호숫가에 앉아 자연 경관을 살펴보는 도중, 모난 돌멩이를 보면서 이렇게 말합니다. "지금 이 순간이 영원히 반복된다면.." 지금 이 순간, 시간이라는 형식의 변화 속에서 우리의 모든 감정은 다 사라집니다. 좋았던 순간은 웃음이라는 매개체로 승화되고 좋지 않았던 순간은 눈물이라는 매개체로 승화되듯이, 모든 시간은 직선으로 움직이면서 사라집니다. 그러나 니체는 반대로 말합니다. 우리가 신을 죽인 마당에 사후 세계 속 "영원성"은 어디에 있느냐고, 바로 우리가 사는 이 삶을 무한히, 영원히 반복하게 될 테니 "앞으로의 순간들"을 보다 무겁고, 신중하게 선택해 내가 사는 이 일상들, 다시 말해 낙타와 같은 타율적인 인간에서 어린아이와 같은 창조적인 사람으로 건너가, 나의 삶을 "사랑하도록 만들라"는 하나의 충고라고 생각합니다.

우리의 일상은 "옳고 그름"과 "해야만 하는 것과 하고 싶은 것" 사이에 놓여있습니다. 어린아이는 "선악의 명확한 구분"이 어렵죠. 그래서 어린아이의 순수성은 "춤"이라는 매개체로 설명됩니다. 춤은 "몸"을 움직이는 것이고 낙타와 같이 순종적이고 복종에 가까운 굴복에서 벗어나 "나의 삶의 의미와 목적을 내가 만들어가는 주체적인 사람"임을 표현하는 수단이라 볼 수 있습니다.

지금 이 순간이 영원히 반복된다면, 시간은 의미가 없고, 선택이 중요하죠. 나의 선택으로서 나의 삶은 만들어지고, 이 삶은 영원히 오고, 다시 가고, 니체의 표현대로 스스로 존재하는 수레바퀴를 만들어가기 위해서, 나로부터 벗어나는 일탈, 여행을 떠나고, 나를 잊어가는 여행을 합니다.

그레고리 잠자를 위하여_ 하이데거의 현존재와 불안

"자책과 걱정으로 마음을 졸이며 그는 기어다니기 시작했다. 벽, 가구, 천장 할 것없이 온갖 데를 기어 돌아다니다가 마침내, 온 방이 그의 주위에서 빙글 빙글 돌기 시작 했을 때, 그는 절망에 빠져 커다란 책상 한복판에 뚝 떨어졌다."
- 프란츠 카프카 "변신" 中

비극은 우연히 시작됩니다. 우리는 일상이라고 부르는 예측 가능한 삶에서 어느 한 순간에 통제 불가능한 일을 "사건"이라 부르며 허둥대곤 합니다. 우리는 일상과 변수, 일상과 사건을 마주치면서 점점 성숙한 사람으로 건너갑니다. 카프카의 단편 소설 "변신"은 무척 비극적인 이야기입니다. 광고외판원 그레고리 잠자는 출근 시간을 넘겨 늦잠을 잤더니 한순간에 "벌레 유충"으로 변해버리고, 그의 가족은 그를 멀리하면서 "소외된 사람의 심정"을 처절하게 보여주는 단편 소설입니다.

"이런 이유로 팔 수는 없고 그렇다고 버리고 싶지도 않은 물건들이 남아 돌았다. 이 모든 것들이 그레고리 방으로 떠돌아 왔다."

흉측한 벌레로 변신한 그레고리 방은 집 안의 잡동사니를 가득 처넣어둔 그런 창고가 되었고, 팔 수도 없고 버릴 수도 없는 잡동사니의 운명과 벌레 유충으로 변한 그레고리 짐자의 운명은 비극적이게도 닮아 있음을 확인할 수 있는 구절입니다.

카프카의 "변신"은 헤세의 데미안처럼 해석의 여지가 참 많은 문학 작품입니다. 소외된 현대인의 심적 묘사라고 볼 수도 있고 자본주의 사회를 비판하는 문학으로 여길 수도 있죠,

그러나 저는 전자에 더 가깝다고 생각해요, 현대인은 의미를 잃어버린 사람들이 의미를 위해 희생하는 사회라고 생각합니다.

마르틴 하이데거는 야심차게 "존재"란 무엇인가, "존재"의 "의미"를 추구하고 평생 학문에서 그것을 논의한 철학자입니다. 여태껏 철학사에서 "존재"의 의미를 다룬 적은 없거든요, 우리가 살아가는 이 순간의 "의미"는 무엇인가? 그것을 논하는 부류를 "실존주의 철학파"라고 부릅니다.

"불안 속에서는 전체로서의 존재자가 온통 흔들린다."
하이데거는 이렇게 말했습니다. 하이데거는 "불안"을 존재하는 모든 것에서 발견할 수 있고 그것이 당연하다고 생각했습니다. 왜냐하면 존재하는 모든 것은 "근거 없음"이라고 생각했습니다. 근거가 없다니 그게 무슨소리 일까요,

중세를 지배한 가톨릭의 천년 지배 기간 동안, 사람들은 자신의 삶의 의미를 "신"으로 이해했어요, 가톨릭의 교리는 예수 그리스도의 대속을 거부하기 때문에 신도는 현생의 죄를 꾸준히 갚아야 하는 처지였죠, 그러나 중세 이후 근대적 상업화와 민주제도 정착으로 신이 지배하는 사회에서 신을 죽여버린 사회로 이행합니다.
이제 인간의 의미, 인간에 특별성을 부여한 "신"이 사리지고 "의미"는 온데간데 없이, 사라졌어요, 이제 인간은 불안할 수 밖에 없습니다. 인간의 위대함과 특별함을 채워준 "신"을 스스로 걷어차버렸잖아요, 그래서 하이데거는 말합니다. 인간은 "무(無)"다. 그리고 불안이다.

하이데거는 기독교적 의미에서 "존재"는 이미 철지난 생각이라고 하면서

새로운 인간 존재의 의미를 위해서 "인간"을 "현존재"라고 부릅니다. 현존재는 독일어로 "da-sein"인데, 직역하면 "거기에-존재하고 있음"이 됩니다. 감이 오시나요? 기독교적 의미에서 "존재한다"는 "신에 의해서 존재함"을 의미했다면
하이데거에 의해서 "존재한다"는 "우연히 세상에 던져져 지금-거기에-존재하고 있는 상태"라고 해석한 것입니다. 두 입장의 차이는 "신"이죠, 유신론적 존재관과 무신론적 존재관의 차이점을 엿볼 수 있습니다.

자, 정리해보면 그렇습니다. 인간은 "본질적으로 의미와 이유"를 만들어가지 않으면 아무런 의미도 없는 존재가 됩니다. 그래서 인간은 항상 불안합니다. 그레고리 잠자는 변신해 유충으로 변해 "의미 없는 존재"가 되었듯이, 우리는 움직이지 않고 스스로 의미를 만들어가지 않으면 "우리의 근본적인 불안으로 휩쓸려 갑니다,"

그래서 이 생각을 한 문장으로 정리하면 이렇습니다.
"실존이 본질을 앞선다."

자유와 불안, 그리고 타인의 시선_ 사르트르의 대타 존재와 대자 존재

"나는 자유로운 존재로 선고되었다, 우리는 자유롭기를 중지할 자유가 없다."

철학은 말장난이라고 생각하는 분이 많습니다. 위의 문장만 보더라도 말장난, 혹은 유희에 지나지 않는 문장같기도 합니다. 위 문장은 프랑스 현대 철학자 장 폴 사르트르의 말입니다.

우리는 자유를 갈망합니다. 자유(自由)는 스스로 말미암는, 자기 존재의 근원을 스스로 삼는 것, 모세 오경에서 하나님이 밝히신 "스스로 존재하는 존재"라는 뜻을 가지고 있습니다. 자유는 "스스로 존재할 수 있는 상태"라고 볼수 있는 것이죠.

그러나 자유의 극단에는 "불안"이 존재합니다. 우리는 제한 없는 자유를 두려워 합니다. 그렇다고 자유가 없는 상태도 "폭력"이라고 받아들일 수 있습니다.

사르트르가 말한 저 문장을 이해하기 위해선 "존재론"을 먼저 이해해야 합니다. 사르트르는 존재하는 방식을 두 가지로 나누었습니다. 첫 번째 존재 방식은 "대자적 존재" 방식과 두 번째 존재 방식은 "즉자적 존재"방식입니다.

조금 낯선 용어지만 사르트르의 존재론을 의외로 간단합니다. 예를 들어 생각해 볼까요, 저는 지금 노트북으로 책상 앞에 앉아 이 글을 쓰고 있습니다. 글쓰는 행위에 "노트북, 책상, 글쓰는 나"로 구성되어 있죠? 사르트르가 보기에 노트북과 책상은 "목적"이 있는 도구입니다. 각각의 쓰임새가 있습니다. 노트북의 목적은 "무언갈 메모하고 인터넷에 접속해 다양한 정보를 얻을 수 있도록 설계되었죠" 그리고 책상의 목적은 무엇일까요? 핸드폰을 올려다 두는 "용도" 식사할 때 올려다 둘 수 있는 편리한 "용도"를 가지고 있습니다. 그렇다면, 대망의 인간은 어떤 목적이나 용도가 있을까요? 무신론자인 사르트르가 보기에 인간은 아무런 목적도 용도도 없는 존재입니다. 그래서 사르트르는 이런 말을 남겼죠, "실존이 본질을 앞선다."

앞의 노트북,책상같이 분명한 목적과 용도가 있는 것을 "즉자적 존재"방식이라고 부르고 인간과 같이 목적과 용도가 없이 텅 빈 존재를 "대자적 존재" 방식이라고 부릅니다. 생각보다 단순한 이야기 인데 쓸데 없는 철학의 말장난 때문에 어렵고 생소하게 느껴질 뿐 이었죠.

즉자적 존재는 "용도와 목적"을 품고 있어서 "불안"할 이유가 없습니다. 그러나 대자적 존재인 인간은 자신의 삶의 목적과 의미를 "모르기" 때문에, 무엇보다 자신이 스스로 "목적과 의미"를 만들어가야 하는 "막연한 부담감"이 늘 마음 속에 자리잡고 있다고 주장합니다. 그래서 사르트르는 대자적 존재는 "불안"속에 있다고 말합니다.

"그의 자유는 불안에 의해, 그리고 불안 속에서 그 가능들이 다른 가능들의 가능성을 바탕으로 해서만 가능하다는 것을 파악하게 될 것이다."

대자적 존재는 늘 불안합니다. "인간"은 분명한 용도와 목적을 "만들어가야"하는운명을 타고났기 때문에 무한한 가능성이 도처에 깔려있습니다. 나는 저것이 될 수도 있고 이것이 될수도 있죠.

우리 앞에 놓인 미래는 "무한한 나"라는 가능성이 있습니다. 대자적 존재인 인간은 "이것이 될 수도 저것이 될 수도 있다는 가능성" 때문에 늘 불안을 피하지 못 한다고 합니다.

자, 여기까지 사르트르의 대자와 즉자의 존재 방식을 구분해서 살펴 보았습니다. 다음은 "대자적 존재인 인간"을 조금 더 살펴보려고 합니다.

사르트르는 "나"와 "타자" 그리고 "타인"을 구분하면서 대자의 존재 방식을 깊이있게 파고듭니다. 세상은 "나"와 "나"이외의 무한한 "타자"의 영역으로 이뤄졌습니다. 문법에도 주어를 생각하면 편합니다. 주어는 1인칭, 2인칭과 3인칭으로 구분되어 있죠, 사르트르의 생각도 이처럼 "나"와 "너" 그리고 "타자"로 이뤄진 세상을 말하고 있습니다.

유치한 사고 실험을 하나 해볼까 합니다. 어느날 나는 비행기를 타고 유럽 여행을 가다가 난파되어 무인도에 갇혀버렸다고 해봅시다. 무인도에서 "나"는 더 이상 "나"라고 말할 수 없게 됩니다. 왜냐하면 "나"라고 하는 개념은 "너"라는 개념이 먼저 선행되지 않으면 존재할 수 없기 때문입니다. 사르트르의 생각도 유사합니다.

"나"라는 대자적 존재는 "타인"에 의해서 생겨납니다. 타인의 "시선"에 의해서 "나"가 견고하게 유지될 수 있다는 것이죠. 그러나 "나"는 타자의 시선에 의해서 지워집니다. 대자적 존재로서 "나"는 타인의 시선 속 "나"로 전락한다는 말입니다!

이게 무슨 말인가, 살펴보면 "타인의 시선은 타인의 두 눈을 지워버린다."라고 말하기도 하며 그의 희곡집 <닫힌 문>의 주인공 가르생의 대사 중 "지옥, 그것은 바로 타인들이다."라고 주장한 부분들. 이 부분을 종합해서 살펴보면 다음과 같습니다.

우리는 "나"로서 살아가지만 수많은 타인의 시선 속 "나"를 무시할 수 없습니다. 즉 "나"의 대자적인 힘, 나의 삶의 목적을 내가 만들어가는 주체성은 타인의 시선 속 "나"에 의해서 부서지고 사라진다는 말입니다.

진짜 나와 다른 사람들이 생각하는 "나"는 괴리감도 있지만, 더이상 무엇이 진짜 "나"인지 알 수 없게 됩니다. 타인의 시선 속의 "나"는 수동적이며, 타인의 시선 속 "나"를 진짜 "나"에게 강요하게 됩니다.

사르트르는 타자의 관계에서 존재하는 운명을 "대타존재(etre-pour-autrui)"라고 부릅니다. 진정한 "나"는 없고 타인의 시선 속의 "나"에 위협당하면서 살아가는 존재, 그것이 바로 우리라고 말합니다.

사르트르는 나아가 인간 존재를 "즉자 대자(en-soi-pour-soi)"존재라고 말합니다. 이는 "욕망 존재"라고 해석하기도 하는데, 제 생각은 이렇습니다.

인간은 사물과 다르게 삶의 이유가 되는 목적과 용도를 만들어가야 합니다. 이때 인간은 자신의 목적을 만들고 싶다는 "욕망"에 사로잡히게 됩니다. 그러나 "나"를 규정하는 것이 비단 "타인의 시선 속의 나"가 될수도 있기 때문에 인간은 늘 외줄타기를 면할 수 없습니다.

한쪽은 "타인의 시선속의 나"를 강요하고 다른 한쪽은 "아무런 의미도 목적도 없는 허무주의"늪이기 때문이죠. 그래서 우리는 참 외로운 일생입니다. 자유를 선고 받은, 그래서 늘 불안한 존재.

신에서 벗어난 사상은 이렇게 외줄타기에 시달려야 합니다. 타인의 시선속의 "나"와 아무런 의미도 목적도 없는 허무주의 사이에서 우리는 무엇을 선택할까요?

사람을 보라_ 감상문
*니체의 문체를 카피해서 써 본 글

초인은 차안의 세계를 긍정하는 영원 회귀 사상이다! 차안의 삶이란
도대체 무언인가! 그것은 자살하고 싶은 나날의 연속일지라도 입꼬
리를 훔쳐 조소에 찬 웃음을 짓는 일이다! 피안의 세계를 걷어차 버
리고 오직 고난의 연속인 그대의 삶을 영원히, 견뎌낼거란 의지를
보여주는 일!

초인의 숙명은 희망을 가장한 유토피아를
부끄럽게 벗겨 버리는 일! 당장의 너를, 능욕에 가까운 참변을
당한 너를, 무한이라는 시간 동안 그 더러운 능욕을 견디는 일! 긍
정하는 최고의 힘!

설교하는 자들은 영원을 말한다! 다시 말해 거짓 설교자는 늘 영원
을 말한다! 그렇다면 우리는! 대지의 명령을 충실히 수행하는 우리
땅개미는! 시간을, 가소로운 시간을 말한다. 영원을 말하는 피안의
세계는 땅개미를 능욕하기 바쁘다. 우린 역사를 가로채 다시 말한
다. 시간과 영원은 구분없이 이 순간을, 영원이라는 굴레에 밀어넣
는다!

너희 설교자들은 영원을 좇으며 그것에 "선함"을 붙였다! 그러곤 시
간을 말하는 우리 일꾼 개미를 두고 "악한 것"이라 부른다! 너희 가
소로운 것들, 허상의 유토피아를 꿈꾸는 나약한 자들!

나는 땅개미의 더듬이를 통해서 다시 말한다. 이 더듬이, 움직임은
오직 예술이라 불리는 넘치는 생명력의 힘으로 정신화된다! 신체의
힘은 이렇게 정신화되어야 한다! 예술은 포도주의 신을 모셔와 우리

- 456 -

를 도취하고 황홀경에 빠지도록 선사한다.

다시 어린 아이처럼 춤추기 위해서는!
어린 아이처럼 망각하고 창조하기 위해서는! 선악의 경계에서 거짓
설교자를 향해보란듯이 춤추기 위해서는!

포도주를 따라주는 디오니소스의 힘이 필요하다. 아주 절실하게도,
창조의 정신은 도취하는 순간! 시작된다.
오! 개미들이여, 땅에 기어다니는 더듬이들이여, 나는 다시 말한다.
우리가 인식이라 부르는 것, 추론이라 부르는 모든 사고 행위는 "힘
"에 의한 날조다! 정신은 더듬이에 의해 만들어진 "허상"이다! 오직
가이아의 힘! 대자연의 충동! 우리 개미는 오직 가이아로부터 스며
든 충동을 승화시켜 "창조자"가 될 뿐이다! 모든 개미들이여! 더듬이
들이여! 우리 움직이자, 어서 개미의 탈을 깨부수고 창조자가 되자!
금기를 넘어서, 거짓 설교자가 말하는 금기는 허상이니까!
오, 불쌍한 가이아의 일꾼들이여, 그리스도교와 이데아교는 우리의
더듬이를 거세했다! 그들은 잘라낸 더듬이를 두고 "죄악"이라 부른
다. 이 순진무구한 더듬이를! 그들은 우리를 길들이려 한다! 나는
진정으로 그들의 가식과 허약함, 현실에서 도피해 피안, 천국의 심
판을 불러낸 설교자의 비겁함을 비웃는다! 나는 더듬이를 붙잡고 말
한다. 이 생동감 넘치는 더듬이여! 가이아를 사랑하는 더듬이여! 그
생동감을 승화해라! 창조하라!

오오! 가이아의 일꾼들이여, 그대들은 서로 사랑하지 말라! 이웃을
사랑하지 말라! 위선적인 동정은 멀리하라! 그대들이 진정 이웃 개
미를 사랑한다면! 냅둬라. 당신이 사랑하는 이웃 개미의 "힘"을 믿어
라, 극복할 수 있는 가능성을 믿어라. 오오, 가이아의 일꾼들이여!
그대들은 기꺼이 더듬이를 사랑하라. 가이아의 생명을, 그대들의 욕

망을! 아주 아름다운 모습으로 승화하라! 더듬이를 거세하고 그것을 "선"이라 부르는 거짓 설교자를 절벽에서 밀어버려라!

감정(마주침, 그리고 과대평가)_강신주의 감정 수업

"모든 감정은 나와 타자의 마주침에서 발생한다."
-강신주의 감정 수업 208p

저는 좋은 구절이 있으면 메모하거나 이렇게 글로 남기고 싶어 합니다. 누구나 자기만의 문장을 가지고 타인과 마주칠 때 주섬 주섬 그 문장을 보여주고 때로는 수수께끼를 내는 스핑크스처럼, 때로는 그것을 죄다 간파한 오이디푸스처럼, 우리의 문장은 마주치고, 그리하여 뒤섞일 때 독창적인 시선이 또 다른 문장으로 드러나는, 이른바 마주침의 변증법이 아닐까 싶어요.

아마 "마주침"이라는 단어가 철학 개념이며, 그것은 에피쿠로스의 유물론을 루이 알튀세르가 다시금 인용해서 모든 우발적인 요인을 "마주침"으로 해석했다고 설명드렸던거 같습니다.

모든 감정은 마주침에서, 너무도 생소한 타자의 문턱을 밟고 타자의 방을 두리번 거릴 때 폭팔적으로 발생하는 것이죠.

"사랑에 빠진 사람들은 자기들 두 사람을 제외하고
다른 모든 것들은 배경으로 물러나는 특이한 경험을 겪는다. 프로이트가 말했던 것처럼 사랑은 상대방에 대한 일종의 과대평가의 감정을 수반한다."
- 강신주의 감정 수업 200P

타자의 문턱을 밟으면 생소한 방의 인테리어, 책상과 의자의 배치, 벽에 수북한 값싼 포스터, 책꽂이에 꽂힌 소설과 시집들, 나의 말은 저기서 저렇게 재구성되는구나.

내가 "행복해"라고 외쳐도 외마디없이흩어지는구나-이렇게 생각하기도 합니다.

사랑의 감정은 특히나 모순적입니다. 말도 안되는 사건이죠, 저는 그래서 변연계 오작동이라고 말하고 싶어요, 진화론 입장에서 인간의 뇌는 세 단계로 나눠지는데, 중간 단계의 영역을 '변연계'라고 부릅니다. 변연계의 역할은 우리가 다루는 '정서'와 '감정'을 체험하도록 유도하죠, 진화론에서 감정은 고도의 사회적 도구입니다. 변연계의 발달로 각 개체는 집단에서 잘 적응하기 위해 수많은 정서와 감정을 뿜어냅니다. 가족이라는 집단도 변연계가 없었으면 불가능했을거에요.

사랑은 모든 주변의 요소를 배경으로 밀어버립니다. 이유가 되는 것을 이유로 삼지 않고 문제가 되는 것을 드라마틱하게 이용합니다. 프로이트의 말이 참 인상깊었어요, 사랑은 그저 강박증에 불과하다는 말, 과대평가는 말그대로 나의 사소한 "오해"를 아주 긍정적으로 평가하고 바라보는 일이죠.

"한때는 주인공이었던 사람이 이제는 익숙한 풍경처럼 평범해지며 배경으로 물러나는 경험이라고나 할까, 이럴 때 우리는 불행히도 그 사람을 더 이상 사랑하지 않는다는 사실을 받아들여야만 한다. 그리고 이별을 준비해야 하는 것이다… "

"그 사람과 함께했던 사랑의 기쁨을 추억으로나마 간직하기 위해 우리는 이별의 아픔을 선택하는 것이다."
- 강신주의 감정수업 201p

선택! 아리스토텔레스의 니코마코스 윤리학에서 등장하는 "자발적 선택"을 인용해보면 사랑은 행위자가 "자발적으로 선택"해야 성립되며, 동시에 사랑의 효력은 "그 자발적 선택"에서 흘러 온다고 저만의 해석입니다만, 보통은 그렇지 않나요?

선택이 없다면 특별함도 없습니다. 그 사람이 특별한 이유는 서로가, 누구의 강요나 압박없이 스스로 마음에 들어 "선택"했기 때문이죠, 이처럼 모든 감정은 마주침에서 뒤섞이고, 추후에 감정이 폭팔하며, 그 순간적인 폭팔음을 사후에, 아주 먼 나중에야 의미를 부여하게 됩니다.

그래서 이별도 일종의 자발적인 선택이라고 합니다.
사랑의 순간도 '자발적인 고백'이었다면 사랑의 매듭도 '자발적인 고언'이라고 합니다.

슬프죠, 자발적인 선택으로 이별한 '사랑'은 '추억'으로 강력하게 남아요, 사랑의 첫 시작이 자발적인 선택으로 짜릿한 설렘을 안겨주었듯이 사랑 이후의 사랑도 자발적인 이별로 강력한 추억으로 남아요, 그리고 긴 후유증을 경험하고 토대를 다지곤 합니다.

요새 생각하는 부분입니다.

빈약한 정신과 속물 근성에 관해서_ 아르투어 쇼펜하우어 <소품집> 읽으면서

"세상에는 빈곤과 고통이 넘치고, 빈곤과 고통에서 벗어난 자들에게는 곳곳에 지루함이란 존재가 도사리고 있다. 더구나 세상은 사악함이 지배하고 아리석음은 떵떵거리며 살고 있다."
- 아르투어 쇼펜하우어 <소품집> 47p 인용

무언가를 묘사한다는 일은 "무언가의 성질"을 언어로 표현(表現)하는 일입니다. 많은 경우에 언어의 오류는 언어의 한계성 때문에 발생합니다. 트렌드란 수시로 변하기 마련인데, 작년부터 올해까지, 철학가 중에서 "쇼펜하우어 철학"이 그 흐름에 올라탔습니다. 염세주의자로 알려졌고, 후대 프로이트와 니체한테 큰 영향을 준 그는 "세상은 ~이다."라고 성질을 설명합니다. 위에서 언급한대로 쇼펜하우어 선생은 "세상은 빈곤 아니면 지루함"이라고 정의합니다. 한 개인의 삶은 두 가지 양가 감정에서 평생 벗어날 수 없다는 말이죠. 저는 이 점이 한번 곱씹어볼만하다고 보는데, 보통 대륙의 합리주의자들은 "인간의 이성은 전적으로 뛰어나다"고 가치판단을 했다면, 쇼펜하우어,바그너,니체는 "인간의 감정"을 더 중요하게 생각했습니다. 두 가지 양가 감정에서 귀족 계급은 지루함을 견디지 못 하고, 빈곤 계급은 고통스럽다는 감정에서 괴로워합니다. 싯다르타가 왕국을 벗어나 골목길 어귀에서 살펴본 인민의 삶은 피골이 움푹 파인 빈곤의 형싱과 폭력과 암투의 그늘진 그림자가 자욱했습니다. 세상의 성질을 "빈곤과 지루함"이라고 해석한 쇼펜하우어의 대안점은 무엇인지 함께 살펴보겠습니다.

"감수성은 우리 인간의 인지 능력에 달려 있다. 그래서 감수성이 월등하면 인식하는 향락, 즉 정신적 향락이 우세해진다."

- 아르투어 쇼펜하우어 <소품집> 54p 인용

감수성(感受性)이란 무엇일까요, "나"와 "너,그들" 사이에 인식의 장벽을 건널 수 있는 유일무이한 인식의 수단입니다. 도덕적 감수성이라는 말도 맥락과 상통합니다. 우리는 타인의 고통과 외부의 사건을 해석할 때 "인식"을 활용합니다. 인식의 성질은 몹시 주관적이라는 데 있습니다. 주관적인 인식 능력은 "타인과 외부 사건"을 해석할 때 "감정"을 조절하게 도와줍니다. 예를 들면 하마스 이스라엘 전쟁으로 무고한 아이들이 죽어나갈 때, 아프리카 빈민 구호 물품에 지원할 때, 그 "감정적 동요"는 "주관적인 인식"이 해당 사건을 해석할 때 감정을 조절하고, 감정의 성격을 결정합니다.
그렇다면 빈곤에서 오는 괴로움과 부유함에서 오는 지루함, 두 양가 감정도, "주관적인 인식"이 결정하는 "감수성"에서 관리하게 되죠, 재미있는 점은 이겁니다. 쇼펜하우어는 에픽테토스의 생각을 계승합니다. "사건"과 "사건의 감정"을 분리해서 바라본다는 점입니다.

"우리의 행복은 기분의 쾌활한 정도에 따라 달라지고 쾌활한 기분은 건강 상태에 좌우된다. 인간은 건강 상태에 따라 외부 상황을 다르게 인식된다. (중략) 우리를 행복하거나 불행하게 만드는 것은 객관적이고 실제적인 사물이 아니라 사물을 대하는 우리의 견해다. 이에 관해 에픽테토스는 다음과 같이 말한 바 있다. '인간은 사물에 대한 견해에 따라 움직인다.'"
- 아르투어 쇼펜하우어 <소품집> 34p 인용

사건과 "사건의 감정"은 착 달라붙어 있습니다. 실제로 우리의 뇌 기관 중에서 대뇌 피질에 해당하는 "편도체"는 "암묵 기억"을 담당합니다. 무의식적 기억이라 보면 되는데요, 우리의 기억은 늘 "특정 감정 상태"와 함께 기억된다는 점입니다. 기억과 감정은 편도체 기관에서 연결되어 있듯이, 마찬가지로 "순수하게 인식되는 이미지"는 "인식되는 이미지에 관한 감정"을 부추기게 됩니다. 예를 들어서 "물 공포증"이 있는 학생과 없는 학생이 체험 학습으로 바다에 가거나 수영장에 가게 되면 "동일한 외부 조건"에서 다른 "반응"을 보여줍니다. 왜그런가요? "사건"과 "사건에 관한 나의 감정"은 분리해서 생각해야 합니다. 감정은 있는 그대로 바라보기 어렵게 만듭니다. 물리적으로 똑같은 인간이라도, "저 사람과" "내 사람"은 분명한 선이 그어져 있습니다.

저는 감정을 정열적인 "passion"이 더 적합하다고 생각합니다. 감정은 인간 고유의 본성이지만, 감정은 지향성이 있습니다. 그 지향성이 극점에 다다르면 "증오"가 되거나, "광신"하게 됩니다. 무리 속 "우두머리"를 추종하는 "감정"과 무리 바깥 소수자를 차별하는 "감정"은 동일한 성질입니다.

쇼펜하우어는 고독과 외로움의 성질도 구분하자고 합니다. 소품집에서 더 밝히진 않았지만 제 주관적인 개념을 나열해보자면, "고독"은 내가 자처한 외로움입니다. 자발적인 고립이라고 볼 수 있습니다. 반면 "외로움"은 내가 자처하지 않은 괴로움입니다. 일종의 "박탈"이라고 볼 수 있습니다. 우리의 감정은 "고독"이나 "외로움"이나 똑같이 "괴롭다는 마음"이 들게끔 유도합니다. 살아가면서, 우리는 수많은 감정을 마주치게 됩니다. 우발적인 마주침입니다. 사람을 만나면 그 사람을 대한 "감정"만 남게 됩니다. 말과 행동은 분명한 인상이 흐릿해지면서 충동적인 "감정"만 남게 되는 셈이죠.

우리는 한평생 빈곤하거나 지루함에 시달립니다. 그리고 그 양극을 열심히 옮겨다니면서 인간의 추잡함을 깨달아가는 단계를 거친다고 생각합니다.

아직 정리되지 않은 감정과 사건이 있고, 철학자는 그걸 열심히 도려내 건넵니다. 당신이 경험한 그 감정은 ~한 성질을 가지고 있다면서, 투박하지만 감정이 정의되는 순간, 그 감정은 이제 "말"속에 박제된 표본입니다. 감정이란 언어 단계에서 표현되지 못 하는 흐릿한 형체이니까요, 오늘도 우리는 말대신 감정으로, 표현되길 거부하는 감정을 안고 살아갑니다. 아주 힘겹게 숨기면서 말이죠.

관계의 성격들_ 쇼펜하우어의 <소품집>을 읽으면서

"인간의 본성은 특별히 나약하게 타고나므로 타인의 눈에 비치는 자신을 과도하게 의식하곤 한다."
- 아르투어 쇼펜하우어 <소품집> 85p 인용

타인은 지옥입니다. 타인의 "의식"은 시제를 무시하면서 "수많은 나"의 모습을 한 가지 이미지로 결정해버립니다. 이미지는 곧바로 "감정"을 불러옵니다. 대개 많은 사람들의 평가는 "000은 이렇더라" 속, 그 이면에 도사리는 "감정"에서 비롯된 평가입니다. 사르트르는 "즉자화"라고 말했습니다. 사실 인간은 결정된 본질이 없어 무섭도록 무한한 자유로움을 선고받은 존재인데, 타인의 의식 속에서 "나"의 자유로움은 박탈되고 몇 가지 인상으로 "결정"되버립니다. 사르트르의 "살"개념은 특히 흥미롭습니다. 우리가 이성 교제를 할 때 많은 경우, 성관계를 갖게 됩니다. 그러나 성관계의 "감정"은 상대편을 사랑해서 요구하는 게 아닙니다. 오히려 "상대편이 나를 버리고 떠나갈 자유"를 빼앗고 싶어서, "성관계"하는 그 대상을 "일종의 물건"으로 만들어버리는 심리적 안정감을 맛보고 싶어서 관계를 가지게 된다고 주장했습니다.

우리는 "타인의 시선"속에서의 "나"를 무서워하면서, 동시에 갈망하게 됩니다. 쇼펜하우어 선생은 "타인의 시선"에서 자유롭기만 한다면 우리의 일상이 한결 가벼워지고 행복할거라 다짐하고 있습니다.

"숙고 과정을 통해 자신의 가치를 올바르게 평가하고 외부의 아첨하는 말이나 상처를 줄 만한 생각에는 되도록 민감하게 반응하지 않는 편이 좋다. 아첨하는 말이나 상처를 주는 언동은 모두 같은 선상에 놓여 있기 때문이다. 그러니 이런 것에 거리를 두지 않으면 타인의 의견이나 생각의 노예가 된다."
- 아르투어 쇼펜하우어 <소품집> 87p 인용

숙고(熟考)의 의미는 "오래도록 생각해본다."는 뜻에 있어서 "신중함"이라는 의미가 부각되는 단어입니다. 숙고 과정을 통해서 자신의 가치를 평가한다는 말은 "나"라는 인간의 가치 평가를 외부한테 맡기지 않고, 신중하게 "내"가 결정한다는 의미입니다.
그러나 그게 쉽지 않습니다. 타인의 시선은 도대체 어떤 위력이 있기 때문에 타인의 노예가 되는 걸까요.

"인간이 평생 쉴 틈없이 노력하여 수많은 위험과 고난을 무릅쓰는 이유는 자신에 대한 타인의 눈높이를 끌어올리기 위해서라는 견해가 있다. (중략) 이런 망상은 우리 본성 자체에 뿌리내리고 있거나 사교 문화의 탄생과 문명의 발달로 생겨났을 수 있다."
- 아르투어 쇼펜하우어 <소품집> 89p 인용

타인의 친절함이 타인을 인간 그 지체로 존중하는 마음에서 비롯되었다기 보단, "타인의 눈높이"속 내 모습을 끌어올리기 위해서라고 하네요. 스무살 이후에 제가 바라본 세상은 쇼펜하우어가 언급한대로 "체면 문화, 지위, 명예, 명성"을 끔직히 원하면서 동시에 무서워하는 인간들이 바글바글했습니다. 저라고 뭐 다를 게 있나 싶기도 합니다만, 하나씩 정의를 내리면서 글을 마무리 하겠습니다.

체면(體面)은 일반적으로 생각된 타인의 시선 속 "나의 가치"가 특정한 스캔들과 사건으로 실추된 상태를 가리킵니다. "체면이 안서다."는 말은 우회적인 표현이죠. 체면 문화는 역시나 과도해질 경우 올바른 판단과 죄질의 유무를 따지기 어려워집니다. "권위자"가 권위에서 비롯된 권력을 오-남용할 경우 그것은 단죄되어야 하지만, "체면"이라는 이름으로 쥐도 새도 모르게 덮어지는 경우가 많습니다. 체면은 도적적인 영역과 연결됩니다. "옳고 그른 행동"으로 접근해야 될 문제를 "체면"으로 대체할 경우 피해보는 사람들은 소외계층입니다.

지위는 관습적으로 전해지는 가치입니다. 직책은 결정권을 독점하는 동시에 책임도 짊어져야 하기 때문에 어떤 면에서는 순기능을 하게 됩니다. 그러나 인간의 인정 욕구는 "무책임한 지위 요구"를 할 경우가 더러 있습니다. 지위 속 권위는 차지하고 싶지만, 그 무거운 책임감은 던져버리고 싶은 가벼운 충동도 언제나 견제되어야 합니다.

쇼펜하우어 선생은 명예와 명성을 시간의 기한으로 나누었습니다. 명예는 순식간에 끝나는 필멸적인 것이지만, 명성은 오래도록 살아남는 불멸의 형태라고 말이죠. 명예는 타인의 인정이 어느정도 "올바른 판단"이라고 생각되는 경우를 가리킵니다. 명예로운 사람은 타인이 자발적으로 내려준 판단을 모두가 공유할 때 하사되는 사회적 지위죠. 그러나 허영심은 권위자가 자신의 권위를 "타인에게 강요"할 때 생겨나는 마음이라고 합니다. 반면에 명성은 사후적으로 얻는 경우가 많습니다. 니체의 텍스트는 1900년 사후 이후에 찬사를 받았습니다. 폴 고갱과 고흐의 그림도 살아 생전 인정을 받긴 커녕 궁핍한 삶을 살다가 "죽음"이라는 프리미엄이 붙자 예술적 가치가 생겨났습니다. 명성은 그런 것입니다. 불멸과 사후적인 것, 살아 생전에 누릴 수 없는 것.

정리하자면 이렇습니다. 모든 가치는 "나"와 "타인" 사이에서 발생
하는 상대적인 것이며, 이름이 다른 이유는 관계의 성격이 다르기
때문이죠. 살아가면서 성숙(成熟)한다는 말은 "수많은 나"를 하나의
"나"로 정리하는 과정이라고 봅니다. 부끄러운 "나"도 있고 자랑스
러운 "나"도 있는데, 하나의 "나"가 되기란 은근히 어렵습니다.
연인 사이에서 성관계는 "나를 떠날 가능성을 제거할 목적"으로 이
뤄지듯이, 우리가 마주치는 "수많은 나"와 "수많은 타인"사이에는
불균형이 있습니다. "언제나 자유"는 양면성이 있거든요. 관계의 성
격은 다양합니다. 미처 정의내릴 수 없는 미결의 형식도 많습니다.

군중과 영광_ 아르투어 쇼펜하우어 <소품집> 인용

"비사교적인 사람은 이런 사교 관계가 필요 없는 사람이다. 인간의 거의 모든 고통은 사교 모임에서 비롯되므로 자기 내면에 가진 게 많아 사교가 필요 없는 사람은 이미 커다란 행복을 얻은 것이다."
- 아르투어 쇼펜하우어 <소품집> 215p 인용

진화 생물학에서 인간은 "한 무리의 개체"로 인식되는 경우가 많습니다. 자연 도태에서 살아남기 위해서 군집의 "우두머리"를 추종하는 게 생존에 훨씬 유리하기 때문이죠. 사교 문화는 시대마다 다른 양상을 나타내지만, 현대인의 사교성은 미디어에서 활발하게 일어납니다. 해시태그로 이어지는 핫플레이스는 "군중"의 일원으로 인정받는다는 심리적 만족감을 가져다 주기 때문입니다. 쇼펜하우어 선생은 비사교적인 사람은 오히려 "건강한"사람이라고 봅니다. 자기 내면에 가진 게 많아서 굳이 아쉬운 마음이 없다는 말이죠. 헤어질 결심 모든 관계에서 갑과 을은 "아쉬울 게 없는 사람"이 차지합니다.

"세상에는 거의 항상 어디든 달려들어 무엇이든 마구 먹어치울 준비가 된 해충같이 우매한 족속들이 무수히 많다. 이런 인간들은 다른 상황에서도 그랬던 것처럼 자신의 결핍과 지루함을 달래려고 일을 벌인다. (중략) 그리고 사교성은 몹시 추운 날 사람들이 집결하여 체온을 유지하듯 인간이 서로 모여 정신적인 온기를 나누는 일이라고 볼 수 있다."
- 아르투어 쇼펜하우어 <소품집> 214p 인용

쇼펜하우어 선생의 글은 대체로 유쾌합니다. 그 자신이 "쾌활함"을 유지하지 않으면 행복할 수 없다고 생각해서 그런지도 모릅니다. 세상에는 결핍과 지루함을 견디지 못 해서, 무리속 결속감을 향해 달려드는 인간이 많습니다. 사교성의 정의를 내리는데, "체온 유지"를 위해서 집결하듯, 사교성의 심리적 원동력은 "고독의 두려움"이 자리잡고 있습니다. 또 다시 고독(孤獨)에 관해서 이야기 하게 되었습니다. 작가의 말에서 밝힌대로 고독은 술어의 성격, 동사적 의미가 강합니다. 정확히 말하자면 형용사입니다. "고독하다는 말은 사람이 자처해서 고립된 상태, 고립된 그 심리적 압박감을 고독감"이라고 부른다고 정의내립니다. 쇼펜하우어 선생은 우리가 오직 홀로 있을 때, 외로움과 일찍 친구를 맺어 익숙해진다면 그만큼 행운이 없다고 합니다. 저는 이 대목을 읽으면서 니체의 차라투스트라가 생각났어요, 차라투스트라는 고행의 시간을 갖고, 침묵 속에서 자신의 사상을 끝없이 배양하거든요, "나답게"살기 위해서는 고행의 시간이 필요하다고 하죠, 실존주의자들은 "나"라는 개념도 착각이라고 보지만 말입니다.

미디어에서는 빈곤의 절박함이 경박한 것들로 타부시됩니다. 그리고 지루함, 권태감으로 집결되는 해시태그 속 명소는 아무도 "두 눈으로 즐기지 않고 카메라 앵글에 열심히 담기 위해서 고군분투하죠" 모두 고독감에서오는 그 쓴 맛을 기피합니다.

"인간이 자신의 본래 모습 그대로 있을 때는 홀로 있을 때뿐이다. 따라서 고독을 사랑하지 않는 자는 자유도 사랑하지 않는다."
- 아르투어 쇼펜하우어 <소품집> 207p 인용

자유(自由)는 독립(獨立)적인 상태를 나타냅니다. 스스로 존재하는 상태는 다시 말해 다른 무엇에 기대서 존재하는 게 아니라, 스스로 두 발 딛고 서 있는 상태를 말하죠,
그래서 고독한 마음이 듭니다. 자유는 그것을 누릴 수 있는 자, 스스로 두 발로 딛고 서있을 때 그 중압감을 견딜 수 있는 자한테 헌

사되는 선물입니다. 자유와 고독은 연결되어 있죠. 많은 생각을 하게 됩니다. 나 혼자 있을 때는 아무런 관계도 형성되지 않습니다. "나"가 성립되려면 기필코 "당신"이 있어야 합니다. 2인칭 명사가 없다면 1인칭 명사도 존재할 수 없습니다. 자유에서 오는 고독감은 사물의 민낯을 서스럼없이 공개합니다. 그러나 나는 아직 세상의 민낯을 경험할 수 없습니다. 아직 성숙하지 못 하기 때문입니다. 성숙은 "용서"라고 생각합니다. 용서보다는 "용납(容納)"의 의미가 더 적확합니다. 받아들인다는 것, 허용한다는 것. 그러나 나는 세상에서 경험하게 될 민낯들 특히 "추잡함"을 견딜 수 없습니다.

인간적이다는 말은 칭찬일까요 모욕일까요, 저는 여기서 도덕적 판단이 큰 의미가 없다고 생각합니다. 정의감에 불타서 도덕적 판단이 쉬웠던 나날을 반성하게 됩니다.
인간적이다는 말은 도덕적 판단이 아니라 애가(哀歌)에 가까운 수사입니다. 인간은 입체적이죠, 예루살렘의 아이히만 속 주인공 "아이히만"은 성실하고 이웃에게 자상한 인간이었습니다. 그러나 가스실 버튼을 아무런 사고 행위 없이 눌러버린 인간이죠.
인간적이다는 말은 "선악의 판단을 내릴 수 없이 모호한 상태"라고 생각해요, 크면서 알아갔습니다. 인간은 고독하고 인간적이다는 말은 한낱 소모될 미사여구법이 아니라,
탄식에 가까운 표현이라는 것을요.

우리는 한평생 "무리 속의 나"에서 살아갑니다. 가족의 범주에서, 학급의 범주에서, 다양한 지인의 범주에서 살아갑니다. 인간적이다-는 그 말은 이제 다양한 무리 속에서 예전같지 않다는 느낌을 받을 때, "분명 책임"이있지만 그걸 당장 물을 수 없는,
모호한 상황들. 나도 이제 탄식하게 됩니다. "인간적이다"

자유를 견딜 수 없는 나날 속에서 조금씩 체급을 키워나간다고 생
각합니다.

고독과 자유는 동전의 양면성이라고 볼게요.

세련된 권력_ 미셸 푸코의 <권력과 공간>을 읽으면서.

올해 첫 첫만 관객 영화는 아무래도 "서울의 봄"이 될 거 같습니다. 서울의 봄은 10.26사태 이후에 절차적 민주주의, 직접 선거제도가 결합된 보통선거제도로 "행정부 수반"을 선출되리란 시민들의 희망을 담은 표현입니다. 그러나 서울의 봄은 무력으로 진압되었습니다. 이쯤에서 하나회와 전두환, 노태우 대통령의 행각이 다시 재평가됩니다. E.H 카의 "역사란 무엇인가"는 "역사의 주관성"을 이야기 합니다. 역사란 있는 그대로의 사실을 진술한 "실증적 사례"의 나열이 아니다, 역사는 역사가의 입맛대로 다시 재평가되는 작업이라고 정의하죠. 동의합니다. 대중 미디어 산업이 발달한 대한민국에서 총과 검보다 강한 것은 펜과 매체 영상입니다.

헤게모니(Hegemonie)라는 단어가 있습니다. 독일어로 "주도권" 혹은 "쟁탈전"이라고 하는데요, 문화적 차원에서 일어나느 주류 흐름, 주류 의견을 "헤게모니Hegemonie"라고 합니다. 대중 미디어 시대에서 확증 편향을 부추기는 숏폼과 자극적인 단문(短文)들, 지적 헤게모니는 숏폼과 영상 매체에서 계속 재생산되고 있습니다. 일명 "전두광"의 비열한 행태는 전두환 정권의 5공화국을 "악"이라고 가치평가하고, "보수정권"은 곧 "전두광"이라고 부추기는 도식을 만들게 됩니다. (그렇다고 보수, 진보의 한쪽을 편들고 지지한다는 이야기는 아닙니다.) 문화 매체는 글보다, 총보다 강력합니다.
지금 이 순간도 우리는 보이지 않는 권력, 문화적 헤게모니(Hegemonie)에서 벗어나지 못하고 오히려 "그 도식"대로 사건과 역사를 평가하기 때문입니다.

그런 의미에서 우리는 또 다시 "권력"에 대해서 생각해봐야합니다. 긴 글이 될거 같지만, 그럼에도 미셸 푸코의 책을 다시 꺼내 들었습니다. 한 번 살펴보겠습니다.

"우리는 정신분석학자, 심리학자, 사회학자 들 사이에서 종종 다음과 같은 개념화를 발견합니다. 권력은 본질적으로 규칙, 법, 금지이고 허용된 것과 금지된 것의 경계를 표시한다고요."
- 미셸 푸코 <권력과 공간> 1부 권력이란 무엇인가 10P 인용

미셸 푸코는 권력을 "금지"라고 생각하지 않습니다. 그러나 많은 경우에, 우리가 통념이라고 부를 수 있는 단계에서 권력은 늘 무언가를 금지합니다. 그리고 지시합니다.
"~을 해야만 한다."는 당위명제를 강요합니다. 미셸 푸코는 첫 문장에서 프로이트를 인용합니다. 프로이트는 권력을 무엇으로 이해했나요? 권력이란 곧 "성욕동"을 금지하는 윤리적 명령이라고 생각했습니다. 푸코는 "윤리적 명령"역시 "권력"으로 이해했습니다. 권력은 단순히 무언가를 지배하고, 무언가를 지시하며 독불장군처럼 행동하지 않고, 오히려 지배 당하는 자가 지배하는 자의 논리와 모든 행태를 "사랑할 수 있도록"교묘하게 설득한다고 생각했습니다. 그 도구가 바로 "문화"입니다.

"사회는 오로지 하나의 권력만 행사되는 단일체가 아닙니다. 실제로는 상이한 권력들이 병치, 연결, 결집, 위계를 이루고 있으며 각각의 권력은 그럼에도 나름의 특수성을 유지합니다."
- 미셸 푸코 <권력과 공간> 1부 권력이란 무엇인가 18P 인용

권력은 일반적으로 "법"으로 표시됩니다. 그러나 푸코는 "법, 국가, 군대, 정치권력"과 같은 단일하고, 또 거대한 "거시권력"을 이야기하는 게 아닙니다. 푸코는 일상에서 일반 시민들이 "생각"하고 "판단"할 때 영향을 미치는 "문화적 영역"이 곧 "권력의 영역"이라고

다시 정의내립니다. 이른바 "미시권력"입니다. 앞서 설명한대로 지금 시대는 총과 칼보다 숏폼과 영상 매체, 댓글이 더 큰 힘을 가지고 있습니다. 숏폼과 영상 매체 속 "가치관"은 철저히 "특정 가치관을 강화"하게 됩니다. 서울의 봄 천만관객은 12.12사건을 재조명하면서 "현재 정치권의 특정 집단에 유리하게" 작용될 수 있듯이 말입니다. 꼭 영화 매체 뿐만 아닙니다. 숏츠와 숏폼의 반복되는 영상은 "문화적 권력"을 차지하게 됩니다. 푸코의 말대로 사회는 "하나의 거대한 권력"만 존재하지 않습니다. 수많은 권력들, 우리가 일상생활에서 생각하고 판단할 때 영향을 미치는 "문화적 헤게모니"를 감추고 있습니다.

"규율은 기본적으로 사회체 내의 가장 미세한 요소까지 통제하는 권력의 매커니즘이며, 이를 통해 우리는 사회적 원자 그 자체, 즉 개인들에 도달합니다. 권력의 개별화 기술이지요. 개인을 어떻게 감시할 것인가, 그의 품행, 행동, 능력을 어떻게 통제할 것인가. 그의 수행력을 어떻게 강화할 것인가, (중략) 이것이 바로 제가 말하는 규율입니다."
- 미셸 푸코 <권력과 공간> 1부 권력이란 무엇인가 25P 인용

푸코는 "미시 권력"을 고민하고 탐구했습니다. 우리가 일반적으로 생각하는 권력의 느낌과 어감은 부정적이고 "일방적으로 지배하는" 관계라고 인식한다면, 푸코가 이야기하는 권력은 위에서 언급한 "규율"에 가깝습니다. 규율은 "세세한 부분"까지 통제하려고 합니다. 성관념, 상식 수준, 올바른 것과 그른 것, 여기서 강조하고 싶은 점이 "사회 내 정상과 비정상"으로 구분되는 기준점입니다. 이는 <감시와 처벌>에서 다뤄진 주요 주제이기도 합니다. 규율은 사람들 내면속에 천천히 가라앉습니다. 나도 모르는 새 "정상적인 범주"와 "비정상적인 범주" 둘로 나눠져, 어떻게든 "정상적인 인간"이 되려

고 발버둥칩니다. 예로 들자면 입시가 그렇습니다. 우리는 "정상적인 사람"이 되기 위해서 주어진 조건이 바로 "인서울"이라는 커트라인입니다. 이렇게 작은 권력,

미시 권력은 "학교"라는 공간에서 쭉 펼쳐집니다. 내면에 "인서울과 비인서울"로 나눠져 스스로를 계속 감시하고 채찍질하게 됩니다. 푸코가 말한 <감옥>은 바로 이런 점을 꼬집고 있는 것입니다. 학교뿐 아니라 작업장, 군대도 마찬가지라고 합니다.

특히 자본주의 사회 첫 단계인 "기계제 대공업"에서 작업반장은 "노동자"를 <감시>해야 합니다. 노동자는 그 감시의 시선을 일상 속에서 <내면화>하게 되죠, 빅브라더의 시선을 어디에 둘 수 없고, 텔레 스크린에 비춰진 "나"는 이렇게 <정상적인 기준>에 잠식됩니다.

"이는 대부분의 시간을 훈련으로 보냈던 그 유명한 프로이센의 프리드리히 2세 군대에서 정점에 달했습니다. 프로이센 규율의 모델인 프로이센 군대는 어느 정도까지는 다른 규율들의 모델이 되었는데, 병사의 신체 규율을 최대치로 강화하고 정교하게 완성했다고 할 수 있습니다. (중략) 이 새로운 규율 테크놀로지가 나타나는 또 다른 지점은 교육입니다. (중략) 초등학교에서 우리는 개인들이 다중 속에서 개인화되는 규율 방법들이 출현하는 것을 보게 됩니다. (중략) 결과적으로 학생 개개인을 선생의 눈아래 혹은 위치하도록 분류할 수 있는 가능성을 빚어냅니다."
- 미셸 푸코 <권력과 공간> 1부 권력이란 무엇인가 27P 인용

조금 이야기가 확장되면서 복잡해집니다. 간결하게 설명하겠습니다. 우리나라는 "징병제"를 채택한 나라입니다. 복무기간이 지금은 18개월이지만, 1980년대만 해도 족히 3년에 가까웠습니다. 일반 시민

은 "군대의 규율"대로 복무 기간을 보내야 합니다.

애국(愛國)이라는 대의 명분으로 소중한 시간을 희생합니다. 그러나 큰 문제는 "획일적인 군사 규율 시스템"에 있다는 점입니다. 현대의 "참모 제도"는 위에서 언급한 프로이센 제국의 프리드리히 2세 시절 만들어졌습니다. 병참 기지와 제복, 참모 제도가 한꺼번에 만들어지면서 독일 특유의 "딱딱하고 군사주의적"인 느낌이 발생한 것이죠.

푸코는 "세세하게 통제하는 새로운 권력인 규율"을 군대에서 확인해볼 수 있다고 합니다. 군대는 "병사의 신체를 분할하는 제식 훈련"을 합니다. 푸코가 말한 세세한 통제, 신체의 분할 통제 등, 현대식 군대는 "자유로운 인간의 신체를 구속"하는 기관이라고 파악합니다.

둘째로 "학교 기관"입니다. 학교 기관은 곧 "평가 기관"입니다. 군대가 신체를 조직하고 통제했다면 학교는 내신 등급과 대학교 등급으로 "다시 통제"하게 됩니다. 학교 기관에서 "정상적인 범주"와 "비정상적인 범주"는 오로지 내신 성적 비율로 매겨집니다. 푸코가 왜 "근대적인 교육 기관"이 "새로운 권력의 영역"이라고 이야기하는 지 이해되시나요? 학교라는 기관과 군대라는 기관은 모두 "통제하는 기관"입니다. 둘 다 "정상적인 기준"과 "비정상적인 기준"이 암암리에 새겨져있고 강요당하게 됩니다.

내신 성적이 5,6등급인 학생은 "비정상적인 기준"에 해당합니다. 끝없는 부당한 권력을 내면화하고 자기박탈감에 못이겨 살아가게 됩니다. 군조직은 어떻습니까?

군조직도 "정상적인 기준"과 "비정상적인 기준"이 명확합니다. 푸코의 주장대로 사실 현대적인 모든 기관과 문화 매체, 숏츠, 숏폼, 영화 산업에는 "특정 가치를 강화"하는 현상이 있습니다. 그리고 "정상성"과 "비정상성"이 함께 대치되어 있습니다.

"아니면 권력과 마조히즘적 관계가 구축되어 우리를 금지시키는 그 것을 우리가 사랑하게 된다고 말해야 할 것입니다. 반대로 권력의 주된 기능이 금지가 아니라 생산에, 쾌락의 생산에 있다고 본다면, 이제 우리가 어떻게 권력에 복종하는지, 이해할 수 있을 것입니다." - 미셸 푸코 <권력과 공간> 1부 권력이란 무엇인가 42P 인용

마조히즘 (masochism)은 변태성욕자를 뜻하는 말입니다. 여기서 푸코가 말하고자 하는 바는 우리는 늘 "정상적인 기준"을 사랑하게 된다는 말입니다. 그렇지 않나요? 우리는 아무도 "인서울"과 "비인서울" 구조에 동의하지 않았지만 "정상적인 사람"이 되려고 "인서울"을 목표합니다. 왜요? 아무도 이유도 묻지 않고 "기준"이 그러니까요, 즉 우리는 "정상성"에서 벗어날 수 없고 오히려 "정상적인 기준"을 변태성욕자처럼 사랑하게 된다는 이야기입니다.

결론입니다. 위 인용구절에서 살펴본대로 우리는 의심하지 않고, "좋다"고 막연하게 여기는 것을 사랑하게 됩니다. "인서울" "스펙" "고액연봉" "강남땅" 등등 좋다고 평가된 "정상적인 범주"에 들어가고자 발버둥 치면서 살아갑니다. 우리는 의무 교육을 받으면서 언세나 "평가"를 받고 "등급"이 매겨지면서 "정상적인 인간"에 가까워지려고 노력합니다. 문화란 이런 것입니다. 문화는 "정상적인 것"과 "비정상적인 것"을 너무 간곡하고 매력적으로 비춰냅니다. 서울의 봄, 숏츠, 숏폼, 영상 속 대사 등 우리는 의심없이 받아들이는 대중 미디어 산업을 조금 더 떨어져서 살펴봐야 합니다.

우리의 대뇌 피질 속 뇌세포(뉴런)는 신경가소성이라는 개념을 통해서 수시로 지능과, 받아들이는 개념이 달라진다고 합니다. 우리가 매일, 아무 의심도 없이 받아들이는
숏츠 속에는 "정상적인 것"과 "비정상적인 것"이 구분되고 강요당하게 됩니다. 펜은 칼보다 강합니다. 정상적인 그 기준을 향해서 아우성칠 때마다, 기억해야 합니다.

정상과 비정상의 그 기준은 도대체 누가 결정하고 있는걸까? 푸코는 그 지점에서 "무수히 많은 권력"들이 문화적 헤게모니를 장악하고 있다고 봤습니다. 그들은 오히려 헤게모니를 다시 장악하면서 성공했습니다. 좌경화된 문화 매체 속에서 "가족애" "책임지는 사랑" "공동선을 결정하는 표현의 자유"는 점점 자리를 잃어갑니다.

사회를 권력 관계로 이해하는 사조를 "구성주의(構成主義)학파"라고 합니다. 절대적인 옳음은 없으며, 오로지 "정상적으로 분류"되는 문화적인 담론만 있다고 말이죠.
우리는 인서울을 갈망하고 의사와 의대를 희구하는 시선을 가지고 있습니다. 지방보다는 수도권을, 가족보다는 다원화된 동거 형태를, 혼인성관계보다 혼전성관계를 지향하는 문화 속에서 "정상적인 기준"과 "비정상적인 기준"을 제대로 검토해야 합니다.
검토되지 않은 삶은 의미가 없다는 소크라테스의 말대로, 우리는 끝없이 의심해야 합니다. 그 모호한 기준 사이에서.

자발적 노예와 감시의 탑_ 미셸 푸코의 <권력과 공간>을 읽으면서

역사를 테마로 읽으면 심심치 않게 접할 수 있습니다. 예를 들어 경제사, 정치사, 지리학으로 접근하는 테마도 있죠, 정치사로 역사를 접근할 때는 크게 정치형태로 구분해서 이해합니다. 군주제, 민주제, 과두제 등으로 말이죠. 권력의 형태는 정치 지형도를 결정합니다. 군주는 입법과 행정과 사법권을 독점한 무소불위의 권력체입니다.

푸코는 군주제에 관해서 이런식으로 말합니다. 군주는 폭력을 과시하면서, 자신의 권위를 유지한다. 그것을 "기능상의 연속성 확보"라고 말하는데요, <감시와 처벌>에서 긴 장을 할애해 "군주제 시대의 참수형"을 이야기하는 이유가 됩니다. 군주시대의 범법자는 단순히 "법"을 위반한 사람이 아닙니다. 그 "법"의 원천이 곧 군주의 권위라서, 군주제 시대의 범법자는 "반역자"가 됩니다. 군주의 권위를 뭉개버린 괘씸죄로, 만인이 보는 앞에서 참수를 당하고, 단두대에서 목이 댕강- 날라갑니다. 서론이 길었습니다. 역사를 이해할 때 정치사로 접근하면 "권력 단위"로 세상을 바라보게 됩니다.
푸코의 역사관도 마찬가지입니다. 이 세상은 "권력 단위"가 각자 다른 "권력 기술"로 지배해왔기 때문에 지층이 다른 고고학자처럼 "계보학"으로 다가가야 한다고 합니다.

고고학자처럼, 푸코는 군주제 시대와 산업 시대를 구분하고 다가가면서 "권력의 단위"가 어떻게 변형되었고, "어떤 권력 기술"을 사용하는지 세세하게 따지기 시작합니다.

"권력의 문제를 단지 법제나 헌정Constiution, 혹은 국가나 국가기구의 차원에서만 제기한다면 빈약한 질문이 될 것입니다. 권력은 전체 법률이나 국가기구와 다르게 훨씬 더 복잡하고 빽빽하며 분산되어 있습니다. 만일 권력기구들이 없었더라면, 자본주의 사회에서 고유한 생산력의 발전도 없었을 테고 기술적 발전도 상상할 수 없었을 것입니다. 18세기 대규모 작업장들에서 노동 분업의 사례를 들어보지요, 생산력 관리라는 수준에서 권력의 새로운 배분이 없었더라면, 사람들ㄹ이 어떻게 그러한 과업의 분담에 이를 수 있었을까요? (중략) 훈육이라고 불리는 새로운 권력 배분이 이루어져야만 했습니다. 그에 걸맞은 위계질서, 간부 배치, 검사, 훈련, 조정, 조련과 더불어서 말이죠"
- 미셸 푸코 <권력과 공간> 2부 권력의 공간화 165p 인용

여기서 푸코는 "권력의 범위"를 "넓은 거시권력"과 "좁은 미시 권력"으로 나눠서 바라봅니다. 국가와 법률은 말그대로 거시권력입니다. 일반 시민의 일상속에서 그다지 큰 영향을 받진 않죠, 그래서 권력을 국가기구로 편협하게 이해하지 말자고 합니다.
권력은 도처에서 발생한다고 합니다. 인용구절 중간부터 보시면 자본주의 발전은 그에 상응하는 노동자들의 "감시 기술"의 발달과 궤를 같이 한다고 하죠. 맞습니다. 애덤 스미스의 <국부론> 1장을 보시면 노동 분업의 효용성을 설명합니다. 유명한 비유인 "핀 공장"사례로 말이죠. 애덤 스미스는 노동 분업의 효율성만 말했지, "대규모 노동자를 어떻게 관리"하는지는 이야기하지 않았습니다. 여기서 푸코는 그렇기 때문에 자본주의 생산력은 "대규모 인구를 감시하고 통제할 수 있는 미시권력의 발달"에서 비롯되었다고 주장합니다. "훈육"은 대규모 노동자의 감시 기술이라고 해석할 수 있습니다. 그렇다면 도대체 "미시권력"이 무엇인지 정확한 정의가 필요한거 같습니다.

"반면 이제 거의 비용도 들지 않는 시선이 등장했습니다. 군대도, 신체적 폭력도, 물질적 속박도 필요 없게 되었습니다. 다만 시선이 필요할 뿐이지요. 감시하는 시선, 그리고 각 개인이 자신을 짓누르는 그것의 존재를 느끼면서 스스로를 관찰하는 수준에 이르기까지 내면화하게 될 시선, 이렇게 해서 각자는 자신에 대해, 그리고 자신에 맞서 이러한 감시를 수행하게 됩니다."
- 미셸 푸코 <권력과 공간> 2부 권력의 공간화 158p 인용

위에서 우리는 "문화적인 양식"에 의해서 생각하고 판단한다고 이야기했습니다. 그러나 문화적인 양식 속에는 슬프게도 "정상적인 범주"와 "비정상적인 범주"가 함께 맞물려 있다고 말했죠. 미시권력은 바로 이 부분입니다. "정상적으로 받아들여지는 것"을 일상 속에서 끝없이 "내면화"하는 것. 그 <시선>을 이야기합니다. 제목을 자발적 노예라고 덧붙인 이유가 바로 여기에 있습니다. 시선은 곧 권력입니다. 다른 글에서 언급했지만 시선이 권력으로 탈바꿈되는 순간은 "나는 널 볼 수 있는데, 너는 날 볼 수 없어"의 관계가 실현되는 순간입니다. 권력의 시선은 하나가 아니라 "복수"라고 했습니다. 학교라는 공간과 군대라는 공간, 병원이라는 공간과 도시 속 인프라는 모두 "정상성"이 반영된 건축도입니다. 시선은 이제 "외부"에 있지 않고 "정상적이라 여겨지는 것"을 위해서 내 몸과 마음을 스스로 혹사시킵니다. 자발적인 노예가 된 셈이죠.

"그 원리는 이렇습니다. 중앙에 탑이 있고, 이를 원형의 건물이 둘러싸고 있습니다. 이 탑에는 원형 건물의 안쪽 면을 향해 커다란 창문들이 나 있지요. 둘러싼 건물은 작은 감방들로 나뉘어 있으며 (중략) 감방에는 두 개의 창문이 있는데, 하나는 안쪽으로 나있어 탑의 창문과 마주 보고 있으며 다른 하나는 바깥쪽으로 나 있어서 빛이 완전히 통과되게 되어 있습니다. 따라서 중앙탑 안에 한 명의 감시

- 482 -

자를 배제하고, 각 방에는 광인이나 환자, 범죄자, 노동자, 학생을 감금하는 것만으로도 충분합니다. ”
- 미셸 푸코 <권력과 공간> 2부 권력의 공간화 143p 인용

제레미 벤담의 판옵티콘(panopticon)은 감옥의 설계도입니다. 원형 감옥으로 번역되는데요, 원문을 보면 "pan(모든 것)"을 "opticon(~을 보다)"의 합성어입니다. 즉 원형 감옥의 중앙탑은 "모든 죄수를 한 눈에 내려다 볼 수 있는 절대적 시선의 권력"을 쥐고 있는 셈이죠. 여기에 수감된 자는 누구입니까? 학생과 군인, 일상에서 마주칠 수 있는 시민들입니다. 우리는 모두 "중앙탑의 시선"에서 벗어나지 못하고, 오히려 그 시선을 가슴 깊이 간직해 스스로를 채찍질하게 됩니다. 다시 말해서 "정상적인 기준"을
내면화해서 스스로 절벽 아래로 떨어집니다. 푸코는 그래서 현대 산업 사회를 일종의 감옥으로 이해했습니다. 그중에서 벤담에 제시한 판옵티콘 모델은 "중앙의 감시탑은 그 모습을 숨기면서" 그 감시의 시선을 내면화하는 현대인의 모습을 드러내기에 적합했다고 판단했나 봅니다. 현대적 기관을 꼽자면 병원과 각 도청과 행정 기관, 학교로 정리할 수 있는데, 이 현대적 기관 모두 "정상성"이 그대로 투영되고 강요하는 "미시권력의 본체"입니다.

제가 푸코의 사상을 꺼내들어서 이야기하는 이유는 결론에서 드러납니다. 푸코는 동성애자인 동시에 "동성애 담론"을 도덕적으로 정당화하기 때문입니다. 저는 개인적으로 동성애"자"를 혐오하거나 잘못되었다고 생각하지 않습니다. 그러나 "동성애"행위에 대해서 자유롭게 말할 수 있어야 하고 법적으로 발언의 규제를 하는 "차별금지법"에 대해서 완강하게 거부합니다. 푸코는 사회 담론, 앞서 이야기한 문화적 양식에서 발생하는 문제는 "정상적인 것"과 "비정상적인 것"으로 구분된다고 주장했습니다.

여기서 동성애 행위는 태곳적부터 존재했지만, "시대마다 동성애 행위를 대하는 태도"는 상대적으로 결정되었다고 이야기 합니다. <말과 사물>이라는 푸코의 저작에서 주요 메시지가 이것입니다. 사물은 언제나 동일했지만, 그 사물을 지칭하는 "말"은 언제나 변했다고 말이죠. 이처럼 동성애라는 행위는 언제나 존재했지만, "동성애자"라는 정체성은 시대마다 다르게 결정된다고 이야기 합니다.

푸코는 정상적인 기준에서 "이성애"가 비정상적인 기준 "동성애"를 차별하고 혐오하는 도식이 있다고 합니다. "이성애 정체성은 옳고" "동성애 정체성은 그른" 정체성 담론도 "절대적인 기준"이 아니라 오직 시대마다 다르게 결정된 상대적인 구분이라서, 동성애 행위는 "죄"가 아니라고 합니다. 애초에 "죄"라는 "말"도 시대마다 다르게 규정된 문화적 양식일 뿐이라고 주장합니다. 이에 따르면 이 세상에서 모든 말과 뜻, 윤리적인 옳고 그름은 모두 "상대적인 얽힘"에 불과합니다.

세상을 감옥과 시선의 내면화로 이해한 점, 문화적 양식에는 정상성과 비정상성이 나눠지고, 많은 사람들은 의심도 없이 "정상적인 것"을 받아들이고 추종한다는 점, 나아가 동성애와 제3의 성, 그리고 수많은 젠더의 출현은 "비정상적인 것"이 아니라 "정상적이라 여겨지는 것"에 의해서 배제되고 소외된 문제라고 이해한 점에서, 우리는 더더욱 푸코를 읽고 비판해야 합니다.

푸코의 핵심 단어는 "에피스테메"입니다. 일상 속에서 우리는 매일 생각하고 판단하는데요, 그때마다 우리는 독자적으로 생각하고 판단할 수 없습니다. 늘 그 시대를 지배하는 "문화적 양식" 속에서 판단합니다. 거기서 푸코는 "정상적인 기준"과 "비정상적인 기준"이 있다고 지적합니다. 그 정상적인 기준을 내면화해서 자발적인 노예가

되는 현상을 두고 "에피스테메"라고 합니다. 에피스테메는 "인식"이라는 단어인데,

푸코의 주장대로라면 우리는 늘 무의식 저변에 깔린 "정상적인 기준"에서 살아가기 때문입니다. 동성애 담론, 동성애 정체성, 혼전 성관계 등등 푸코에 따르면 모든 현상은 그대로 있으나 그걸 받아들이는 "문화"는 상대적이라서, 사실상 "죄"는 없다고 주장합니다. 내 정체성이 크리스천이라면, 무엇보다 푸코의 생각을 비판해야 합니다.

오늘도 우리는 문화적 양식 속에서 살아갑니다. 그것을 분별하고 구분할 지식이 필요합니다. 문화적 양식 속에서 전쟁하는 "진지론"을 점유하는 그 날이 오길 바랍니다.

인용 서적

1. 이제니 <마지막은 왼손으로>
2. 이병률 <이별이 오늘 만나자고 한다>
3. 강신주 <강신주의 장자 수업 1권>
4. 알베르 카뮈 <시지프 신화>
5. 니코스 카잔자키스 <그리스인 조르바>
6. 한병철 <피로사회>
7. 김정운 <에디톨로지>
8. 김재익 <A.I 빅뱅>
9. 조지프 헨릭 <위어드>
10. 송길영 <시대 예보: 핵개인의 시대>
11. 노자 <도덕경>
12. 강신주 <강신주의 철학 VS 철학>
13. 제레드 다이아몬드 <대변동: 위기, 선택, 변화>
14. 요한 하리 <도둑맞은 집중력>
15. 유발 하라리 <호모 데우스>
16. 조지 레이코프 <코끼리는 생각하지마>
17. 에리히 프롬 <자유에서의 도피>
18. 아리스토텔레스 <니코마코스 윤리학>
19. 유시민 <국가란 무엇인가>
20. 윤루카스 <차가운 자본주의>
21. 벤 샤피로 <권위주의적 순간>
22. 제레드 다이아몬드 <총균쇠>
23. 루이 알튀세르 <마주침의 유물론이라는 은밀한 흐름>
24. 박준영 <철학 개념>
25. 강신주 <강신주의 역사철학: 주체 VS 구경꾼>
26. 쇼펜하우어 <의지와 표상으로서의 세계>

27. 플라톤 <플라톤의 대화편: 크리톤>
28. 칼 마르크스 <공산당 선언>
29. 칼 마르크스 <철학의 빈곤>
30. 아우렐리우스 <명상록>
31. 미셸 푸코 <성의 역사 1권>
32. 프리드리히 니체 <우상의 황혼>
33. 무라카미 하루키 <도시와 그 불확실한 벽>
34. 아르투어 쇼펜하우어 <인생론>
35. 프리드리히 니체 <도덕의 계보>
36. 알베르 카뮈 <반항하는 인간>
37. 장 폴 사르트르 <실존주의는 휴머니즘이다>
38. 귀스타브 르 봉 <군중심리>
39. 강신주 <상처받지 않을 권리>
40. 칼 마르크스 <자본론>
41. 아르투어 쇼펜하우어 <소품집>
42. 프리드리히 니체 <차라투스트라는 이렇게 말했다.>
43. 프란츠 카프카 <변신>
44. 강신주 <강신주의 감정 수업>
45. 미셸 푸코 <권력과 공간>
46. 앤서니 기든스 <자본주의와 현대사회이론>

무용예찬

발 행 | 2024년 2월 1일
저 자 | 손민수
펴낸이 | 한건희
펴낸곳 | 주식회사 부크크
출판사등록 | 2014.07.15.(제2014-16호)
주 소 | 서울특별시 금천구 가산디지털1로 119 SK트윈타워 A동 305호
전 화 | 1670-8316
이메일 | info@bookk.co.kr

ISBN | 979-11-410-6959-9

www.bookk.co.kr